L'hypnotiseur

Felice Picano

L'hypnotiseur

Traduit de l'américain
par
Denis Authier

Presses de la Renaissance
198, boulevard Saint-Germain
75007 Paris

Titre original : *The Mesmerist*.
(Publié par Dell Publishing Co., Inc.)

© Felice A. Picano, 1977.
© Presses de la Renaissance, 1979, pour la traduction française.
ISBN 2-85616-129-4   79-2/60-3163-7-59

A Jane, avec des roses rouges

Mais alors, sauve-moi ! Sinon le jour écoulé continuera de
[luire
Sur mon oreiller, y couvant une engeance de malheurs
[infinis.
Sauve-moi de la conscience fouineuse, qui toujours la nuit
[déchaîne
Impudemment sa force fouissant comme un taupe...

(John Keats, *Au sommeil.*)

Livre I

L'AVERTISSEMENT
(Printemps 1899)

« Henry Lane est mort ! »

Le jeune messager était arrivé à fond de train, et maintenant il chancelait, hors d'haleine, les cheveux en bataille, sur le seuil de la salle à manger de la pension de famille — Pour messieurs seuls — de Mme Page, à Center City, Nebraska. Au-dehors s'attardait le printemps de cette année 1899. Le gosse était surexcité : enfin un événement dans sa jeune existence !

« C'est Mme Ingram qui l'a trouvé, dans son écurie, enfin, dans ce qui était l'écurie de M. Lane avant qu'il achète cette voiture... automobile. Le shérif voudrait que vous veniez tout de suite. »

James Ransom ne leva même pas les yeux. Non qu'il appréciât particulièrement le ragoût de mouton que Mme Page avait préparé ce soir-là. Pour une fois, il trouvait qu'elle n'avait pas déployé ses talents culinaires habituels. Il y manquait quelque chose, quelque aromate ou quelque épice ; il n'aurait su dire quoi, exactement, et cela l'agaçait. Et maintenant, cette nouvelle ! Mais ça ne devait pas l'empêcher de finir son repas, de prendre un café, un pousse-café et même d'allumer un bon cigare avant de quitter la table.

« Dis-lui que je termine mon dîner et que j'arrive.

— Il s'a pendu.

— Il s'est pendu », corrigea le Dr Murcott.

Amasa Murcott, lui, s'était arrêté de manger lorsque le gosse avait lancé sa nouvelle. Il regarda son commensal et ami, assis en face de lui, attendant une véritable réponse. Mais rien ne vint. Seule les deux assiettes encore vides, de chaque côté de la grande table, semblaient répondre à son regard : celle de Mme Page et celle de Nate, — si plein de sa nouvelle, d'ailleurs, qu'il ne pensait nullement à manger.

« On a besoin de vous aussi, monsieur le docteur, dit le gosse. Vu qu'il s'est pendu. Il a aussi laissé une lettre pour Mme Page, et tout. Du vrai feuilleton. Floyd dit qu'il a dû lancer une corde par-dessus une des poutres, une corde avec un nœud coulant, puis qu'il s'est lancé dans le vide, après être grimpé sur le capot de son automobile.

— D'accord, j'accompagnerai M. Ransom.

— Mais vous ne voulez pas le voir, pendu au bout de sa corde ? Parce qu'ils vont l'enlever bientôt.

— Tu l'as vu, toi ? demanda Ransom.

— Evidemment, répondit-il fièrement.

— Bien, je crois que ça suffit. » Puis, se tournant vers le médecin : « Je ne vois pas en quoi cette affaire me regarde.

— Lorsque le citoyen le plus important de la ville décide de se pendre, comme ça, sans aucune raison apparente, je crois que ça intéresse tout le monde.

— Mais, vous, vous êtes le coroner du comté, Amasa ; il est évident que...

— Et vous, vous n'êtes pas le procureur du comté ? Timbs doit avoir besoin de vous pour une raison ou pour une autre.

— Mais vous le savez aussi bien que moi : ce crétin de shérif ne signera jamais le procès-verbal s'il n'a pas une bonne douzaine de témoins autour de lui. »

Ransom se tut car il venait d'entendre un froufrou de jupes derrière lui.

« Alors, je peux dire que vous arrivez ? dit Nate.

— Mais vous, pour commencer, vous allez rester ici, Cincinnatus Page. » La silhouette imposante et menaçante de sa mère se détachait dans le couloir de la cuisine. Bien qu'elle eût le visage écarlate et ruisselant de sueur, et les mains occupées par le plateau de biscuits qu'elle venait de sortir du four, il était clair que son ordre n'était pas à discuter.

« Mais il y a Henry Lane qui...

— Ne réplique pas. Va tout de suite à la pompe, lave-toi et prends une chemise propre. Je veux te voir à table dans trois minutes.

— Oui maman.

— Il est dehors depuis ce matin », dit Mme Page, en posant sur la table les biscuits encore fumants. Puis elle s'assit. « C'est moi qui ai dû aller chercher le charbon pour le dîner de ce soir. Ça, il va avoir droit à une bonne raclée.

10

— Henry Lane est mort, dit le médecin, en attaquant un biscuit de sa fourchette. Il s'est pendu, chez lui. Il va falloir que j'aille y jeter un coup d'œil.

— Je savais qu'il allait se produire quelque chose de ce genre, dit-elle.

— Quelque chose de ce genre ? » demanda Ransom. Mme Page avait l'air soucieux, ce qui lui arrivait très rarement.

« Non, je n'ai rien dit, c'est une bêtise de femme. » Elle se servit un peu de ragoût. « Allez », dit-elle, au lieu de se mettre à manger ; « reprenez des biscuits, qu'on n'aille pas dire après qu'Augusta Page laisse mourir de faim ses pensionnaires ».

Ransom se demandait ce qu'elle avait bien voulu dire par « bêtise de femme ». Devait-il essayer d'en savoir plus, ou laisser tomber ?

« Vous devriez peut-être mettre le café au chaud jusqu'à notre retour, dit-il.

— Vous aussi, vous y allez ? demanda-t-elle.

— Ma foi, oui. Ce n'est pas tous les jours que quelqu'un se pend. Et puis, ce petit tour nous donnera un regain d'appétit. Pour ce gâteau que vous avez mis à refroidir dehors, et dont l'odeur m'a chatouillé les narines toute la journée, dans mon bureau. C'est une tarte aux pommes ?

— Non, aux fraises et à la rhubarbe », dit-elle, l'air ailleurs.

Mais pourquoi avait-il caché à Mme Page son intention d'y aller, lui aussi ? se demanda-t-il. Sans doute à cause de l'allusion qu'elle avait faite. Par prudence professionnelle également, — ce, dans le cas, extrêmement improbable, où il avait vraiment quelque chose à faire là-bas. Mais Mme Page était discrète. Et, de toute façon, elle découvrirait tôt ou tard la vérité. Pourtant...

« Faites bien attention, dit-elle.

— Attention, à quoi ? » Ransom fut si surpris qu'il en resta la fourchette en l'air. « Mais Lane est mort, — non que j'aie eu jamais à me méfier de lui de son vivant.

— Ah, je vois, dit-elle. Maintenant, je comprends mieux vos sentiments à son égard. »

L'entrée de Nate, bien peigné et portant une chemise propre, mit fin à la conversation. Mais lorsque sa mère fut allée un moment dans la cuisine, Ransom, se tournant vers Murcott, lui demanda : « Que pensez-vous qu'elle ait voulu dire ?

— Qui sait ? »

Cinq minutes plus tard, Nate monta prendre la trousse du docteur. Il faisait encore chaud, malgré l'heure tardive, et les deux hommes, qui attendaient le garçon sous le grand porche de l'entrée, décidèrent qu'ils n'avaient pas besoin de manteaux. Ils se firent apporter leur chapeau et leurs gants, firent atteler le petit cabriolet de Ransom et partirent.

La nuit était déjà tombée lorsqu'ils s'engagèrent sur le long chemin de terre, parallèle à la rue Grant, qui desservait les écuries et les arrière-cours des cinq ou six plus grandes maisons de la ville. Ils n'étaient pas les seuls à avoir appris la nouvelle ; une douzaine de buggies stationnaient tout au long de la ruelle, leurs chevaux mis à l'attache à des branches ou à des pieux des palissades, jusqu'au niveau de l'écurie de Lane.

Les portes étaient grandes ouvertes. Les deux phares de la Réo de Lane, une voiture haute, tout en métal étincelant, projetaient sur la foule des badauds qui se pressaient à l'intérieur de l'écurie leur vague lumière jaune, morne.

« J'ai l'impression qu'on vient juste de détacher la corde », dit Ransom.

Les buissons de chèvrefeuille emplissaient l'air de leurs effluves. En cours de route, Ransom, les yeux levés vers le ciel, avait contemplé le lever des étoiles. La beauté, la douceur délicieuse de cette nuit ne s'accordait pas avec la mort. Ah ! que ce dérangement l'agaçait ! C'était un soir rêvé pour rester à la maison, sous le porche, à bavarder avec Mme Page.

« Ils auraient quand même pu m'attendre », dit Murcott, se hérissant alors qu'il approchait du lieu du drame. « Ces imbéciles compliquent toujours le travail. Salut, Floyd ! Il fallait un suicide pour vous faire déserter votre banc ! »

Floyd — personne ne l'appelait plus autrement, et on avait d'ailleurs oublié depuis longtemps son véritable nom — était un vieux compère, un peu tordu, grisonnant et bavard ; il se trouvait dans la région depuis la lointaine époque où le Nebraska n'était encore qu'un territoire ; on disait même qu'il était déjà en âge de travailler lorsque la Louisiane — dont le Nebraska avait fait partie — avait été achetée à la France. Il avait géré les écuries publiques de Lane, il y avait de cela des années, mais maintenant il était vieux, et il lui arrivait de boire un coup de trop. Lane l'avait mis à la retraite, — selon Ransom, il s'agissait

12

là, de la part de Lane, d'une de ces œuvres de charité destinées à camoufler des agissements particulièrement douteux. Désormais, Floyd passait tout son temps sur un grand banc devant le Palais de Justice, observant ce qui se passait sur la pelouse de la grand-place ou jacassant avec les autres vieillards du pays.

« Sale affaire, monsieur le procureur », dit-il, en adressant à Ransom un coup d'œil entendu.

Bon sang ! se dit Ransom. C'était la deuxième fois ce jour-là que quelqu'un lui rappelait ses fonctions.

« Sans aucun doute. Mais laissez-nous jeter un coup d'œil.

— Je me serais vraiment attendu à tout de la part de Lane, sauf à ça, reprit Floyd, en les suivant.

— C'est l'opinion de tout le monde, dit Ransom.

— C'est que l'argent, c'est pas tout, dans la vie. Ça fait pas le bonheur — qu'y a d'écrit dans la Bible. Moi, au contraire, j'ai jamais eu un sou vaillant en poche, mais c'est pas demain qu'on me verra faire une bêtise de ce genre. »

Ces paroles, combien de fois les aura-t-on répétées ce soir ? songea Ransom. « Je ne savais pas que M. Lane fût particulièrement malheureux », dit-il, espérant en savoir un peu plus.

« Non, il n'avait pas à se plaindre, — autant que je sache. »

Ils se frayèrent un passage à travers le groupe d'hommes qui entouraient le corps. Murcott, plus impatient, était allé de l'avant et, déjà, se penchait sur le cadavre, — faisant signe aux badauds de reculer un peu. A la lumière des phares, le cuir de sa serviette scintillait comme du mica.

Ransom s'éloigna de Floyd, salua les personnes qu'il connaissait et finit par repérer le shérif. Il fallait s'y attendre : Timbs profitait de l'événement — aubaine inattendue dans cette ville — pour se mettre en valeur et étaler son savoir. Appuyant la masse considérable de sa personne contre le réservoir d'essence de la Réo, il s'entretenait bruyamment et avec force gestes avec M. Jeffries, ce pied-tendre récemment transplanté, qui était à la fois éditeur et rédacteur du *Star* de Center City. Il était complètement demeuré, on pouvait lui faire croire n'importe quoi.

« C'est notre premier suicide depuis quinze ans », disait Timbs lorsque Ransom parvint auprès d'eux, rejoint presque aussitôt par le médecin. Jeffries, qui était en train de recouvrir de ses gribouillis une feuille de papier ministre, leva alors les yeux.

« Ces messieurs auraient-ils l'obligeance de me dire ce qu'ils pensent de cette tragédie ?

— Ça alors, vous ne voyez pas que nous venons juste d'arriver ? » dit Murcott, particulièrement nerveux : cette foule, ce pendu qui n'en était plus un, son dîner interrompu. Mais ce qui contrariait surtout le médecin — croyait deviner Ransom — c'était la mort de Lane : elle était inattendue, et c'était un aspect que ce petit homme, actif et rationnel, détestait.

Comme toujours lorsque Murcott se mettait en colère, Ransom était calme, amusé, même, prenant son temps pour examiner les éléments de la situation. Son expérience lui avait appris que rien n'est inattendu, — ou alors que tout l'est, ce qui revient au même.

« M. Timbs a eu la gentillesse de me fournir une quantité d'informations concernant le défunt », dit Jeffries. A la façon dont le journaliste fronçait le nez, Ransom eut un instant l'impression de parler avec une marmotte.

« Ah ah ! Qui eût cru que la vie de Henry Lane recelât tant de mystères ? dit Ransom.

— Nous voici, Timbs, dit Murcott. Que voulez-vous encore ?

— Une autopsie.

— Une autopsie, ici ? Avec cette foule de foire aux bestiaux ? » Puis, sans laisser à Timbs le temps de répondre : « Je vais jeter un autre coup d'œil, si c'est ça que vous voulez. Allez ! ordonna-t-il aux spectateurs, laissez-moi passer.

— Entre-temps j'aimerais bien toucher un mot à M. Timbs », dit Ransom, passant sous le nez du journaliste et prenant le shérif sous le bras. Jeffries les suivit.

« Ne soyez pas longs, s'il vous plaît. Ce n'est pas une petite nouvelle, et il faudrait que je rentre tout de suite au journal pour faire imprimer la première page de demain matin.

— Mais je comprends parfaitement », dit Ransom, peu ménager de sa politesse. Mais avec le shérif, il se montrait plus brutal, et il le conduisit tout au fond de l'écurie comme un enfant à qui il allait donner le fouet.

« Me direz-vous maintenant ce que signifie toute cette histoire ?

— Il s'est pendu...

14

— Ce n'est pas difficile à voir. Mais pourquoi m'avez-vous fait venir ici ? »

Timbs se mit à marmonner dans sa barbe des mots que Ransom ne saisit pas. Mais même dans l'obscurité, il vit que les yeux du shérif furetaient dans tous les sens, comme s'il avait eu peur : on eût dit qu'il implorait une aide ou cherchait une porte de sortie. Ransom en vint au fait : « Où est cette lettre qu'il a laissée pour sa femme ?

— Une lettre ?

— Nate a dit qu'il avait laissé une lettre. Où est-elle ? »

Timbs farfouilla dans les poches de sa veste, de son gilet et de son pantalon. « Ah, j'avais oublié. Je l'ai donnée à Mme Lane.

— Eh bien, que disait cette lettre ?

— Oh, pas grand-chose. Combien il regrettait, pour elle, et tout. Mais que ça serait mieux comme ça.

— Qu'il valait mieux qu'il meure ?

— Oui, je crois.

— Et mieux que quoi ?

— Je ne sais pas. Je me rappelle plus. Avec tout ce bazar... »

Mais Ransom, entendant soudainement un murmure de foule derrière lui, se retourna : Murcott était en train de remuer le corps. Timbs regardait ce qui se passait, tendant la tête par-dessus l'épaule de Ransom. Un vrai gamin, pensa-t-il.

« Vous savez bien qu'on ne poursuit pas les morts en justice dans ce comté, dit le procureur.

— Bien sûr. Mais je pensais qu'il fallait que quelqu'un soit là. Comme le juge Dietz est à Lincoln *...

— J'ai l'impression que vous avez déjà assez de témoins ici, non ? Vous faites payer l'entrée ?

— Payer des témoins ? » s'écria Timbs.

Comment un tel être avait-il pu accéder à la charge de shérif ? Ransom n'en revenait toujours pas. L'appui de Henry Lane avait été décisif. C'était la seule explication. Eh bien, Lane, regarde-le maintenant, ton gars !

Murcott les rejoignit : « C'est vous qui avez coupé la corde ?

— Ben, je pouvais pas le laisser comme ça, avec tout ce

---

* Capitale de l'Etat du Nebraska.

monde », dit Timbs. Cette fois, il avait vraiment l'air d'un animal pris au piège.

« Vous auriez pu fermer les portes de l'écurie. Tant pis. Dites-moi seulement si vous avez retouché quelque chose quand vous l'avez descendu ?

— Non, j'y ai même pas touché.

— Pas même la main ?

— Non, rien du tout. Sa main était exactement comme ça. Mais maintenant, il faut que j'y aille », dit-il.

Murcott hésita un instant, puis s'écarta pour le laisser passer. Le shérif marcha sur les badauds, donnant de la voix pour intimer à tout le monde l'ordre de déguerpir. Puis il reprit son entretien avec Jeffries.

« Pauvre bougre ! On dirait qu'il a changé d'idée à la dernière minute, dit Murcott.

— Lane, vous dites ?

— Regardez : son pouce est coincé dans le nœud coulant, comme s'il avait voulu empêcher qu'il se referme. Mais ça n'a fait qu'arrêter la circulation dans le pouce aussi. Allez, allez voir.

— Excusez-moi, mais les yeux exorbités, pour mon estomac...

— Mais les siens sont tout à fait normaux, dit le médecin, allumant la pipe qu'il serrait entre ses dents depuis leur arrivée.

— Comment se fait-il ?

— J'en sais rien. Jamais vu une chose pareille. Il est mort les yeux fermés. Or, ça ne se produit jamais lorsque les gens se pendent. Un homme lynché, par exemple, peut mourir les yeux complètement fermés, à cause de la peur. Mais ceux de Lane ne témoignaient d'aucune tension. Je n'ai constaté aucune rigidité ni dans le visage ni dans le reste du corps. Il avait la langue tirée et noire, ce qui est normal, et je l'ai remise à sa place. Mais je puis affirmer, je pense du moins, qu'il était d'un calme absolu lorsqu'il s'est laissé tomber dans le vide.

— Vous croyez, vous, qu'on puisse être absolument calme quand on se pend ? répliqua Ransom.

— Ecoutez, venez voir », dit Murcott en tirant sur sa pipe.

Tout le monde était sorti. Quelqu'un avait refermé presque complètement les portes. Murcott et Ransom s'agenouillèrent auprès du corps.

— Regardez.

— D'accord, je vois ce que vous voulez dire.

Ransom s'attendait à voir un masque tordu de désespoir, ou du moins crispé par la strangulation. Or, ce qu'il découvrait, c'était un beau visage, haut en couleur, et des yeux si détendus qu'on eût dit que Henry Lane était en train de dormir. Un visage vraiment jeune, pour quelqu'un qui avait roulé sa bosse durant plus d'un demi-siècle. Juste une petite touche grisonnante dans ses moustaches d'un roux cuivré. Et ce front, sans aucune ride, était celui d'un homme qui avait bien vécu et qui n'avait jamais douté de lui-même. Les fines rides, aux coins des yeux et de la bouche, évoquaient le rire, la félicité ; légèrement marquées désormais, elles semblaient avoir fixé pour toujours un ultime sourire.

Un homme, donc, mort apparemment de sa belle mort, n'était cette main projetée au-dessus de la tête, ce pouce coincé dans le nœud coulant. Ce détail était atroce : s'était-il agi d'un geste accidentel, ou d'une réaction instinctive ? Ou encore, comme le pensait Murcott, d'un changement d'idée à la dernière minute ?

Mais ce suicide était absurde, en contradiction complète avec la vie de Henry Lane, ou du moins ce que Ransom en connaissait. Cet homme possédait tout : l'hôtel et les écuries publiques de la rue Lincoln, un commerce prospère de grains et de fourrage avenue Butler, un grand ranch en dehors de la ville avec une centaine de têtes de bétail, trente hectares environ de bonne terre à céréales, cette immense maison, plusieurs voitures dont une automobile, et une énorme fortune, en titres et en espèces. Et une bonne situation également — la plus enviée de la ville, sans aucun doute. Chaque fois que le sénateur du Nebraska venait en visite à Center City, c'était à l'hôtel Lane qu'il descendait, et chez les Lane qu'il dînait. Et c'est avec une égale libéralité qu'il recevait Lane chaque fois que celui-ci se rendait à Lincoln, — ce qui lui arrivait souvent. Mais cet homme avait également du pouvoir, un pouvoir qui lui permettait de se faire facilement des amis, et d'être sûr que ces amis, une fois en charge, lui donneraient à leur tour un coup de main si nécessaire. Pour Ransom, ce type de pouvoir n'avait qu'un nom : corruption, mais il s'était toujours bien gardé de s'y opposer de front, non d'ailleurs qu'il eût eu beaucoup affaire avec Lane, de son vivant.

Quelles difficultés avaient pu le pousser à s'ôter ainsi

17

la vie ? Des problèmes avec sa femme, peut-être ? Mais c'était absurde. Tout le monde considérait qu'ils avaient fait un mariage d'amour, malgré la différence d'âge. Il n'y avait jamais eu sur eux le moindre commérage depuis l'époque lointaine — cela faisait au moins douze ans — où Lane s'était rendu à New York et en avait ramené sa femme. Ils n'avaient pas d'enfants ; mais qu'est-ce que cela pouvait faire ? Lane devait s'occuper de toutes ses affaires, quant à Mme Lane, elle avait ses ventes de charité, ses thés, ses dîners et ses « mercredis ». Dans toutes ces réunions, elle apportait sa beauté et son charme, très particuliers, et, de plus, un chic, une élégance toute new-yorkaise, qu'elle possédait de par son éducation ; aussi avait-elle fini par donner le ton dans la bonne société de la petite ville ; c'était un point acquis, y compris pour une personne aussi indépendante que Mme Page. Non, vraiment, il ne pouvait être question de problèmes conjugaux.

Mais il fallait que Ransom vît cette lettre. Elle contenait sans doute quelque indice, et peut-être même la clef du mystère. Mais comment se procurer ce document, surtout maintenant que Timbs venait juste de la lui remettre, à elle. Quel imbécile !

Comme si l'objet de leurs pensées avait été le même, Murcott dit tout à coup : « Et Mme Lane, comment prend-elle tout ça ?

— Je n'en sais rien. Timbs n'est pas un homme particulièrement délicat.

— Il vaudrait mieux aller la voir. Si le cœur vous en dit... »

Ransom hésitait, et n'aurait su dire pourquoi. Mais c'était elle qui avait la lettre : il devait y jeter un coup d'œil, en tant que procureur. Et pourtant...

Murcott défit le nœud. Prenant un grand mouchoir, qui pendait d'une des poches de Lane, il le passa autour du cou du mort pour cacher les cruelles meurtrissures qu'y avait imprimées le chanvre de la corde.

La foule des curieux s'était maintenant divisée en petits groupes ; plusieurs personnes regagnaient déjà leurs voitures. Timbs et Jeffries poursuivaient leur bavardage.

« Restez auprès de la porte, dit le docteur, et ne faites plus entrer personne ; je reviens tout de suite. »

Ransom et Murcott se dirigèrent vers la porte de service, où ils furent accueillis par une domestique que ni l'un ni l'autre n'avaient jamais vue. Elle travaillait sans doute chez un voisin, et Ransom supposa que Mme Lane s'était momentanément assuré ses services pour la circonstance. La domestique leur fit traverser jusqu'au bout le grand couloir central et les introduisit dans le salon qui donnait sur la rue. Cette grande pièce qui sentait le renfermé et indisposait par la froideur cérémonieuse de son ameublement et de sa décoration était visiblement réservée à des visites de ce genre. Marmonnant quelques mots, avec un fort accent scandinave, la femme ébaucha un salut et disparut. Où était donc passée l'éternelle gouvernante de la maison, Mme Ingram ? se demanda Ransom.

Dans la minute qui précéda l'arrivée de Carrie Lane, ils examinèrent une demi-douzaine de photographies de famille, enchâssées dans des cadres démesurés. La dernière que Ransom eut le temps de regarder la représentait seule, le jour de son mariage, sa traîne de dentelle tombant en cascade sur des marches à ses pieds, le regard à la fois majestueux et inexpressif, et l'air très jeune malgré le vieux papier jauni.

« C'est vraiment très aimable de votre part d'être venus », dit-elle, aussi alerte et indifférente que si elle rentrait d'une garden-party. Dès l'abord, Ransom la trouva plus distante encore que l'image qu'il venait de regarder. « Asseyez-vous, je vous en prie. »

Le médecin dut être aussi stupéfait que Ransom, car bien loin de s'asseoir, il lui dit : « Mais auparavant, madame, je souhaiterais, en ma qualité de médecin...

— Mais certainement ! Le shérif va vous accompagner...

— Non, madame, c'est à vous que je pensais », dit Murcott. S'approchant d'elle rapidement, il chercha à lui prendre le pouls, tandis que de son autre main il lui caressait légèrement le front.

— Oh, mais je vais très bien, dit-elle en riant presque ; en revanche j'ai bien peur que Mme Ingram ne soit malade. Ça a été un choc pour elle : elle se trouvait dans l'écurie quand... enfin, elle est la première personne à avoir vu Henry. »

Mme Lane, elle, n'était pas malade, visiblement, ni même remuée par l'événement.

Elle fit venir la domestique : « Aase, veuillez conduire

Monsieur dans la chambre de Mme Ingram. Et restez là-haut au cas où il aurait besoin de vous. »

Murcott adressa à Ransom un regard intrigué, puis suivit la domestique.

« Mais asseyez-vous donc », répéta Mme Lane.

Ce qu'il fit, tandis qu'elle s'asseyait sur le coin d'un gros fauteuil, lourdement orné.

Ne pouvant s'empêcher de la fixer intensément, Ransom lui présenta à voix basse ses condoléances. A mesure qu'il parlait, il prenait de plus en plus conscience de son accent, vestige de sa Georgie natale, qui ne ressortait que lorsqu'il était particulièrement ému ou mal à l'aise. Jamais il ne lui arrivait de parler d'une voix aussi traînante lorsqu'il se trouvait devant un jury ou plaidait une cause en référé.

« Je suis vraiment touchée », dit-elle, abaissant les yeux vers l'étendue muette du tapis d'Orient.

Ransom avait toujours apprécié le maintien de Mme Lane et ses manières raffinées, exceptionnelles dans ce pays peuplé presque uniquement d'immigrants et de colons mal dégrossis. C'était cette éducation, plus que sa grande beauté, qui l'avait toujours séduit et lui faisait sentir un lien — bien mince, il est vrai — entre elle et lui. Lui aussi provenait d'une bonne famille de l'Est, d'un milieu où l'on cultivait la politesse, le tact et, surtout, les bonnes manières. Et ce, même après que l'Armée de l'Union eut détruit le mode de vie qui avait engendré cette culture — même lorsque Ransom et sa mère avaient continué de vivre, mourant de faim comme les plus pauvres des métayers, au milieu de leur plantation abandonnée.

Mais ce jour-là, la politesse toute formelle de Carrie Lane l'irritait : elle n'était pas en accord avec les circonstances, or le sens profond des bonnes manières ne réside-t-il pas justement dans l'à-propos ? Il s'attendait à voir une femme accablée de chagrin, éplorée. En vérité, il eût trouvé tout naturel qu'elle ne reçût personne. Or, à part ses joues un peu moins pâles que d'habitude et ses nattes auburn légèrement défaites, elle était aussi calme, aussi peu émue que l'eût été un étranger à la famille.

Ransom supposait, comme tout le monde, qu'elle aimait son mari. Pourquoi, sinon, aurait-elle renoncé à la vie et au prestige d'une grande ville pour venir s'enterrer dans cette bourgade ignorée de presque tous les trains ? Ransom, lui, avait des raisons d'être ici, — mais durant les premières années, la vie urbaine, avec tout ce qu'elle a de stimulant, lui avait énormément manqué. Pourquoi, sinon, aurait-elle épousé un homme deux fois plus âgé qu'elle, — sans compter que leur vie, dans cette ville où tout le monde s'occupait des affaires des autres, n'avait jamais suscité le moindre ragot ? Il fallait bien qu'elle l'aimât. Mais alors, comment expliquer cette attitude ?

« Henry disait toujours que l'on peut compter sur les amis dans les moments difficiles, dit-elle, sortant de son mutisme.

— Je dois confesser que les motifs de ma visite sont avant tout professionnels », dit Ransom, qui était loin de se considérer — ou de considérer Murcott — comme un ami des Lane.

« Naturellement », répliqua-t-elle.

Elle tenait sa petite tête bien droite, mais ses yeux baissés évitaient le regard de Ransom. Il avait déjà remarqué cette attitude, — dans les réunions officielles, ou même lorsqu'il rencontrait les Lane dans la rue, mais il l'avait toujours interprétée comme une marque de modestie, ravissante chez une femme aussi belle et aussi distinguée. S'agissait-il alors d'un faux-fuyant ? Non seulement maintenant, mais depuis toujours ?

« Henry s'est toujours choisi les meilleurs avocats * », reprit-elle, il s'est toujours montré prudent et méticuleux dans ses propres affaires. Si vous voulez me suivre, dit-elle en se levant, je pense que vous trouverez tous ses papiers à jour et parfaitement en ordre.

« Je n'en doute pas », dit-il, en se levant lui aussi. « Mais puis-je me permettre de vous rappeler que ces dernières années votre mari avait cessé de recourir à mes services ? »

Depuis les dernières élections, en fait, durant lesquelles Henry Lane ne s'était même pas donné la peine de déguiser ses trafics d'influence, appuyant ouvertement des imbéciles, comme Timbs, et s'opposant à des hommes de valeur, à la seule fin de renforcer son pouvoir. La plupart des gens étaient alors sortis de leur neutralité, et, bien qu'il n'y ait pas eu voies de fait, Ransom et d'autres, dégoûtés, avaient interrompu tous rapports professionnels avec Lane et avec les affaires qu'il dirigeait.

« Je pense que maître Applegate...

— Bien sûr, suis-je bête !

---

* Ransom est attorney, c'est-à-dire à la fois avocat (avoué, plus précisément) et procureur de l'Etat dans le comté.

— Ce que je voulais dire, c'est que je suis venu vous voir en tant que représentant du ministère public. Je crois savoir que le défunt vous a laissé une lettre. »

Sur le moment, cette dernière phrase sembla l'embarrasser. Car pour la première fois elle le regarda bien en face. Elle avait de grands yeux marrons, doux mais semés de paillettes d'or, comme ceux des félins. Leur regard interrogateur le mettait mal à l'aise.

« Vous voulez lire cette lettre ?

— Ce n'est pas que je veuille la lire. Je ne lis jamais les lettres que les gentlemen adressent à leur épouse.

— Ce n'est pas ce que je voulais dire.

— Mais nous sommes en présence d'une situation irrégulière, et il s'agit uniquement de s'assurer que d'autres irrégularités ne... » Il traînait tellement ses mots qu'il arrivait tout juste à se comprendre lui-même.

« Je comprends, dit-elle, lui tendant une perche. Il faut que vous la lisiez.

— Evidemment, dès que je me serai assuré que... elle vous sera restituée.

— Il faut que vous l'emportiez ?

— Cette lettre doit être authentifiée devant notaire et classée, avec le rapport du médecin et celui du shérif.

— Sera-t-elle lue par d'autres personnes ?

— Je ne crois pas. A moins bien sûr... »

Mais elle avait déjà gagné la porte, et il dut se contenter de suivre la ligne de ses épaules et la courbe majestueuse de son dos, au bas duquel le taffetas de sa robe feuille morte s'évasait comme la corolle renversée d'une fleur.

Juste le temps de jeter un nouveau coup d'œil à sa photographie de mariage, et de constater combien elle avait peu changé, que déjà elle était de retour, serrant dans sa main tendue le coin d'une longue enveloppe gris clair. Il avança le bras d'un geste automatique ; mais elle ne la lâchait pas.

« C'est essentiellement pour les archives du tribunal, dit-il.

— Je ne doute pas de votre discrétion, lui dit-elle, comme si elle ne lui remettait cette lettre qu'à cette condition.

— Vous pouvez en être assurée. Je la transcrirai moi-même. » Et, sans l'ouvrir, Ransom la logea dans sa poche intérieure. « Quant aux autres problèmes auxquels vous avez fait allusion, je suis certain que l'on peut compter sur maître Applegate pour...

22

« — Naturellement, dit-elle, ne sachant toujours si elle devait lui faire confiance ou pas. Ah, docteur. Comment va notre pauvre Mme Ingram ?

— Elle dort. Je lui ai administré une petite potion. Au cas où elle serait encore agitée à son réveil, dites à la femme de service de lui faire boire une autre dose. Deux gouttes dans un verre d'eau. C'est de la teinture d'opium. Si vous-même avez un peu d'insomnie...

— Je vous remercie. Il m'est déjà arrivé d'en faire usage. Je vous remercie, messieurs. »

La visite était terminée, c'était clair. Les deux hommes se couvrirent et Aase les fit sortir par la porte principale.

Dès qu'ils eurent quitté la maison, Ransom se retourna vers le docteur : « Croyez-vous qu'elle en ait pris, ce soir, avant notre arrivée ?

— Je ne saurais le dire. Il est vrai qu'elle semblait vraiment très calme. »

Il ne restait presque plus personne dans l'arrière-cour. Les portes de l'écurie était complètement fermées. Plus aucune lumière ne filtrait des fenêtres. Quelqu'un avait éteint les phares de l'automobile. Timbs et Jeffries n'étaient plus là.

« Je voudrais l'examiner encore une fois, dit Murcott lorsqu'ils arrivèrent auprès de l'écurie. Cela ne vous gêne pas ? »

Ransom se dirigea vers le cabriolet et se mit à attendre son ami, le dos appuyé contre le véhicule. De nouveau, il vit la lueur vacillante d'une lampe apparaître aux fenêtres du petit bâtiment.

Dans l'obscurité, il se sentit envahi par le parfum du chèvrefeuille. Il savait qu'il en poussait tout autour de la maison des Lane, jusque derrière lui ; au printemps, l'arrivée soudaine de la chaleur rendait l'odeur de cette plante plus piquante qu'en plein été, — alors elle devenait presque douceâtre. Il la respira, et pensa à Carrie Lane.

C'était une nuit sans lune ; mais très claire. Le firmament était presque blanc d'étoiles, et l'on pouvait suivre parfaitement la Voie lactée s'enroulant dans le ciel comme un ruban dans une chevelure de femme...

Mais qu'elles étaient hautes, ces étoiles ! Hautes et distantes. Et froides. Le contraste qu'elles faisaient avec la douceur piquante du chèvrefeuille et la terre poudreuse sous ses talons nerveux lui donnait presque le vertige. Toutes ces pensées le ramenaient à elle.

Sous sa veste, l'enveloppe semblait un second cœur, palpitant de possibles. Elle le réchauffait. Puis il se sentit embarrassé en pensant à sa propre insistance : comme elle avait résisté, avant de s'en séparer ! Et son comportement envers elle : il avait complètement changé, dès la mort de Lane. Ransom avait toujours été célibataire : non qu'il l'eût choisi ; mais des « circontances » — il ne les appelait jamais autrement — avaient empêché son mariage avec la seule femme qu'il eût aimée dans sa jeunesse. Il avait bien connu d'autres femmes, depuis : des catins, des veuves, et même une femme mariée, à Chicago, mais il n'avait plus cessé de se considérer comme un célibataire ; pas plus mécontent de son sort, à quarante et un ans, que Murcott, de vingt ans son aîné, ne l'était du sien. Mais il était des jours, comme ce soir de printemps, où il sentait le désir monter en lui ; alors, il se mettait à imaginer ce qu'aurait été sa vie si Florence Poindexter et lui s'étaient mariés, là-bas, à Washington — ou bien encore, s'abandonnant aux fantasmes purs et simples, il se voyait, sous la véranda de la pension, en compagnie d'une femme qui n'était plus cette grosse Mme Page, mais un être de beauté, à la voix douce, aux manières parfaites ; son regard se perdait dans les longs cils de ses yeux pailletés d'or, il sentait presque entre ses bras sa taille souple se cambrer...

Mieux valait mettre fin à de telles pensées. Sinon, il allait devoir rendre visite à cette femme qu'il connaissait, mais qui habitait à plus d'une heure de cheval.

« Eh bien, je crois que je n'ai plus rien à faire ici », dit le Dr Murcott, faisant tressaillir Ransom qui ne l'avait pas entendu venir.

Il monta dans le cabriolet ; l'obscurité favorisait sa rêverie.

« Très bien », racontait le médecin à Mme Page, devant sa tasse de café et sa part de gâteau. « Mme Lane a pris tout cela très bien. Il fallait s'y attendre de sa part. Elle était un peu triste évidemment, mais résignée. Une attitude tout à fait noble, dirais-je. Elle me rappelle ces veuves et ces filles dont nous parlent les classiques : Andromaque, Iphigénie. De nobles femmes, toutes. »

Ransom n'ajouta rien. Il ne fit aucune allusion à leur surprise, devant le comportement de Mme Lane. Quant à la lettre, il n'en souffla mot. Mme Page lançait des regards trop inquisiteurs.

« J'aimerais bien ne plus penser à cette histoire », confia
le médecin à Ransom, alors qu'ils se souhaitaient une
bonne nuit devant leurs portes respectives, au premier
étage. « Il y a quelque chose d'insolite dant tout ça. L'expression qu'avait Henry Lane ne me plaît pas ; et le pire,
c'est que je l'ai déjà vue chez quelqu'un d'autre. Mais
quand ? »

Les obsèques eurent lieu trois jours plus tard. Etant
donné la richesse et la position sociale du suicidé, personne
ne remit en question le droit de Lane à la sépulture ecclé-
siastique. Toutes les formes furent respectées, comme si son
trépas n'avait eu rien que de naturel.

Comme Ransom, Murcott et même Augusta Page purent
le constater, le ton fut donné dès la veille, lorsque la maison
du défunt fut ouverte aux visiteurs désireux de rendre à
Lane un dernier hommage. Et d'abord, Mme Ingram, guérie,
avait repris ses fonctions. C'était elle qui dirigeait la cérémonie, avec son entrain habituel, un peu brusque, mais
bien intentionné et efficace. Le cercueil, ouvert, avait été
placé sur deux chaises dans un coin du grand salon côté rue.
Les visiteurs, qui commencèrent à défiler dès neuf heures
et demie, purent y découvrir un homme un peu plus pâle
que de son vivant, mais qui, pour le reste, semblait tout
simplement dormir.

A voir la vivacité de Mme Ingram, il était difficile de
s'expliquer son effondrement psychologique à la vue du
pendu : elle s'occupait d'absolument tout, secondée, il est
vrai, par Aase qui se trouvait encore là. Tandis qu'elle
lui donnait divers ordres, ses yeux ne cessaient de scruter
la pièce, prêts à corriger la moindre erreur, le moindre
manquement aux règles ; elle était constamment sur ses
gardes et ses lèvres restaient pincées même dans les conversations les plus animées. Le cordon de crêpe noir, négligemment passé au travers du ruban qui maintenait son chignon
blond cendré, scandalisa certaines femmes, mais, dans
l'ensemble, plut aux hommes. Malgré ses traits un peu épais,
ou peut-être à cause d'eux, Mme Ingram avait beaucoup de
succès auprès des célibataires de l'endroit. Et pourtant,
depuis dix ans que son mari était mort (et complètement
oublié de tout le monde), elle n'avait jamais montré le
moindre soupçon d'intérêt pour aucun de ces messieurs.
Mais elle possédait des qualités — le sens de l'épargne

25

et de l'organisation, et le bon sens tout court — qui la rendaient encore désirable, à plus de quarante ans, alors qu'elles auraient certainement nui au charme d'une femme plus jeune. Elle ne pouvait quand même pas rester toujours sans homme, — une femme si bien en chair et si active ! déclaraient, en échangeant force clins d'œil et coups de coude, les petits vieux qui passaient leurs journées sur les bancs de la grand-place.

Carrie Lane, au contraire, ne fit que deux apparitions fugitives. On la vit une première fois, le matin, pâle et distante, échanger quelques mots, cordiaux comme d'habitude, avec les présents ; vers trois heures, elle descendit pour lire les télégrammes qu'elle avait reçus : du sénateur de l'Etat, du juge Dietz, qui déjà était sur le chemin du retour, et de la chambre de commerce du comté.

Ransom, qui l'observait, ne put s'empêcher de remarquer son trouble. Elle fut bien sûr en état de lire la rhétorique fleurie et tout officielle des messages de condoléances, mais sa voix trahissait un émoi que le procureur n'avait pas perçu lors de sa première visite. La perte de son mari l'avait-elle finalement touchée ?

Profitant de cette rapide apparition, il demanda à la voir, seule, dans la bibliothèque, pour lui restituer la lettre. Quant au reste, il n'eut que le temps de s'interroger sur les motifs de son attitude fuyante, — car la petite pièce fut bientôt envahie par d'autres personnes, et elle s'enfuit au premier étage.

Il lui fut également impossible de lui adresser la parole le lendemain, durant l'enterrement ; et même de l'observer, ensevelie qu'elle était sous plusieurs épaisseurs de voiles. A l'exception de deux moments marquants, elle sembla ne prêter aucune attention à ce qui se passait. Une première fois, vers la fin de la cérémonie, alors que le cercueil avait déjà été descendu dans la tombe, et que le père Ritchie venait de jeter dessus une poignée de terre, elle sembla reprendre ses esprits et se mit à sangloter doucement en s'appuyant sur le bras de Mme Ingram.

Le second incident eut lieu peu après, quand un homme, tiré à quatre épingles, petit mais de fort belle allure, s'approcha de Mme Lane, traversant le groupe des personnes qui l'entouraient, et lui prit le bras. Elle se retourna, pour voir ce qu'il y avait, et esquissa un mouvement de recul, presque imperceptible. Ransom qui suivait la scène, vit l'inconnu lui chuchoter quelque chose ; alors Mme Lane

26

se laissa aller contre son bras. Quelques minutes plus tard, à la fin de la cérémonie, c'est en compagnie de cet homme qu'elle s'éloigna du tombeau.

Ransom supposa que l'inconnu était une personne de la famille. Mais pas longtemps. A peine le fossoyeur eut commencé à combler la fosse, qu'il entendit Mme Page dire d'une voix scandalisée :

« Vous avez vu ça ? » montrant de la pointe de son parapluie l'autre côté du cimetière où stationnait l'équipage de Mme Lane. Celle-ci était en train de conférer avec l'inconnu.

« Quoi ?

— Cet homme, là-bas. Il n'a aucune raison d'être ici.

— Pourquoi ? Qui est-ce ?

— Cet espèce de dentiste, ce charlatan, Dinsmore. »

Prenant Ransom par le bras, Mme Page l'entraîna vers Mme Lane. L'inconnu se tenait juste derrière elle, le dos appuyé contre la berline fermée, l'une de ses chaussures relevée cavalièrement en arrière et posée sur un rayon de la roue. Il semblait absolument sûr de lui, comme s'il avait, en fait, toutes les raisons d'être là.

« Etait-ce un ami de Lane ? demanda Ransom.

— Je n'arrive pas à le croire. Pas assez intime, en tout cas, pour que cela l'autorise à prendre ces airs-là, dit Mme Page. C'est un charlatan. Son « cabinet » se trouve au-dessus d'un bar, dans le quartier sud. Demandez à Amasa : il vous dira tout sur lui. »

Piqué par la curiosité, Ransom reprit : « J'aimerais bien le voir de plus près. Allez dire quelque chose à Mme Lane. Je vous rejoins tout de suite. »

Mme Page s'approcha de Carrie Lane et engagea la conversation. Ransom, se faisant un écran de la personne plantureuse de son hôtesse, put à loisir observer l'inconnu.

Dinsmore était en train de rouler une cigarette avec dextérité. Ses mains étaient propres et soignées, ses doigts longs et fins, — ce qui s'accordait avec sa profession. Mais ce qui laissa Ransom perplexe, c'était le gros rubis sur son index et la coupe extrêmement raffinée de ses vêtements. Il portait un chapeau melon, et non un vulgaire *stetson*, mais loin de sembler absurde, cette coiffure lui seyait parfaitement. Lorsqu'il releva la tête et alluma sa cigarette, Ransom retrouva sa première impression : c'était un homme très bien fait, mais d'une beauté un peu mièvre, féminine : sa peau était blanche et douce, ses cheveux noirs retombaient en boucles de chaque côté de son visage, qu'ornaient une petite moustache parfaite, de fins sourcils noirs et de longs cils. Mais ce qui attirait le plus, en lui, c'était ses yeux. Ils n'étaient ni trop grands ni trop petits, et harmonieusement disposés de chaque côté d'un petit nez droit. Ils étaient d'un bleu saisissant et semblaient animés par un courant électrique : ce n'était pas des regards qui en sortaient, mais de véritables éclairs. On eût dit qu'ils photographiaient jusqu'au moindre détail tout ce sur quoi ils se posaient. Lorsqu'ils s'arrêtèrent finalement sur Ransom, les yeux semblèrent un instant se couvrir d'un voile, — rappelant à Ransom la paupière intérieure, quasiment invisible, du lézard du désert.

Ransom le salua de la tête, obligeant l'homme à faire de même, puis à porter son regard sur Mme Lane. Ses yeux restèrent longtemps posés sur elle. Alors Ransom la regarda à son tour : elle était en train de décliner une offre de Mme Page. Puis, distraitement, elle porta la main derrière le cou, faisant rouler entre ses doigts les perles de son collier. Dinsmore se pencha vers elle et lui dit :

« Vous devez être épuisée. » Alors, prenant Carrie Lane par le bras, il se retourna vers Mme Page : « Merci pour vos bonnes paroles, madame. » Ransom fut surpris par cette voix de basse profonde, et par son ton placide de médecin apaisant un malade.

Immédiatement après, Mme Ingram les rejoignit dans la voiture. Comme la berline se mettait en branle, Dinsmore inclina la tête, porta la main à son chapeau, et ses yeux métalliques lancèrent un éclair en direction de Mme Page.

« Quelle impudence ! » dit-elle en reniflant, puis, soulevant un pan de sa robe, elle se mit en chemin.

« Chirurgien dentiste. Curieux. » Ransom méditait tout haut.

« Un vulgaire coquin, oui, rétorqua-t-elle. Qu'est-ce qu'il peut bien faire en compagnie de ces femmes ? »

Ransom supposa que la question était purement rhétorique et resta silencieux jusqu'à leur retour à la pension.

« Que pouvait-il bien faire en compagnie de ces femmes ? » Mme Page réitéra sa question le lendemain, après le grand repas du dimanche, alors que le « cercle de famille » — comprenant Murcott, Ransom et Isabelle Page, sa fille aînée — était réuni dans le salon du premier étage. Mais cette fois, la question de Mme Page n'avait rien de rhétorique.

Ransom fit mine de n'avoir rien entendu. Il était absorbé dans la lecture de l'*Illustrated Weekly* de Frank Lesslie, et faisait semblant de dévorer l'article annoncé par l'image de la première page : il y était question d'un gigantesque incendie, qui avait dévasté une fabrique misérable de Boston. Des douzaines de jeunes filles y avaient trouvé la mort.

Il savait que les commentaires sur les Lane continueraient d'aller bon train durant les prochaines semaines. La mort de Henry Lane, et tout ce qui s'y rapportait, avait mis Center City en émoi, et cela durerait jusqu'aux élections de l'automne, à moins que quelque autre événement imprévu ne survînt entre-temps.

Ce dimanche matin, le père Ritchie avait cité dans son sermon la parabole du riche et du chameau, — allusion évidente au défunt. Et à l'église baptiste, le ministre avait demandé à ses ouailles, des ouvriers et des Noirs pour la plupart, de réciter une prière pour l'âme de Lane, rappelant que celui-ci, avec ses écuries publiques, son hôtel, son magasin, ses fermes et son ranch, avait fourni du travail à bon nombre d'entre eux.

Mais des bruits continuèrent de courir sur la manière dont Lane s'était tué. D'aucuns se demandaient même si « on ne l'avait pas suicidé ». En écoutant parler les autres habitués de la pension, Ransom et Murcott purent se faire une idée assez précise des nombreuses versions qui circulaient en ville. Certains pensaient que Lane s'était découvert une maladie incurable, et avait préféré en finir plutôt que de traîner le restant de ses jours. D'autres, qui n'arrivaient pas à croire qu'il s'était pendu, mais n'ignoraient pas sa passion pour les innovations techniques, déclaraient qu'un retour de manivelle l'avait assommé alors qu'il essayait de faire partir sa voiture automobile, — et y voyaient une leçon pour les amateurs de ces nouvelles mécaniques tarabiscotées. Mais cette mort, quelle qu'en fût l'interprétation, était un fait accepté par presque tout le monde. Après tout, ce n'était plus un jeune homme ; on en avait vu mourir de bien plus jeunes, et d'ailleurs, Lane avait eu une vie bien remplie.

Presque tout le monde, sauf Mme Page, semblait-il, qui n'arrêtait pas d'importuner Ransom et Murcott avec ses questions. Posant sur la table le catalogue de mode de chez Peterson : « Eh bien, demanda-t-elle, qu'en pensez-vous, docteur ?

— C'est terrible, interrompit Ransom, espérant faire changer le sujet de la conversation, ces pauvres filles ne pouvaient même pas abandonner le quatrième étage : il n'y avait pas d'escalier extérieur. Deux ou trois ont préféré se lancer dans le vide, mais, évidemment, elles sont mortes.

— Et Simon Carr, il y était ? demanda-t-elle à Ransom.

— Qui ? Où ?

— Simon Carr. Le vieil adjoint de Dinsmore. Il était dans l'écurie, jeudi soir ?

— Je ne sais pas. D'ailleurs je ne crois pas le connaître.

— Et vous, docteur, reprit-elle, insistant, l'avez-vous vu ce soir-là ?

— Non, et ce charlatan de Dinsmore non plus », dit-il en posant son livre, le *De natura rerum* de Lucrèce — un vieil exemplaire usé qu'il lisait et relisait durant ses moments de loisir et que du point de vue scientifique et médical, il plaçait au même rang que « Darwin, Mendel et consorts » — et en allumant sa sempiternelle bouffarde.

« Que pouvait-il bien fabriquer avec Mme Lane ? dit-elle, sentant qu'elle avait réussi à accaparer son attention.

— Mais, avant tout, qui est-ce, ce Dinsmore ? finit par demander Ransom.

— Un charlatan ! dit Murcott. Il se prétend chirurgien dentiste, mais il ne l'est pas plus que vous et moi. »

Cela faisait trois ans que Dinsmore était arrivé discrètement à Center City, raconta le médecin. Accompagné de Simon Carr et de sa femme, plus âgée que lui et pas très soignée de sa personne. Tous trois s'étaient installés dans un taudis près de la gare, à l'endroit où habitent les journaliers noirs. Puis il avait ouvert un cabinet au-dessus du bar de Bent dans l'avenue Van Buren. Murcott avait su qu'il soignait les gens du voisinage, se faisant passer pour un médecin de médecine générale, pourvu de tous les diplômes. Or, cet homme n'avait aucune référence dans les milieux médicaux, à la connaissance de Murcott, et ce, quoi qu'en disent ses clients, et malgré la plaque qu'il avait apposée à sa porte (« Chirurgie dentaire antiseptique et sans douleur », selon la « toute dernière méthode française »). Depuis un an environ, des personnes plus aisées — des commerçants, etc. — avaient commencé à se faire soigner par lui ; tous affirmaient que la réalité correspondait bien à la réclame. C'est ce qui avait sans doute incité Henry Lane à l'approcher, vu l'état catastrophique de ses dents, dit Murcott, se souvenant que Lane, enfant, n'arrêtait pas de sucer des bouts de betteraves à sucre.

« Un homme sans diplômes, sans passé, déclara Murcott en conclusion, un imposteur, j'en suis sûr, et très certainement aussi, un escroc. »

Ce qui ne résolvait toujours pas la question de leur hôtesse. Un silence prolongé s'ensuivit ; on n'entendait que le docteur tirer énergiquement sur sa pipe. Puis il dit soudainement :

« Ah ! j'y suis. La femme du charlatan : voilà à qui Lane me faisait penser l'autre jour.

— A la femme de Dinsmore ?

— Vous vous en souvenez ? On la retrouva noyée, dans le bassin d'alimentation, de l'autre côté des taudis. On pensa qu'elle était allée faire une course à la ferme de Bixby et avait glissé sur la rive fangeuse alors qu'elle retournait en ville.

— C'était l'an dernier, n'est-ce pas ?

— Il y a sept ou huit mois. J'étais allé chez Mme Bent, dont le benjamin avait la diphtérie. En rentrant ici, je m'arrêtai à l'église baptiste, où son corps était exposé. Elle avait exactement le même air sur le visage, — comme si elle ne s'était pas débattue avant de se noyer, mais s'était simplement laissée aller. Elle semblait soulagée, pour tout dire.

— D'après ce que j'ai pu savoir, dit Mme Page, ce fut effectivement un soulagement pour elle.

— A cause de son mari ? demanda Ransom.

— Ça, je n'en sais rien. Mais elle travaillait tant, et pour si peu. Et puis, il paraît qu'ils ne cessaient de déménager depuis des années. Ç'avait été une belle femme. Elle était de Cincinnati, je crois. Mais son mariage ne lui avait absolument pas réussi. Elle était malade, par-dessus le marché ; phtisique.

— Et lui, il la soignait ? demanda Murcott.

— Qui sait ?

— Alors, ç'a peut-être été un soulagement, suggéra Ransom avant de se replonger dans son hebdomadaire.

— D'accord, mais Henry Lane n'était pas phtisique, déclara Murcott ; et il n'avait rien du tout par ailleurs, quoi qu'on en dise. Il était en parfaite santé, la dernière fois que je l'ai examiné, il y a à peine trois mois.

— Et d'un calme absolu ? dit Ransom, le taquinant.

31

— Laissons ça de côté, je vous prie.

— Je ne sais pas s'il était si calme que ça, dit Mme Page. Isabelle m'a raconté un incident, à propos de Lane, la semaine dernière, que j'ai trouvé curieux. Pourquoi ne le racontes-tu pas à monsieur Murcott, Isabelle ?

— Je n'aime pas dire du mal des morts », répondit la jeune fille, en levant les yeux de son ouvrage.

Isabelle avait dix-neuf ans. Très libre, de pensée et de parole, parmi ses camarades, elle était timide et réservée au milieu des adultes.

« Mais ce n'est pas médire, déclara sa mère.

— Si vous le dites... La semaine dernière Mme Lane est venue au magasin », commença Isabelle. Elle travaillait comme vendeuse chez Mme Brennan, rue Center, le seul magasin d'habillement à la mode de la ville. « Elle était venue avec Mme Ingram, comme toujours. Je les attendais, car elles devaient venir chercher une flopée de vêtements d'été que Mme Lane avait commandés en février. Des choses légères, des chapeaux de paille, des gants ajourés. Elle en achète autant chaque année, à ce qu'on m'a dit. On avait tout ajusté la semaine d'avant. Il y avait une bonne douzaine de boîtes de différentes tailles. J'étais en train de les aider à les placer sur le siège arrière de leur voiture, quand M. Lane a débouché dans la rue.

« Il n'a salué personne, ce qui était contraire à ses habitudes, et s'est mis à regarder les boîtes, en disant à Mme Lane : " Qu'est-ce que c'est que ça ? Encore de l'argent jeté par les fenêtres ? Vous savez bien que nous ne pouvons pas nous le permettre ! "

« C'était horrible. Pas seulement ce qu'il avait dit, mais surtout la façon dont il l'avait dit. Je ne savais pas que M. Lane pouvait être impoli, surtout avec sa femme. Il avait toujours été en adoration devant elle.

— Etait-il agité ? l'interrompit Ransom, nerveux ?

— Oh oui, très. Et très en colère aussi. Il avait la figure toute rouge. J'ai eu peur, en voyant Mme Lane qui devenait rouge, elle aussi, — mais c'est qu'elle était terriblement vexée, j'en suis sûre. Le plus curieux, c'est que sa colère est passée, tout d'un coup. Mme Lane allait ouvrir la bouche, pour lui répondre, mais il l'a arrêtée, en disant : " Excusez-moi, ma chérie. " Il avait complètement changé d'attitude. " Achetez tout ce que vous voulez. Vous devez être belle, et je ne rechignerai pas. De toute façon, maintenant, c'est trop peu, et trop tard. " Tout ça m'a beaucoup frappée.

32

— Mais avait-il l'air troublé ? demanda Ransom, comme s'il avait eu d'autres préoccupations en tête.

— Sans doute. Il est parti sans ajouter un mot et est entré chez le coiffeur d'en face.

— Pauvre femme, soupira sa mère, avec tout ce qu'il avait !

— C'était terrible, dit Isabelle, et vraiment humiliant.

— Savez-vous si Lane acquittait régulièrement ses notes au magasin ? demanda Ransom.

— C'est la première question que j'ai posée à Mme Brennan. Elle m'a ri au nez. Elle m'a répondu que Henry Lane payait toujours rapidement et en une seule fois.

— Ça ne me surprend pas, dit le docteur. Il avait très bon crédit, et partout. Toutes les banques de l'Etat acceptaient ses traites. Et Casper Bixby, le fils aîné des Bixby, m'a raconté qu'il est allé une fois jusqu'à Austin, dans le Texas, en utilisant des effets portant sa signature.

— Alors cette scène est vraiment curieuse, vous ne trouvez pas ? dit Isabelle.

— Tout à fait », dit Murcott.

Ransom gardait le silence. Lors de la cérémonie à la maison des Lane, deux jours auparavant, il avait essayé de se faire une idée exacte de l'état des finances de Henry Jane, en coinçant Cal Applegate, d'abord, puis Noah Mason, propriétaire de la Mason Centennial Bank, fondée en 1876.

Les affaires de Lane étaient excellentes : son commerce était en pleine expansion, ses réserves considérables, ses placements sûrs ; bien plus, les quelques spéculations qu'il avait faites lui avaient réussi. Carrie Lane avait dit que son mari était un homme très prudent ; il en avait maintenant la preuve. Depuis dix ans, d'ailleurs, personne n'en doutait plus.

Mais Ransom avait découvert d'autres aspects du personnage en parlant à ces deux hommes. Applegate avait fait allusion, en passant, à la prudence excessive que Henry Lane s'était mis à manifester récemment en matière de spéculation, et à son désir de renoncer à tout investissement ultérieur en valeurs mobilières. Quant à Mason, il confessa que Lane ne croyait plus son argent à l'abri dans sa banque : un jour il était allé jusqu'à faire un tour d'inspection du bâtiment et s'était mis en tête qu'il ne pouvait résister à une attaque bien montée. Les débats sur l'étalon-argent au Congrès l'avaient alarmé, il avait même essayé de calculer la perte de valeur qui pouvait en résulter pour l'or qu'il possédait. Le pire, c'est que Lane ne s'était jamais intéressé à ce genre de questions. Son comportement avait complètement changé, il semblait en proie à une inquiétude perpétuelle, passait chez son banquier et son avocat à n'importe quelle heure du jour et de la nuit et n'était jamais satisfait de ce qu'ils lui disaient pour le rassurer.

L'anecdote racontée par Isabelle semblait donc confirmer l'opinion que Ransom s'était faite : dans les derniers jours de son existence, Lane se croyait en faillite ou au bord de la faillite.

Et c'était ce qu'il avait écrit dans la fameuse lettre : Ransom en avait été tellement surpris qu'il l'avait relue. Ainsi s'expliquaient par ailleurs les réticences de Carrie Lane : elle était certainement persuadée que l'on avait induit son mari en erreur ou qu'il avait commencé à délirer. Pourquoi sinon aurait-il écrit qu'il avait échoué à assurer à sa femme la vie aisée et sans problèmes qu'il lui avait promise ? Pourquoi sinon se serait-il considéré comme un homme ruiné ?

Ransom ne savait trop qu'en penser. Si Lane se croyait ruiné, il était facile de comprendre son suicide, connaissant son caractère. Mais qu'est-ce qui avait pu lui faire croire une chose si contraire à la réalité ? A moins qu'il ne fût devenu fou durant ces derniers mois. Le dérangement de son esprit aurait tout expliqué : ses angoisses, la façon dont il s'était mis à importuner son avocat et son banquier, les mots qu'il avait lancés à sa femme. C'était déjà arrivé à d'autres personnes, mais pas si vite, pas en quelques mois, — il avait fallu des années pour les transformer en avares et en misanthropes. Comme Murcott l'avait expliqué à Ransom, la rapidité de ce changement, chez Lane, pouvait s'expliquer par une tumeur au cerveau : mais Lane n'avait rien de tel juste avant de mourir. Il était comme toujours en excellente santé physique.

Tout cela était vraiment singulier, inouï presque. C'était le type même d'événements inexplicables dont Ransom aimait alimenter certaines de ses rêveries, comme ces orages au cours desquels la foudre tombe sur deux personnes, tuant l'une et épargnant l'autre ; comme ces bovins bicéphales que l'on exposait à la foire du comté, — comme tous ces faits étranges, fantastiques, qu'il aimait ressasser de temps à autre et déguster lentement, comme les plus fines eaux-de-vie de France.

34

« Enfin, à quelque chose malheur est bon, dit Mme Page, interrompant la rêverie de Ransom. Après la mort de Henry Lane, lorsque le juge Dietz abandonnera ses fonctions, il n'y aura personne pour empêcher notre cher monsieur Ransom de le remplacer.

— Hé là ! Doucement, s'il vous plaît, protesta-t-il, Henry Lane n'avait aucune intention de se faire élire juge du comté, que je sache.

— Bien sûr. Mais il aurait très bien pu essayer de faire élire une de ses créatures ; vous savez bien qu'il se mêlait de tout, ici.

— C'est ce qu'on aurait vu. D'ailleurs, les élections ne servent-elles pas justement à sélectionner les meilleurs ?

— Allons, allons ! Vous savez aussi bien que moi à quoi ressemblaient les élections dans cette ville, dit-elle. Vous l'avez assez dit vous-même. Tandis que maintenant, on aura de véritables élections.

— Si je décide de me présenter, dit Ransom, et si le juge Dietz décide de se retirer, — ce qui n'est évident que pour la rumeur publique. Pour le moment, d'ailleurs, je n'y pense absolument pas. Je vais être extrêmement pris, durant ces prochains mois, avec ce projet de loi sur les concessions de terre, qui est sur le point d'aboutir au Sénat à Lincoln. Il faudra peut-être même que je m'absente un mois ou deux pour vérifier sur place si cette affaire est traitée comme il convient. Ce qui pour moi est bien plus important que cette charge de juge ou autres châteaux en Espagne.

— J'espère que ça ne durera pas trop longtemps, sinon on risque de ne plus vous revoir, dit Augusta.

— Ne vous en faites pas. Quel que soit le temps que ça prenne. Les enfants d'Isabelle auront l'âge qu'elle a maintenant que je serai encore, je l'espère, un fidèle de la pension de Mme Page.

— Ne serait-ce que pour son excellente cuisine, dit Murcott.

— Et sa charmante compagnie féminine, enchaîna Ransom.

— Que voilà une manière galante de couper court à cette conversation », dit l'hôtesse, à qui ces compliments n'avaient pas déplu, cependant. Sur quoi elle se leva, alla à la fenêtre et ouvrit le deuxième vantail. Sans grand résultat d'ailleurs. Il faisait chaud dehors, et le silence qui régnait n'était interrompu que par les stridulations métalliques des sauterelles. Sur les grands ormes, du côté de la rue, les bourgeons éclataient, les jeunes feuilles se formaient. Le parfum vivifiant de l'herbe fraîchement coupée et de la sève débordante n'évoquait que recommencements et nouveautés.

« C'est presque l'été, dit-elle.

— Il fera bientôt trop chaud pour rester ici, dit Ransom, et il faudra que nous nous installions sous la véranda, avec les tapettes à mouches.

— Je me demande si Henry Lane a pensé qu'il allait mourir avant la venue de l'été, dit-elle songeuse.

— Allons, Augusta, dit Murcott d'une voix douce, vous ne voudriez tout de même pas nous faire pleurer. L'automne ne sera pas encore arrivé que vous aurez déjà tout oublié de Henry Lane. Et nous aussi.

— Sans doute », soupira-t-elle.

Nous aussi ? se dit Ransom. Moi, en tout cas, je n'aurai pas oublié. Il y a trop de questions en suspens ; il est vrai que chaque fois que quelqu'un meurt de façon aussi soudaine... mais quand même, il y a trop d'aspects mystérieux dans cette affaire. Non, je n'aurai pas oublié. Carrie Lane non plus, je crois.

Il l'avait encore évoquée : de nouveau son image s'empara de lui. Elle lui apparut telle qu'il l'avait vue la dernière fois, conversant avec Mme Page, près du trottoir où l'attendait sa voiture noire, étincelante. Et, tout à côté d'elle, une forme vague, une ombre confuse qui ne la lâchait pas.

« Vous m'avez l'air songeur... se risqua à dire Isabelle.

— Un peu. Mais quelle belle tapisserie ! Quand m'en ferez-vous une, que je l'accroche au-dessus de mon bureau ?

— Et quel motif aimeriez-vous ? » demanda-t-elle en rougissant.

Livre II

LA CHUTE

(Automne 1899)

Le train repartait. Toujours pas de Murcott !

Ransom attendit encore une minute sur le quai désert. Puis il prit son sac de voyage, et, laissant là sa malle — un beau coffre revêtu de cuir noir et piqué de clous de cuivre —, il alla s'asseoir sur un banc, à l'ombre, sous l'auvent.

Il tira sa montre : elle marquait trois heures quinze. Le train avait pris dix minutes de retard, comme toujours. Mais le docteur Murcott, lui, était d'une ponctualité proverbiale. Qu'avait-il bien pu se passer ? Bah ! peut-être était-il tout simplement retenu par un client. Le médecin s'était souvent plaint de ces vieilles patientes qui vous transforment une simple consultation en une visite mondaine interminable ; surtout lorsqu'elles n'ont vu personne dans la salle d'attente en arrivant.

N'eût été cette chaleur étouffante — on était encore en septembre —, Ransom n'aurait pas hésité à parcourir à pied le petit kilomètre qui séparait la gare de la pension. Mais, avec cette canicule, le mieux était de s'asseoir et d'attendre. Devant lui, de l'autre côté de la voie ferrée, les champs s'étendaient à perte de vue. L'air brûlant, formant des ondulations, brouillait la ligne de l'horizon. Quel voyage ! songea-t-il, jamais il n'avait eu aussi chaud, ni tant sué que durant ces cinq heures passées dans le Pullman. Et puis, il n'avait pas beaucoup dormi la nuit précédente. Ses amis et ses relations de Lincoln avaient organisé un grand dîner en son honneur. Mais maintenant, quelle soif ! Il se sentait la gorge complètement desséchée. Ses vêtements étaient tout recouverts d'une fine couche de poussière jaunâtre, ainsi que ses mains et, sans aucun doute, pensait-il, son visage.

Il était le seul à être descendu à Center City. Et, apparemment, il n'y avait personne ni dans la gare ni aux alentours. Même pas les enfants qui d'habitude venaient admirer la locomotive et harceler de questions le mécanicien. Le chef de gare ne s'était montré ni à l'arrivée ni au départ du train, et le guichet était fermé. On eût dit une ville morte.

Quel accueil ! se dit Ransom. Non qu'il eût espéré la fanfare. Mais il aurait aimé apercevoir, en descendant du train, la petite silhouette lunettée de son ami et son éternelle redingote noire, lustrée aux manches ; et il l'aurait entendu, comme toujours, grommeler contre le monde, ses vices et ses inconséquences, avec l'assurance que lui donnait la conscience, justifiée, d'être le meilleur médecin du comté.

Ransom se souvint qu'il avait acheté des bonbons acidulés avant de monter dans le train, à la gare de Lincoln, et mettant la main dans une de ses poches, il en sortit un cornet de papier blanc. La chaleur les avait collés les uns aux autres. Il détacha, avec un seul doigt, un morceau de cette masse poisseuse, le mit dans sa bouche, et fut presque surpris de retrouver leur saveur aigrelette et rafraîchissante.

Pas un chat, — il est vrai que de son banc on ne voyait pas grand-chose de la ville. Il aurait fallu qu'il se levât et sortît de la gare, pour voir si Murcott n'arrivait pas avec son cabriolet. Cependant... il décida d'attendre encore une minute. Il l'imagina, dans l'espèce de laboratoire qu'il s'était installé au premier étage, examinant au microscope ces animalcules (c'était son expression) qui, disait-il sur un ton péremptoire, provoquaient toutes les maladies. Oui, il ne pouvait être que là, et tellement absorbé dans ses observations qu'il en avait oublié l'arrivée de son ami.

Ransom allait se lever lorsqu'il aperçut une silhouette minuscule, courant le long de la voie et se dirigeant vers la gare. C'était un enfant. Il allait s'écrouler, foudroyé, s'il continuait de courir aussi vite, avec la chaleur qu'il faisait. Pas un souffle d'air. Rien que le soleil implacable des plaines du Mid-West. C'était pire qu'en juillet.

Au lieu de quelques semaines, comme il l'avait cru en partant, son séjour à Lincoln s'était prolongé durant quatre mois. Mais, ici, rien n'avait changé. Et d'ailleurs, quelle nouveauté pouvait-il bien attendre ? Ne savait-il pas, pour avoir habité neuf ans à Center City, que la vie n'y était qu'une monotone répétition ?

Cependant le coureur s'était rapproché, et maintenant se hissait sur le quai de béton. Ransom le reconnut : c'était Nate Page.

Il se précipita vers le banc, et, regardant d'un œil la grosse malle abandonnée à quelques mètres, commença à balbutier des paroles incompréhensibles.

« Repose-toi une minute, dit Ransom. Reprends ton souffle avant de parler.

— Le docteur... peut pas venir... une urgence... on l'a demandé alors qu'il était... déjà parti... Je l'ai rattrapé... Puis je suis venu ici... du plus vite... que j'ai pu... C'est chez les Lane qu'il...

— Comment ? Mme Lane est malade ?

— Non... Mme Ingram... Elle a piqué une crise... les gens l'ont vue... qui se mettait à hurler... et à se démener comme une folle en plein milieu de la rue Grant.

— Cela m'étonne beaucoup de sa part.

— C'est ce qu'a dit le docteur.

— Donc, en tout cas, pas de cabriolet », dit Ransom, se levant avec lenteur et se rendant compte qu'il était forcé de rentrer chez lui à pied. « Quant à la malle, je la laisse ici. Je reviendrai la prendre plus tard. »

Ils sortirent dans la rue Emerson. Là non plus, personne. Le gamin traînait en soufflant derrière lui.

« Décidément, ce chef de gare est introuvable, dit Ransom. Ne l'aurais-tu pas vu, par hasard ?

— Non, monsieur.

— Alors, allons-y. »

Ransom allongea le pas, soudainement aiguillonné par une légère préoccupation. Ainsi Mme Ingram se mettait à piquer des crises ? Quelle drôle d'histoire ! Lui-même s'était senti une curieuse irritation durant tout le voyage de retour. Et impossible de s'en expliquer les causes. Comme quand on sent qu'une écharde vous est entrée sous l'ongle, mais qu'on n'arrive pas à la trouver.

Comme ils traversaient la rue Williams, le gosse aperçut le chef de gare. Il se trouvait devant la porte d'entrée, ouverte, des bureaux de la graineterie Lane. Sa visière d'ébonite lui cachait presque toute la partie supérieure du visage. Et il était en train de vociférer contre un interlocuteur invisible, en s'accompagnant de force gestes. Ransom n'arrivait pas à comprendre ce qu'il disait, mais son attitude n'avait rien de pacifique.

« Excusez-moi, monsieur Maxwell. »

Le chef de gare se retourna, l'air toujours très contrarié, puis esquissa un sourire. « 'Jour, monsieur Ransom. Je ne savais pas que vous étiez revenu.

— De fait, je viens d'arriver. J'ai laissé une malle sur le quai. Veillez à ce qu'on ne l'embarque pas dans le prochain train. Je peux compter sur vous ?

— Mais bien sûr. » Sur ce, il se retourna vers l'entrée des bureaux, jeta un regard mauvais à l'intérieur, puis s'achemina clopin-clopant dans la direction de la gare.

« Veuillez m'excuser », dit une voix, provenant du même vestibule.

Ransom se retourna. C'était Dinsmore, aussi élégamment vêtu qu'aux funérailles de Henry Lane.

« Qu'y a-t-il ?

— Excusez mon indiscrétion : j'ai cru entendre que vous aviez des bagages à la gare ?

— Effectivement. J'étais justement en quête d'un fiacre. »

Dinsmore, s'avançant vers Ransom, sortit de l'obscurité. Bien que le dentiste eût incliné son gracieux chapeau melon pour protéger sa vue des rayons du soleil, Ransom fut de nouveau frappé par l'expression de son regard. Ses yeux bleus semblaient émettre une lumière propre.

Curieusement, Dinsmore n'avait pas l'air d'avoir chaud : il était tout frais, tout propre.

« Puis-je vous proposer mes services ? On vient de terminer le chargement d'un camion, de l'autre côté du bâtiment. Il doit partir incessamment. Il serait facile d'y placer votre malle. »

Avant que Ransom eût pu le remercier et lui dire de ne pas se déranger, Dinsmore appela d'une voix forte :

« Millard ! Viens ici avec le camion ! »

Un Noir ruisselant de sueur, portant à même le corps des bleus de travail démesurés, apparut au coin de la rue.

« Qu'est-ce qu'y a, m'sieu ?

— La malle de ce monsieur est à la gare. Va la prendre et dépose-la chez lui. »

Le Noir resta une seconde bouche bée, puis disparut. Quelques instants plus tard, on vit déboucher un grand camion tiré par deux chevaux.

« Vous me voyez fort obligé... commença Ransom.

— Je vous en prie. Je m'appelle Dinsmore. Vous êtes bien monsieur Ransom, n'est-ce pas ? L'attorney ?

— C'est exact.

— Très honoré de faire votre connaissance. Ce n'est pas tous les jours que l'on a l'occasion d'offrir ses services à quelqu'un d'aussi éminent que vous. » Dinsmore lui tendit la main. Ransom fut étonné à la fois par la douceur de sa

40

peau — on eût dit la main d'une femme ; il devait utiliser quantité de crèmes et de lotions rafraîchissantes — et la fermeté de sa poigne.

« Je vous suis très obligé », répéta Ransom. Puis il fournit à Millard les instructions nécessaires. Lorsqu'il se retourna, il s'aperçut que Dinsmore avait disparu.

« Il travaille ici, maintenant ? demanda Ransom au gamin lorsqu'ils se furent éloignés de la graineterie.

— C'est même lui le patron, je crois bien.

— Le patron ? et depuis quand ?

— J'en sais rien. Demandez à maman. »

A l'enterrement, parlant avec Carrie Lane, et maintenant ici, aux Graineteries Lane, donnant des ordres ! Qu'est-ce que tout cela pouvait bien signifier ? Et obligeant avec ça, toujours prêt à rendre service aux autres. Mais comment se faisait-il qu'un dentiste fût devenu le directeur d'un commerce de grain et de fourrage ?

Les réflexions de Ransom restèrent là, car il venait d'apercevoir, au bout de la rue, la silhouette familière de la pension de famille Pour Messieurs Seuls. Ah ! enfin ! Elle non plus n'avait pas changé. Les grands pignons ; l'auvent de la véranda qui descendait dans le prolongement du toit ; les douze marches de pierre qui montaient de la rue. Et les grands ormes, un peu flétris par la sécheresse mais toujours aussi feuillus, aussi touffus, aussi verts. A cette vue, Ransom hâta le pas. Il entra et laissa tomber son sac dans le vestibule. Nate, aussitôt, disparut.

Le soleil, bas déjà, projetait des carreaux d'or sur le plancher et la table de la grande salle à manger.

« Tout le monde est parti pêcher, ma parole », dit-il à voix haute, en enlevant son chapeau et son veston.

Mme Page apparut dans l'embrasure de l'autre porte, venant de la cuisine, la face toute cramoisie, les mains et les bras enfarinés jusqu'aux coudes.

« Ah ! c'est vous. Est-ce que Nate vous a trouvé ?

— Oui ; mais j'ai failli attendre. Quant à ma malle, heureusement que les Graineteries Lane se sont offertes pour l'apporter ici sur un de leurs camions.

— Que je suis heureuse ! Approchez que je vous embrasse. Cela fait si longtemps que je ne vous ai pas vu, que j'ai failli ne pas vous reconnaître.

— Ne pourriez-vous pas remettre ces effusions à plus tard ? dit Ransom. Je suis déjà tout couvert de poussière », ajouta-t-il, regardant avec appréhension les mains pleines de farine de son hôtesse. Mais, voyant son visage rayonnant, il se laissa approcher, et elle lui appliqua un gros baiser sur la joue.

« Vous avez l'air fatigué, dit-elle. Et vous avez maigri. On ne mange pas, à Lincoln ?

— Si, mais pas aussi bien qu'ici.

— Venez dans la cuisine. J'ai un petit en-cas...

— Donnez-moi une minute. Je voudrais d'abord me changer.

— Vos chambres sont dans l'état où vous les avez laissées, dit-elle, continuant de le regarder avec amour, comme s'il eût été l'enfant prodigue. Sauf que j'y ai fait le ménage aujourd'hui. Dépêchez-vous, que je vous prépare un bon petit plat. »

Ransom se lava à grande eau, se passa un costume de cotonnade légère et se sentit beaucoup mieux. Mme Page aussi avait fait un brin de toilette. Ransom fut flatté de cette attention.

Malgré la chaleur, elle avait cuisiné quelque chose au four, et la cuisine était une véritable étuve. Ils allèrent sous la véranda, du côté du jardin : il y soufflait une brise légère, et on y était à l'ombre. Ils s'installèrent dans de grands fauteuils en osier, et Nate apparut, portant un cruchon recouvert d'une serviette et plein de citronnade. Au bout de quelques instants, Ransom se sentit rafraîchi, détendu, vraiment chez lui, comme s'il n'avait jamais quitté Center City. Ils savouraient leur breuvage, ce liquide un peu âcre où flottaient les morceaux de glace pilée, et se taisaient.

« Vous êtes satisfait de votre séjour à Lincoln ? demanda l'hôtesse soudainement. Amasa m'a dit que vous avez fait du bon travail, là-bas.

— Sans me vanter, je crois qu'il a raison. »

Et il se mit à exposer succinctement l'affaire des concessions de terre. Avec un autre attorney, qui représentait le comté limitrophe, il avait appuyé les magistrats de la chancellerie pour dissuader le gouvernement fédéral d'octroyer ces terres — dont une large portion s'étendait non loin de Center City, vers l'ouest — aux seuls éleveurs de bétail. Elles seraient vendues également comme terres arables à ceux qui voulaient les cultiver, et l'Etat fédéral contribuerait aux travaux de défrichement et d'irrigation. Il s'était agi d'une affaire complexe ; elle avait nécessité de nombreuses enquêtes préliminaires, et c'était Ransom qui s'en était personnellement chargé. Aux dires de tous, la victoire n'avait été acquise que grâce à son travail. Ransom en était très fier. Il s'était fait également de nombreux amis au parlement et au gouvernement de l'Etat — et ces relations n'étaient pas à négliger au cas où il déciderait d'entrer dans la carrière politique... Mais là s'arrêta son récit : Mme Page n'avait pas à en savoir plus. Aussi, faisant dévier la conversation vers des considérations plus anodines, s'étendit-il longuement sur le plaisir qu'il avait de se retrouver enfin chez lui, à Center City.

— Moi aussi, je suis très heureuse de vous voir de nouveau ici, dit-elle. Amasa ne se tiendra pas de joie : il est si fier de vous. Il a parlé à tout le monde de vos succès à Lincoln. Quel dommage qu'il n'ait pu aller vous chercher ! Mais je pense qu'il sera bientôt de retour.

Et Mme Page se mit à raconter par le menu tout ce qui s'était passé en ville depuis le départ de Ransom. Pas une naissance, pas un mariage ne fut oublié ; il y fut aussi question de la récolte, des nouveaux magasins qui s'étaient ouverts et même du splendide pur-sang que M. Bain avait fait venir directement d'Angleterre. Tout cela était fort banal, et par là même rassurant. Mais Ransom n'arrivait toujours pas à se défaire de cette anxiété légère, mais inexplicable, absurde, qui s'était insinuée en lui depuis son départ de Lincoln.

Des coups frappés à la porte interrompirent leur conversation. C'était Millard, avec la malle. Le Noir porta le lourd fardeau, tout seul, au premier étage. On lui donna en récompense une belle pièce toute neuve de vingt-cinq cents, qui fut accueillie avec force remerciements. Lorsqu'il fut parti, Ransom expliqua à son hôtesse :

« C'est le nouveau directeur des Graineteries Lane qui me l'a fait porter jusqu'ici. C'est vraiment quelqu'un de très aimable.

— Qui ça ? Dinsmore ? dit-elle.

— Oui ; je crois que c'est comme cela qu'il s'appelle. Cela fait longtemps qu'il dirige la graineterie ?

— Depuis ces derniers mois. Mais ce n'est pas tout.

— Que voulez-vous dire ?

— Il est aussi gérant de l'hôtel Lane, du magasin de nouveautés, et tout et tout.

— Comment ? C'est lui le directeur général de toutes les entreprises de Lane ? Mais n'était-il pas dentiste ?

— Je vous assure : il s'occupe aussi du ranch, des fermes,

43

et même... » Mais elle hésita et n'acheva pas sa phrase. « Et même... ?

— Vous le savez, James. Je ne suis pas du genre commère. Mais quand je vois certaines choses...

— Vous ne comprenez pas qu'un dentiste puisse devenir le fondé de pouvoir d'une maison de commerce ?

— Oh ! si ce n'était que ça. Mais il a passé tout l'été au ranch des Lane. Avec ce vieux bonhomme, là, Simon Carr, son assistant. Et puis tout le monde savait qu'il était fourré chez elle en permanence.

— Chez qui ? Chez Mme Lane ? »

Elle évita une réponse directe. « Enfin, tout cela n'était pas encore trop indécent. Elle n'a perdu son mari que depuis quelques mois, vous le savez aussi bien que moi. Et ce n'est plus une enfant. Mais à la fin août, il s'est carrément installé chez elle. Et c'est toujours là qu'il habite. Quelle honte ! De ma vie, je n'ai jamais vu personne rompre le deuil de cette manière, même pas une couturière de la rue Emerson. C'est un vrai scandale !

— Comment ? Vous êtes choquée que ce type-là tienne compagnie à Mme Lane ? »

C'est tout juste si elle ne leva pas les bras au ciel. Il ne veut vraiment rien comprendre, pensait-elle. Puis elle reprit : « Ce ne sont plus des gosses, James. Ils savent très bien ce qu'ils font. Or, lui, il ne la quitte pas d'une semelle. Rien que dimanche dernier, je les ais vus tous les trois à la messe : elle, Harriet Ingram et lui...

— Eh bien, qu'y trouvez-vous à redire ? Si Mme Ingram était avec eux...

— Mais ça n'empêche rien. C'est un péché, et une honte, et je ne comprends vraiment pas que le père Ritchie ne les ait pas invités à sortir. C'est ce que j'aurais fait à sa place. »

Ransom aurait voulu en savoir plus, mais ce déchaînement l'irritait. Aussi décida-t-il de laisser tomber la question. Après tout, il pourrait toujours demander à Murcott ce qu'il en était au juste.

Mais sa curiosité avait été allumée, et il continua d'y penser, malgré lui, tandis qu'elle, intarissable, racontait tout ce qui s'était passé à la pension pendant ces derniers mois.

Ainsi, il s'était produit des changements, durant son absence. Beaucoup de changements, même. Certes, la surface des choses était toujours la même, mais justement, il

44

sentait qu'il ne s'agissait plus que d'une façade... Peut-être, d'ailleurs, en avait-il eu l'intention, pendant le voyage de retour. Ce fait aurait expliqué sa nervosité, son inquiétude vague. Mais n'était-il pas plus simple d'en accuser le manque de sommeil, les excès de la veille et la chaleur torride qui régnait dans le wagon ?

Il faudrait que j'aille la voir, un de ces jours, se dit-il, pensant à Carrie Lane. Cette démarche, d'ailleurs, n'aurait rien que de naturel, de mondain, étant donné que sa dernière visite remontait à la mort de son mari. Mais il en profiterait pour vérifier par lui-même le bien-fondé de tous ces commérages. Mme Page avait peut-être tiré des conclusions hâtives de certaines rumeurs... Après tout, il fallait bien que Mme Lane employât quelqu'un pour gérer ses affaires ; on ne pouvait lui demander de le faire elle-même. Certes, le choix de Dinsmore pouvait surprendre... et puis, surtout, Mme Page semblait penser que leurs rapports n'étaient pas seulement d'affaires. Carrie Lane était-elle au courant de tous ces ragots ? Si Dinsmore s'était installé chez elle, c'était sans aucun doute pour pouvoir la consulter à tout moment sur la gestion de ses entreprises... Quant au reste, Ransom refusait absolument d'y croire. Non ; il était bien évident que le dentiste n'habitait pas en haut, mais dans l'une des chambres d'amis, en bas, du côté de la cuisine, à côté des pièces réservées aux domestiques.

Ransom essaya de se représenter Carrie Lane, d'évoquer d'elle une image précise, afin, se disait-il, de savoir s'il devait croire à tout ce que lui avait raconté Mme Page. Mme Lane lui apparut, finalement, mais elle n'était pas seule : à côté d'elle, Dinsmore, négligemment adossé à la voiture noire, roulait une cigarette ; et ses yeux scintillaient, comme lorsque claque l'obturateur d'un appareil photographique.

« Ah ! il me semble qu'Amasa vient d'arriver », dit Mme Page, interrompant ces troublants essais de visualisation. « Il est revenu ! » s'exclama-t-elle, en se tournant vers la porte.

Le visage du médecin s'illumina de plaisir. Ses rides profondes semblèrent s'effacer, Après une demi-heure de saluts, d'excuses et de bavardages divers, Mme Page se leva et quitta la véranda. Alors Ransom aborda le sujet qui lui tenait à cœur.

« Qu'est-ce qui est arrivé à Mme Ingram ? »

Murcott fronça les sourcils : « Je lui ai fait prendre un sédatif.

— Mais qu'est-ce qui ne va pas ?

— Je me le demande moi-même. Quand je suis arrivé chez eux, je l'ai trouvée en pleurs, se démenant comme une diablesse et ne cessant de répéter : « Mon Dieu ! qu'est-ce que je vais pouvoir encore fabriquer, la prochaine fois ? »

— Et aujourd'hui, qu'est-ce qu'elle a fait ?

— Selon le jardinier des Mason, elle s'est mise tout à coup à se comporter comme si elle avait été atteinte de folie. Elle était descendue derrière la maison avec un seau, pour puiser de l'eau ; subitement, le jardinier l'a vue passer en courant et en poussant des cris perçants. Elle a déboulé dans cet état jusqu'en pleine rue Grant ; les voitures ont dû s'arrêter. On l'a ramenée chez elle. Lorsque je suis arrivé, on l'avait un peu calmée, mais elle était encore très secouée. C'est ce que Breuer, un psychologue viennois, appellerait une crise d'hystérie. Un cas typique de symptôme pathologique sans aucune cause apparente.

— C'est impossible ! Il faut bien qu'il y ait une cause !

— Je l'ai examinée, croyez-moi, et je n'ai rien remarqué de particulier. Peut-être qu'elle est restée trop longtemps dehors et a pris un coup de soleil, — d'autant plus qu'elle s'habille toujours en noir. A moins que son corset ait été trop serré ? Ou autre chose encore. Que sais-je ? Elle doit venir ici demain matin. Je lui ai demandé de venir ici, à mon cabinet, pour pouvoir lui faire un examen plus complet. A mon avis, elle est tout simplement frustrée. Cela fait des années qu'elle vit seule, sans homme. D'ailleurs, c'est un cas qui n'a rien d'exceptionnel. Je ne sais pas si vous avez entendu parler de Charcot, un autre psychologue, français cette fois ; il pense que la frustration est la cause de la plupart des hystéries chez les femmes, et personnellement, je pense... Ah ! mais voilà Augusta. Je vous en reparlerai plus tard. »

Mme Page apportait de la glace, puis elle retourna dans la cuisine. Murcott reprit, mais cette fois à voix basse : « Et pourtant, il y a des gens qui disent qu'un homme, elle en a un, et que c'est ce fameux dentiste. Rien n'est sûr, évidemment, et quant à moi, je n'ai aucune intention de l'interroger sur ce sujet.

— Et Mme Lane, comment va-t-elle ?

— Assez bien, il me semble. Un petit peu triste, encore. C'est naturel. Elle devait l'aimer à la folie, son pauvre mari. Et il lui a laissé sur les bras toutes ces affaires auxquelles elle ne doit rien comprendre. Ça ne m'étonnerait pas que tout cela se casse la figure d'ici un an ; pourquoi diable a-t-elle engagé ce polichinelle ? Bon, j'ai assez parlé de mon côté. Racontez-moi un peu ce qui se passe à Lincoln. Il paraît qu'on a mis la dernière main au palais du Sénat : qu'est-ce que ça donne ? »

Ransom avait décidé de consacrer tout le lendemain matin à classer l'arriéré de travail qui s'était accumulé depuis son départ. Mais cette besogne se révéla bien plus considérable qu'il ne l'avait pensé. Il s'aperçut également que la quasi-totalité des papiers et des lettres qu'Isabelle avait soigneusement empilés jour après jour sur son bureau provenait de sa clientèle privée, — rien, ou presque, ne se rapportait à ses fonctions de procureur. Exploits divers, actes notariés, contrats hypothécaires, plaintes à enregistrer, citations etc., — tout cela témoignait, mieux que n'importe quel discours, de la croissance continue de la ville. Rien qu'avec ces paperasses, il en avait pour jusqu'à Noël. Il fut étonné de s'apercevoir que, dans l'ensemble, ses clients lui étaient restés fidèles. Durant son absence, ils auraient pu recourir aux services de Cal Applegate. Mais pourquoi l'auraient-ils fait, au fond ? La plupart d'entre eux étaient des boutiquiers et des petits cultivateurs. Or, Applegate avait la réputation d'être un « avocat de riches », et l'on savait qu'il ne voulait pas s'occuper de toutes ces affaires mineures dont Ransom tirait l'essentiel de ses revenus, — son traitement de procureur étant plutôt maigre.

Vers onze heures, la chaleur était déjà aussi insupportable que la veille. Ransom enleva son gilet, retroussa ses manches de chemise et ôta son col et sa cravate. Mais il avait toujours aussi chaud. Il n'y avait qu'une seule fenêtre dans son bureau ; il ouvrit donc la porte pour faire un courant d'air. Comme celle-ci se trouvait juste en face des escaliers, n'importe qui, entrant ou sortant de la pension, pouvait voir qu'il était là et monter le déranger. Mais l'essentiel était d'avoir un peu d'air.

Il était au milieu d'un acte particulièrement compliqué, concernant une cession de propriété, quand il entendit quelqu'un frapper timidement à la porte. Sans lever les yeux, ni se retourner :

« Entrez, dit-il. Je suis à vous tout de suite. »

La visiteuse (il pensait que c'était Mme Page ou Isabelle) entra et s'assit sur la chaise à dossier droit qui se trouvait à côté de la porte. Ransom ne cessait de lire et relire la même phrase ; lorsqu'il l'eut enfin comprise, il nota deux ou trois mots dans la marge, mit le document de côté et se retourna.

C'était Mme Ingram.

« Veuillez m'excuser, madame, dit-il, se levant pour prendre son gilet et son col. Je n'attendais aucune visite aujourd'hui.

Elle se leva elle aussi, mais ne dit rien pour le dissuader de se rhabiller. « J'étais en bas, chez le Dr Murcott. J'ai pensé... euh, j'ai vu qu'on avait remis votre plaque à la porte, et je me suis dit... Mais je vois que vous êtes occupé.

— Je vous en prie. Prenez un siège. J'espère que vous vous êtes tout à fait remise.

— Oui ; je vous remercie.

— Vous feriez mieux de vous asseoir ici, si nous avons à parler », dit Ransom, lui indiquant un grand fauteuil bien rembourré. Elle s'y assit, sans abandonner toutefois son maintien rigide ; elle était pâle et semblait fatiguée, épuisée même. Ransom ferma son col et remit sa cravate. Il se demanda s'il devait passer une veste, par-dessus le marché, mais jugea plus commode de lui demander d'excuser sa tenue débraillée. La chaleur, vous comprenez.

« Il fait vraiment très chaud pour la saison, semble-t-il », dit-elle, car elle ne semblait pas du tout en souffrir. Avec sa petite capote de crêpe, trônant sur son chignon, sa robe de coton bleu pâle, à manches longues et boutonnée jusqu'au cou, et enfin ses grandes bottes à vingt œillets pour le moins, elle semblait vêtue comme en plein hiver.

Ransom prit un bloc de papier grand format et le mit à côté de lui, sur son bureau, au cas où il y aurait des choses à noter. Puis il s'apprêta à l'écouter. Elle regardait de côté. Elle était vraiment pâle, et ne semblait pas tant malade qu'absente. Visiblement, elle n'était pas du tout dans son assiette.

« Eh bien, dit-il, que puis-je faire pour vous ? »

Elle sursauta. « Très bien, je vous remercie, dit-elle. Le docteur Murcott pense qu'il s'est agi d'un simple coup de soleil.

— Je comprends, répliqua-t-il, sidéré. J'espère que vous allez bien, ainsi que votre maîtresse, malgré la perte cruelle qui vous a frappées.

— Quelle perte ? Ah ! oui. Vous voulez parler de M. Lane. Oh ! je vais aussi bien que possible. Vous savez, je ne me suis jamais vraiment remise du choc que ça m'a fait, lorsque je l'ai trouvé... Le médecin m'a dit que c'était peut-être lié à mon malaise d'hier... mais maintenant, je vais très bien ; je crois que je suis guérie et que cela ne m'arrivera plus. Pourrions-nous... ? Je sais qu'il fait très chaud, aujourd'hui, mais ce que j'ai à vous dire est assez confidentiel et... »

Ransom comprit, se leva et alla fermer la porte.

« Cela va, comme ça ? » Ransom la trouvait vraiment très distraite, et cela l'intriguait.

« Oui, je pense », répondit-elle. Mais les regards qu'elle jetait autour d'elle la démentaient.

« Et Mme Lane ? demanda-t-il. Comment se trouve-t-elle dans cette nouvelle situation ? Quoi qu'il en soit, je suis persuadé que votre présence la soutient et la conforte.

— Sans doute. C'est d'elle que je suis venue vous parler, en fait. Non que je sois venue ici exprès pour cela, mais voyant que vous étiez dans votre bureau, je me suis dit que je pouvais profiter... » Elle n'en finissait pas de tourner autour du pot.

Ransom se taisait, attendant. Mais comme elle n'abordait toujours pas le sujet, il essaya de l'aider : « Ça ne doit pas être une mince affaire, pour Mme Lane, que de s'occuper de toutes les entreprises que son mari lui a laissées. Aucune femme, ce me semble, n'a les capacités requises pour affronter de tels problèmes. Mais je crois savoir que Mme Lane a déjà trouvé quelqu'un pour l'aider à gérer tout ce patrimoine. Je veux parler de M. Dinsmore. »

Son air absent disparut tout à coup. « En fait, c'est de lui que je voulais vous parler », chuchota-t-elle. Elle continuait de craindre qu'on pût l'entendre.

« Le fait est que je ne le connais pas, reprit Ransom ; mais si je peux vous aider...

— C'est lui le grand patron, maintenant, — elle continuait de chuchoter. Ce n'est pas normal : elle lui a donné la direction de tout. L'hôtel. Les fermes. L'écurie. Les magasins et l'entrepôt. Absolument tout.

— Tout cela lui demandera beaucoup de travail. Si je me rappelle bien, Henry Lane était un homme très pris. Mais je pense que le nouveau directeur le sait.

— Non ; il est incapable de s'occuper de tout cela, dit-elle, riant toute seule. Et puis, ce n'est pas tout... Mais est-ce juste de lui avoir confié toutes ces responsabilités ?

— Ça, je n'en sais rien. Je crois qu'il travaillait auparavant comme...

— Elle lui a tout confié ! Je sais : que pouvait-elle faire d'autre ? Elle est seule, ici, sans personne à qui s'adresser. Elle a bien sa mère, et un beau-frère, le mari de sa sœur. Mais ils habitent à des centaines de kilomètres d'ici, dans l'Est, à New York. De toute façon, elle n'aurait pas dû agir ainsi, vous ne trouvez pas ? »

Ransom se demandait où Mme Ingram voulait bien en venir. Sa préoccupation pour les intérêts de Mme Lane était-elle sincère ? Etait-elle simplement jalouse du nouveau venu ? S'agissait-il d'autre chose encore ? Toujours était-il qu'il n'y comprenait rien. Le mieux était de la faire parler encore, en y allant très prudemment pour ne pas la bloquer.

« C'est une question à laquelle je ne peux répondre, madame. Je ne sais rien des capacités de M. Dinsmore, et je ne connais pas assez les problèmes que pose l'administration des biens de la famille Lane. Ce que je sais, c'est qu'il fallait quelqu'un pour s'en occuper. Et je ne vois pas Mme Lane...

— Je sais, je sais. Je ne suis pas féministe.

— Alors, de quoi s'agit-il ?

— C'est difficile à dire, soupira-t-elle. Mais je trouve qu'il a trop d'ascendant sur elle.

— Sur Mme Lane ? De quel type d'influence voulez-vous parler ? »

Nouveau soupir. « Je ne saurais dire, au juste, ce qu'il en est. Mais c'est étrange : je la trouve bien changée, à cause de ça. Oh ! c'est toujours la femme la plus aimable et la plus jolie de Center City...

— Vous vous trompez peut-être, en rejetant la faute sur lui ? Vous savez, quand on perd son mari, et de manière si inattendue, cela vous marque, pendant des mois, des années même.

— Qui sait ? » dit-elle. Mais elle n'avait pas l'air très convaincue. Puis, se reprenant subitement : « Non. C'est lui. C'est à cause de son influence.

— S'il l'assiste dans la gestion de ses affaires, il est obligatoire qu'il ait sur elle une certaine influence, dit Ransom, en guise d'argument.

— D'accord. Mais pas une telle influence.

— Comment ça : une telle influence ? »

Elle ouvrit la bouche, pour répondre, mais se ravisa. « J'ai peut-être eu tort de venir ici. Je ne voudrais pas que vous croyiez que c'est elle qui m'a envoyée.

— Je comprends. Mais si vous voulez que je vous aide, il faut que vous soyez un peu plus précise, madame Ingram. Je ne sais pas : vous pensez peut-être que M. Dinsmore abuse de l'inexpérience de Mme Lane en affaires pour...

— Non. Non, l'interrompit-elle. Je suis sûr que tout ce qu'il fait est absolument légal.

— Alors, que lui reprochez-vous ?

— Il est ambitieux. Très ambitieux. Je le sais. Je l'ai vu. Je le connais.

— L'ambition est une grande qualité, pourvu qu'elle respecte la loi. Et c'est une vertu dont nous avons grand besoin dans ce pays. »

Ses yeux, trop ronds, étaient fixés sur lui, mais elle ne semblait pas le voir. Et ses lèvres esquissèrent une moue de dédain.

« Et moi qui pensais que vous étiez son ami, chuchota-t-elle.

— L'ami de qui ?

— De Mme Lane.

— J'ai le plus profond respect pour Mme Lane, naturellement. Comme tout le monde, du reste, ici, à Center City. Mais je crois que vous vous méprenez : je n'ai jamais été un ami intime de M. et Mme Lane.

— Tant pis pour elle. Elle aurait tant besoin d'une personne amie sur laquelle s'appuyer.

— Mais n'êtes-vous pas vous-même une véritable amie de Mme Lane ?

— Mais ça ne suffit pas, pour la protéger contre lui. »

Ransom essaya une autre tactique. « Etes-vous allée voir maître Applegate ? C'est bien l'avocat de Mme Lane, n'est-ce pas ?

— Applegate ? Pourvu que vous lui donniez de l'argent, il fera ce que vous voudrez. Sinon...

— Je crains que vous n'ayez une piètre opinion de notre profession.

— Je ne l'avais pas, jusqu'ici », dit-elle, d'un ton amer. Puis elle se leva. « Mais, maintenant, j'ai changé d'avis ! »

Encore plus intrigué, Ransom se leva lui aussi. « Croyez-moi, madame, je ne demande pas mieux que de vous aider. Mais s'il n'y a aucun délit, aucune infraction, je ne vois vraiment pas comment je pourrais le faire.

— Ah ! c'est ainsi que vous voyez les choses », dit-elle, toujours à voix basse, mais d'un ton furieux. « Vous êtes tous incapables de voir au-delà de vos petites lois et de vos paperasses. Vous êtes tous aussi bouchés les uns que les autres ! »

Ransom sentit le sang lui monter à la face. Mais il lui dit : « Si vous voulez, je peux parler de tout cela à Mme Lane.

— Elle ne vous dira rien de rien. Il la possède. Il la possède complètement. Ah ! j'ai vraiment eu tort de venir ici. En tout cas, oubliez tout ça, cela vaudra mieux. Mes salutations !

— Attendez que je vous accompagne.

— Ne vous dérangez pas. Retournez à vos bouquins et à vos paperasses, à vos petites lois bien ordonnées qui ne servent à rien dès qu'on en a besoin. » Sur ce, elle ouvrit violemment la porte et sortit.

Abasourdi, il la suivit. A mi-étage, elle se retourna vers lui, le prit par le col et lui chuchota :

« Ne dites à personne que je suis venue vous voir. Ni à elle, ni surtout à lui ! »

Ransom retourna à son travail. Mais il avait beau essayer de se concentrer, il n'y avait rien à faire : il ne cessait de penser aux moindres paroles qu'elle avait dites, — à toutes ses attitudes. Il essayait de deviner ce qu'elle avait voulu lui dire, et, finalement, ne lui avait pas dit. Mais il n'y arrivait pas, et cela l'agaçait. Alors, pour se débarrasser de toutes ces pensées, il se dit qu'elle était tout simplement jalouse de Dinsmore, du poids que lui donnaient ses nouvelles fonctions, de la confiance que lui manifestait sa patronne. Oui, ça devait être ça, et rien d'autre.

Mais si c'était tout, pourquoi diable était-elle venue le voir ? Il eût été beaucoup plus naturel, de sa part, d'aller chez Applegate, — il est vrai que l'avocat ne l'aurait écoutée que d'une oreille. Mais pourquoi avait-elle pensé à lui, Ransom ? Et puis, elle semblait avoir supposé entre lui et Mme Lane une intimité qui tout simplement n'existait pas. A moins que Mme Lane eût parlé de lui ? Ce doute souleva un flot de réflexions d'ordre divers que Ransom préféra interrompre car elles l'entraîneraient trop loin. Et il se remit bravement au travail.

Après tout, se demanda-t-il brusquement, Mme Ingram est peut-être en train de perdre la tête ? Quelles que soient les causes de sa folie. Elle avait parlé de manière décousue, parfois même incohérente. Et si elle était atteinte d'obsession ? Le choc qu'elle avait éprouvé en découvrant le cadavre de Lane pouvait très bien avoir précipité chez elle un déséquilibre latent... Murcott, qui venait de la voir, devait être capable de le lui dire.

Ransom dévala les escaliers. Mais le médecin n'était pas là. Le cabinet de consultation était fermé à clef.

Ransom était remonté depuis peu dans son bureau lorsqu'il entendit du bruit dans le couloir : c'était Mme Page, en train d'épousseter les meubles. Passant devant sa porte, elle lui demanda à quelle heure il voulait déjeuner, étant donné qu'il était le seul à être resté à la pension ce jour-là.

« Et Amasa, où est-il allé ? demanda-t-il.

— A Swedeville, visiter ses pauvres, comme tous les vendredis. Et il ne rentrera qu'en fin d'après-midi. »

Swedeville était une localité située à vingt-cinq kilomètres à l'ouest de Center City et habitée par une vingtaine de familles d'immigrants qui y avaient acheté de petites fermes. Certains de ces paysans parlaient à peine l'anglais. De temps en temps, on les voyait au marché, en ville ; la plupart semblaient avoir juste de quoi survivre. Murcott les soignait gratuitement, — il n'était pas à une contradiction près.

Ransom répondit qu'il déjeunerait à l'heure qui conviendrait le mieux à son hôtesse. Lorsqu'il eut mangé (une demi-heure plus tard) et se fut requinqué, il se sentit l'envie de se remettre au travail et oublia complètement la visite de Mme Ingram. A quatre heures et demie, il se leva, s'étira et décida de se détendre un peu. De toute façon, ses yeux étaient fatigués, et il ne comprenait plus ce qu'il lisait.

Il partit en promenade vers la grand-place, qui se trouvait au nord de la pension. Il traversa la rue Center, et poursuivit sous une allée ombragée d'ormes presque centenaires. La maison du juge Dietz, à l'angle de la rue Center et de la rue du Dakota, éclatait de blancheur, — le juge l'avait sans doute fait badigeonner pendant l'été ; du coup, elle semblait encore plus imposante. L'enfilade de boutiques, qui s'étirait de l'autre côté de la rue, semblait, au contraire, inchangée. L'hôtel Lane, qui se dressait à l'angle du croisement suivant, était toujours, avec ses cinq étages, l'immeuble le plus haut de la grandplace. Il dépassait en effet de quelques mètres la flèche du temple de l'Eglise épiscopale, situé en face. Mais la place était dominée par le palais de justice. Le fronton blanc de l'édifice néo-classique, imposant mais de ligne fort élégante, s'élevait majestueusement au-dessus des arbres de l'avenue McKinley.

Non, rien n'avait changé. La ville était toujours aussi calme, aussi propre, aussi bien mise que lorsqu'il y était venu pour la première fois, neuf ans auparavant, pour rendre visite à Amasa Murcott. Il avait fait la connaissance du médecin à Chicago ; celui-ci lui avait fait une description idyllique de la petite ville. Il avait exagéré, bien sûr, — Ransom s'était aperçu depuis, que son ami était parfois sujet à des accès d'enthousiasme inconsidéré. Mais, au fond, il avait compris que cet endroit plairait à Ransom. Et celui-ci, au bout d'un an, avait fini par s'y installer. Certes, Center City n'était pas le paradis, mais c'était la première ville où Ransom se fût senti bien depuis la fin de son enfance. Le rythme de la vie qu'on y menait, les rapports que les gens y entretenaient lui rappelaient la Georgie d'avant la guerre. Au fond, il n'avait jamais aimé les grandes villes. Washington, où il avait fait ses études de droit et débuté dans la carrière d'avocat, s'était transformée en une métropole au cours de la décennie qu'il y avait passée. Quant à Chicago, c'était la pire chose qu'il eût jamais vue, avec ces industries, ces fonderies, ces conserveries de viande qui vous empuantissaient l'air parfois pendant des semaines. Et les taudis du South Side, et ces horribles cités ouvrières qui semblaient s'étendre à l'infini. Non, il était incomparablement mieux, ici. Center City était devenu désormais sa patrie d'élection. Et il était d'autant plus content de s'y promener qu'il venait de rentrer de Lincoln, — ce petit Chicago, en plus laid encore.

Ransom traversa l'avenue McKinley, et aperçut Floyd sur son perchoir habituel — le banc devant le tribunal —, un exemplaire du *Star* de Center City dans les mains.

« Il n'y a pas beaucoup de changements en ville, hein, depuis que je suis parti », dit Ransom.

Le vieillard était ravi de le voir et, laissant tomber

son journal, se prépara à une très longue conversation. Cela faisait si longtemps qu'il n'avait vu le procureur !

« Oh ! ça non. Mais il a fallu du temps avant que la ville se calme, vous savez, après ce qui s'est passé en avril.

— La mort de Henry Lane, vous voulez dire ? De toute façon, ça n'a pas changé grand-chose. »

Floyd tira un grand bout de calicot de sa poche et se moucha dedans.

« Oui, sans doute, dit-il. Un homme de plus ou un homme de moins...

— Vous avez raison. Je crois savoir que le nouveau directeur de la maison Lane est quelqu'un d'ailleurs.

— Quelqu'un d'ailleurs ?

— Il s'appelle Dinsmore, paraît-il.

— Je sais. Mais cela fait des années qu'il habite ici. Il était dentiste, dans le quartier sud.

— C'est ce que je me suis laissé dire. Mais à part ça, que savez-vous de lui ? »

Floyd ferma les yeux, un instant. « Personne ne sait grand-chose sur lui.

— Depuis trois ans qu'il est ici ?

— Moi, en tout cas, je ne sais rien.

— Et qui, alors ?

— Je ne sais pas. C'est quelqu'un de très réservé, ce dentiste, vous savez. Peut-être que vous pourriez demander à Jack Bent. Mais pourquoi cet intérêt ?

— Oh ! simple curiosité. Après tout, c'est un homme que personne ne connaît, on ne sait même pas d'où il vient, et du jour au lendemain il se retrouve à la tête de toutes ces affaires. Il y a de quoi s'étonner, non ?

— Ah ! je pensais que vous vouliez faire une enquête sur lui, dit Floyd, fermant de nouveau les yeux.

— Pas du tout. Mais c'est un peu curieux, vous ne trouvez pas ? Et le plus curieux, en tout cas, c'est que cette vieille commère de Floyd, qui peut vous décrire jusque dans les moindres détails les toilettes portées par les dames de la ville, ne puisse rien me dire sur le sujet.

— Je n'ai jamais entendu personne débiner sur son compte. Et pourtant il va se faire des ennemis, vu sa nouvelle position. Ça, je peux vous l'assurer. »

Des ennemis, il en avait déjà, eût voulu dire Ransom, pensant à Mme Ingram.

« Jack Bent en sait sûrement plus long que moi, continua

Floyd. Etant donné que le cabinet de Dinsmore se trouvait juste au-dessus du saloon, au coin de l'avenue Van Buren. »

Ransom se dit qu'il devait aller voir Jack Bent. Mais pas tout de suite : il était inutile d'éveiller chez Floyd des soupçons supplémentaires. Le vieillard fourrait son nez partout, et il valait mieux qu'il ne fît pas le rapprochement lorsqu'il apprendrait que Ransom s'était rendu chez Bent. Aussi Ransom fit-il dévier la conversation sur quantité d'autres sujets, jusqu'à ce qu'il fût certain que Floyd avait oublié leur entrée en matière. Mais lorsque Ransom se leva, pour prendre congé, le vieillard lui dit :

« C'est un type bien, ce Dinsmore.

— Tiens ? Vous le connaissez ?

— Non, pas à proprement parler. Mais je suis allé chez lui pour me faire arracher une dent, l'an dernier. C'est un type de l'Est. Mais je sais pas d'où. Il a pas un accent assez précis. Il manque pas de manières, je dois dire. Et il emploie des grands mots : jamais je les avais entendus auparavant. Il a des mains, qu'on dirait qu'il sort en permanence du manucure. Et très accommodant, avec ça.

— Faites-moi voir cette dent ?

— La voici », dit Floyd, en montrant de l'index un bout de gencive bien rose, entre ses chicots pourris.

« Dites donc ; vous auriez intérêt à y retourner, dit Ransom.

— Holà ! On voit que c'est pas vous qui y allez. Remarquez qu'il m'a pas fait mal du tout. Quand je pense à la façon dont le barbier m'avait charcuté pour m'enlever cette autre, là : il avait passé au moins une heure dessus, et après ça, j'avais pas cessé de me bourrer de coton, pendant une semaine, tellement que ça saignait. Tandis que cette dent, elle est partie toute seule, comme si elle allait prendre l'air. Et elle a presque pas saigné. Pommade antiseptique, et tout. »

Ce devait être cette méthode indolore que Dinsmore annonçait sur sa plaque. « Vous n'avez vraiment ressenti aucune douleur ? demanda Ransom.

— Non, je n'ai absolument rien senti — quand il me l'a arrachée. Toute la semaine d'avant, alors là oui, que j'ai eu mal. Vous pouvez le demander à ce vieux batave d'épicier. Je m'envoyais un litre de gnôle par jour.

— Vous savez, je crois que n'importe qui, avec une bouteille d'eau-de-vie dans le corps...

56

— Ça serait pas désagréable d'en prendre un petit verre maintenant, dit Floyd, se frottant un œil visiblement malade. Sauf que je suis au régime. Mais je peux vous assurer que si j'ai rien senti, c'était pas à cause de l'alcool. C'est lui : il fait ça si bien que ça vous fait pas mal. Voilà ce que j'appelle être un chirurgien dentiste ! Souvenez-vous-en : c'est chez lui qu'il faut que vous alliez, si vous avez mal aux dents. »

Mais il dut crier ces dernières paroles car Ransom, le saluant d'un geste de la main, avait déjà retraversé la rue. Comme il essayait de se faufiler à travers le trafic de voitures de l'avenue Lincoln, un fourgon aux couleurs vives, qui se dirigeait vers le nord, s'arrêta pour le laisser passer. Ransom s'aperçut que le conducteur le saluait. C'était Sam Burgess, en train de faire la tournée de ses clients. (Il possédait une laiterie à l'extérieur de la ville.)

« Salut, Burgess.

— Faites plus attention, m'sieu Ransom. Sinon vous allez vous faire écraser.

— Merci, hein ! de m'avoir laissé passer.

— Vous voulez monter ? s'offrit Burgess.

— Non, merci. Je vais dans l'autre sens. »

Burgess prit un air penaud. « C'est que je voulais vous parler, m'sieu Ransom. Je voudrais faire mon testament.

— Venez à mon étude un de ces jours, suggéra Ransom.

— Hé ! Ça fait longtemps que j'y pense. Mais j'arrive jamais à trouver une minute pour y passer. Vous pouvez pas me consacrer quelques instants, maintenant ? »

Les gens commençaient à crier derrière le fourgon.

« J'ai juste quelques livraisons à faire, sur la Colline. Allez, montez ! »

Ransom n'hésita pas un instant. Au fond, cette invitation lui permettait de faire d'une pierre deux coups. Il ne lui fallut que quelques minutes pour expliquer à Burgess ce qu'il devait faire, — et déjà ils étaient arrivés au niveau de chez les Mason, sur le chemin de terre qui longeait les entrées de service des maisons cossues de la rue Montante.

« Plus qu'un, dit Burgess ; et j'ai fini. Puis je vous ramène chez Mme Page.

— Ne vous dérangez pas. Je vais profiter de l'occasion pour faire une visite », dit Ransom. Il venait de décider d'aller voir Carrie Lane.

Burgess l'accompagna jusqu'à la porte de la cuisine.

Là, ils se saluèrent, et une servante introduisit Ransom dans le grand salon. Ransom, ne voyant pas Mme Ingram, supposa qu'elle était sortie, et souhaita qu'elle ne rentre qu'après son départ.

La pièce n'avait pas changé, depuis qu'il y était venu la dernière fois, après la mort de Henry Lane. La maîtresse de maison arriva presque tout de suite. Elle portait un grand tablier de peau, sur sa robe, et des gants de jardinage ; elle en retira un et tendit la main à Ransom.

« Excusez ma tenue, monsieur. Je n'attendais pas de visites aujourd'hui.

— Excusez-moi pour cette arrivée à l'improviste, répliqua-t-il ; j'espère que je ne vous dérange pas.

— Mais non, dit-elle poliment, et hypocritement.

— Dois-je vous croire ? dit-il, regardant ses gros gants de peau.

— Soit ! dit-elle, riant légèrement. J'étais dans la serre, en train de m'occuper de mes plantes.

— Je ne voudrais pas vous arracher à un passe-temps aussi agréable. Votre jardin d'hiver est célèbre dans tout l'Etat. Voulez-vous me le faire visiter ? De la sorte, vous pourrez continuer d'y travailler. »

Ransom n'eut pas besoin de la prier deux fois pour lui faire accepter cette proposition qui, au fond, lui convenait. Malgré sa blouse grossière et ses gants de travail — et ses cheveux ramenés en arrière découvrant son cou de jeune fille —, Carrie Lane avait toujours cette beauté distinguée, personnelle. Elle était pâle, comme d'habitude, d'une pâleur que faisait ressortir la teinte cuivrée de ses cheveux ; et l'on remarquait toujours en elle la même grâce et la même réserve. Pourtant il sentait en elle quelque chose de différent, qu'il n'aurait pas su définir... mais si, c'était ses yeux : ses yeux dorés avaient un éclat, une flamme inaccoutumés, qui rehaussaient sa beauté. Etait-ce à cause de sa visite, ou pour une autre raison qu'il ne pouvait connaître ? De toute façon, cela ne changeait rien au plaisir qu'il avait d'être auprès d'elle, à l'émotion, même, que ces yeux suscitaient en lui.

« Je ne savais pas que vous étiez revenu à Center City », dit-elle, le guidant à travers un labyrinthe de couloirs et de corridors.

« Je ne suis rentré qu'hier, mon travail à Lincoln étant terminé. Mais même s'il ne l'avait pas été, je crois que je serais quand même revenu quelques jours à Center City, ne

58

serait-ce que pour avoir l'occasion et le plaisir de vous revoir...

— Nous y voici, dit-elle. Comme vous pouvez le voir, c'est un jardin d'hiver tout ce qu'il y a de plus ordinaire. »

En fait, évidemment, il n'était rien moins qu'ordinaire. Ransom avait vu la serre en construction, mais il ne l'avait jamais visitée. Elle s'élevait presque jusqu'au deuxième étage, et telle une gigantesque véranda, enveloppait la maison à l'est et au sud. Comme il l'avait dit lui-même, ce jardin d'hiver était le plus beau, et surtout le plus fourni, de tout l'Etat. Non seulement parce que l'on n'avait pas regardé à la dépense, mais aussi parce qu'il jouissait d'une exposition exceptionnelle. Aussi pouvait-on y admirer une multitude de plantes et de fleurs tropicales. De petites allées de gravier serpentaient sous les grosses feuilles des bananiers, contournaient des bouquets de palmiers de diverses essences, traversaient des étendues de sable hérissées de cactus aux formes étranges et parfois grotesques. On avait ménagé au centre de la serre un grand espace libre, d'environ dix mètres de diamètre ; quelques fauteuils de rotin y avaient été disposés, au milieu d'un océan de lis, iris, gardénias, camélias, orchidées et d'une infinité d'autres fleurs que Ransom n'avait jamais vues. Une odeur douceâtre, moite, un peu écœurante emplissait la serre, et surtout sa partie centrale, comme si un plein camion de parfums s'était renversé, mêlant les unes aux autres les essences les plus discordantes. Ransom se sentit pris d'un léger vertige.

« Henry aimait beaucoup toutes ces plantes et toutes ces fleurs », disait Carrie Lane, tout en le conduisant vers le cœur de cette cacophonie olfactive. « Cela faisait vingt ans qu'il les collectionnait. Il voyageait beaucoup, vous savez, et partout où il allait, il demandait à voir les spécimens les plus rares ou les plus curieux de la flore locale ; et il se débrouillait toujours pour ramener ici des graines, des bouts de racines, des rejetons, ou que sais-je d'autre encore. »

Elle s'arrêta au milieu d'un bosquet d'arbres nains, qui lui arrivaient à peine au genou. C'était des pins minuscules, plantés dans de longues caisses rectangulaires. Elle semblait une géante se promenant dans cette forêt en miniature où tout était reproduit dans les moindres détails : les aiguilles, les branches noueuses et jusqu'aux toutes petites pommes de pin qui parsemaient de piqûres brunes

59

le vert foncé des frondaisons. « Ce sont des "bonsai", dit-elle. Ils viennent du Japon où on les considère comme des plantes infiniment précieuses. Les familles se les transmettent de génération en génération. Cette petite forêt a, paraît-il, plus de deux cents ans. Henry, qui en avait entendu parler, les a fait rapporter par le capitaine d'un navire qui faisait le commerce avec la Chine. On les soumet à des traitements spéciaux, juste après la germination, de telle manière qu'ils reproduisent les proportions naturelles. »

Et la conversation continua sur ce ton pendant une dizaine de minutes encore : après les arbres nains, Carrie Lane montra au visiteur une quantité d'autres plantes ; elle lui disait leur nom et racontait leur histoire, lorsqu'elles en avaient une. De son côté, Ransom commençait à regretter de ne pas être resté dans le salon. Cependant elle s'interrompit un instant. Il en profita pour dire : « Je ne savais pas si vous receviez, en fait. »

Elle eut comme un sursaut. « Qui vous a dit ça ? » dit-elle d'un ton brusque. Puis, adoucissant sa voix : « Qu'est-ce qui a bien pu vous faire penser une chose pareille ?

— Personne ne m'a rien dit de tel », répondit-il, surpris par la violence de sa réaction. « Absolument personne. Je pensais simplement que votre deuil, et... » Il laissa sa phrase en suspens, pendant un instant ; puis, comme elle ne répondait pas, il changea de sujet : « Et Mme Ingram, comment va-t-elle ?

— Très bien, je vous remercie. » Elle avait repris son calme, mais, désormais, elle semblait se tenir sur ses gardes.

« Je vous demandais cela parce que je ne l'ai pas vue. Et comme on m'a dit qu'elle avait été malade, récemment... Il serait vraiment dommage que sa maladie devienne chronique, dit-il, pour voir quelle serait sa réaction.

— Quelle maladie ? Vous prenez trop au tragique l'incident d'hier, si c'est à cela que vous faites allusion. Elle est restée trop longtemps au soleil, c'est tout. Ça devait bien lui arriver un jour ou l'autre : elle n'arrête pas. Je n'ai jamais vu une employée aussi consciencieuse ; il faut toujours qu'elle aille vérifier si les autres domestiques font bien leur travail. J'ai eu beau lui recommander, je ne sais combien de fois, de se ménager : Harriet n'en fait qu'à sa tête. Enfin, j'espère que l'expérience d'hier lui

60

aura servi de leçon. Elle est en train de se reposer, en ce moment.

C'est donc la première fois qu'elle se comporte de manière aussi bizarre ? » demanda Ransom, en choisissant prudemment ses mots.

Carrie cessa d'arroser les arbres nains et releva les yeux vers lui. Elle semblait ne pas avoir compris la question de Ransom. Mais elle continua de se taire.

« Ce genre d'incident, reprit Ransom, modifiant sa formulation, ne s'était donc jamais produit auparavant ?

— Non. Jamais ! » A l'entendre, on eût dit qu'elle relevait un défi.

Le chapitre Harriet Ingram semblait donc clos. Mais l'était-il vraiment ? Il était naturel que Ransom se fût enquis de la gouvernante. Or Carrie Lane en semblait froissée. Cherchait-elle à lui cacher quelque chose ?

« Mme Ingram se porte donc très bien, dit-il.

— Oui. Je vous l'ai déjà dit.

— Il n'y a donc pas de quoi se préoccuper.

— Absolument pas. » Mme Lane se raidissait de plus en plus.

« Parfait. J'en suis très heureux pour elle, dit-il, d'un ton qui ne le convainquait même pas lui-même. J'espère également que tout le reste va bien. Je veux dire : que vous n'avez rencontré aucune difficulté en ce qui concerne les biens laissés par M. Lane.

— Non ; aucune. A part les problèmes habituels, m'a-t-on dit. De toute façon, il me serait difficile de m'en occuper moi-même. Les affaires de feu mon mari sont entre les mains de maître Applegate et d'autres personnes.

— Je comprends. Vous devez vous sentir bien soulagée, n'est-ce pas, d'avoir trouvé si vite un directeur général ? » demanda Ransom, pour voir quels étaient ses sentiments vis-à-vis du nouvel intendant.

« Oh ! oui. M. Dinsmore me donne toute satisfaction. » Toutes ces réponses étaient données sur un ton placide, indifférent.

« M. Dinsmore est sans aucun doute particulièrement qualifié pour mener à bien les tâches que vous lui avez confiées.

— C'est aussi mon avis », répliqua-t-elle, d'une voix quelque peu languissante, et sans se retourner vers Ransom. Elle était en train d'élaguer des arbustes qui, lui avait-elle dit, s'appelaient des koumquats.

Elle ne réagirait pas de manière aussi calme, aussi neutre, se dit Ransom, si elle était vraiment sous la coupe de Dinsmore. Mme Ingram devait être jalouse, tout simplement. Mais comment expliquer alors la curieuse réaction de Mme Lane, lorsqu'il lui avait demandé comment se portait sa gouvernante ? Ransom décida de faire une autre tentative.

« Je suis vraiment heureux de voir que tout va si bien, madame. Car pour être sincère, je dois dire que je me préoccupais un peu pour vous, en pensant à tous les problèmes que pouvait vous poser votre nouvelle situation. » Comme elle ne répondait pas, il poursuivit : « Mais il semble que tout va pour le mieux. Et j'espère que cela continuera.

— Je ne vois pas pourquoi ça ne devrait pas continuer comme ça », répliqua-t-elle, refusant de saisir l'occasion qu'il lui avait donnée de parler des problèmes qui s'étaient nécessairement posés lors de la succession. Elle continuait de lui tourner le dos, toute à ses travaux de jardinage.

« Je me rappelle vous avoir offert mes services le jour de la mort de votre mari. Je me permets de renouveler cette offre, madame.

— Je vous remercie beaucoup, monsieur. C'est très aimable de votre part. Mais j'espère n'être jamais obligée de vous importuner. Croyez-bien, cependant, que votre offre m'honore. »

Ransom ne voyait vraiment plus quoi lui dire. Elle l'avait mis en échec sur tous les points qu'il avait abordés. Et pourtant, il sentait que rien n'était réglé. Il restait là, la regardant donner des coups de sécateur à droite et à gauche ; elle semblait avoir oublié jusqu'à sa présence. Au bout de plusieurs minutes, elle se retourna et sembla surprise de le voir.

« Je vous demande pardon, monsieur. M'avez-vous dit quelque chose ?

— Oh ! non. Mais je crois le moment venu de prendre congé.

— Excusez-moi, je n'y pensais plus : vous devez être un homme très pris. Je suis navrée de vous avoir fait perdre votre temps. Puis-je vous faire accompagner jusqu'à la porte ? »

Sans attendre de réponse, elle appela la cuisinière. Celle-ci apparut tout de suite, comme si elle avait écouté à la porte. Carrie le salua d'un simple signe de tête. Une fois sorti, Ransom descendit la rue d'un pas rapide, plus intrigué et plus insatisfait que lorsqu'il était arrivé.

Il suffisait de descendre l'avenue Van Buren pendant quelques centaines de mètres, et l'on avait l'impression de changer de ville. Les files d'arbres qui ombrageaient les rues du centre s'interrompaient ; on cessait de côtoyer les hôtels particuliers, et l'on entrait dans un fouillis de bicoques en mauvais état qui faisaient bientôt place à des rangées de maisons en bois, uniformes et basses. C'était le quartier sud, la zone la plus ancienne de la ville, qui s'était développée autour du relais de poste, à une époque où Center City n'existait pas encore.

Le bar de Jack Bent remontait à ces temps lointains. Il avait été célèbre, le *White Star Saloon* — et cela faisait quelques années, seulement, que les étrangers de passage à Center City ne le considéraient plus comme leur point de chute obligatoire. Mais depuis, évidemment, le cœur de la ville s'était déplacé plus au nord, vers les quartiers élégants où se trouvaient le tribunal, les églises et l'hôtel Lane.

Le bar conservait encore son cachet de saloon. On avançait entre plusieurs rangées de tables de jeu pour arriver jusqu'au comptoir de chêne massif, en forme de fer à cheval écrasé. Un escalier intérieur conduisait à une galerie, qui avait desservi les chambres, à l'étage. Derrière le comptoir, on apercevait une manière de cuisine. Les salles de jeu privées avaient été fermées depuis presque une génération, et les deux portes qui permettaient d'y accéder, du bar, avaient été condamnées. Maintenant, on y entrait du côté de la rue ; ces pièces étaient le lieu de réunion de la communauté baptiste locale. Les chambres avaient subi un sort analogue : elles n'étaient plus accessibles que de l'intérieur, et étaient louées, au mois, en général, à des familles d'immigrants, qui travaillaient comme journaliers à Center City et attendaient d'avoir assez d'argent pour aller s'établir à Swedeville, comme fermiers.

Le temps avait déposé sur les meubles et sur la décoration une fine patine, et l'ensemble avait cette touche d'irréalité qui dénote la résurgence d'un passé encore récent, mais déjà chassé de la mémoire. Les couleurs s'étaient estompées, les surfaces planes — les tables, le comptoir — brillaient d'un vernis inanalysable, les vitres et les miroirs s'étaient ternis, éteints, — y compris la bonne vingtaine de trumeaux qui surveillaient la pièce. Les danseuses presque nues, dont les portraits ornaient la partie supérieure des murs, semblaient elles aussi avoir pris de l'âge : ces étoiles d'un spectacle révolu depuis un demi-siècle avait perdu leur éclat tapageur et canaille, et semblaient aussi sordides que des courtisanes sur le retour.

Les éleveurs, les trafiquants de bétail, les joueurs professionnels arborant leur élégance de pacotille avaient depuis longtemps déserté la grande pièce ; on n'y sentait plus la puanteur fadasse du cuir frais, caractéristique des trappeurs et des chasseurs de bisons. Ces races, ici, s'étaient éteintes ; pour en retrouver des exemplaires encore vivants, il aurait fallu aller bien plus à l'ouest, dans le Wyoming ou le Montana. Quant aux bourgeois de passage à Center City, ils n'avaient plus à passer devant le saloon, désormais, et ils ne venaient même plus le voir. Ils arrivaient à la gare, descendaient à l'hôtel Lane, et ne poussaient jamais jusqu'au quartier sud.

Ransom n'y était pas un inconnu ; il était même venu plusieurs fois au bar de Bent pour discuter d'affaires avec des fermiers et d'autres personnes étrangères à la ville, qui se seraient senties mal à l'aise dans son étude d'avoué. Ainsi on le connaissait, mais pas trop, dans le quartier, et, ce jour-là, cela valait mieux.

Sans entrer dans le bar, il alla directement à la porte d'à côté, vit la plaque de Dinsmore et monta à l'étage. Si ses renseignements étaient justes, le dentiste ne recevait pas cet après-midi-là. Mais il frappa à la porte du cabinet, juste pour s'en assurer. Personne ne répondit.

Il n'y avait pas grand monde à l'intérieur du bistrot. Deux hommes étaient assis, chacun à sa table, dans l'angle le plus éloigné de la pièce. L'un deux lisait un journal, déjà jauni, l'autre dormait, la tête rejetée en arrière, la bouche grande ouverte. Deux autres personnes — des paysans vraisemblablement — occupaient une extrémité du comptoir. Ransom se percha sur un tabouret, à l'autre extrémité, et attendit le patron.

« Hé ! Amanda ! appela un des deux fermiers ; y a un client. »

Une femme apparut à la porte et aussitôt redisparut. Finalement elle s'avança vers Ransom en boutonnant le col de son chemisier.

« Qu'est-ce que vous prenez ? » dit-elle d'une voix traînante.

Ransom commanda un whisky soda. Lorsqu'elle le lui eut apporté, il demanda : « Où est ce vieux Jack Bent ?

— Il a des crampes d'estomac », dit-elle sur un ton indifférent, et mentant sans doute. Puis, rejetant en arrière les cheveux qui cachaient une bonne partie de son visage, petit et maigre : « C'est moi sa dame.

— Enchanté de faire votre connaissance, madame.

— Je peux aller dire à Jack de venir, dit-elle ; si vous voulez.

— Ne le dérangez pas. »

Elle le regarda de près, puis, d'un mouvement vif, alla parler aux deux hommes qui se trouvaient à l'autre bout du comptoir. Après quelques minutes de conciliabules, elle revint du côté de Ransom et fit semblant d'astiquer les rebords de cuivre du bar avec un vieux chiffon sale. Il aurait fallu bien autre chose pour enlever cette crasse accumulée.

« Je suis désolé d'apprendre que Jack est malade, dit Ransom. Je dois dire que moi-même je ne me sens pas très bien. Ce n'est pas l'estomac, mais les dents. J'espérais trouver le dentiste, en venant aujourd'hui. Parce que je suis déjà venu, hier, pour rien.

— M. Dinsmore ne vient plus au cabinet, ces derniers temps, dit-elle.

— Mais il exerce toujours ?

— Oui. Mais il ne reçoit que sur rendez-vous. Il est très occupé par ailleurs.

— On m'a dit que c'était un bon dentiste, et qu'il ne faisait pas mal. C'est vrai ?

— Tout ce qu'il y a de plus vrai ! Mais maintenant monsieur a d'autres chats à fouetter. Il est directeur général, et tout, dit-elle d'un air confidentiel. Lui, au moins, il a su améliorer sa situation. C'est pas comme cette espèce de chiffe molle qui reste au lit toute la journée », dit-elle, en jetant un regard mauvais dans la direction de la porte, derrière le bar. « D'ailleurs, je l'avais déjà deviné en le voyant, quand il a emménagé chez nous. Et je l'ai dit à Jack : " C'est un monsieur qui a des manières ; tu verras qu'il tardera pas à trouver mieux, et qu'il restera pas longtemps chez nous." Et j'ai eu raison, vous voyez.

— Vous le connaissez depuis si longtemps que ça ?

— Oh ! non. Trois ans au maximum. Nous sommes les

premières personnes qu'il est venu voir, à l'époque, quand il voulait monter son cabinet de dentiste. Il a pris l'appartement de famille, — c'est comme ça qu'on l'appelait, avant : trois pièces avec eau courante, évier, lavabo et tout, à l'intérieur. Il a beaucoup insisté là-dessus. C'est un dentiste "antiseptique" — comme y a d'écrit sur sa plaque. Et c'est vrai. Jamais vu un locataire aussi propre. Cet appartement n'a jamais été aussi astiqué. C'était sa femme qui y faisait le ménage, de son vivant ; pauvre femme, Dieu ait son âme.

— Il habite aussi là-haut ?

— Non non. En ce moment, il habite dans la rue Montante. A ce qu'on m'a dit. C'est une belle promotion, par rapport au passage de l'Hiver — où ils avaient leur appartement d'habitation. C'était chez des nègres, oui monsieur ! Mais je dois dire : c'était des nègres bien, ils travaillaient tous, — sauf les gosses évidemment. Ils ont une vieille mémé, là-bas, la mère Bowles, qui se débrouille toujours de les caser. Ça, c'est une femme ! Si elle pouvait s'occuper de ce pauvre Jack comme elle s'occupe de ses enfants, et même de ses petits-enfants ! Son fils aîné a quarante-cinq ans, vous savez, et malgré tout c'est grâce à elle qu'il a un travail. »

Ransom n'eut aucune peine à faire parler Mme Bent de tous les sujets qui l'intéressaient. Elle était bavarde, et pleine d'admiration pour son dentiste. Elle ne se lassait pas de conter tous ses bienfaits, et bientôt Ransom fut mis au courant des problèmes de dents de tous ses concitoyens dans un rayon d'un kilomètre autour du bar.

« Mais si c'est un si bon dentiste, il doit faire payer cher, non ?

— Pas du tout. Il pratique des tarifs tout ce qu'il y a de plus normaux. Deux dollars pour une extraction. Un dollar pour un examen général. Un dollar et demi par plombage. Et après on se sent mieux, je vous assure. Jack n'a pas ce genre de problème, le veinard. Mais moi, je me suis fait soigner par lui plusieurs fois, et gratuitement ! M. Dinsmore ne m'a jamais demandé le moindre centime ; il voulait pas me faire payer. Mais il ne demande rien non plus aux gens qui sont trop pauvres. S'il se trouve si haut placé, maintenant, on peut dire qu'il l'a mérité, car c'est une personne vraiment charitable. »

Et de citer toute une série de bonnes œuvres accomplies par Dinsmore : il lui était même arrivé de prêter de l'argent aux plus indigents de ses clients. Puis elle se mit à louer

66

sa tenue soignée, ses bonnes manières, et, de nouveau, sa propreté, en assortissant son panégyrique de comparaisons peu flatteuses pour son mari et la plupart des autres hommes. Finalement, elle raconta combien il avait été affecté par la longue maladie et la mort de Mme Dinsmore. Sa conversation avec Ransom, ou plutôt son monologue, l'occupait tant qu'elle eut un geste agacé en direction des deux paysans lorsqu'ils lui demandèrent de leur servir une autre tournée. Toutes ses paroles vantaient les mérites de Dinsmore et contredisaient complètement les craintes et les soupçons de Mme Ingram. Ransom en était arrivé à considérer les insinuations malveillantes de la gouvernante comme de pures et simples fabrications, quand Mme Bent signala un fait moins flatteur.

« La seule chose que je n'arrive pas à comprendre, c'est pourquoi il s'est séparé de M. Carr, juste maintenant qu'il a une si belle situation. Le pauvre homme ! Lui qui assistait M. Dinsmore du temps qu'ils étaient ici ; et avec quel dévouement ! Il était aux petits soins pour lui, comme s'il avait été son propre père !

— Et où habite M. Carr, maintenant ? demanda Ransom.

— Je sais pas. Pas en ville, en tout cas. Sinon, on l'aurait vu passer ici.

— Mais il ne demeure pas passage de l'Hiver, dans l'appartement de M. Dinsmore ?

— Oh ! non. L'appartement a été loué à une autre famille, cet été. »

Ransom se rappela que Murcott lui avait parlé de Carr, quelque temps auparavant. C'était un homme âgé ; selon le médecin, il était l'assistant de Dinsmore. Mais les paroles de Mme Bent laissaient penser que les rapports entre les deux hommes avaient été plus étroits. Pourquoi, sinon, aurait-elle déploré leur séparation ?

Ce petit mystère décida Ransom. Il était près de six heures, mais il ne lui fallait pas longtemps pour arriver jusqu'au passage de l'Hiver, où Dinsmore et Carr avaient habité. Et là, il entendrait peut-être un autre son de cloche.

Ransom eut toutes les peines du monde à prendre congé. Il était temps. En sortant, il aperçut la silhouette de Jack, qui se profilait dans l'embrasure de la porte intérieure.

« Oui, c'est vrai. Ils habitaient tous les trois ici. Lui, elle, et le vieux. Dans ces quatre pièces, là. Je me demande comment ils arrivaient à s'y caser. Mais enfin, ça ne leur coûtait presque rien : quatre dollars et quelques par mois. »

La vénérable Noire se retourna sur son fauteuil à bascule, qui gémit sous le poids, pour demander à l'une des nombreuses jeunes femmes qui s'activaient à l'intérieur d'apporter du thé glacé au visiteur.

Yolanda Bowles ne s'était point montrée aussi aimable lorsque Ransom s'était présenté à la porte de la véranda et lui avait demandé si M. Dinsmore habitait bien ici. Elle lui avait lancé un regard dur, avait froncé les sourcils et tout fait pour l'éconduire. Voyant qu'il insistait, elle avait appelé ses deux petits-fils, qui travaillaient dans l'arrière-cour ; et flanquée de ces deux gardes du corps, telle la reine de quelque tribu africaine, elle avait sommé Ransom de dévoiler les motifs de sa venue.

L'attorney avait porté la main à la joue, en expliquant que ses dents... Mais elle ne l'avait pas cru, et s'était contentée de révéler que Dinsmore avait déménagé, sans laisser d'adresse.

Mais Ransom s'attardait ; les deux petits-fils firent mouvement vers lui, l'air vaguement menaçant.

Alors il appliqua une autre technique d'approche :

« Je vous demande pardon, madame. Mais ne seriez-vous pas, par hasard, originaire de Georgie ? » Beaucoup d'années avaient passé, sans doute, mais il savait encore reconnaître l'accent langoureux des plantations.

« Qu'est-ce que ça peut bien vous faire ? demanda-t-elle. Vous avez jamais entendu parler du père Lincoln et de l'émancipation ?

— Bien sûr que si », répondit Ransom. Mais le hasard voulait que lui aussi provînt de Georgie. Des environs d'Atlanta, pour être plus précis. Et il était habitué à un accueil plus cordial, de la part de ses compatriotes.

« D'Atlanta ? Et comment vous appelez-vous ?

— Je suis le fils de William Cassius Ransom.

— Ah ! oui, dit-elle lentement. Elle avait l'air de réfléchir. Je m'en souviens. A l'époque, je travaillais à la plantation juste à côté. Chez les Cabot, vous les avez connus ?

— Oui, très bien.

— Alors, qu'est-ce que vous lui voulez à ce Yankee, monsieur Ransom ? »

Il ressortit l'argument de la dent malade. Elle n'avait toujours pas l'air d'y croire, mais elle renvoya ses deux petits-fils dans la remise et invita Ransom à prendre un

siège à côté d'elle. Vue de près, elle semblait encore plus
énorme. Et ce n'était sûrement pas que de la graisse, se
dit le fils de William C. Ransom, si pendant sa jeunesse,
elle avait travaillé comme esclave dans les plantations. Ils
se mirent à parler des familles qu'ils connaissaient tous
les deux, et de ce qu'il leur était arrivé après la guerre.
De temps à autre, Ransom voyait apparaître fugitivement
aux fenêtres trois petits visages qui le regardaient avec
curiosité.

Yolande ne croyait toujours pas aux motifs officiels de
sa visite, mais maintenant qu'elle avait identifié Ransom,
elle était mieux disposée envers lui, et elle se mit d'elle-
même à parler de Dinsmore.

« Qu'est-ce qu'il a fait de mal ?

— Qui ? Dinsmore ? répondit Ransom. Rien, que je sache.

— Votre père était un homme de loi, si je me souviens.
Et vous aussi, vous en êtes un, monsieur Ransom. Y'a qu'à
vous voir. Et ça veut dire que vous avez pas mal aux dents,
mais que vous faites une enquête sur ce type, hein ?

— Soit ! vous avez deviné. Mais il s'agit d'une enquête
tout à fait privée. »

Satisfaite d'avoir vu juste, elle se mit à parler de ses
anciens locataires.

« Il a jamais rien fait de mal, pour autant que j'en sache.
Sinon, il serait pas resté ici. Ça, je peux vous en assurer.
Je veux pas de malfaiteurs sous mon toit, — noirs, blancs
ou rouges, c'est du pareil au même. Malgré tout, j'étais
sûre qu'il avait quelque chose à se reprocher. C'est logique :
pourquoi, sinon, il aurait choisi d'habiter ici ? C'est ce que
je lui ai demandé, quand il est arrivé. Et je l'ai averti qu'il
avait intérêt à bien se tenir, poliment, bien sûr. Mais c'était
un bon locataire. Il payait tous les premiers du mois. Et
il n'embêtait personne ici. Oh ! on s'est pas beaucoup parlé
pendant tout le temps qu'il est resté ici. Et pas plus avec
le vieux professeur, d'ailleurs. Il avait pas l'air d'un mauvais
cheval, le vieux. M. Dinsmore s'est fait rapidement une
bonne réputation, chez tous les Noirs. Et j'avais plus peur
qu'il s'en aille sans payer son loyer. »

Elle disait du bien de lui, en somme, mais comme à
contrecœur. Elle commença une autre phrase, concernant
son ancien locataire, mais s'arrêta. Puis, au lieu de la
continuer, elle demanda :

« Vous faites cette enquête pour le compte d'une dame ?
Il a l'intention de se remarier ? »

Ransom reconnut qu'il y avait une femme dans l'histoire, mais, autant qu'il en sût, ajouta-t-il, il n'était pas du tout question de mariage.

« C'est bien ce que je pensais. C'est tout à fait son genre. Oh ! c'est pas que je veuille empêcher les hommes de s'amuser, — on sait comme vous êtes, dès qu'il est question de bonnes femmes. Mais elle me faisait vraiment de la peine, la pauvre Mme Dinsmore, lorsqu'elle venait pleurer dans mes bras, en se lamentant parce qu'il courait après les autres. Et moi, je lui disais qu'il fallait bien qu'elle se résigne à son sort, avec un mari aussi bien fait, aussi coquet. Et elle avait même pas la santé, la pauvre. Je crois bien qu'elle aurait passé ses journées entières à pleurer, si elle n'avait pas été obligée de travailler, de faire le ménage, de coudre, de faire la cuisine. Mais j'avais raison : elle aurait jamais dû se marier à un homme comme ça. Avec ses yeux, bleus comme des saphirs. Vous les avez vus, hein ? Et sa voix. Rien qu'en parlant, il aurait pu charmer les oiseaux dans les arbres ; alors les femmes, hein, n'en parlons même pas. Je vois ici : même mes fils et mes petits-fils, ils refusaient jamais de lui rendre un service, — il le demandait d'une voix si douce, si aimable. Remarquez : il avait bien compris qu'il n'avait rien à attendre, ni de moi, ni des autres femmes de la maison. Chacun s'occupait de ses affaires, lui des siennes et moi des miennes.

— Vous n'avez jamais rien entendu dire... mais vraiment rien entendu dire sur lui ?

— Non. Tout ce que je sais sur lui, c'est parce que je l'ai vu. Et je peux vous dire que c'était un sacré coureur. C'était son occupation principale, ici, à Center City. Pauvre femme. Et le pire, c'est qu'elle en a perdu la tête. C'est de ça qu'elle est morte.

— Je croyais qu'elle s'était noyée ? »

Yolande se mit à rire. « Vous avez bien dit que vous faisiez une enquête, non ? Elle s'est noyée, d'accord. Mais parce qu'elle l'a voulu. Elle croyait qu'elle avait la consomption, et qu'elle était perdue. Or moi, je suis pas docteur, mais j'ai quatre-vingt-un ans, et j'en ai connu des gens qui avaient cette maladie, aussi bien des Noirs que des Blancs. Et je peux vous assurer qu'elle était pas phtisique. Oh ! elle était dans un sale état, c'est sûr, vers la fin de sa vie. Mais faut dire qu'elle mangeait presque rien, et qu'elle dormait jamais. Et elle se faisait un sang d'encre, en pensant à cette maladie, alors qu'elle l'avait même pas.

Je l'ai jamais vue cracher, pour dire ; je parle pas de sang : elle crachait même pas comme quelqu'un qu'aurait eu un simple rhume. Vous parlez d'une phtisie ! Et lui, qui faisait presque des miracles aux autres, — même pas capable de lui faire passer sa folie douce !

— Vous pensez donc qu'elle n'était pas réellement malade ?

— Non. Tous les gens qui l'ont vue, même les docteurs, vous diront comme moi. Y a qu'elle qui se croyait malade. Elle avait perdu la tête, tout simplement. Elle l'aimait trop, elle était trop jalouse. On a pas idée d'être si bête aussi ! »

L'une des jeunes femmes apporta un plateau avec deux grands verres de thé glacé. Yolande se mit à la houspiller et lui demanda où en étaient les travaux qu'elles étaient censées accomplir à l'intérieur. Durant ce long interroga-toire, Ransom, en buvant son thé à petites gorgées, passa en revue les informations qu'elle lui avait données. Il s'avisa qu'il avait encore une question importante à lui poser, et dès que la fille fut retournée dans la maison, il lui demanda :

« Pourquoi m'avez-vous dit qu'il faisait presque des miracles ? Parce qu'il soignait les dents sans faire mal ?

— Oui ; mais pas seulement pour ça. Moi, bien sûr, j'avais pas confiance en lui. C'est pourquoi je croyais pas beaucoup à tout ce que racontaient le Père Sydney et tous ces crétins de baptistes. Mais enfin, paraît-il qu'il était un dentiste "indolo'e". Mais ce que j'ai vu, c'est quand Millard a eu la jambe à moitié broyée par le tarare ; M. Dinsmore l'a si bien remise en état, qu'on dirait qu'il lui est jamais rien arrivé. Ça, c'est presque un miracle.

— Millard est un de vos fils ?

— Non. C'est un de mes petits-fils. Vous voulez le voir ? Hé ! Millard ! Millard ! Nancy ! Viens ici ! Va me chercher Millard. »

Avant que Ransom eût pu dire un seul mot pour la prier de ne pas se déranger, la fille avait déjà bondi de l'autre côté de la maison. Une minute après, à peine, Millard arriva, en boitillant, mais vraiment très légèrement.

« Viens ici ! dit-elle ; fais voir ta jambe au monsieur ! »

Millard entra sous la véranda et releva une de ses jambes de pantalon. Ransom vit une longue et profonde cicatrice qui descendait en spirale jusqu'au pied, — deux longs ourlets de peau rose enserrant une entaille centrale, blanche.

« Et ça monte, jusqu'au-dessus du genou, dit Yolande. Raconte à monsieur ce qui t'est arrivé, Millard.

— Elle arrive jusqu'ici », dit Millard, montrant du doigt un point, en haut sur sa cuisse. « Heureusement qu'il était là, M. Dinsmore. Billy, le fils à Yolande, l'a tout de suite fait venir dans la grange. Ça saignait, comme un cochon qu'on égorge. Et moi, je gueulais tout ce que je savais ; j'avais peur d'y passer. Y avait tellement de sang, y en avait jusqu'ici, répéta-t-il, désignant son aine.

— Dinsmore vous a suturé tout ça ? demanda Ransom.

— Ouais, m'sieur, déclara-t-il fièrement. Il a tout recousu avec une espèce de fil en boyau de chat. C'est Billy qui lui a amené. Mais la première chose qu'il a fait, ç'a été d'arrêter le sang qui coulait. Rien que ça, ça m'a déjà beaucoup rassuré.

— Et comment ? Avec un tourniquet ?

— J'en sais rien, au juste. A moins qu'un tourniquet soit une manière de parler. Parce que c'est ça qu'il a fait. Il m'a pris par la gorge dès qu'il m'a vu, et fort, hein, comme si i' voulait m'étrangler, et il m'a dit des choses, je me suis senti bien, j'ai pu eu peur et j'ai cessé de beugler. Alors j'ai vu que mon sang, il coulait plus du tout. C'est à ce moment-là que Billy est arrivé avec la trousse de docteur. C'était celle du vieux professeur. Et M. Dinsmore a fait tout ça, avec sa méthode antiseptique, alcool et tout — sauf que ça brûlait pas, comme ça brûle d'habitude — et il a tout recousu avec les boyaux de chat.

— Mais il a bien dû serrer la jambe avec quelque chose pour arrêter le sang ? » dit Ransom. Non non, répétait Millard. Alors il avait dû la soulever ? Non, non plus. Dinsmore n'avait touché à la jambe que lorsque l'hémorragie s'était arrêtée. Et alors, il n'avait rien fait d'autre que la nettoyer et la recoudre. Ransom n'en croyait pas ses oreilles. Millard avait peut-être perdu connaissance, ce qui aurait expliqué qu'il n'eût pas vu le tourniquet ? Mais Millard n'en démordait pas : il avait tout vu, et d'ailleurs il n'y avait qu'à aller demander au fils de Yolande : il confirmerait tout.

C'était quand même une histoire invraisemblable. Et la jambe avait été vraiment très bien recousue. Etrange. Millard affirmait qu'au bout d'une semaine, il avait déjà pu recommencer à marcher. N'eût été la cicatrice, il eût sans doute oublié toute cette histoire.

Yolande congédia son petit-fils.

« Vous voyez, maintenant, pourquoi je vous ai dit qu'il faisait presque des miracles ? dit-elle, en vidant son verre de thé.

— Je vois en effet. Mais Millard, lui, a l'air de croire que c'est un véritable miracle. Et il n'est pas le seul dans son cas, si je me rappelle bien ce que vous m'avez dit. Vous avez fait allusion au Père Sydney, n'est-ce pas ?

— Ah ! cette vieille bille de billard. Vous savez, lui, il demande qu'à croire, c'est son métier. Mais allez lui parler. Comme ça vous verrez par vous-même : c'est un pauvre innocent.

— Bien. Je crois que je vais suivre votre conseil. »

Ransom se leva, remercia Yolande pour les renseignements qu'elle lui avait donnés, ainsi que pour tout le plaisir qu'il avait eu de cette conversation.

Comme il débouchait par une petite rue transversale dans l'avenue Van Buren, pour la deuxième fois de la journée, il s'arrêta, estomaqué, en voyant une femme sortir comme une flèche de la porte attenante au bar de Bent et s'engouffrer dans une voiture qui l'attendait un peu plus bas. Elle allait si vite qu'il ne put distinguer ses traits. Mais cette silhouette élancée, ces épaules altières étaient, à n'en pas douter, celle de Carrie Lane. Pouvait-il s'en assurer ?

Il caressa un moment l'idée de monter à l'étage, puis se ravisa. Et il entra dans l'église baptiste.

Le Père Sydney était en train de mettre à jour des registres. Il répondit volontiers aux questions de Ransom. Il connaissait effectivement Dinsmore, mais ni lui ni sa femme n'avaient jamais eu besoin de se faire soigner les dents par lui. Cependant, ils connaissaient personnellement plusieurs de ses clients, et ceux-ci n'avaient eu qu'à se louer de ses tarifs et de son amabilité. Le révérend père confirma également que Dinsmore avait soigné gratuitement certains de ses clients et avait même prêté un peu d'argent aux plus pauvres d'entre eux. Le Père Sydney — homme mince, mais robuste, qui devait approcher de la soixantaine, visage poupin et crâne chauve parsemé par-ci par-là de petites touffes de cheveux blancs — déclara à Ransom que la méthode de Dinsmore était un « don de Dieu ». Et il aborda cette question sans que le procureur lui eût rien demandé ; il expliqua que l'art de Dinsmore ne devait rien à la science ou à d'autres inventions diaboliques mais résidait tout entier dans la voix et dans l'esprit.

« C'est un don que Joseph à la robe bariolée exerçait à la cour de Pharaon, et qui valut au jeune David d'être désigné à la place de Saül », dit Sydney. Et de citer des passages entiers des Ecritures pour étayer ses dires. Grâce à ce don, et à sa profonde humanité, Dinsmore était désormais vénéré par de nombreux fidèles, ajouta le Père Sydney.

Ransom se rendit bientôt compte que le ministre était un fanatique et un maniaque de la Bible. Il ne posa absolument aucune question à Ransom ; tout argument lui était l'occasion d'assener sur la tête du pauvre pécheur — l'attorney en l'occurrence — d'interminables citations des livres saints. Sydney s'était apparemment déjà mis en tête de le convertir. Ransom chercha à prendre congé à plusieurs reprises — de moins en moins courtoisement —, et finalement s'enfuit presque en courant.

Le temps d'arriver à la pension, il avait déjà trié les nombreuses opinions qu'il avait recueillies sur Dinsmore. Certes, il en savait désormais beaucoup plus long sur le personnage ; et pourtant rien ne lui permettait de répondre à la question qui avait déterminé sa petite enquête : fallait-il ajouter foi aux appréhensions de Harriet Ingram, ou n'y voir que les élucubrations d'un esprit surmené ? Ransom dut reconnaître qu'il rentrait bredouille, et se dit qu'il aurait aussi bien fait de rester chez lui à se reposer, ou à travailler. Le facteur était passé dans l'après-midi, et un énorme courrier attendait Ransom dans son bureau : c'étaient tous les clients qui avaient attendu son retour pour lui écrire. Quel après-midi gâché ! se dit-il. Et sans tarder, il se mit au travail.

La chaleur était de plus en plus insupportable, l'air de plus en plus lourd. Murcott rentra assez tard de Swedeville, dans un état d'irritation d'extrême ; Ransom décida de renvoyer à un moment plus propice la conversation sur Mme Ingram. Plus tard, alors qu'il s'était déjà couché mais n'arrivait pas à dormir, il résolut de ne plus s'occuper de cette affaire : Mme Ingram avait dû tout simplement se chamailler avec sa patronne, et ça ne valait pas la peine d'aller chercher plus loin.

Juste avant l'aube l'orage éclata. Malgré le vacarme infernal, Ransom réussit finalement à s'endormir. Il se réveilla à dix heures. L'air était frais et léger. Tous les autres pensionnaires étaient partis travailler depuis longtemps déjà. Il prit son petit déjeuner rapidement, tout seul dans la grande salle à manger, et se dit qu'une petite promenade lui ferait du bien. Il prit dans son bureau une demi-douzaine de dossiers, qu'il avait déjà examinés la veille, et s'achemina dans la fraîcheur du matin vers le tribunal.

Il n'y trouva ni le juge Dietz, ni Alvin Barker, le greffier. Cela n'avait pas beaucoup d'importance. Ransom laissa un petit billet dans la boîte de Barker, en lui demandant de lire les documents qu'il avait laissés et en lui annonçant qu'il repasserait le lendemain matin.

En revenant, il aperçut le vieux Floyd, se chauffant au soleil à sa place habituelle, devant le palais de justice. Et l'envie lui vint d'aller le taquiner cinq minutes.

« Quelle belle fraîcheur, n'est-ce pas ? dit Ransom, en s'asseyant.

— Oui, grâce à l'orage de cette nuit. La foudre est tombée sur cet orme, là-bas, à côté de la maison du juge. Et un bout de la toiture s'est abattu juste sur leur arrière-cuisine, dit Floyd.

— Je sais. On me l'a dit au petit déjeuner. Dites donc, j'ai l'impression qu'elles sont un peu rassises, vos informations, ces derniers temps.

— Mes informations ? Et moi je vous répondrai que le vieux Floyd sait tout ce qui se passe en ville et dans les environs, toujours, et à la minute même !

— C'est ce que j'avais toujours cru. Mais hier, une vieille Noire du quartier sud m'a fourni sur le dentiste bien plus de renseignements que vous. Vous êtes en perte de vitesse, mon vieux ; voilà ce que c'est quand on fait trop la noce !

— Mais c'est bien moi. non ? qui vous ai tout raconté sur son compte.

— Oh ! pour ça ! Tout ce que vous m'avez dit, je le savais déjà.

— Alors dites-moi ce qu'elle sait, elle, que moi je sais pas.

— Elle sait des tas de choses. Tout.

— Sur Dinsmore ?

— Oui ; c'est ça, dit-il, avec un retour d'accent georgien.

— Ben... euh... moi, je sais une chose que ni elle, ni personne d'autre ne sait. Je sais où se trouve son vieux copain.

— Qui ça, Simon Carr ?

— Oui ; c'est ça ! dit Floyd, se moquant de l'accent de

Ransom. C'est cette vieille grenouille de Pell qui me l'a dit. Ici, hier. Sans doute au même moment où vous étiez en train de discuter avec votre Noire.

— Vous disiez donc ?

— Ah ! oui. Alors, elle, elle ne le sait pas ? Vous voyez, hein ? » Floyd partit d'un grand sourire de satisfaction, découvrant les vestiges de sa denture, et se cala commodément. « Je ne l'ai dit à personne d'autre, jusqu'ici. Alors, écoutez-moi. Tout le monde pense qu'il a quitté Center City quand Dinsmore s'est mis à travailler pour Mme Lane. C'est pas totalement faux, remarquez. Mais Pell a été là-bas, il y a trois jours, et il l'a vu. Oculaire, comme vous dites dans cette baraque. » Floyd indiqua du pouce le tribunal, derrière ses épaules.

« Où, là-bas ?

— Au ranch de Lane. Carr y est depuis que Dinsmore a déménagé de l'appartement du passage de l'Hiver. Il est en train d'y mourir tranquillement, a dit Pell. Mais enfin, c'est pas forcément vrai. En tout cas, il est plus avec Dinsmore, maintenant. Si vous voulez des informations sur le dentiste, allez voir le vieux ; c'est sûrement celui qui en sait le plus sur son compte.

— Je sais déjà tout ce que je voulais savoir, dit Ransom. Dinsmore est un très bon dentiste : tout le monde m'a répété ce que vous m'avez dit. La seule chose qu'il me reste à faire est de prendre un rendez-vous. Bien. Je vous remercie. Au revoir.

— Vous savez comment aller là-bas ? demanda Floyd.

— Je sais. Ne vous en faites pas.

— Vous voulez que je vous accompagne ?

— Non. D'ailleurs, je n'ai aucune raison d'y aller. Dinsmore habite en ville, non ? »

Ransom ne mentait pas. Il avait cessé de prendre au sérieux les insinuations de Mme Ingram et avait décidé de ne plus perdre de temps à enquêter sur Dinsmore. Il retourna dans son bureau, travailla d'arrache-pied et reçut même un nouveau client.

Mais il se remit à penser à Carr en prenant son thé. Après tout, il restait encore trois heures avant le dîner, et le ranch n'était pas à plus de vingt minutes de Center City. Surtout s'il y allait à cheval, au lieu de perdre du temps à faire atteler un cabriolet. Ce pauvre Golden — son alezan doré — ne devait pas prendre beaucoup d'exercice, aux écuries publiques. Comme il était content chaque fois que son maître venait le chercher pour lui faire faire un petit tour ! D'autre part, si le vieil homme était aussi malade que Floyd l'avait dit, il apprécierait sûrement une visite.

Ransom passa sa veste et sortit. Au bout de quelques minutes, il arriva à l'écurie et sella son cheval. Puis il partit dans la direction du nord, passa devant chez Mme Lane, rue Montante, et bientôt se retrouva en dehors de la ville, sur l'ancienne route de la Pony Express.

Il était presque arrivé à hauteur du ranch de Lane, lorsqu'il aperçut deux cavaliers venant à sa rencontre. Et si c'était Dinsmore, se dit-il ; il n'avait vraiment pas envie de le rencontrer à cet endroit précis. Mais non ; c'étaient tout simplement les frères Bixby, retournant en ville pour la nuit.

Le ranch était au fond d'un ravin. A part un grand massif de canneberge sur un versant, il n'y poussait aucune végétation. La ferme était une longue construction écrasée, moitié en bois, moitié en brique. A côté, une autre bâtisse de brique, encore plus délabrée, devait servir d'abri aux ouvriers agricoles. Les rayons du soleil, qui déjà descendait vers l'horizon, faisaient ressortir les moindres particularités de la construction, et la ligne du toit et des cheminées semblait avoir découpé au rasoir l'azur limpide du ciel. Mais la beauté du lieu était due uniquement à l'heure tardive et à la pureté exceptionnelle de l'air. Il aurait fallu faire de nombreuses réparations, recrépir tous les murs et changer les bardeaux du toit. La grande porte d'entrée était fermée, ainsi que tous les volets.

Ransom jugea bon de faire le tour de la maison avant de descendre de cheval. Comme il passait à côté de la petite bâtisse de brique, il aperçut une paysanne penchée sur un carré de légumes.

Il l'appela dès qu'il la vit. Elle se releva et le fixa en mettant sa main en visière.

Il s'approcha.

« Je pensais qu'il n'y avait personne ici. »

Elle continua à le fixer, mais enleva la main de son front car elle se trouvait maintenant dans l'ombre du cavalier. Elle portait un fichu bariolé qui lui descendait presque aux yeux, et avait ce teint haut en couleur et ces traits un peu épais que Ransom avait déjà remarqués chez les femmes de Swedeville.

« *Svensk* ? demanda-t-il.

77

— *Nein*, répondit-elle d'une voix rude. *Deutsche. Nein Englisch spricht.*

— Est-ce que le vieux est ici ? » demanda Ransom. Comment le lui faire comprendre ? « *Ein Mann ? Ein alter Mann ?*

— *Der Alte, ach ja !* » furent les seuls mots que Ransom réussit à distinguer dans le flux de paroles qui sortit de sa bouche. Elle montra le ranch d'un grand geste du bras. Ransom la remercia, puis se dirigea vers la porte, mit pied à terre et attacha Golden, en lui laissant assez de corde pour lui permettre de brouter.

Il frappa. Pas de réponse. Il essaya alors de faire jouer la poignée, et la porte s'ouvrit.

Le linteau était bas à l'intérieur, et il dut se courber légèrement pour entrer. Il y avait d'abord un petit palier, séparé par quelques marches d'un long couloir sombre. Il appela par deux fois, et une voix finit par lui répondre.

« Prenez le couloir de gauche. Jusqu'à la troisième porte. »

Ransom fut extrêmement surpris par l'accent et la fraîcheur juvénile de cette voix. Il suivit les indications qu'elle lui avait données et se retrouva dans une petite pièce. A la lueur vacillante de la bougie posée sur la table de nuit, il distingua un vieux lit de cuivre. C'était les deux seuls meubles de la chambre. Les murs, de brique, n'étaient même pas recouverts d'enduit. Un vieillard était couché dans le lit, sous une couverture piquée qui lui arrivait jusqu'à la poitrine. Il fixa sur l'inconnu ses yeux bleus, très clairs, perçants et pétillants d'intelligence. Ses fins cheveux blancs lui recouvraient les oreilles, et il avait une barbe d'au moins quinze jours. Un grand nez aquilin dominait les traits tirés et desséchés de son visage.

« Monsieur Carr ? Simon Carr ?

— Lui-même. Qui êtes-vous ? Je m'attendais à voir quelqu'un d'autre. »

Le vieil homme essayait de s'asseoir sur son lit, pour mieux voir le visiteur. Ransom vint à son secours et l'aida à disposer les oreillers en pile entre son dos et le dossier du lit. Pendant tout le temps que dura cette opération, Carr ne cessa de le fixer, de le scruter ; ses yeux semblaient ceux d'un vieil aigle, et Ramson se demandait s'il n'allait pas le mordre avec son nez.

« Eh bien ? demanda Carr. Qui êtes-vous ? Etes-vous médecin ? » Il parlait d'une voix un peu pointue, mais pas désagréable, très britannique, et étonnamment juvénile.

« Si vous l'êtes, sortez tout de suite. Je n'ai aucune confiance en vous, en aucun de vous.

— Je ne suis pas médecin, dit Ransom, pour le rassurer.

— Qui êtes-vous alors ? Que me voulez-vous ?

— Bien. Disons que je représente l'Etat. Encore que ma démarche auprès de vous n'ait rien d'officiel. J'ai su que vous étiez malade, et j'ai décidé de vous rendre visite pour vous offrir notre assistance. » Le ton de sa voix, extrêmement empressé, frisait l'obséquiosité. Mais la pièce sentait le renfermé, l'air y était irrespirable. « Il conviendrait d'ouvrir un moment la fenêtre.

— N'y touchez pas. Il fait plus frais comme ça.

— Détrompez-vous. Depuis l'orage de cette nuit, il fait bien plus frais dehors. »

Sans lui laisser le temps de répondre, Ransom ouvrit l'un des deux vanteaux. La lumière dorée du couchant inonda la pièce, et au bout de quelques instants, Ransom sentit l'air pur lui pénétrer dans les poumons. Il se retourna vers le malade :

« Cet air frais va vous revigorer, monsieur.

— Quel est cet Etat que vous dites représenter ? demanda Carr, grognon. Et qu'êtes-vous venu me dire ?

— Rien de particulier.

— Alors, que voulez-vous savoir de moi ?

— En premier lieu, je voudrais savoir comment vous vous sentez.

— Assez mal, dois-je dire. Mais je ne vois pas en quoi cela devrait vous concerner, homme de l'Etat ou pas. Montrez-moi vos papiers !

— Je vous ai dit que ma démarche n'était pas officielle.

— Vous mentez ! C'est lui qui vous envoie. Vous êtes un de ses amis ! » C'est tout juste s'il ne cracha pas ces derniers mots. « Avouez-le, que vous venez de sa part. Pour me tourmenter. Pour me tuer, peut-être.

— Allons, allons ! monsieur Carr. Je ne sais pas à qui vous vous référez, mais je ne viens de la part de personne. Alors, je vous en prie, ne vous mettez pas dans tous ces états. »

Le visage du vieillard était devenu écarlate. Sa chemise s'était desserrée et découvrait son petit cou de poulet tout plissé, jusqu'en bas des clavicules. Et sa pomme d'Adam continuait de s'agiter, bien qu'il ne dît plus un mot.

« Bien ; mais où sont vos papiers ? » demanda Carr.

Ransom se rendit compte qu'il n'avait pas le choix.

« Je suis le procureur de l'Etat dans le comté », dit-il, montrant au vieillard la carte de fonctionnaire qu'on lui avait remise lors de sa nomination, mais en prenant soin de cacher son nom avec un de ses doigts. « Eh bien ! vous sentez-vous rassuré, maintenant ? »

Carr ne répondit pas.

« Je suis ici pour vous aider, monsieur.

— Je n'ai besoin de l'aide de personne.

— Je crois que si, au contraire, si j'en juge par ce que vous venez de dire à l'instant. Je vous en prie, faites-moi confiance...

— Je ne ferai rien de tel.

— Quelqu'un vous a-t-il menacé de mort ? Vous avez dit...

— Je n'ai rien dit du tout.

— Qui vous a menacé ? M. Dinsmore ?

— Non. Personne. Je n'ai rien dit. »

Ransom s'assit au pied du lit. Le vieil homme eut un mouvement de recul, de quasi-répulsion. Malgré la couverture, Ransom devina qu'il était d'une maigreur extrême.

« Cette Allemande est la seule personne qui vous assiste ?

— Oui. Il vient bien d'autres gens, le soir. Ils mangent dans la cuisine, mais je ne sais pas ce qu'ils font après.

— Mais vous ne pouvez pas avoir tout ce que vous désirez, ici ?

— Si, je parle allemand.

— Mais vous êtes malade. Quelle est votre maladie ?

— C'est mon cœur qui ne va pas bien. J'ai eu une crise cardiaque, il y a une dizaine de jours. Je n'arrivais même plus à parler correctement. Mais maintenant je vais mieux. Bien mieux. Je peux même marcher. Regardez ! »

Ransom se leva, pour permettre à Carr de sortir de son lit. A le voir ainsi, dans sa chemise de nuit jaunie, qui lui descendait jusqu'aux genoux, et ses grosses chaussettes de laine, l'homme semblait encore plus âgé, encore plus frêle ; mais ses mouvements étaient assez vifs.

« Je n'ai besoin de personne pour savoir si je vais bien ou mal, dit Carr. Prenez mes pantalons et donnez-les-moi. »

Ils étaient accrochés à un clou, derrière la porte. Lorsque le vieillard les eut passés, il fouilla la pièce à la recherche d'une paire de chaussures. Il finit par trouver de vieux brodequins qu'il ne laça qu'à moitié.

« Vous voyez : je me débrouille très bien tout seul.

— Effectivement. Mais ne pourrions-nous pas nous installer dans un endroit plus confortable ?

« — Je vais faire un peu de thé. Voilà ce qu'il nous faut », dit Carr. Ils remontèrent le couloir et entrèrent dans une cuisine des plus rudimentaires.

Ransom ne lâcha pas le vieillard d'une semelle, de crainte qu'il ne se fît mal en allumant le vieux fourneau à bois, — espérant aussi qu'occupé, il serait plus loquace. Mais Carr était tellement absorbé par ce qu'il faisait qu'il ne rouvrit la bouche qu'après avoir versé le thé dans les tasses.

« Vous n'aurez pas beaucoup de visites ? demanda Ransom.

— Oh ! non. De temps en temps les ouvriers agricoles. Mais vraiment très rarement.

— M. Dinsmore ne vient jamais vous voir ?

— Quelquefois. Mais je crois savoir qu'il est très pris en ce moment.

— Et Mme Lane ?

— Pour l'amour du Ciel ! » dit-il, en accompagnant son exclamation d'un geste négatif.

« C'est pourtant son ranch. Elle a bien le droit de venir ici, non ?

— Si. Bien sûr. Ce que je voulais dire, c'est qu'elle ne me connaît pas, pas plus que je ne la connais. Nous nous sommes vus une fois ou deux, peut-être, et de manière très fugitive.

— Connaissiez-vous Henry Lane ?

— Pas plus que sa femme. Je crains fort, monsieur... Quel est votre nom, déjà ?

— Mais M. Dinsmore connaissait très bien Henry Lane. C'était un ami intime des Lane, n'est-ce pas ? Car c'est l'une des rares personnes à avoir parlé à Carrie Lane le jour de l'enterrement. Et depuis c'est son bras droit : directeur général de ses entreprises, et administrateur de tous ses autres biens. Lui et les Lane étaient sans aucun doute très liés ; comment peut-on expliquer autrement ses occupations actuelles ?

— Je crains fort de ne rien pouvoir vous dire sur les occupations de M. Dinsmore.

— Et pourtant vous le connaissez depuis des années ?

— Je le connais, pour l'avoir assisté dans son travail de dentiste. Et c'est tout. Ce qui est bien différent.

— Si vous le dites... » Ransom buvait à toutes petites gorgées ; il n'aimait pas le thé sans sucre. « Vous savez que l'on dit des drôles de choses sur le compte de M. Dinsmore ?

— Comment pourrais-je le savoir ? Vivant ici, tout reclus.

— Alors, permettez-moi de vous l'apprendre. On se demande comment il se fait que M. Dinsmore soit parvenu de manière si soudaine à une position aussi élevée.

— C'est un homme très capable.

— Un dentiste très capable, précisa Ransom. Pour le reste, je n'en serais pas aussi sûr : j'ai moi-même une grande expérience de ce genre de questions ; or, je ne le cache pas, je serais sans doute incapable de mener à bien toutes les tâches de direction que Mme Lane a confiées à M. Dinsmore. A moins, bien sûr, que Henry Lane n'ait expliqué tous les mécanismes de ses affaires au nouveau directeur, avant de mourir.

— Je ne saurais vous le dire », dit Carr, toujours laconique. Depuis qu'ils s'étaient assis pour prendre le thé, Ransom avait décidé de jouer son va-tout, et de soumettre le vieillard à une grêle de questions. Mais Carr n'avait pas bronché, ni perdu une seule fois son calme. Il rappelait à Ransom ces illustrations où l'on voit Livingstone au milieu des indigènes, — l'Anglais prenant tranquillement le thé, sans se préoccuper des barbares qui l'entourent. Attitude qui agaçait profondément Ransom.

« Savez-vous comment Henry Lane est mort ? »

La tasse et la soucoupe cliquetèrent. Carr les posa délicatement sur la table.

« Il s'est suicidé. Du moins c'est ce que tout le monde dit. Personnellement, je n'étais pas là lorsque cela s'est passé.

— Mais savez-vous pourquoi il l'a fait ?

— Moi ? Mais je vous ai dit que je le connaissais à peine.

— Savez-vous pourquoi il s'est suicidé ?

— Non, dit-il, d'une voix très pincée.

— Eh bien, moi, je sais », dit Ransom. Puis il se tut, et vit sur le visage de Carr l'étonnement céder la place à l'effondrement.

« Je comprends, dit Carr, au bout d'une minute, les yeux baissés vers la table. Dans ce cas, je ne vois pas pourquoi vous me le demandez. » Comme Ransom continuait de se taire, il reprit : « Il faut que je retourne dans mon lit. Je m'aperçois que je ne suis pas aussi rétabli que je le croyais. » Il se releva en titubant. « Je vous remercie de votre visite et pour votre assistance. Je suis navré de ne pouvoir vous aider de mon côté. »

82

Ransom se leva, pour soutenir Carr si c'était nécessaire. Mais celui-ci partit devant.

« Savez-vous pourquoi Henry Lane est mort ? » répéta Ransom, pour la troisième fois. « Est-ce pour cela que Dinsmore vous a menacé ?

— Ne me posez plus de questions aujourd'hui, s'il vous plaît. Serviteur ! monsieur de l'Etat. » Et Carr, sans se retourner, s'engagea dans le corridor. Ransom le suivit un instant, puis dit, assez haut pour que le vieillard fût forcé de l'entendre :

« Je reviendrai. Je reviendrai pour savoir la vérité. Je ne sais quand, mais je vous en donne ma parole. »

Carr regagna sa chambre à pas lents, en se tenant d'une main au mur, comme un homme qui a perdu la vue.

« La voilà enfin, James. Dieu ! Qu'elle est ravissante ! »

Ransom était en pleine conversation politique avec Amasa Murcott et Ludwig Baers, candidat aux élections sénatoriales. La réflexion d'Augusta Page, accompagnée d'un léger coup de coude, lui fit lever les yeux. La patronne, qui avait été invitée, avec ses deux pensionnaires, à la grande réception des Dietz, d'un mouvement imperceptible de tête conseilla à Ransom de regarder le vestibule, à l'entrée du grand salon.

Carrie Lane était en train d'enlever une lourde mantille noire qui l'enveloppait jusqu'aux reins. Lorsque la domestique eut pris le châle, Mme Lane fit un petit pas en avant, comme si elle eût été libérée d'un grand poids, puis elle s'avança vers une glace en pied pour contrôler l'état de sa coiffure. Tout était en place. Le diadème de pierres noires n'avait pas bougé.

Mme Page ne s'était pas trompée : elle était vraiment charmante. Belle même, et d'une beauté presque royale — avec son petit diadème, si finement ouvragé, sa longue robe noire à traîne, la blancheur immaculée du cou et des épaules, révélés par un décolleté carré, les gants longs ajourés, aussi noirs que jais, comme la dentelle des multiples volants de sa jupe. Royale, se dit Ransom, mais comme une reine qui eût porté le deuil de quelque prince de conte de fées.

Puis elle se retourna vers la porte d'entrée. Ransom vit bientôt apparaître l'objet de ses regards : Dinsmore, aussi noir et aussi resplendissant qu'elle, en habit de soirée, —

des perles scintillant sur tous les boutons de sa chemise, au plastron et aux manchettes. Lui aussi se contempla un instant dans la glace, puis se retourna vers elle, et ses yeux la photographièrent de la tête aux pieds. Un petit sourire de satisfaction aplatit l'arc parfait de ses lèvres, quand il s'approcha d'elle et lui donna le bras.

La conversation à laquelle Ransom avait pris part avec tant d'intérêt, et qui se poursuivait à deux pas de lui, sembla s'être enfuie à des milliers d'années-lumière, lorsqu'il vit Carrie Lane prendre le bras de Dinsmore et entrer dans le grand salon, où le juge Dietz et sa corpulente moitié, Lavinia, accueillaient, debout, leurs hôtes.

« Elle est encore avec lui, chuchota Mme Page à l'oreille de Ransom. Toujours avec lui. Mais comme je la plains, ce soir ! »

Ransom, faisant un effort surhumain, détacha son regard de la porte du salon. « Et pourquoi donc ? dit-il.

— Vous verrez, vous ne perdez rien pour attendre. Regardez ! La voilà qui s'approche des Mason. Mais regardez donc ! »

Il se retourna à temps pour voir Dinsmore et Carrie Lane quitter les maîtres de maison et s'avancer vers le milieu de la pièce, tandis qu'un autre couple venait les relayer auprès de M. et Mme Dietz. Carrie Lane et son cavalier se dirigeaient vers les Mason. Monsieur était en grande conversation avec quelqu'un, et Madame avait l'air de s'ennuyer mortellement. Comme Carrie s'apprêtait à la saluer, Mme Mason détourna les yeux et se mit à regarder autour d'elle, comme cherchant une porte de sortie. Cependant, son mari ayant salué la nouvelle arrivée, elle fut bien obligée de lui octroyer quelques paroles pincées ; puis, prenant un air affairé, elle planta là Carrie Lane et se dirigea vers un groupe de l'autre côté de la pièce.

« Ça alors ! dit Ransom, se retournant vers Mme Page. Pouvez-vous m'expliquer ce qui se passe ?

— C'est bien simple : vous allez voir que toutes ses soi-disant amies vont la traiter de haut, ce soir.

— Mais pourquoi ?

— Pourquoi, dites-vous ? Vous ne voudriez quand même pas qu'une madame Mason accepte de se montrer en compagnie d'une femme, d'une veuve, qui n'a même pas attendu un an après la mort de son mari pour se jeter dans les bras d'un vulgaire dentiste ? Car c'est comme cela que toutes ces dames voient les choses. Monsieur Mason, lui, s'en fiche, bien sûr. Il a des rapports d'affaires avec elle. Vous verrez que personne n'acceptera de parler à Mme Lane, ce soir, — sauf les hommes, bien entendu. Ah ! j'en suis vexée pour elle ! »

Mme Page semblait avoir raison : Carrie Lane, immobile au milieu du salon, regardait son amie s'en aller. Ransom, évidemment, n'aurait su dire si elle avait été réellement vexée par l'attitude de l'autre. Mais il vit deux points rouges apparaître et s'élargir subitement sur ses joues d'ordinaire si pâles.

« Mais est-elle sa maîtresse ? demanda Ransom, gêné d'avoir à poser une telle question.

— Qui sait ? Tout ce que je peux vous dire, c'est qu'il habite chez elle, qu'on le voit tout le temps avec elle, et qu'il se comporte exactement comme s'il vivait avec elle. Et le plus important, c'est que tout le monde le croit. »

Ransom continuait de regarder Carrie Lane. Elle était absolument immobile, comme si elle eût posé pour un peintre invisible, tandis que tout le monde s'agitait autour d'elle. Ransom sentit qu'il commençait à rougir, lui aussi, et ne pouvant supporter cette humiliation dont on l'accablait :

« Je vais lui parler, dit-il.

— Allez toujours. Ça ne changera rien. De toute façon, vous êtes un homme.

— Alors, allez-y vous-même, dit-il à Mme Page.

— Mais c'est tout juste si elle me connaît.

— Je vous en prie : ne faites pas ce que vous dénoncez chez les autres. Vous avez peur de ce qu'on dira en vous voyant parler avec elle. La voilà, votre indépendance !

— Calmez-vous, James. Je vous en prie. »

Ransom s'aperçut qu'il avait eu tort de s'emporter contre elle, et qu'elle avait raison. Il lui présenta ses excuses ; mais, voyant que Mason avait engagé la conversation avec Dinsmore, il supplia Mme Page de venir avec lui.

« Je ne vous demande pas de lui parler, mais simplement de m'accompagner », dit-il, pour la convaincre, en la tirant par le bras tandis qu'il se levait.

« Mais ça ne changera absolument rien, James. Je ne fais pas partie de la société de ces dames, et je suis tenancière d'une pension. Ça sera encore pire. » Elle se leva quand même. « On ne peut rien vous dire, à vous autres, hommes », disait-elle en rajustant les plis de sa très ample robe (opération qui se prolongea une bonne minute). « Il faut toujours que vous vous mêliez de ce qui ne vous regarde pas. Mais pourquoi faites-vous ça, exactement ?

— Par amour de la justice. Et c'est tout.

— Que vous êtes ingénu de croire encore à la justice — à votre âge !

— J'y crois. Sinon je ne ferais pas ce métier. »

Elle hocha la tête. « C'est bon, dit-elle. Allons-y. »

Elle prit son bras ; mais ils s'arrêtèrent avant même de faire un pas. Mme Lane n'était plus seule, mais parlait avec Robertson Sloan, le sénateur du Nebraska, et une femme, vêtue de manière assez peu élégante, qui devait être Mme Sloan. Mason et Dinsmore poursuivaient leur entretien, à l'écart, dans l'embrasure d'une fenêtre. Carrie Lane souriait et parlait comme si de rien n'était. Mais les deux points rouges ne s'étaient toujours pas évanouis sur ses joues.

« La voilà sauvée ! dit Augusta Page. Vraiment, on ne pouvait rêver mieux pour elle : la femme du sénateur, la plus grande dame de cette soirée ! Parfait. Puis-je me rasseoir ?»

Il ne répondit pas immédiatement, et Mme Page rejoignit le docteur Murcott et Ludwig Baers. Lorsque Ransom détacha les yeux de Mme Lane, il aperçut Dietz, juste à côté de lui. Tous les invités étaient désormais arrivés.

« Que de monde, et de beau monde ! N'est-ce pas, Ransom ? »

Avant que Ransom eût pu lui répondre, il poursuivit, jetant un coup d'œil dans la direction de Carrie Lane : « Elle va être très entourée, ce soir. Et ça ne me surprend pas. Si j'étais célibataire, si j'étais à votre place, pour tout dire, je ne la lâcherais pas d'une semelle.

— Mais il me semble que Mme Lane n'est pas venue seule ici, rétorqua Ransom.

— Vous voulez parler de son régisseur ? Mais il fallait bien qu'elle se fasse accompagner, non ? Si elle ne l'avait pas eu sous la main, elle serait venue avec sa bonne. Moi, en tout cas, ce n'est pas cela qui m'arrêterait.

— Je ne vous connaissais pas cette passion de marieur, Votre Honneur. »

Ils se mirent à faire les cent pas dans l'entrée.

« Je pense tout simplement qu'il est mieux, pour Center City, que Mme Lane fasse un bon mariage dès la fin de la période de deuil. Et pour des raisons très importantes, aussi bien économiques que politiques. On peut presque dire que l'avenir de la ville en dépend.

Il tourna vers Ransom son large visage ridé, ses sourcils en broussaille, ses yeux gris pénétrants :

« Mais vous plaisantez, répondit Ransom.

— Non. Je suis absolument sérieux. L'homme qui l'épousera, quel qu'il soit, deviendra nécessairement l'un des personnages les plus puissants de ce comté, — comme l'était Henry Lane. Aussi on ne peut pas laisser n'importe qui prendre cette place. Mes hommages, madame (Mme Brennan s'approchait d'eux) ; vous êtes magnifique, ce soir. — Allons ailleurs, James. Je n'ai aucune envie de parler à cette vieille pipelette. Et écoutez-moi bien », dit-il, en le poussant vers la grande porte à double battant de la salle à manger. « Je suis à Center City depuis le début. Et je connais bien toutes les implications de ce genre d'affaires.

— Et qu'est-ce qui vous fait penser que je sois l'homme de la situation ? demanda Ransom, amusé.

— Je ne saurais le dire exactement. Vous n'avez pas l'air d'avoir beaucoup d'ambition ; mais je dois reconnaître que, depuis que vous êtes ici, je vous ai toujours vu agir comme il fallait. Et, pour moi, c'est beaucoup. Sloan m'a parlé de vous, ce soir. Vous avez fait impression à Lincoln. Et maintenant on a les yeux fixés sur vous ; on attend de voir ce que vous allez faire.

— Une amourette me semble peu indiquée...

— Il s'agit de bien plus que de ça, l'interrompit le juge. Une telle démarche démontrerait votre bon sens. Aussi bien d'un point de vue personnel que professionnel. Sloan est au courant de la situation, soyez-en certain. »

Ransom regarda le juge bien en face, pour s'assurer s'il ne plaisantait pas. Non ; il était parfaitement sérieux. Ransom ne pouvait se méprendre ; cela faisait des années, désormais, qu'il connaissait le magistrat.

« Eh bien, dit Ransom, sur un ton léger ; si vous me présentez la chose comme un devoir civique... Permettez-moi de vous quitter pour aller le remplir.

— Ne perdez pas une minute. Elle est libre, ce soir. Prenez-la !

— Vous croyez que les quelques minutes qui manquent avant le dîner suffiront ? »

Dietz réfléchit un instant. Puis, sans lui répondre, il interpella sa femme, qui passait à côté d'eux.

« Bonjour monsieur, dit-elle.

— Lavinia, M. Ransom a une affaire urgente à régler avec Mme Lane, ce soir. Où les as-tu placés ?

— Séparément.

— Place-les l'un à côté de l'autre.

— Mais je l'ai mise entre le sénateur et son cavalier.

— Il n'est que son domestique. Mets-le ailleurs.

— Carl, c'est impossible.

— Et mets-le à la place de James. »

Elle regarda Ransom d'un air interrogateur — celui-ci se mit à contempler les lustres. « Bon ; si tu insistes tant... dit-elle.

— Oui, j'insiste. Que cela soit fait immédiatement ! »

Cet ordre, visiblement, la chagrina — elle qui mettait tant d'amour dans l'organisation de ces réceptions ! Mais sans perdre un instant, elle fit venir un domestique et lui transmit les instructions de son mari.

« Je vous remercie, Votre Honneur. J'espère que...

— Vous feriez mieux d'y aller tout de suite, dit le juge, d'une voix bourrue. Allez-y. Elle est seule en ce moment. »

Effectivement, Carrie Lane venait de finir de parler avec Mme Sloan.

Elle sembla très surprise de le voir.

« Mes hommages, madame, lui dit-il, en s'inclinant.

— Bonsoir, monsieur.

— Vous portez si bien le deuil, madame, qu'il en devient un état enviable. »

Interloquée, elle ne put que répondre : « Je me serais fort bien passée de vous donner l'occasion de tourner ce nouveau compliment.

— Excusez-moi ; j'espère que vous n'êtes pas fâchée.

— Mais, pas du tout. J'ai compris ce que vous vouliez dire. »

Elle tourna les yeux vers l'embrasure de la fenêtre où Mason et Dinsmore continuaient de converser avec animation.

« J'ai l'intention », dit Ransom (puis s'apercevant que son accent du Sud le reprenait), « j'ai l'intention, dis-je, de vous rendre visite un de ces jours pour vous reproposer mes services.

— Je vous remercie encore une fois. Mais tout m'a l'air de marcher normalement. » Elle détourna les yeux. Attendait-elle Dinsmore avant de passer dans la salle du banquet ? Ransom était bien décidé à l'accompagner lui-même jusqu'à sa place. Mais, pour cela, il devait d'abord capter toute son attention.

« Quelle belle réception », commença-t-il, se rendant compte tout de suite qu'il n'irait pas très loin s'il ne trouvait pas un autre argument.

« Oui, répondit-elle.

— Je ne crois pas qu'on nous ennuiera pas de longs discours, ce soir. Les élections, cette année, ne sont pas assez importantes.

— Oh ! oui. »

Décidément, il ne faisait aucun progrès.

« Je crois savoir que la récolte de sorgho est la meilleure depuis des années. C'est ce que tout le monde disait à Lincoln. » Mon Dieu ! C'était encore pis ! Elle allait le prendre pour un péquenot.

« Vous avez fait du très bon travail à Lincoln », dit-elle subitement, à son grand étonnement. « Je n'arrive pas à comprendre que vous continuiez d'habiter ici, dans ce trou de province.

— Que voulez-vous ? Mes amis sont ici. J'espère, au moins, pouvoir considérer comme mes amis toutes les personnes que j'admire et respecte.

— Mais c'est un honneur que vous leur faites.

— J'en serais plus certain si je vous voyais briguer vous aussi cet honneur. »

Visiblement, elle ne le suivait plus. Il s'expliqua :

« N'avons-nous pas le même grand besoin d'amis ?

— Oh ! vous moins que moi, il me semble.

— Raison de plus, alors, pour accepter que je vous rende visite, afin de vous exposer mes intentions.

— Vos intentions ? » dit-elle, le comprenant de moins en moins.

Il allait, de nouveau, s'expliquer, lorsque les deux battants de la grande porte s'ouvrirent, faisant apparaître l'immense salle du banquet, vivement éclairée, et la longue table de vingt-cinq couverts hérissée de candélabres.

Tout le monde se leva. Ransom vit Mme Lane jeter un autre regard vers Dinsmore ; alors, sans hésiter, il lui prit le bras :

« Puis-je vous accompagner ?

— Je... Sans doute. »

A travers ses longs gants ajourés, il sentit la fraîcheur douce de sa peau. Un frisson lui parcourut l'échine.

Les gens qui se pressaient à la porte s'écartèrent pour

les laisser passer, et Ransom conduisit Mme Lane jusqu'à l'autre bout de la table, où Dietz, encore debout, conversait avec Cal Applegate. Ransom vérifia si l'ordre avait bien été exécuté ; de fait, le nom de Carrie Lane se trouvait entre le sien et celui de Sloan. Apparemment, ce bout de table était réservé aux notabilités.

« Quelle chance ! dit Ransom, feignant la surprise. Nous voici voisins de table. »

Elle s'assit sur la chaise qu'il lui avait avancée et se mit à parler avec le sénateur. Ransom promena ses yeux tout autour de la table, inclinant la tête et souriant dès que son regard tombait sur une personne de connaissance. Mason et Dinsmore entrèrent, toujours en grande conversation. Le banquier trouva rapidement sa place, juste en face de Mme Sloan, et donc de Ransom car elle était sa voisine de gauche. Mais personne ne trouvait le nom de Dinsmore ; il fallut demander à un serveur, qui indiqua une place vide entre le docteur Murcott et Mme Mason.

Carrie Lane se passa la main derrière le cou, comme pour ajuster sa coiffure, et leva les yeux vers son employé. Celui-ci la fixa en retour de ses yeux métalliques ; Ransom aurait juré que les deux points rouges venaient juste de réapparaître sur les joues de sa voisine. Dinsmore s'inclina en avant, mais, ne réussissant pas à se faire entendre d'elle, à cause du brouhaha, il désigna du bras l'endroit où il devait s'asseoir. Elle regarda la place vide, puis baissa les yeux vers son assiette, et les releva juste à temps pour voir Dinsmore s'asseoir.

« J'espère qu'on attendra la fin du dîner pour les discours, dit Ransom à voix basse, s'inclinant vers elle. J'ai une faim de tous les diables.

— Comment ? » demanda-t-elle.

Il répéta ce qu'il avait dit, et s'aperçut que la rougeur de son visage avait disparu.

« Ah ! oui, dit-elle cette fois. Moi aussi. Ces politiciens ne se nourriraient que de discours si nous n'étions pas là.

« Ah ! voilà le potage, dit Ransom. Bon appétit *. »

Les serveurs entraient en procession, portant les soupières et de grands plateaux de tartines beurrées. Le banquet électoral annuel de Center City venait de commencer.

_____

* En français dans le texte.

Cela dura pendant trois heures, — Ransom n'en fut pas surpris car c'était la cinquième fois qu'il était invité à cette cérémonie. Au moment du café et du dessert, le juge se leva pour aller occuper son siège de président de l'assemblée, tandis que les candidats, et les notables qui les patronnaient, se regroupaient au bout de la table que Dietz venait de quitter. Ils exposèrent leur programme, dénoncèrent leurs rivaux et trouvèrent une infinité de motifs de louer et féliciter les personnages les plus influents de la ville.

Depuis le début du repas, Ransom n'avait cessé de se sentir mal à son aise : sa voisine était devenue de plus en plus indifférente à tout ce qu'il pouvait dire.

Mais pourquoi avait-il supposé le contraire ? A cause des paroles du juge, certes. Mais aussi, il devait l'avouer, parce qu'il avait ses propres projets, la concernant ; des projets infantiles, à un état si embryonnaire que cette soirée ne pouvait en rien l'aider à les réaliser. Il fallait bien se rendre à l'évidence. Pour la quantité de réponses qu'il avait réussi à lui arracher, il aurait tout aussi bien fait de se taire, ou de ne pas demander qu'on le changeât de place. Il est vrai qu'elle lui parlait de temps à autre, lorsqu'elle cessait de grignoter les restes de dindes, de jambon et de côtes de bœuf qui recouvraient la table. Mais il s'agissait toujours de menus propos. Et elle parlait beaucoup plus à Sloan, son voisin de droite, — ce qui était normal, car elle le connaissait mieux que Ransom.

Sa voisine de gauche, Mme Sloan, ne facilitait pas les choses non plus. Tout ce que disait Ransom semblait l'intéresser au plus haut point, et elle l'obligeait à transformer ses moindres remarques en de véritables exposés. Ransom devait la ménager : autant qu'il pût le savoir, c'était elle, plutôt que son mari, jovial et brillant, qui détenait tout le pouvoir et toute l'influence dont l'attorney pouvait avoir besoin un jour.

Tout en bavardant avec elle, il ne quittait pas des yeux Mme Lane ; il se rendit compte bientôt qu'elle ne cessait de regarder Dinsmore, — bien qu'il fût assis tout au bout de la table. A tout moment, elle tournait les yeux vers lui, — non seulement lorsque des éclats de rire annonçaient qu'il venait de faire quelque bonne plaisanterie, mais aussi lorsqu'il se taisait, mangeant avec grand appétit tout ce qu'on lui présentait. Visiblement, il était devenu le point de mire de tout son côté de table : Mme Brennan, Mme Mason et même le docteur Murcott — qui pourtant l'avait qualifié de « charlatan » — étaient suspendus à ses lèvres.

Mais Dinsmore n'oubliait jamais, de temps en temps, de jeter un coup d'œil à Carrie Lane. Et celle-ci, invariablement, répondait à ses regards. Alors elle se taisait, et prenait un air contrit, comme si ces deux yeux bleus l'avaient mise en pénitence. Une fois, elle se mit à trébucher sur ses mots au milieu d'une phrase tout à fait banale, baissa la tête et ne la releva que lorsqu'elle sentit que Dinsmore ne la regardait plus.

Ransom était profondément énervé par ce manège ; car, quelles qu'en fussent les causes, force était bien de reconnaître que son pouvoir d'attraction sur Mme Lane était nul, comparé à l'influence que Dinsmore exerçait sur elle.

N'était-ce pas de cela, d'influence, d'ascendant, que Mme Ingram avait parlé à Ransom ? Quelles avaient été ses paroles exactes ? Ah ! oui. Elle avait dit que *Dinsmore la possédait complètement.* Ce soir-là, Ransom se rendit compte que ces paroles avaient un sens insoupçonné, que seule l'observation directe lui avait permis, fortuitement, de découvrir. Il s'agissait d'un ascendant étrange, incompréhensible. Lui, le maître ; elle, la marionnette. Et le plus étrange, c'est que, sentant que Dinsmore la regardait, sans même le voir, elle s'arrêtait en pleine conversation, oubliait Ransom et tournait les yeux vers l'autre.

Dietz venait de présenter Ludwig Baers, et le gros Allemand entamait son exorde, quand Ransom vit de nouveau se manifester l'agaçante influence. Cette fois il décida d'y faire obstacle par n'importe quel moyen.

« Tiens, voilà les tartelettes aux myrtilles », dit-il en se tournant complètement vers elle et en s'accoudant le plus loin possible vers le centre de la table. De la sorte elle ne pouvait plus voir Dinsmore. « J'ai déjà goûté aux tartes de Lavinia. Elles sont toujours délicieuses. »

Carrie Lane, sa tête flottant au-dessus des gâteaux que le serveur lui présentait sur un grand plateau doré, regarda soudainement Ransom dans le blanc des yeux. S'était-elle aperçue de sa ruse ?

« Goûtez-en une », dit-il, insistant.

Elle hésita encore, puis dit : « Eh bien, soit ! » en continuant de le regarder.

« Cela ne vous ennuie pas que je décide pour vous ?

— Non, si vos décisions sont bonnes », répondit-elle, en piquant sa fourchette à dessert dans la pâte feuilletée.

« Elles le seraient toujours, croyez-moi, si seulement vous vouliez m'écouter... »

De nouveau elle le fixa dans le blanc des yeux. Avait-elle peur de lui ? Ou se sentait-elle soulagée ?

« ... Au lieu d'en écouter d'autres », ajouta-t-il aussitôt.

A ce moment-là, elle tourna les yeux dans la direction habituelle. Mais, constatant que, cette fois, sa vue était bloquée par l'épaule de Ransom, elle ramena les yeux vers lui : « Vous tenez donc à me donner des conseils. Mais puis-je être absolument certaine que vous n'y êtes pas poussé par des motifs personnels, et peut-être très intéressés ?

— Non ; je vous l'accorde. Mais moi, au moins, je ne vous aurais jamais exposée à ça.

— A ça ?

— A ce qui s'est passé ce soir. »

Elle rougit, comprenant ce qu'il voulait dire, puis, détournant les yeux, elle détacha un autre bout de la tartelette. « Vous êtes bien présomptueux, monsieur. » Encore une fois, elle essaya de regarder dans la direction de Dinsmore. Ransom s'affala encore plus sur la table. « Bien présomptueux. » La reconnaissance qui, il l'eût juré, brillait dans ses yeux compensait amplement l'austérité de ses paroles.

« Peut-être. Mais pourriez-vous nier ce que je viens de vous dire, et que vous avez compris ? On recommencerait à vous recevoir...

— Je vous en prie.

— ... dans la bonne société de la ville...

— Arrêtez, s'il vous plaît.

— Vous pensez que c'est un secret ? Que personne n'a rien remarqué ? Tout le monde le sait.

— Vous donnez une bien grande importance à l'opinion des gens !

— Quand il s'agit de vous, oui.

— Je ne vois pas pourquoi cela devrait vous concerner.

— Nierez-vous que cela vous concerne ? » demanda-t-il, tout en se rendant compte qu'il était un peu dur. Mais, au prix de la contrarier, il devait capter toute son attention et interrompre l'étrange courant qui la reliait à Dinsmore. Il fallait donc continuer, quoi qu'il en coûtât.

« Vous voulez parler de l'accueil que l'on me fait ?

— Oui. On vous traite en paria, dit-il, brutalement. En toute innocence, sans doute, et en toute ignorance, sans

93

aucun doute. Mais leur ignorance ne peut excuser le mal qu'ils vous font. »

Elle découpait méthodiquement la tartelette. Les myrtilles perlaient, noires, sous la croûte broyée.

« Excusez-moi, mais je tiens à savoir si vous êtes pleinement consciente de la situation dans laquelle vous vous trouvez, poursuivit Ransom. En tant qu'ami...

— Ma situation ! dit-elle, d'un air dégoûté. Ma situation n'est pas l'idée que les autres s'en font.

— Votre situation, quelle qu'elle soit réellement, est aussi la situation d'une femme que tout le monde croit la maîtresse de son employé. Et d'un employé, par-dessus le marché, qui n'inspire de confiance à personne. »

Encore une fois, elle tourna les yeux vers Dinsmore, et cette fois l'aperçut. Mais lui, regardait ailleurs.

« Je vous en prie, ne vous mêlez pas de ces affaires, dit-elle. Cela ne vous regarde pas.

— J'ai bien peur que si.

— Je ne vous le permets pas.

— Alors, je le ferai sans votre permission.

— Rien de ce que je vous ai dit ne vous autorise à espérer... » Mais elle n'acheva pas sa phrase.

« Je n'espère rien. Si je m'intéresse à vos affaires, c'est que je serai obligé de le faire, pour des raisons professionnelles.

— Et quelle raisons professionnelles ?

— En ma qualité de représentant du ministère public dans ce comté. Dans ce genre de cas, vous savez que votre permission n'est pas nécessaire. »

Elle porta la main à la bouche. « Que ferez-vous ? demanda-t-elle.

— Cela dépend de vous, pour une grande part. Si vous m'accordez votre confiance...

— Je n'ai confiance en personne.

— Parce que vous cachez la vérité », répliqua-t-il.

Elle semblait à deux doigts de fondre en larmes. Elle se tourna dans la direction de Dinsmore, qui de nouveau ne répondit pas à son regard ; alors elle plongea les yeux sur son assiette, où gisaient les débris épars de la tartelette. Elle n'en avait pas mangé une miette.

« Je le savais : je n'aurais jamais dû vous donner cette lettre.

— Aviez-vous le choix ? Je l'aurais eue, de toute façon, par des moyens légaux.

94

— Si j'avais su où cela devait me mener, je l'aurais brûlée tout de suite.

— Si vous n'avez rien fait de mal, vous n'avez rien à craindre.

— Comment pouvez-vous le dire ? Qu'en savez-vous ?

— Je suis justement décidé à en savoir davantage.

— Est-ce pour cela que vous avez demandé qu'on le change de place, ce soir ? Pour m'avoir à côté de vous et pouvoir me questionner tout le dîner durant ?

— C'est ce que vous croyez ? demanda-t-il.

— Je ne sais trop que croire.

— Alors croyez ce que je vous dit. Ayez confiance en moi.

— Laissez-moi, dit-elle d'une voix contenue, mais féroce.

— Mais tout deviendra plus facile, pour vous, dit-il, en retournant aux manières douces. On cessera de vous battre froid.

— Me croyez-vous aussi superficielle ? Que m'importent les commérages de ces bonnes femmes ! »

Devant ces dernières paroles, et le ton sur lequel elle les avait prononcées, Ransom se dit qu'il valait mieux en rester là. Il avait réussi à l'arracher à l'emprise de Dinsmore. Depuis un moment, elle n'avait plus une seule fois détourné les yeux vers son employé. Mais maintenant, Ransom se rendait compte qu'il risquait de s'aliéner définitivement sa bienveillance, et à fortiori son affection.

« Aidez-moi, dit-il, changeant de ton ; aidez-moi à savoir ce que je dois penser de vous. C'est tout ce que je vous demande. »

Elle sembla accepter ce retour à des rapports plus pacifiques :

« Mais alors pourquoi devez-vous me tourmenter, vous aussi ? N'ai-je pas déjà assez à supporter des autres ?

— Permettez-moi de vous aider à supporter tout cela.

— Pour la dernière fois : cela ne vous regarde pas.

— Si. Que vous m'y autorisiez ou pas. » Il avait repris son ton implacable.

Ransom l'entendit respirer fort, comme si elle suffoquait ; puis elle se leva, rejetant brusquement sa chaise en arrière. Celle-ci vacilla ; Ransom étendit le bras pour l'empêcher de tomber. Lorsqu'il releva les yeux, Carrie Lane avait déjà disparu de la pièce.

Baers, arrivé à la péroraison, martelait du poing la table. Mais la sortie de Mme Lane fut remarquée par de nombreux convives. Dois-je la rejoindre ? se dit Ransom. Peut-être réussirait-il à tout lui expliquer : il serait seul à seule. Mais avant qu'il eût pu peser le pour et le contre, il vit Dinsmore se lever. Il se pencha vers Mme Sloan :

« Mme Lane... a eu un petit malaise. Excusez-moi, je reviens tout de suite.

— Dois-je venir avec vous ?

— Je vous remercie ; ne vous dérangez pas », dit-il hâtivement, en s'enfuyant.

Ransom ouvrit une petite porte sur le côté, et surprit une domestique, un jambon de Virginie à la bouche. Elle le posa tout de suite dans son plat.

« Où est le grand salon ? demanda-t-il.

— Là », dit-elle en montrant du doigt une autre porte. « Puis encore à gauche. »

Il s'engagea dans un petit passage, mal éclairé, et trouva la porte qui devait donner dans le grand salon. Il allait l'ouvrir lorsqu'il entendit des voix venant de l'autre côté. Il avança de quelques pas, passa devant une cage d'escalier. Le passage menait à l'entrée. Il alla jusqu'au bout, se maintenant toujours dans l'ombre, et finalement aperçut Carrie Lane, seule, déjà enveloppée dans sa mantille.

Il allait pénétrer dans l'entrée, lorsque la porte de la rue s'ouvrit ; Arthur, le majordome des Dietz, annonça à Mme Lane que sa berline était avancée.

Elle le remercia et ouvrit son petit réticule noir, comme si elle cherchait quelque chose. Mais avant qu'elle eût trouvé ce qu'elle cherchait, quelqu'un sortit du grand salon. C'était Dinsmore. Il se plaça de telle manière que Ransom ne pouvait plus la voir, et parlait si bas qu'on ne pouvait l'entendre.

« Dites-leur n'importe quoi, répondit Carrie Lane. Dites-leur que je me suis sentie mal. Ce qui d'ailleurs est vrai. Je vous l'avais bien dit ; je n'aurais jamais dû venir ici ce soir. »

La réponse de Dinsmore fut encore inaudible.

« Laissez-moi partir ! dit-elle. Je ne peux plus supporter d'être ici. »

Elle se dirigea vers la porte. De nouveau Dinsmore murmura quelque chose. Elle s'arrêta, et, sans se retourner, dit à voix basse : « Soit. Je vous attendrai. Je serai encore éveillée. »

Dinsmore la regarda partir, puis ferma la porte et retourna

dans le grand salon. Ransom entra dans le vestibule et écouta le bruit de la voiture se perdre dans la nuit. Par la porte du salon, il voyait Dinsmore, perdu sans ses pensées, fumant une cigarette à côté de la cheminée.

Celui-ci, se sentant observé, releva les yeux, aperçut Ransom et s'avança vers lui en souriant.

« J'étais à la recherche de Mme Lane, dit Ransom, pour se justifier. Mais je vois qu'elle est partie. Se sent-elle mieux ?

— Non, apparemment, répliqua Dinsmore. Elle a tenu absolument à s'en aller, et n'a pas voulu que je l'accompagne.

— Etait-elle vraiment mal ?

— Qui sait ? » Dinsmore lui offrit une cigarette. L'œil de Ransom fut attiré par l'élégant étui d'or fin ; mais il continua :

« A-t-elle été malade, récemment ?

— Encore une fois, je ne saurais vous répondre. Il faudrait interroger sa gouvernante. Je me demande si je ne devrais pas partir tout de suite chez elle, pour voir ce qu'il en est. » Il tendit de nouveau à Ransom son étui à cigarettes ; cette fois, l'attorney en prit une et l'alluma à la flamme que lui présentait Dinsmore.

« Ah ! ces femmes ! » soupira-t-il d'un air soucieux — mais l'était-il réellement ? « Qui peut dire si elles sont vraiment malades ou s'il ne s'agit que d'un caprice ? Pour moi, je serais bien en peine de répondre. »

L'aplomb de cet homme fascinait Ransom. Toute sa conduite était un rôle, sans aucun doute, mais il l'interprétait à merveille.

« Je crains que Mme Lane ne se soit pas encore complètement remise de ce deuil, suggéra Ransom.

— Oh ! non, dit l'autre. Je suis bien d'accord avec vous. Son attitude est tout simplement morbide. Me croirez-vous si je vous dis qu'elle arrive parfois au bureau avec l'air de s'attendre à y trouver son mari ? Je dois dire que ça me glaçait, les premières fois que j'ai vu ça. »

La conversation continua sur ce ton. Ransom se demandait comment cet homme, qui n'avait rien, apparemment, d'extraordinaire — et qui semblait même des plus ordinaires — pouvait avoir une telle influence sur Carrie Lane. Il parlait d'elle, comme n'importe quel employé eût parlé de son patron ; absolument pas comme un amant ou un... ou un quoi ? Mais alors, comment expliquer qu'il l'eût tenue sous son charme durant tout le repas ?

Leurs cigarettes étaient terminées. Désormais, il ne pouvait plus être question de rattraper Mme Lane.

« Eh bien ! dit Dinsmore d'une voix gaie. Allons écouter le reste des discours. »

Durant ces quelques minutes de conversation, l'homme avait pris des manières de plus en plus familières, au point que Ransom s'en sentait froissé. Mais il ne réagit pas, lorsque l'autre lui donna une tape amicale sur l'épaule, et répondit simplement : « Pourquoi pas ? »

Au moins, il ne sera pas avec elle pendant tout ce temps-là, se dit Ransom, s'étonnant de l'importance qu'il attachait soudainement à ce fait.

Simon Carr était déjà levé lorsque Ransom arriva au ranch ce matin-là. Il était assis, derrière la maison, sur un vieux rocking-chair. L'espace, au milieu duquel il s'était installé, était encombré de moellons et autres matériaux de construction abandonnés ; quelques plantes de sauge perçaient çà et là. Il n'y avait personne d'autre, même pas la cuisinière allemande.

« Alors, on se sent mieux ? » Le vieillard tressaillit ; il ne l'avait pas entendu venir. Ransom descendit de cheval, prit un cageot qui traînait par là pour s'en faire un siège, et se plaça tout contre Carr.

« Comme ci, comme ça, répondit le vieillard.

— Bien. Ça me fait plaisir. Mais maintenant, je veux que vous m'en disiez davantage. Je veux savoir tout sur M. Dinsmore. Y compris pourquoi il est devenu le régisseur de Mme Lane. Je veux savoir quels sont ses rapports avec elle, quel rôle vous avez eu dans l'établissement de ces rapports, et dans la vie de Dinsmore en général ; ce que vous et Dinsmore avez à voir avec la mort de Henry Lane, et pourquoi on vous a relégué ici. Je veux tout savoir. Tout de suite. Avec tous les détails, et sans aucune réticence. Sinon, je vous le jure, je reviens ici cet après-midi avec un mandat d'amener signé par le juge. Ce soir même, vous aurez à comparaître devant le jury d'instruction et vous devrez répondre à tout ce qu'on vous demandera, sous peine d'incarcération. C'est clair ? »

Carr n'eut aucune réaction pendant que Ransom parlait. Puis son cou décharné se creusa des deux côtés de sa pomme d'Adam, ses yeux se fermèrent :

« Je ne vous dirai rien, monsieur de l'Etat.

— Vous êtes un homme âgé, monsieur Carr. Aimeriez-vous passer le restant de vos jours à pourrir en prison ?

— Vous ne réussirez pas à me faire peur. Ni à me contraindre à parler. Pas plus vous que vos juges ou que tous les jurys d'accusation de ce pays. Ce que je sais ne regarde que moi, quels que soient les faits que j'aie été amené à connaître. Et tout cela disparaîtra avec moi, si j'en décide ainsi.

— Et quelle est votre décision ? demanda Ransom, en se levant.

— Je ne dirai rien, dit Carr avec orgueil.

— Je respecte, et admire votre détermination », dit alors Ransom. Il vit l'étonnement se dessiner sur le visage de Carr. « Maintenant, si vous avez la bonté de me faire un peu de thé, comme la dernière fois, je pourrai vous dire certaines choses, qui vous feront peut-être changer d'avis.

— Rien au monde ne saurait me faire changer d'avis, déclara le vieillard. Mais je serai très heureux de vous offrir le thé. »

Il se leva de son fauteuil, et se dirigea vers la cuisine d'un pas alerte. Mais il avait l'air encore plus maigre que la première fois.

De nouveau, le vieillard s'affaira en silence autour du fourneau. Cette fois, Ransom évita de lui poser des questions. Lorsque tous deux eurent pris leur première gorgée de thé brûlant, Ransom commença à raconter à Carr ce qu'il avait constaté le soir précédent : le curieux contact entre Dinsmore et Carrie Lane ; les paroles de celle-ci, ses attitudes, la conscience qu'elle avait d'être un objet de scandale, l'angoisse qu'elle en ressentait. Ransom rapporta également sa conversation avec Dinsmore, dans le vestibule.

Lorsque Carr se rendit compte que le récit de Ransom n'était pas un simple compte rendu mondain du banquet de la veille, l'expression réjouie, qui s'était peinte sur son visage au début, s'évanouit. Il interrompit plusieurs fois Ransom pour lui demander des précisions. Ainsi, lorsque l'attorney signala que Mme Lane avait ouvert son réticule, apparemment pour y chercher quelque chose. Lorsque Ransom eut fini de parler, il avala d'un trait le thé qui restait au fond de sa tasse :

« Vous comprenez maintenant, dit-il, pourquoi je suis revenu vous voir. Me direz-vous enfin ce que je dois savoir ?

— Aimez-vous cette femme ? » demanda Carr.

Ransom s'était bien gardé de mentionner dans son récit

ses sentiments et ses intentions. La question de Carr le prit au dépourvu.

« Peut-être n'avez-vous pas très bien compris pourquoi je vous ai raconté tout cela, monsieur Carr ?

— Appelez-moi Simon. J'ai, comme cet autre Simon, par trois fois renié la vérité, à ma grande, et éternelle, honte. — J'ai compris, monsieur de l'Etat ; je ne comprends que trop bien tout ce que vous m'avez raconté. Mais, pour le moment, je vous ai demandé si vous aimez cette femme.

— Je ne vois pas ce que cette question vient faire ici.

— Si vous ne l'aimez pas, vous n'avez aucune chance de la gagner. Elle est définitivement perdue. Mais si vous l'aimez, je vous pardonnerai les procédés grossiers dont vous avez usé à mon égard, parce qu'alors, je les comprendrai.

— Perdue ? Qu'entendez-vous par perdue ?

— Perdue. Car il s'est emparée d'elle. Cette influence, que vous avez si bien décrite, va bien au-delà de ce que vous avez pu remarquer hier soir. C'est comme un iceberg, dont on ne voit que le neuvième.

— Comment est-ce possible ? » demanda Ransom. Le vieillard, devant lui, lui sembla une apparition crépusculaire, moisie, fétide. Comme s'il eût été déjà mort, pourri. « Je n'y crois pas. Personne ne peut avoir un tel ascendant sur un autre être humain.

— Si, on peut. Et lui, en tout cas, il le peut.

— Comment ? »

Le vieil homme haussa les épaules et murmura quelque chose dans son menton. Puis il dit : « Ainsi, vous voulez tout savoir ? C'est bien ce que vous avez dit, n'est-ce pas ? J'étais comme vous autrefois, Avide de tout savoir, aussi étranges, aussi horribles que pussent se révéler certains domaines de connaissance. Mais croyez-moi, monsieur de l'Etat, il est des choses qu'il vaudrait mieux laisser à jamais inconnues. Si je n'avais pas eu cette curiosité dans ma jeunesse, ce désir fou de pénétrer dans les domaines interdits, vous ne seriez pas ici, aujourd'hui, à demander, vous aussi, de savoir. C'est moi qui ai fait de Dinsmore ce qu'il est aujourd'hui. C'est moi le responsable, — le coupable, si vous voulez. Avant de me connaître, c'était un rufian, un obscur aventurier, un camelot. Il passait ses journées à vendre au coin des rues ses miracles de pacotille. Et maintenant, vous l'avez vu ? Eh bien, c'est tout de ma faute. Ah ! je maudis le jour où je l'ai rencontré. Non seulement parce que cette rencontre a marqué la fin de

100

l'existence tranquille que je menais. Mais pour bien plus que cela. »

Ransom essayait de le suivre. Carr s'était mis à parler avec animation, mais ses paroles étaient plutôt décousues et incohérentes. Devait-il continuer de laisser le vieil homme divaguer ou bien l'arrêter pour lui poser des questions précises ?

« Avez-vous déjà assisté à un spectacle forain ?, demanda Carr soudain.

— Oui ; mais...

— Et avez-vous vu un magnétiseur se produire au cours de ce spectacle ? Vous savez, l'homme qui magnétise une personne et lui fait faire tout ce qu'il veut ?

— Oui ; mais je n'ai pas trouvé ça très convaincant.

— Et cet homme faisait des choses absurdes pour démontrer l'existence du magnétisme animal, n'est-ce pas ?

— Effectivement, admit Ransom. Il a fait croire à une personne qu'elle avait perdu l'usage d'une jambe. Cette personne s'est mise à sauter sur un seul pied, en réclamant une canne. Evidemment, c'est de la pure supercherie. »

Carr, sans se donner la peine de commenter cette déclaration de Ransom, dit simplement :

« Eh bien, M. Dinsmore est un magnétiseur, monsieur de l'Etat. Et moi aussi. Du moins je l'ai été. Je ne sais pas si je possède encore ce pouvoir, car je ne l'ai plus utilisé depuis très longtemps. Mais le magnétisme que j'exerce, et qu'exerce M. Dinsmore, n'a rien à voir avec ces spectacles de bas étage. Il s'agit d'une chose sérieuse, monsieur. J'ai été un confrère du grand James Braid, de l'Académie royale de Médecine, — Sir James Braid, le premier à avoir utilisé le magnétisme en chirurgie, l'homme qui a donné le nom d'hypnotisme. Comprenez-vous maintenant ?

— Pas tout à fait », dit Ransom. En réalité, il ne comprenait rien du tout.

« Eh bien, prenons une autre tasse de thé. Ensuite je vous expliquerai tout, et vous saurez tout ce que vous voulez savoir. Ne croyez pas que je cède à vos menaces ni que je craigne la prison ; — que cela soit bien clair. D'ailleurs, vous vous en rendrez compte vous-même. Mais je pense, maintenant, qu'il importe que vous sachiez exactement ce dont Dinsmore est capable. Je me dois de dire à quelqu'un ce que je sais. Je ne pense pas que cela puisse changer grand-chose : il est déjà arrivé trop loin. Mais au moins cela permettra à certains d'entre vous de ne pas tomber sous sa coupe.

— Je vous écoute, dit Ransom.

« Point n'est besoin de parler de mon enfance. Sachez seulement que je suis né le cadet d'une riche famille roturière du Yorkshire. A ma sortie du King's College d'Oxford, où mes parents m'avaient envoyé faire mes études et parfaire mon éducation, j'étais un jeune homme aussi frivole, aussi superficiel que mes camarades d'origine plus aristocratique, — dilettante, comme eux, et bien décidé à m'amuser coûte que coûte. Combien peu cette existence me satisfaisait, en vérité, on en jugera par la rapidité avec laquelle je l'abandonnai pour une vie entièrement consacrée aux rigueurs de la science.

« L'occasion de cette conversion me fut donnée par Sir James Braid, dont je fis la connaissance, un soir, dans un des meilleurs clubs de Mayfair. Là, dans un salon que je n'oublierai jamais, je tombai pour la première fois sous le charme de sa voix et de ses paroles. C'était à cette époque un homme dans la fleur de l'âge, fascinant, rayonnant de vigueur, et au faîte de la gloire. C'était un chirurgien célèbre. Quand je l'ai connu, il venait de redécouvrir la science du magnétisme et avait commencé à l'utiliser, avec succès, pour accomplir des opérations chirurgicales dans lesquelles les anesthésiques s'étaient révélés nocifs ou inefficaces.

« Braid donna à cette technique le nom d'hypnotisme — de *hypnos* qui en grec signifie " sommeil ". Ce soir-là, il avait besoin d'un auditeur ; et moi, je ne demandais qu'à écouter ce qu'il disait. Je le revis plusieurs fois, dans la même société. Ces quelques entretiens, où il me parlait de ses malades et de ses recherches, illuminèrent mon existence. Enfin, j'avais trouvé ce qui m'avait toujours manqué : un but à atteindre, un rêve à réaliser. Je me mis à considérer la médecine comme l'occupation la plus noble à laquelle pût aspirer un honnête homme. Je m'y jetai corps et âme, entrai à l'université, étudiai des années durant, devins docteur, puis interne dans les hôpitaux. Alors seulement, je me jugeai digne d'aller frapper à la porte de Braid et de mettre à sa disposition mon temps et mes talents.

« Je m'aperçus que l'époque de sa splendeur était passée. Ses clients le désertaient, déroutés par ses recherches. Obsédé par l'hypnotisme, il s'était mis à élargir le champ d'application de cette technique à d'autres domaines que la chirurgie et l'anesthésie. Loin de me rebuter, la bizarrerie

102

de ses derniers travaux m'attira encore plus vers lui ; il m'enseigna son art, et je devins bientôt, moi aussi, un magnétiseur.

« Car ce mot — que n'a pas encore supplanté le terme d'*hypnotisme*, voulu par Sir James Braid — ne désigne pas seulement les illusionnistes qui se produisent dans les cirques, ou travaillent pour leur propre compte comme artistes ambulants ; il y a aussi des magnétiseurs tout à fait honorables, et membres des meilleures sociétés scientifiques. C'est Anton Mesmer, un médecin allemand, qui est le fondateur de cette science ; le *mesmérisme*, d'ailleurs, est le nom que l'on a donné à la théorie du magnétisme, au magnétisme théorique. Mesmer vint présenter sa découverte à la cour de Louis XVI, et fit de nombreuses démonstrations de ses pouvoirs dans les salons et les boudoirs de la haute société parisienne. Les effets qu'il réussissait à obtenir révélaient, selon lui, l'existence d'un fluide naturel, bien qu'invisible, analogue à l'électricité, — mais encore plus subtil. Il tenta de relier ses recherches aux autres sciences naissantes — l'électricité et le magnétisme physique — et d'emmagasiner son fluide dans des sortes de tonneaux cerclés de jantes métalliques aimantées, les " baquets de Mesmer ", comme on les appela. Malgré ces théories et ces expériences aberrantes, il réussit à obtenir des guérisons qui tenaient du miracle.

« Mesmer n'avait pas vu que sa technique était, ni plus ni moins, un moyen de pénétrer dans l'âme d'autrui, — et n'avait rien à voir avec un problématique magnétisme animal. Sir James, au contraire, comprit immédiatement que cette force — si on peut appeler ça une force — est uniquement l'effet de la suggestion — mais d'une suggestion d'un type particulier, systématique, se concentrant sur un seul point, et susceptible, alors, d'être communiquée à une autre personne, pourvu que rien d'autre ne vienne la distraire. D'où la nécessité de plonger le sujet, tout d'abord, dans un état non conscient, analogue au sommeil. Braid découvrit qu'il était aisé de provoquer cette « transe », et que celle-ci ressemblait au sommeil des somnambules, lesquels, tout en continuant de dormir, marchent et accomplissent même des actions parfaitement coordonnées. D'où ce choix du mot *hypnose*. Mais les recherches ultérieures de Braid mirent en évidence de nombreuses différences entre l'hypnose et le somnambulisme. Au réveil, en effet, ses sujets se rappelaient tout ce qui s'était passé durant la transe, — à moins qu'il ne leur eût suggéré de tout oublier ; dans ce dernier cas, ils ne se souvenaient de rien. Il découvrit également que certains sentiments, par exemple, suggérés pendant la transe, subsistaient après, et pouvaient modifier le comportement du sujet. C'est ainsi qu'une connaissance de Braid, un jeune homme, fut guéri d'une peur panique des chiens. Braid découvrit la cause de cette peur irraisonnée : ce jeune homme, pendant sa prime enfance, avait été mordu par un gros saint-bernard. Sir James lui fit imaginer par suggestion hypnotique, qu'il se trouvait au milieu de chiens de toutes les races possibles, et s'amusait avec eux. Deux séances suffirent pour le guérir définitivement de sa peur.

« Tout comme Braid, j'étais pleinement conscient de toutes les conséquences possibles de ce genre d'expériences ; mais je n'en étais aucunement horrifié ; et lorsque Braid abandonna, je décidai, dans ma démence, de continuer ses recherches.

« L'état de santé de Sir James n'avait cessé d'empirer ; et comme si cela ne suffisait pas, il se trouvait maintenant en butte à l'hostilité générale de ses confrères. Il y eut un petit malentendu, concernant une jeune femme qu'il soignait. Ses ennemis transformèrent l'incident en un scandale hors de proportion. On lui ferma au nez les portes de Belgravia * ; l'Académie de Médecine le condamna publiquement. Comme il s'obstinait à défendre la valeur de ses découvertes, on le força à résigner les fonctions qu'il exerçait dans cet auguste aréopage. Malgré qu'il en eût, Sir James dût renoncer à l'exercice de la médecine et se retira loin de Londres, dans la maison de ses pères.

« Je poursuivis son œuvre pendant plusieurs années ; je découvris des méthodes plus rapides et plus efficaces et m'aperçus que je pouvais provoquer des états hypnotiques qui ne ressemblaient plus du tout au sommeil mais se ramenaient à une rétention de la conscience. J'expérimentai les effets du magnétisme sur d'autres aspects de la vie spirituelle : l'habitude, les crises de découragement, l'angoisse, la joie exubérante et même l'hystérie. Je travaillai sur des aliénés, des neurasthéniques et des mélancoliques, persuadé que mes travaux étaient de la plus grande importance pour l'humanité. Partisan de Darwin, je voyais dans le magnétisme le moyen pour l'homme de parvenir à un

* Quartier résidentiel de Londres, à la mode au XIXᵉ siècle (N.d.T.).

104

degré supérieur dans l'évolution : la parfaite maîtrise spirituelle de lui-même.

« J'avais dépensé tout mon héritage à engager des volontaires pour mes expériences ; les dettes s'accumulaient ; j'hypothéquai le cabinet et les bureaux de Braid mais continuai d'y travailler, comme si de rien n'était, tant j'étais absorbé par mes recherches. Quand les huissiers vinrent et saisirent tout, et que je me retrouvai à la rue, force fut de me réveiller et d'envisager enfin ma situation : j'étais un homme ruiné, mis au ban de la société scientifique, et de la société tout court, la risée de tous et, professionnellement, aussi déconsidéré que Braid. Je décidai alors, sans hésiter, de quitter l'Angleterre. J'écrivis à diverses universités européennes en donnant mes références et en signalant les rapports qui me liaient à James Braid.

« Malheureusement, je me heurtai à la même hostilité que dans mon pays. Tout le monde rejeta ma canditature, sauf l'université de Heidelberg ; mais on me demandait d'y faire tant de cours que je n'aurais jamais pu continuer mes recherches personnelles. Comme tant d'autres opprimés, je résolus alors d'émigrer en Amérique.

« Mais je dus déchanter, dès mon arrivée à Boston. Les gens de la Nouvelle-Angleterre n'aiment pas beaucoup l'inexplicable et ne le tolèrent que s'il se cantonne dans la religion ou la philosophie. Je rencontrai le même accueil dans toutes les grandes villes de la côte est : Philadelphie, Charleston, New York. Les associations médicales et scientifiques, auxquelles je me présentais toujours comme un disciple de James Braid, me proposaient immanquablement et uniquement de travailler comme chirurgien. Mais personne n'approuvait ni, à fortiori, ne voulait financer mes recherches sur le magnétisme. Homme de principes, et imbécile que j'étais, je rejetai toutes leurs propositions, et, broyant du noir comme l'archange Lucifer précipité dans les ténèbres, me retrouvai parmi les misérables et les désespérés.

« Cette damnation dura plusieurs mois. J'en fus sauvé par le besoin d'une autre créature. En effet, une de mes voisines souffrait d'un abcès dentaire. Comme elle ne pouvait se permettre d'aller voir un dentiste, étant trop pauvre, je m'offris à l'examiner : je constatai que la dent avait dangereusement infecté les fosses nasales, les sinus et la trompe d'Eustache. Il fallait opérer sans tarder. Je la magnétisai, puis, devant me contenter des instruments rudimentaires qui restaient dans ma trousse — car je les avais engagés presque tous pour survivre —, j'arrachai la dent, et curetai les cavités infectées. La malade se remit et les choses en restèrent là, — c'est du moins ce que je pensais.

« Au bout d'une semaine, les habitants du quartier misérable où je vivais commencèrent à venir frapper à ma porte, présentant timidement sur leur paume des pièces de quelques *cents*, et demandant — non, implorant — que je les soignasse. C'est ainsi que je devins dentiste.

« Mes malades me faisaient beaucoup de réclame ; je quittai bientôt mon galetas ; ma renommée parvint jusque dans les hautes classes ; les gens les plus riches de Chicago voulaient se faire soigner par moi. Ma fortune était faite ; mais libéré de tout souci matériel, je retrouvai ce vide, cette absurdité de l'existence qui m'avaient tant opprimé lorsque j'avais débuté dans le monde et n'avais pas encore fait la connaissance de Sir James Braid.

« C'est alors que j'ai rencontré M. Dinsmore. Il se présentait à l'époque sous un nom dont je ne saurais nier la poésie, quelque peu ridicule, il est vrai : Père Francis Lavérité.

« Le Père Francis Lavérité se produisait sur une sorte de petit théâtre, aisément démontable, qu'il installait dans les rues les plus passantes du centre de Chicago ; son pseudonyme, ainsi que les nombreux talents qu'il prétendait exercer, s'étalaient en grosses lettres sur plusieurs calicots suspendus au-dessus de sa tête. Son assistant était à l'époque un garçon crasseux, d'âge indéfinissable, aux manières ignobles. Le Père Francis passait ses journées sur son petit plateau, à débiter des boniments. Il vendait un élixir à base de soufre qui guérissait tout, de la migraine aux cors au pied. Aux plus jobards il refilait des mouchoirs, sans aucune valeur intrinsèque, mais qui, disait-il, avaient été trempés dans les eaux minérales de Baden-Baden et de la Sibérie. Il ne faisait pas beaucoup d'affaires : ses parements étaient tout effrangés, sa veste et son pantalon luisaient aux coudes et aux genoux, ses chemises étaient d'une couleur jaunâtre, indéterminable. Le ton de sa voix était, tantôt suppliant, tantôt gouailleur. Mais c'était cette voix — je finis bientôt par m'en rendre compte — qui m'avait fait remarquer le charlatan, et qui m'attirait vers lui.

« Depuis Sir James, je n'avais jamais entendu une voix

aussi juste, aussi belle, aussi modulée — aussi apte à susciter la transe hypnotique. C'était un organe aussi parfait que celui d'un grand chanteur : grave et clair à la fois, et bien timbré. Mais cette voix avait aussi une souplesse, une liquidité, dirais-je, qui lui permettait de se déverser dans l'esprit d'autrui et d'y demeurer à jamais. De fait, il utilisait déjà, à son insu, une espèce de magnétisme primitif. Je le vis, et surtout je l'entendis, plusieurs fois, convaincre des badauds de la nécessité d'acheter toutes ses drogues, alors que les malheureux n'en voulaient qu'une au début. Et le Père Francis n'était pas un vulgaire camelot : il choisissait ses dupes, et, les tenant sous le charme de ses yeux splendides, les travaillait de la voix tant qu'elles n'avaient pas décidé elles-mêmes de tout acheter.

« Je vis tout de suite tout le parti que je pouvais tirer de lui. Cela faisait plus de dix ans que j'avais abandonné mes recherches. Je décidai de les reprendre, si je réussissais à m'assurer le concours de ces yeux et de cette voix. Avec l'aide d'un tel assistant, me disais-je, je ne serai plus obligé de me consacrer à ce travail aussi totalement qu'auparavant. Et je pourrai continuer d'être dentiste et de gagner largement ma vie. Oui ; mais comment l'approcher et, surtout, le convaincre de m'assister dans mes recherches ?

« L'occasion m'en fut donnée par la police qui, un jour que je l'observais, l'obligea à plier tout son attirail, — mésaventure des plus fréquentes lorsque l'on exerce ce genre de profession. Je le vis entrer dans un café ; je le suivis. Il s'était assis à une table et grommelait, se plaignant de ses malheurs ; j'allai vers lui et lui exprimai ma compassion. La conversation s'engagea ; je lui proposai bientôt de devenir mon assistant, sans faire encore allusion au magnétisme, en me présentant uniquement comme dentiste. Cette première entrevue se prolongea tout l'après-midi ; nous jouâmes aux cartes. Je m'aperçus alors qu'il avait aussi des mains parfaites, de véritables instruments de précision. Il était jeune, pas intelligent et gonflé d'optimisme. Mon exact opposé, en quelque sorte ; d'où, sans doute, l'attrait que j'éprouvais pour lui. Je pensais avoir trouvé l'homme qu'il me fallait, et qui me seconderait, tout comme, plusieurs années auparavant, j'avais moi-même assisté Sir James Braid.

« Il ne lui fallut que deux ans pour apprendre le métier de dentiste ; rien qu'en m'aidant, en m'observant et en écoutant ce que je lui disais. D'autre part, dès que notre travail quotidien était terminé, nous nous consacrions aux expériences de magnétisme. Dans ce domaine, Dinsmore se révéla un élève encore plus doué. Il suggestionnait les sujets avec une très grande facilité — ce qui n'était pas mon cas — et provoquait la transe sans qu'il fût nécessaire de leur demander de fixer un objet. (Cette dernière aptitude est d'une importance capitale, comme vous le verrez.) Il plaisait beaucoup, aussi bien aux hommes qu'aux femmes ; sans qu'on eût besoin de les prier, ils s'asseyaient, se détendaient, parlaient avec ce jeune homme courtois et brillant, et se mettaient naturellement à fixer ses yeux bleus magnifiques ; les sujets entraient en transe sans même s'en rendre compte. Car Dinsmore possédait cette autre aptitude, qui à moi, me manquait : il provoquait un état hypnotique si léger, apparemment, que le magnétisé, souvent, se croyait encore en état de veille. Tout cela fut démontré de manière extraordinaire par ces expériences que nous faisions toujours en fin d'après-midi. Le sujet était plongé dans l'état hypnotique léger que je viens de décrire ; à un certain moment, au beau milieu de la conversation, Dinsmore, de manière tout à fait désinvolte, suggérait au magnétisé d'accomplir une action absurde, en un temps ultérieur. Dinsmore avait une égale facilité pour interrompre l'hypnose : un mot ou deux, une passe devant les yeux du sujet, ou même un simple clin d'œil suffisaient. Mais son pouvoir se révélait chaque fois, lorsque la personne magnétisée accomplissait l'action absurde qu'il lui avait prescrite, — au grand embarras du patient, et bien souvent, à notre grand amusement.

« A ce point, j'aurais dû faire très attention. Mais j'étais de nouveau entièrement possédé par l'amour de la recherche et l'ambition ; et encore une fois, j'allais avoir une preuve foudroyante de ce que la vérité n'est pas seulement une affaire de savants.

« Cela se produisit au cours d'une de ces expériences : je me trouvais derrière un nouveau sujet, dont Dinsmore était en train d'évaluer la suggestibilité. Il faut vous dire qu'environ quatre-vingt-seize pour cent des gens sont suggestibles, c'est-à-dire susceptibles d'être hypnotisés ; mais seul un tiers peut parvenir jusqu'aux couches les plus profondes de l'hypnose, celles qui ressemblent le plus au sommeil. Or le fait curieux, ce jour-là, c'est qu'il était impossible de provoquer chez le sujet l'hypnose initiale, la plus légère. Dinsmore fit plusieurs tentatives, espacées les unes des autres et durant, chacune, six à sept minutes, au maximum — comme c'est toujours le cas, d'ailleurs, dans les expériences de magnétisme. Sans résultat. Je me dis que nous étions tout simplement tombés sur l'oiseau rare ; c'était un ouvrier d'environ cinquante ans, et je le considérai comme appartenant aux quatre pour cent de sujets non suggestibles. Il n'y avait rien à faire, c'était clair. Mais Dinsmore essayait toujours. « Levez votre bras droit », disait-il ; et l'homme de le lever, en riant au nez de Dinsmore, qui, auparavant, lui avait dit qu'il en serait incapable. Imaginez ma stupeur lorsque je m'aperçus que c'était moi qui ne pouvais plus remuer le bras ! Evidemment, je n'en soufflai mot, sur le moment. Comme Dinsmore continuait ses tentatives, le phénomène se répéta régulièrement : l'ouvrier faisait ce qu'il voulait tandis que moi, j'étais à tous les coups bloqué par les suggestions de mon assistant. C'était extraordinaire : il me magnétisait par personne interposée. Nous congédiâmes le mauvais sujet, en lui payant son salaire, évidemment, et alors l'hypnose s'interrompit, — et de manière si légère que je doutai d'avoir été vraiment magnétisé. Je fis part de cette découverte à Dinsmore, et le soir même, pour célébrer l'événement, nous fîmes un bon repas arrosé au champagne.

« Le lendemain, à ma demande, Dinsmore renouvela l'expérience. Une fois le sujet parti, je revins à moi, et nous nous congratulâmes. Dix minutes après, je fermai le laboratoire. Ce qui s'est passé après est assez confus dans ma mémoire ; ce que je sais seulement, c'est que j'ai enlevé mon pantalon et suis sorti, à demi nu, dans la rue. Cet épisode me donna un avant-goût de son pouvoir ; il annonçait de manière grotesque la forme nouvelle qu'allaient prendre nos rapports, — de manière symbolique, aussi, car ils ne furent faits que d'humiliations.

« Cependant Dinsmore déclara qu'il ne s'agissait pas d'une plaisanterie. Mais ce petit jeu, à force de se répéter, devint bientôt fastidieux. Il me magnétisait à tout instant, avec une aisance stupéfiante, et interrompait l'hypnose, parfois, par un simple claquement de doigts. Lorsqu'il fut bien sûr de me dominer complètement, il posa ses conditions : il voulait la moitié de mes honoraires de dentiste, et la moitié de tout ce que je possédais. En outre, il voulait que je le présentasse comme mon associé, comme mon égal, et être complètement libre de choisir ses propres clients. Les recherches devaient être poursuivies, mais sous sa direction. Enfin, il voulait apparaître comme coauteur du traité sur le magnétisme que j'étais alors sur le point de publier. Mes remontrances furent sans effet. Ses pouvoirs exceptionnels lui permirent de découvrir les raisons pour lesquelles j'avais quitté la Grande-Bretagne, et bien d'autres choses encore : il lui suffisait pour cela de me plonger dans un état hypnotique profond. Il put alors me faire chanter. Malgré tout, je ne cédai pas tout de suite.

« Ne reculant devant rien, il mit ma vie en danger. Un jour je me retrouvai, chancelant, sur une minuscule passerelle, à la pointe de la flèche d'une église que j'avais escaladée sans m'en rendre compte. Une autre fois, me penchant sur le rebord d'un échafaudage, jeté au-dessus d'un fleuve. Dus-je mon salut à son incapacité de me tenir sous sa suggestion pendant assez longtemps ou aux inconnus qui me virent et vinrent à mon aide ? Je ne le sais toujours pas, et, d'ailleurs, la réponse exacte m'importe peu. Quoi qu'il en fût, ces incidents me contraignirent à affronter lucidement l'alternative : ou mourir, ou me soumettre. Je vis : c'est ma défaite.

« Cette existence à Chicago ne dura que quelques mois. Dinsmore s'arrangeait pour que sa clientèle fût composée essentiellement de femmes, et toutes jolies, — qu'elles fussent mariées ou pas. C'était sa manière d'entendre l'une des conditions qu'il m'avait imposées, et donc, je le laissais faire. Or, profitant de ses pouvoirs, il abusait de ses patientes ; je m'en rendis compte lorsque l'une d'elles, une jeune fille, tomba, inexplicablement, enceinte. Malheureusement pour Dinsmore, la jeune fille, qui était éprise de lui, n'avait jamais caché à sa famille les sentiments qu'elle éprouvait à son égard ; elle avait même prétendu que Dinsmore avait l'intention de l'épouser.

« Je ne savais trop qu'en penser : le père de la jeune fille, un riche industriel, était en effet aussi fasciné qu'elle par Dinsmore. Je me dis que Dinsmore, de peur que l'occasion ne lui échappât, avait peut-être sciemment forcé la situation. Après tout, je l'avais souvent entendu dire que, pour faire son chemin dans le monde, il avait besoin d'une femme riche et de bonnes relations. Aussi fus-je très surpris, quand il me déclara qu'il ne voulait pas l'épouser. En fait, il ne pouvait pas l'épouser : je découvris en effet qu'il était déjà marié, et que sa femme habitait à Chicago. Elle pouvait le dénoncer pour bigamie ; le connaissant, je crois que, n'eût été cette menace, il n'aurait pas hésité à se remarier.

« Il annonça sa décision à la jeune fille et lui en expliqua la cause ; celle-ci, à peine rentrée chez elle, monta dans sa chambre, s'enferma à clef et se pendit à un drap de lit noué. Furieux de désespoir, son père jura de la venger. Il nous fit arrêter tous les deux, me considérant comme le complice de Dinsmore. Nos nombreux chefs d'accusation allaient de la fraude au meurtre. Grâce à Mme Dinsmore, qui remua ciel et terre pour accumuler la somme nécessaire, nous fûmes remis en liberté sous caution.

« A ce point, je pouvais décider, soit de m'enfuir, soit de rester, — ce qui, encore une fois, aurait signifié ma ruine ; mais, au moins, j'aurais eu l'espoir d'obtenir gain de cause et de redevenir un homme libre.

« Dinsmore, lui, n'avait pas cet espoir, et il nous contraignit à le suivre dans sa fuite. Non qu'il se souciât de nous le moins du monde ; mais il savait que s'il nous laissait seuls, nous témoignerions contre lui ; moi, du moins. Il nous obligea à engager tout ce que nous possédions, pour avoir le plus possible d'argent en espèces. Cela nous prit quelques jours, car nous allions aux monts-de-piété de quartiers éloignés où nous n'étions pas connus. Puis, lorsqu'il ne nous resta plus rien, nous quittâmes la ville furtivement, de nuit.

« Je vous épargnerai le récit de nos pérégrinations et de nos épreuves. Les difficultés surgissaient partout, dès que nous décidions de nous installer et de nous mettre à travailler. Les gens, presque toujours, nous suspectaient, et ils n'avaient pas tort. Il fallut bientôt éviter les grandes villes, — les nouvelles y circulaient trop vite ; nous nous cantonnâmes dans les bourgades du Sud et de l'Ouest, nous cachant toujours dans les quartiers les plus pauvres, avec cette peur constante d'animal traqué. Désormais, les rôles s'étaient inversés : Dinsmore était le dentiste, et moi, je n'étais que son esclave,— déchu professionnellement, physiquement et surtout moralement.

« Mais la situation de Margaret, sa femme, était encore pire. C'était elle qu'il accusait de tous nos malheurs ; c'était elle qui, l'empêchant d'épouser la fille de l'industriel, avait provoqué notre arrestation et, par conséquent, nous avait contraints à mener cette vie vagabonde, misérable et honteuse. Parfois il la battait, mais le plus souvent, il l'humiliait ou restait des semaines sans lui adresser la parole. Et pourtant, elle lui était dévouée corps et âme. Elle était, me dit-elle, d'une riche famille de Philadelphie. Et puis, elle l'avait rencontré. Je ne le connaissais pas encore ; il ignorait tout du magnétisme ; mais je suis sûr qu'il la magnétisa par d'autres moyens, moins subtils. Elle vint à lui de sa propre volonté, et ils se marièrent. Mais la réconciliation escomptée avec la famille ne se produisit jamais. Ce fut un échec pour Dinsmore, et il commença à la négliger. Il l'abandonna plusieurs fois, mais toujours elle réussit à le retrouver. Cet amour qu'il lui avait inspiré, il le considérait, lui, comme sa couronne d'épines, comme sa croix — et il ne demandait qu'à s'en débarrasser.

« C'est ainsi que tous les trois, nous arrivâmes à Center City. Et nous y restâmes, y survivant tant bien que mal, et toujours fuyant le jour et la compagnie des gens de bien. Encore une fois, nous montâmes un cabinet dentaire, où je l'assistais quand je le pouvais. Car le mal me gagnait. Mon cœur avait déjà commencé à m'inquiéter depuis plusieurs années ; mais désormais, c'était sérieux. Je sentais ses battements de plus en plus irréguliers, de plus en plus faibles. Connaissant la médecine comme je la connais, je ne pouvais pas ne pas reconnaître tous les symptômes de la fin. Et bientôt, je devins impotent.

« Margaret aussi commença à décliner, et de manière beaucoup plus tragique, encore que les causes de son mal fussent bien moins évidentes. Pour moi, c'est la haine de son mari qui l'a brûlée à petit feu. Lui était encore en pleine santé, c'était un homme actif et viril. Il fréquentait beaucoup de femmes, sans jamais le lui cacher, bien au contraire. Il voulait à tout prix se libérer d'elle, et il le disait. L'abandon dans lequel il la laissait fut la cause de son dépérissement, j'en suis persuadé ; elle se croyait tuberculeuse, mais je suis sûr que c'est lui qui lui a suggéré cette idée, par hypnose, pour hâter sa fin. J'étais moi-même bien placé pour connaître l'étendue de ses pouvoirs.

« Margaret était une femme bonne, douce, très polie ; mais elle savait aussi se rebiffer, et elle le fit plusieurs fois. Il aimait cette résistance chez elle ; il disait que c'était la seule chose qui lui était restée de sa bonne éducation. Il aimait les femmes belles et altières, qui avaient ce caractère farouche qu'avait sans doute eu Margaret. Car ce qu'il aimait encore plus, c'était les plier et les écraser, comme il avait fait d'elle, et de moi.

112

« Je fus très affligé par la mort de Margaret. Elle avait toujours été pour moi la bonté même. Six mois à peine étaient passés depuis, lorsque Dinsmore vint me dire de plier bagage et de me préparer au départ. J'étais le dernier empêchement à sa liberté.

« Et au début de l'été, on m'a amené ici, dans un état proche du coma. Minna — la cuisinière — s'occupe de moi aussi bien qu'elle peut. Je reprends des forces, loin de lui. Mais je n'ai toujours pas retrouvé ma volonté. De temps en temps, il vient me voir, il cherche à m'éblouir en me parlant de sa nouvelle situation et m'avertit de ne rien dire à personne, ni sur lui, ni sur notre passé commun.

« Comme si je pouvais le faire ! J'ai déjà à moitié oublié tout cela, et je m'en sens mieux. Bien qu'il vienne rarement, je sais qu'il me tient à l'œil. Ça m'est égal. Je me sens libéré de lui, même si je sais que ce n'est pas vrai. C'est déjà beaucoup de ne plus vivre à côté de lui. Mais dans un sens aussi, c'est pire, pour les autres. Car ma présence, malgré tout, refrénait ses pires instincts, — j'étais un peu sa conscience.

« En vous parlant aujourd'hui, je ne doute pas d'avoir mis ma vie en péril. Mais je me devais de le faire. Je ne pouvais parler de tout cela à la cuisinière, — c'est une femme au cœur d'or, mais ignorante. Tandis que vous, je pense que vous m'aurez compris. Dinsmore est un homme dangereux et ambitieux. Quant aux questions que vous m'avez posées, je n'en sais rien, et je regrette de ne pouvoir vous éclairer. Ce qui est sûr, en tout cas, c'est que pour lui, la période des échecs est finie ; et qu'il a commencé sa marche triomphale.

« Je ne peux rien vous dire de Henry Lane, sinon qu'il s'est fait soigner par Dinsmore pendant plus d'un an. Quant à Mme Lane, je la connais encore moins. Mais ce sont des éléments nouveaux, et je pense que vous saurez les intégrer au cadre que je vous ai donné. Avez-vous d'autres questions ? »

Ransom avait une foule de question à lui poser. Il n'aurait jamais pensé, lorsque Carr lui avait demandé de l'écouter, que celui-ci allait lui raconter toute l'histoire de sa vie, — une histoire bien étrange, et pleine de merveilleux, comme un conte des Mille et Une Nuits. S'il l'avait écouté en silence, c'était moins par politesse que par désir de ne pas l'interrompre, pour ne pas perdre un mot de ce qu'il disait. D'ailleurs, sur quoi, au juste, aurait-il pu l'interroger ?

Il essayait plutôt de deviner les motifs de cette longue confession. Le vieil homme voulait-il élever un barrage de mots entre lui et son interlocuteur ? Le confondre ? Le dérouter ? Vers la fin de son récit, Carr avait fini par répondre à certaines questions de Ransom, mais, désormais, après ce puissant récit, elles semblaient sans aucune importance. L'avait-il fait exprès ? Il n'y avait rien d'aberrant, ni d'incohérent dans cette interminable relation, rien qui dénotât la sénilité. Mais tout était si étrange, si contraire aux habitudes — et malgré tout, si bien raconté — qu'il était difficile de croire qu'il eût improvisé son récit, au fur et à mesure. Enfin, tout reposait sur cette histoire de magnétisme que Ransom n'avait jamais prise au sérieux.

Plusieurs fois, d'ailleurs, il avait été sur le point d'éclater de rire ; n'eût-ce pas été la meilleure réaction, face à toutes ces fables, magnifiquement agencées, il est vrai ? Mais il s'était toujours retenu, il avait continué d'écouter. Il s'était laissé gagner par le ton profondément convaincu de Carr. Seul un acteur consommé pouvait réussir ce tour de force : frissonner d'horreur à l'évocation des périls mortels qu'il disait avoir courus, rougir et bégayer d'indignation lorsqu'il avait décrit les mauvais traitements subis par Margaret, se maudire à grands coups de poing dans la poitrine, maudire la démence et l'aveuglement qui l'avaient ravalé au rang de simple instrument dans les mains de Dinsmore — exprimer, donc, tous ces sentiments sans les avoir effectivement vécus. Carr était peut-être un acteur dramatique à la retraite, abandonné par quelque troupe itinérante. Après tout, ce n'était pas plus difficile à croire que de croire qu'il avait été l'associé de Sir James Braid, le célèbre savant que la reine avait anobli. Et en tout cas, c'était plus facile que de croire au magnétisme.

Aussi Ransom se limita à quelques questions sans importance, concernant leur arrestation, la légalité de leur départ de l'Illinois et certains aspects du magnétisme. Le vieillard y répondit de bonne grâce, en donnant beaucoup de détails.

« Est-ce tout ? demanda Carr.

— Je crois que oui, pour le moment.

— Eh bien alors, au revoir, j'espère, monsieur de l'Etat. »

Il dit ces derniers mots d'un ton léger, presque badin. Il semblait de bien meilleure humeur, depuis qu'il avait parlé. Comme s'il avait réellement brisé les chaînes d'un passé oppressant. Lorsqu'il accompagna Ransom dehors, il le salua même d'un grand sourire.

Ransom enfourcha sa monture, et au lieu de partir directement passa derrière le ranch. Carr le salua de la main. Il s'était rassis dans son rocking-chair, au milieu des briques abandonnées, et se chauffait au soleil. Il semblait avoir retrouvé la sérénité.

L'esprit de Ransom, au contraire, était plus travaillé que jamais.

Que faut-il croire de ce récit ? se dit-il, en s'engageant sur le chemin du retour. Que faut-il rejeter ? Mais non : tout se tenait si bien qu'on ne pouvait en accepter un seul élément sans être amené à reconnaître la vérité de tous les autres.

Lorsque Carr lui avait demandé s'il avait déjà vu un magnétiseur et que Ransom l'avait admis, il s'était tout de suite représenté le petit théâtre de l'illusionniste : la tente de toile grossière, retenue par deux perches inclinées, la scène, faite de planches mal jointes, les visages du public que la lueur rouge et vacillante des torches disposées devant le plateau rendait grotesques et équivoques, et le magnétiseur lui-même, avec son grand chapeau, — un homme cassé, avec une barbe de cinq jours et une voix avinée qui ne savait même plus ce qu'elle disait. Ç'avait été de la supercherie. Ransom en était sûr.

Or, Carr lui avait demandé de se détromper. S'il fallait l'en croire, de très grands savants s'étaient consacrés au problème du magnétisme et avaient prouvé, expérimentalement, que tout le monde, ou presque, pouvait être magnétisé. Carr en avait parlé comme d'une science, tout en reconnaissant que ce n'était pas simplement cela. C'était une science maléfique. D'après ce que Ransom avait compris, c'était une technique insidieuse, infâme, permettant de faire croire aux gens n'importe quoi, de les manœuvrer comme des marionnettes, de les réduire en esclavage, de la magie noire, pour tout dire.

Ransom exerçait depuis assez longtemps son métier pour être à même de deviner si une personne mentait ou disait la vérité. Les gens mentaient toujours pour une raison ou une autre ; mais il y avait aussi des mobiles, tout aussi puissants, pour les pousser à dire la vérité. L'un de ses mobiles était la peur. Un autre le besoin de décharger sa conscience. Carr n'avait pas menti. Il avait dit la vérité. Ransom en était sûr ; l'instinct le lui disait, et pourtant il n'arrivait toujours pas à croire ce que le vieux lui avait dit.

Que penser, également, de la manière dont Carr avait introduit son récit ? En demandant à Ransom s'il aimait Carrie Lane. En décrivant l'étendue du pouvoir que Dinsmore avait sur elle désormais. En laissant entendre que ce pouvoir était aussi absolu que celui que Dinsmore avait exercé sur sa femme, et sur Carr lui-même dans le passé.

Jusqu'alors, Ransom n'avait pas réussi, ou, peut-être, pas cherché, à éclaircir les motifs qui le poussaient à s'occuper de Dinsmore. S'il finissait par croire ce que Carr lui avait raconté, ne serait-ce pas par jalousie ? Le rapport qui liait Mme Lane à son employé, et qu'il avait constaté de ses propres yeux, la veille, avait, en effet, toutes les apparences d'un amour. Toutes les apparences. Il avait eu confirmation des soupçons de Mme Ingram. Or, le récit de Carr lui permettait de donner une tout autre inter-prétation de l'ascendant que Dinsmore exerçait sur Mme Lane. Mais, avant toute autre chose, il fallait vérifier cette histoire de magnétisme, et, pour cela, l'expérimenter dirctement, sur sa propre peau.

Amasa Murcott avait fini de déjeuner, mais était encore à table, lorsque Ransom arriva à la pension. Il se mit tout de suite à l'interroger sur la question du magnétisme.

« Je ne sais pas au juste comment ça marche, confessa le médecin. Il y a des articles sur le sujet dans certaines revues médicales. J'en ai lu un ou deux. On y parle d'un Autrichien qui l'a utilisé pour soigner des hystériques. Je peux vous les montrer, si vous voulez.

— Tout de suite ? » demanda Ransom. Puis, voyant l'étonnement du médecin : « L'utilise-t-on aussi en chirurgie ?

— Je crois. »

Ransom suivit le médecin dans son bureau. Celui-ci ouvrit un grand livre relié de cuir et se mit à le feuilleter ; c'était l'index d'une revue médicale, comme put le constater Ransom en se penchant par-dessus l'épaule de son ami.

« Dinsmore l'utilise, dit l'attorney. Pour soigner les dents sans douleur.

— Ça par exemple ! » dit Murcott en levant les yeux, mais continuant de marquer du doigt une ligne dans l'index. « Et moi qui pensais qu'il utilisait le protoxyde d'azote, le gaz hilarant, comme on l'appelle aussi parfois.

116

— Eh bien non. Son ancien assistant a dit qu'il utilisait le magnétisme.

— Quoi qu'il en soit, voici les articles que vous cherchez », dit-il en cochant plusieurs titres. « Il y en a cinq ou six, qui semblent se rapporter au sujet. Les numéros de la revue sont là, derrière vous, ajouta-t-il en montrant une étagère. Servez-vous. »

Ransom passa un moment à chercher les articles et à transporter les gros volumes dans son bureau au premier étage. Il s'enferma pour ne pas être dérangé et lut non seulement les six articles que Murcott lui avait indiqués, mais aussi tous ceux qu'il trouva de lui-même dans l'index. Il n'en pouvait plus lorsqu'arriva l'heure du dîner. Après le repas, il invita le médecin à venir dans son bureau prendre un brandy et fumer un cigare.

« Je les ai tous lus, dit Ransom, tapotant les volumes. Maintenant, j'aimerais bien avoir votre opinion sur le sujet.

— Je n'en ai pas. Que disent-ils, tous ces articles ?

— Pas grand-chose, semble-t-il. » Il marqua une pause. « Mme Ingram est venue me parler, l'autre jour, en sortant de chez vous. Elle était extrêmement troublée. Son comportement était tout à fait étrange. Pensez-vous que le magnétisme peut expliquer la crise qu'elle avait eue la veille ?

— Tout ce que je peux vous dire c'est qu'elle était en bonne santé physique. Mais où voulez-vous en venir, avec toute cette histoire ? Si vous pensez pouvoir me le dire, évidemment.

— Je vais vous le dire. Il le faut, car j'ai besoin de votre opinion. »

En quelques minutes il mit le médecin au courant de ce que lui avait dit Mme Ingram. Puis il lui décrivit ce qu'il avait observé, pendant le banquet, des rapports entre Mme Lane et Dinsmore. Enfin, il lui rapporta le récit de Simon Carr, ce qui dura plus longtemps.

Murcott écouta Ransom jusqu'au bout sans rien dire. Lorsque celui-ci eut fini de parler, le médecin se bourra tranquillement une troisième pipe, l'alluma, puis dit : « Etes-vous vraiment sûr qu'il ne vous a pas raconté des histoires ? Car, si ce qu'il vous a dit est vrai, vous n'êtes pas au bout de vos peines. Pour le moment, vous n'avez que des suppositions.

— Et si ce qu'il a dit est vrai ?

— Dans ce cas, cela pourrait expliquer certains faits très curieux. Mais il va falloir tout d'abord que vous vous assuriez

117

que cette histoire de magnétisme fonctionne réellement.

— Je sais. J'ai décidé d'aller voir Dinsmore pour me faire soigner les dents et je me ferai magnétiser, comme n'importe quel autre patient. Je ne vois pas d'autre manière d'avoir une preuve.

— Et s'il se méfie ? Vous avez les dents en bon état, que je sache.

— J'y ai déjà pensé. Je ferai en sorte d'avoir un abcès à une dent. Et vous allez m'aider : il faut que vous m'enleviez un de mes plombages. La dent s'infectera. Alors j'irai chez lui, il me magnétisera et j'aurai la preuve que je cherche.

— Vous aurez la preuve qu'il soigne les dents sans faire mal, et c'est tout.

— Nous verrons. Ne vous en faites pas. Alors, vous êtes prêt ?

— Cela me semble de la folie. Pourquoi sacrifier une dent en parfait état ?

— Il faut bien que je fasse quelque chose d'insensé pour prouver une telle absurdité. Etes-vous disposé à m'aider ?

— Si vous insistez !

— Ah ! encore une chose. Je vais écrire à William K. Reese, à Lincoln. De toute façon, je lui dois une lettre. Je lui parlerai, en passant, des questions que l'on se pose ici sur le passé de Dinsmore, des bruits qui courent, etc. Il comprendra tout de suite ce que je veux de lui. Il n'est pas procureur général pour rien. Quant à vous, je voudrais vous demander un autre service. J'aimerais que vous écriviez à quelques-uns de ces messieurs, dit-il, en montrant la pile de volumes — vous êtes un de leurs confrères, n'est-ce pas ? — pour leur demander ce qu'ils savent du magnétisme, et s'ils peuvent confirmer les affirmations les plus surprenantes de Carr, — évidemment en restant dans les généralités. Voulez-vous me faire cette faveur ?

— Je voudrais bien ; mais vous savez que je suis très pris », dit Murcott. Il réfléchit une minute. « Eh bien, faisons comme ceci : rédigez les lettres, et moi, je les signerai. » Il se leva. « Je vous conseillerais de prendre un verre de brandy, avant cette petite opération. Je vais être obligé d'improviser. Allons dans mon cabinet. Et ne m'en veuillez pas après, hein ?

— Bien sûr que non. »

Avant d'ouvrir sa porte Murcott parut hésiter une seconde.

« Encore une question, James. De quoi inculperez-vous Dinsmore ?

— Je n'ai pas encore pensé aux détails... mais de meurtre, dans tous les cas.

— Pour la mort de Henry Lane ?

— Et celle de Margaret Dinsmore. »

Ce fut un réveil atroce, encore pire que le cauchemar qui l'avait précédé. Ransom s'assit sur son lit : c'était comme si tout un bataillon n'avait cessé de passer et repasser sur tout son côté gauche, martelant sa tête, son cou, ses épaules, son dos.

En se levant il se sentit transpercé par un élancement si douloureux qu'il fut pris de vertige et faillit s'effondrer par terre. Il jeta les mains vers le rebord de la toilette, et, en s'agrippant, réussit à rester debout. Il vit alors son visage se refléter dans la glace ovale de son miroir à barbe.

L'œil gauche était à moitié fermé, tout bouffi, rouge. La sueur perlait sur son front. Sa joue gauche était deux fois plus grosse que la droite, rouge aussi, et dure au toucher comme une peau de tambour. L'abcès avait pris, et vite, car cela ne faisait que quatre jours que Murcott avait enlevé le plombage. Ah ! il fallait absolument que Dinsmore le reçût, ce jour-là même. Chaque mouvement qu'il faisait lui arrachait un sursaut de douleur. Il s'habilla avec lenteur.

Au petit déjeuner, il ne vit que Murcott et Mme Page. Ransom les salua à peine. Maintenant qu'il était pleinement éveillé, la douleur était encore pire qu'avant. Les veines du cou, du côté gauche, battaient comme des cymbales. Les sons lui parvenaient émoussés, comme à travers un brouillard ; et le bourdonnement des oreilles gagnait toute la tête. Avait-il attendu trop longtemps ? Il espéra que non.

Impossible de manger quoi que ce soit. Il inclina la tête, pour éviter de toucher avec la nourriture le côté gauche de sa bouche ; en vain. A chaque mastication, il sentait comme un poignard lui pénétrer dans la gencive. Les petits pains de maïs — la spécialité de Mme Page — avaient le goût et la consistance du sable. Le café passait mieux : c'était fort, noir, chaud, bien qu'il sentît à peine cette chaleur. Il le fit passer, puis gargouiller sur la dent malade ;

il eut un élancement au début, puis la douleur sembla s'apaiser un moment.

Il n'y avait aucun billet de la part de Dinsmore, ce qui n'était pas fait pour arranger l'humeur de Ransom. La veille, vers la fin de l'après-midi, il avait envoyé Nate chez les Lane avec un message. Cherchant à chasser la douleur de son esprit, il repassait mentalement les paroles qu'il avait écrites : « Je me suis laissé dire que vous êtes le meilleur dentiste du comté, encore que vous n'exerciez plus, paraît-il. Pourriez-vous faire une exception pour un récent compagnon de table, dont une molaire inférieure infectée s'est transformée en succursale de l'enfer ? » Ransom avait signé de son nom, sans aucune appréhension. Il y avait très peu de risques que Dinsmore associât Ransom au « monsieur de l'Etat », dont Carr pourrait lui avoir parlé, dans le cas, très improbable, où il fût allé voir le vieillard. Ransom espérait que Dinsmore serait en quelque sorte appâté par le ton familier de son mot.

Son attente ne fut pas déçue. Avant la fin du petit déjeuner, un ouvrier journalier des Graineteries Lane apporta la réponse de Dinsmore. Il lui fixait rendez-vous à midi, à son cabinet de l'avenue Van Buren.

« Je l'ai eu ! dit Ransom, montrant le billet à Murcott.

— Vous faites peur à voir, James.

— Que voulez-vous ? Il le faut bien.

— Ça vous fait très mal ?

— Quelle question !

— Voulez-vous que je vous donne un calmant ? Juste de quoi attendre...

— Je ne demanderais pas mieux en d'autres circonstances. Mais il faut que je sache comment fonctionne le magnétisme, que je voie comment il magnétise les gens. Il me faut une preuve ; ce n'est pas difficile à comprendre, non ?

— Tête de mule que vous êtes, marmotta Murcott. Faites comme vous voudrez », ajouta-t-il en se levant. Puis, sans se retourner, il entra dans le cabinet de consultation. Ransom monta dans son bureau.

Pas question de travailler, évidemment : dans cet état, il pouvait à peine lire. Il s'étendit sur son lit, tout habillé, mais n'en ressentit aucun soulagement. Bien au contraire, la douleur semblait augmenter de minute en minute. Cela faisait au moins douze ans qu'il n'avait pas eu mal aux dents. C'est drôle, se disait-il ; je n'aurais jamais pensé que cela ferait si mal. C'est que la douleur est quelque chose d'insaisissable par l'esprit : on ne peut se la rappeler vraiment, ni non plus la prévoir, l'imaginer. On ne la connaît, on ne la sent, en fait, que lorsqu'elle est là et vous prive de toutes vos capacités intellectuelles.

Mais cela va passer... Finalement, c'était la seule chose qu'il réussissait à se dire encore, tandis qu'il descendait l'avenue Van Buren. Il monta l'escalier mal éclairé et frappa à la porte de verre dépoli.

Cette fois on lui ouvrit.

« Ah ! Monsieur Ransom. Entrez donc. Je suis à vous tout de suite. »

Dinsmore enleva sa veste et, après avoir invité Ransom à en faire autant, il se passa une blouse blanche, bien propre, qui lui arrivait jusqu'aux genoux, mais n'avait ni manches ni col.

« Précaution antiseptique, expliqua Dinsmore. Nous ne pouvons risquer que vous sortiez d'ici plus malade que vous n'y êtes entré. »

Ransom articula tant bien que mal des remerciements, puis de vagues excuses pour l'avoir dérangé.

« Mais pas du tout, répliqua Dinsmore. Je suis trop heureux de vous rendre ce petit service. Et maintenant, passons dans l'autre pièce. »

Le cabinet était un peu plus grand que la salle d'attente, mais encore moins meublé. Il y avait, au centre, un ancien fauteuil de barbier, grand, bien rembourré à la tête, avec des supports pour les pieds et un dossier réglable. Juste à côté se trouvait un petit évier de porcelaine, mobile, auquel l'eau de rinçage des dents, sans doute, avait donné une vague teinte verte. De l'autre côté du fauteuil était une petite table métallique à roulettes recouverte d'instruments. Contre l'un des murs, un secrétaire en bois peint, de couleur jaunâtre, élevait jusqu'à hauteur d'homme ses rangées de tiroirs minuscules. Des stores intérieurs empêchaient la lumière de passer par les deux fenêtres, en face du fauteuil. La pièce était éclairée par une lampe à gaz, suspendue au plafond et qui grésillait lorsque l'on passait à côté d'elle.

Ransom s'assit et ouvrit la bouche.

Dinsmore était d'excellente humeur. Il examina la bouche de Ransom avec le regard absorbé de qui se concentre sur un puzzle. Ses cils, longs et fins, battaient comme ceux d'une jeune fille faisant les beaux yeux à son galant. Sur

121

sa bouche, à moitié cachée par une moustache noire, parfaitement taillée, une petite moue se dessina vers la fin de l'inspection ; et Dinsmore se mit à fredonner légèrement. Ses yeux étaient d'un bleu si éclatant, que Ransom, chaque fois qu'il les rencontrait, détournait immédiatement le regard.

« J'espère que vous ne tenez pas particulièrement à cette molaire inférieure, monsieur Ransom. Elle est dans un très mauvais état, et le mieux est de l'extraire. »

Ransom murmura que ça lui était égal.

« N'ayez pas peur, vous n'aurez aucun mal. Faites-moi confiance. Ah ! voici l'eau. »

Quelqu'un entra, par une porte qui se trouvait derrière le fauteuil, et déposa une bouilloire sur la table roulante. Avant que Ransom eût pu se retourner pour voir qui c'était, il entendit la porte se refermer. Dinsmore leva le couvercle, et, tandis que la vapeur montait en volutes, il plongea dans la bouilloire divers instruments de métal brillant, puis la referma.

« Il ne faut rien négliger, pour combattre l'infection, dit le dentiste. Stérilisation de tous les instruments. Bien. Ne soyez pas inquiet, je vous en prie. Vous ne sentirez aucune douleur ; absolument aucune. Et maintenant, monsieur Ransom, vous me feriez un grand plaisir si vous vous détendiez un peu. Ne soyez pas si contracté ; vous avez très mal, je le comprends. Mais bientôt vous ne sentirez plus rien. Et entre-temps, je veux que vous essayiez de vous détendre, de décontracter tous vos muscles. C'est ça, comme cela. Laissez vos bras et vos jambes s'allonger ; et votre cou aussi. Oui, je sais. C'est là que vous avez le plus mal. Mais la douleur va bientôt s'apaiser. Oui. Bien. Détendez votre dos, vos épaules. Tous vos muscles doivent être relâchés... »

Il prit l'une des mains de Ransom, la souleva, puis la lâcha. Elle retomba comme un bout de chair sans vie sur les genoux de Ransom.

« C'est bien. Et déjà vous avez moins mal, n'est-ce pas ? »

Ransom s'abstint de tout commentaire.

« Bien. Cette douleur va bientôt disparaître complètement. Mais pour cela il faut que vous vous détendiez encore plus. Non. Ne fermez pas les yeux. Regardez-moi. Dans les yeux. C'est ça. Et maintenant, ne pensez qu'à vous détendre. Imaginez que vous êtes, mettons, au bord de la mer. C'est si reposant. Vous êtes de l'Est, n'est-ce pas ?

122

— Georgie.

— Ah ! La Georgie. Quel beau pays ! Eh bien, il doit y avoir beaucoup de lacs, beaucoup d'étangs dans la région où vous avez grandi, en Georgie. Imaginons que vous êtes sur l'un de ces étangs. Au milieu de l'étang, dans une petite barque en bois. Le soleil. Il fait chaud. Vous vous reposez. Si chaud que même les mouches bourdonnent paresseusement. Si reposant que vous aussi, vous vous sentez gagné par la paresse ; vous ne pouvez plus y résister. Et vous êtes là, étendu dans la barque, au milieu de l'étang, et vous ne faites rien, vous ne pensez à rien. L'eau dort. Pas un seul frisson sur la surface de l'eau. Et même les poissons dorment. Le soleil brûle et tout dort. Le ciel est si bleu que vous ne pouvez plus le regarder, et vous fermez les yeux ; fermez les yeux ; et vous vous détendez, vous vous détendez, vous vous détendez, vous êtes calme, calme, calme, absolument calme, merveilleusement calme, calme, calme, calme... »

« ... Eh bien. Voilà qui est mieux. Comment vous sentez-vous ? »

Ransom entendit ces mots, puis il ouvrit les yeux. Dinsmore était debout, devant le fauteuil, et le regardait d'un air mi-soucieux, mi-triomphant. Rien n'avait changé dans la pièce, dans l'entre-temps. Car il y avait eu un entre-temps. Ransom en était absolument certain. Un temps, un espace, qui n'avait pas été, qu'il ne pouvait se rappeler, mais dont, immédiatement, il sentit le manque. Oh ! c'était un manque bien minuscule, mais il se faisait sentir, comme une maille sautée sur un tricot.

« J'ai dû m'assoupir, dit Ransom.

— Ne vous en faites pas. Ça rend le travail beaucoup plus facile. » L'expression soucieuse, sur le visage de Dinsmore, avait complètement disparu — de même que son petit air triomphant. Il s'affairait, fourrait les instruments qu'il avait utilisés dans la bouilloire. Puis il ôta sa blouse blanche.

« Mas, vous l'avez arrachée ?

— Voyez vous-même. »

Dinsmore prit un bout d'ivoire ensanglanté avec de petites pinces métalliques et le montra à Ransom.

« Elle est sortie toute seule. Elle devait être vraiment

mauvaise, disait Dinsmore. Je peux vous la nettoyer, si vous voulez l'emporter comme souvenir.

— Gardez-la », dit Ransom.

Dinsmore fit tomber la dent sur la table. « Comment vous sentez-vous ?

— Bien. Pas même le plus léger élancement.

— Parfait. Ce n'a été qu'une simple extraction, vous savez. Voilà ; je suis prêt. »

Mais Ransom ne l'était pas. Il essayait de reconstituer ce qui s'était passé. Il s'était assis dans le fauteuil. Quelqu'un était entré et ressorti, très rapidement. Dinsmore avait plongé les instruments dans l'eau bouillante pour les désinfecter. Puis il avait parlé. Etait-ce bien tout ?

« Vous sentez-vous vraiment bien ? demanda Dinsmore, l'air à nouveau soucieux.

— Oui, je pense, dit Ransom sur un ton peu convaincu.

— Avez-vous encore un peu mal, par hasard ?

— Non, mais... je me sens... un peu drôle.

— Comment ça ? Vous n'avez pas la tête qui tourne ?

— Non. Laissez-moi réfléchir un moment. »

Les yeux. Il avait regardé les yeux de Dinsmore. Attends ! Reprenons par le début. Il s'était assis. Les instruments étaient arrivés, puis avaient été mis dans la bouilloire. Et alors, son corps n'était qu'une palpitation lancinante, il tremblait, des vagues de sueur déferlaient en lui toutes les dix secondes. Maintenant, il eût dû se sentir épuisé, vidé. Or il se sentait bien. Comme si ces quatre derniers jours — et surtout cette matinée — n'avaient jamais existé. Il l'avait regardé dans les yeux, ces yeux bleus comme l'étang de la plantation. Oui, c'est bien ça. Et il lui avait demandé de se détendre. Comme s'il se reposait. Il lui avait parlé de la Georgie, de pêche en barque. Du soleil. Du ciel bleu comme les yeux de Dinsmore, et il avait cru voir le reflet étincelant, éblouissant, de la lumière sur la surface de l'eau. Et il avait fermé les yeux... et puis, plus rien. Et à un certain moment il avait entendu quelques mots, et il avait rouvert les yeux. Et c'était tout ce qui s'était passé. Voilà ce que cela voulait dire, se faire magnétiser : un trou, une solution de continuité dans la pensée, un blanc, une perte de conscience.

Dinsmore était en train de fermer tous les tiroirs, puis il reboutonna son gilet et resserra sa cravate. « Alors, vous vous sentez mieux ?

— Je me sens encore un peu affaibli, c'est tout », dit

124

Ransom. S'il réussissait à faire douter cet homme — oh ! juste un petit doute, l'espace d'une seconde —, il hésiterait peut-être à continuer de magnétiser les gens. C'est cette idée qui empêchait Ransom de se lever du fauteuil, de remercier Dinsmore et de s'en aller. Il eût très bien pu le faire, s'il avait voulu. Aussi incroyable que cela pût paraître.

« Peut-être ai-je perdu beaucoup de sang ?

— Non. A peine un dé à coudre. Je vous ai mis un pansement sur la gencive. Gardez-le un jour ou deux. Changez-le, ce soir, avant de vous coucher. Un coton imbibé d'alcool fera l'affaire. Vous n'êtes pas sujet à la migraine ?

— Non, pas vraiment. » Ransom se leva et fit quelques pas. « Non. Je ne pense pas. »

Dinsmore le fit passer dans la salle d'attente, puis lui tendit son manteau et son chapeau.

« Je crois que je vais prendre un fiacre, dit Ransom.

— Vous ne vous sentez pas de rentrer chez vous à pied ? » demanda Dinsmore, en lui mettant la main sur le front. Puis il lui prit le pouls. « Tout va bien, semble-t-il.

— Puis-je rester ici encore quelques minutes à me reposer dans un de ces fauteuils ?

— Pourquoi pas ? Mais vous m'excuserez, si je pars, car j'ai un rendez-vous. Restez ici le temps qu'il vous faudra pour vous remettre.

— Si je vous dérange...

— Mais pas du tout. Je vais dire à la femme de ménage d'attendre un petit peu. »

Mais Dinsmore avait l'air, très contrarié, d'une personne qui s'aperçoit qu'elle est tombée dans un piège. Il ouvrit la bouche pour poser une autre question, mais se ravisa, salua Ransom et sortit.

Ransom se sentit mieux dès qu'il cessa d'entendre le bruit de ses pas. Quelle expérience étrange, inquiétante ! Cet homme avait sans aucun effort éliminé... Quelle heure était-il ? Ransom regarda sa montre... quarante minutes, oui, quarante minutes de son existence.

Et qu'avait-il fait ? Il lui avait tout simplement parlé ; comme l'avaient dit Carr, Yolanda Bowles et Millard. Rien qu'en parlant. Il y avait eu ses yeux, aussi, qui reflétaient et réfractaient la lumière de la lampe à gaz, non comme deux organes faits d'humeur et de chair, mais comme deux billes d'une matière dure et facettée. Mais c'était surtout la parole. Les yeux faisaient uniquement fonction d'objet à fixer. C'est la voix qui faisait tout. Prodigieux.

A moins qu'il n'y eût quelque chose d'autre, un truc que Ransom n'avait pas remarqué ? Dans le cabinet lui-même ? Mais Millard avait bien été magnétisé, dans une grange... Malgré tout, maintenant qu'il n'y avait personne, cela valait peut-être la peine de jeter un coup d'œil.

Mais, à part le fauteuil, l'évier, la petite table roulante et le secrétaire, il n'y avait absolument rien dans le cabinet, rien qui pût faire penser à un dispositif caché. Les stores avaient été relevés, et la lampe à gaz éteinte. La lampe contenait peut-être un gaz spécial ? Ransom renifla le brûleur. Non, rien. Simple odeur d'acétylène.

Tiens ? Des pas dans l'escalier ? Etait-ce Dinsmore, ou la femme de ménage ?

Ransom se précipita hors du cabinet, juste à temps pour voir s'ouvrir la porte vitrée de l'entrée. Il se fût attendu à voir n'importe qui, sauf la personne qui apparut.

C'était Carrie Lane.

Elle restait sur le seuil, hésitante, visiblement mal à l'aise.

« Monsieur Ransom ?

— Madame, répondit-il, en inclinant légèrement la tête.

— Je ne comprends pas », dit-elle. Elle entra quand même et referma la porte.

« Je viens de me faire arracher une dent.

— Ah ? » Elle traversa la salle d'attente et se dirigea vers le cabinet.

« Il n'y est pas, dit Ransom.

— Il n'est pas là ? Mais j'avais rendez-vous avec lui ici.

— Il vient de partir, il y a à peine trois minutes, en disant qu'il avait un autre rendez-vous. »

Ransom était stupéfait de la voir ici, si loin de son monde et de sa sphère sociale, dans ce quartier sordide. Et cela le décida. Il fallait tirer les choses au clair, à l'instant même. Maintenant qu'il savait ce que signifiait être magnétisé. Il fallait qu'il lui dît tout, absolument tout.

« Je ne comprends pas », répéta-t-elle, ignorant presque Ransom, comme si elle parlait toute seule. « A moins que... peut-être devions-nous nous voir à l'hôtel ? Mais non. Je suis sûre qu'il a dit ici.

— Madame, commença Ransom. Ce n'est pas pour me faire arracher une dent que je suis venu ici. »

Elle sortit de son monologue et le regarda. « Que dites-vous ?

— Je me suis fait extraire une dent, effectivement. Mais j'aurais pu très bien m'en passer. »

Elle avait l'air si ahurie qu'il eût voulu prendre ses mains gantées de violet dans les siennes, pour la rassurer.

« Pourquoi êtes-vous venu, alors ?

— Je vous prie vraiment de m'excuser pour mon comportement de l'autre soir, madame.

— Mais pourquoi êtes-vous venu ici ?

— Je ne voulais absolument pas vous tourmenter. Mais simplement voir où en étaient les choses. »

L'ahurissement n'avait toujours pas quitté son visage. Dieu ! Quel or, quels tons fauves dans ses yeux ! Quelle peau soyeuse, douce...

« Tout ce que vous dites ne m'éclaire pas beaucoup, monsieur.

— Vous avez l'air toute remuée », dit-il calmement, d'une voix douce.

« Moi ?

— Je veux vous aider. Car je sais beaucoup de choses, maintenant. Je sais tout.

— Tout ? Mais de quoi parlez-vous ?

— Vous le savez bien mieux que moi. Jusqu'ici je n'avais que des appréhensions, des soupçons. Mais j'ai vu Simon Carr. » Elle restait impassible, comme si elle n'avait rien compris de ce qu'il disait. « C'est l'ancien assistant de M. Dinsmore. Il habite dans votre ranch. Vous le savez, je suppose ?

— Sans doute. Mais qu'est-ce que cela a à faire...

— Il m'a tout dit de M. Dinsmore. Comment il l'a connu. Comment il lui a enseigné le magnétisme... »

Elle s'écarta de lui.

« ... Et c'est pour cela que je suis venu ici. Pour voir ce qu'est le magnétisme, comment cela fonctionne. Et maintenant, je sais. C'est horrible, effroyable. »

Elle lui tourna le dos et se mit à regarder la tapisserie miteuse.

« Quelle chance que vous soyez venue ici, aujourd'hui, dit-il. D'ailleurs, s'agit-il vraiment d'une méprise de votre part ? Maintenant que je sais, je veux vous aider, vous sauver. Je peux le faire. Mais pour cela, pour que je puisse vous aider à vous libérer de son influence, il faut aussi que vous m'aidiez. Il faut que vous me parliez. Vous devez me croire : je ferai tout ce qui est en mon pouvoir pour vous protéger. Faites-moi confiance, madame Lane. C'est cela que je voulais vous dire l'autre soir.

— Vous vous êtes conduit comme un malotru, ce soir-là, dit-elle, sans animosité.

— Je l'avoue. Mais je ne voyais pas quoi faire d'autre. Je devais savoir.

— Et savoir quoi ? » demanda-t-elle soudainement, et d'une voix dure, cette fois. « Vous ne savez rien, rien du tout. Pas plus maintenant qu'auparavant. Vous vous êtes fourré en tête certaines idées...

— Détrompez-moi, alors. Je vous en supplie. Prouvez-moi que vous n'êtes pas sous le charme de cet homme, que vous n'êtes pas son instrument, son esclave.

— Monsieur Ransom ! s'écria-t-elle, blême. Dois-je vous rappeler de vous conduire comme l'homme du monde que j'ai toujours cru que vous étiez ?

— Vous refusez mon aide ?

— Comment osez-vous vous permettre ces commentaires sur ma vie privée ? Que ce soit ici ou — qui pis est — en public ! »

Il se mit à regarder dans le vide, tout désappointé. Pourquoi s'attachait-elle à ces formes mesquines ? Pourquoi tous ces faux-fuyants ? Alors que son honneur était en jeu, et peut-être même plus.

« Si j'ai pris quelque liberté, c'est uniquement pour vous sauver d'un grand danger, dit-il.

— Je ne suis menacée par aucun danger, monsieur.

— J'aimerais tant pouvoir le croire.

— Vous devez le croire, dit-elle, haussant la voix. Vous n'avez pas d'autre choix. Faire autrement signifierait nous entraîner tous les deux dans...

— Dans quoi ? » dit-il, comme elle hésitait. « Dans une situation encore plus dangereuse ? »

Quelque chose la fit tressaillir. Il entendit des pas.

A voix basse, elle lui dit : « C'est insensé de votre part d'être venu ici, monsieur. »

On frappa à la porte vitrée.

« Entrez, dit-elle d'un ton dégagé.

— Oh ! excusez-moi. » C'était Mme Bent, portant un seau et des chiffons. « J'ai entendu du bruit. J'ai pensé que...

— Monsieur Ransom vient de se faire extraire une dent,

dit Carrie Lane sur le même ton de supériorité. M. Dinsmore a-t-il laissé un message pour moi ? »

Mme Bent les fixa tous les deux, tour à tour. « Il a dit qu'il avait rendez-vous avec quelqu'un dans la salle à manger de l'hôtel Lane.

— Vous voyez, dit Carrie Lane d'une voix irritée. Je me suis effectivement trompée. Dieu sait où j'avais la tête. » Puis, se tournant vers Mme Bent : « Vous venez faire le ménage ? Parfait. » Et elle se dirigea vers la porte.

Ransom emboîta le pas. Mais elle s'écarta de lui le plus possible et descendit l'escalier, en se tenant de l'autre côté. Dans la petite entrée, ils se retrouvèrent l'un à côté de l'autre. Ransom leva les yeux : la porte du cabinet était fermée.

« Mais moi, je ne me trompe pas, dit-il ; et j'en suis sûr. »

Ransom ouvrit la porte de la rue, mais assez lentement pour pouvoir lui dire : « Je serai toujours à votre disposition, si vous voulez me voir, me parler. N'hésitez pas à m'appeler. Croyez-moi, madame, l'influence de cet homme... »

Mais elle tira elle-même la porte, violemment, et s'enfuit dans la rue où sa voiture l'attendait. Elle s'y engouffra, donna un petit coup sur la vitre intérieure et partit, sans se retourner.

Bon sang ! se dit Ransom. Il avait été si près, mais si près, d'obtenir sa confiance !

Si grande qu'eût été sa déception, sur le moment, il eût sans aucun doute haussé les épaules, si on lui avait dit que cet événement transformerait cette fin d'automne en une des périodes les plus noires de sa vie.

En effet, il était intimement persuadé qu'elle allait changer d'avis, qu'elle allait chercher à le voir. Encore que cette conviction fût dénuée de tout fondement rationnel, elle suscita chez Ransom, durant les premiers jours qui suivirent leur rencontre inopinée, un rare sentiment, fait d'exaltation, d'assurance et de calme, tout à la fois. Il se remit au travail avec ardeur, se sentant poussé par un courant profond, comme si tout son être avait attendu, pressenti quelque chose d'heureux. Cet état d'âme inexprimable — et que, de toute façon, il se gardait bien de tenter d'analyser —, il ne l'avait plus connu depuis vingt ans. De nouveau, cependant, il venait d'entrevoir un avenir, bien imprécis, certes, mais qui ne serait pas — il le savait — la répétition monotone de son présent. Tout dépendait de la réussite du procès qu'il allait intenter contre Dinsmore, — et de Carrie Lane.

Cette attente, sans remettre en question son équilibre, déclencha bientôt en lui une sourde agitation, un besoin de reprendre et de continuer l'ascension commencée l'été précédent, lorsqu'après avoir gagné un procès, il avait aplani si brillamment le différend qui opposait les diverses tendances du gouvernement sur le problème des concessions de terre. Ces deux succès l'avaient fait sortir de la situation d'immobilité où il végétait depuis des années ; il avait alors senti qu'il était sur le point de se découvrir un objectif à la hauteur de ses aspirations d'autrefois, et qu'il finirait tôt ou tard par l'atteindre.

Jeune homme, il avait nourri de grandes espérances, naturellement. Mais depuis deux décennies, il n'avait connu que des revers, ou de petites satisfactions. Le sort semblait l'avoir définitivement détourné sur une voie de garage. Tout cela, parce que vingt ans auparavant, il avait décidé de ne pas défendre Calvin Poindexter, parce qu'il avait décidé de sacrifier à ses principes, non seulement son mariage avec Florence Poindexter, mais aussi son avenir professionnel.

Et pourtant, Ransom avait été l'un des espoirs de la nation ; il avait frayé avec les Laster, les Clayton et les Adamse ; il avait été un protégé d'Antonia Herbst, la femme la plus influente de Washington. Il n'avait alors que vingt-sept ans, mais il s'était assuré, d'ores et déjà, un avenir des plus brillants. Son étude se trouvait à deux pas de la Cour suprême ; déjà il s'était constitué une clientèle privée qui le mettait en relation avec des membres du Congrès, des diplomates, des administrateurs et des millionnaires. Il aurait épousé Florence, serait très probablement devenu propriétaire d'une importante part des nombreuses manufactures que son beau-père possédait dans les deux Virginies et les deux Carolines, et n'aurait eu aucun mal à se faire élire juge dans une des plus grandes villes du pays, ce qui aurait signifié peu de travail, mais beaucoup d'argent et beaucoup d'honneurs.

Or, peu avant le mariage, une campagne de presse avait été engagée contre Poindexter : on l'accusait de pratiques contraires à la libre concurrence. Puis l'affaire avait été

130

portée devant les tribunaux. Poindexter avait alors demandé au jeune avocat d'assurer sa défense.

Ce que Ransom avait découvert, dès les premières phases de l'enquête, l'avait atterré. Son futur beau-père — homme raffiné, exquis, cultivé, qui pouvait citer un vers de Catulle en invitant une femme à danser — était en affaires un véritable Néron. Corruption de fonctionnaires, extorsion, chantage, escroquerie au dépens de veuves et d'orphelins, et même assassinat : Poindexter n'avait reculé devant rien pour s'assurer le monopole des textiles produits dans les quatre Etats. La décision de Ransom avait été irrévocable. Il était allé voir Poindexter, lui avait dit clairement ce qu'il savait, et avait refusé de continuer à le défendre, sachant bien que celui-ci allait le mettre au ban de toute la société.

De fait, parmi tous ses amis et toutes ses relations, Antonia Herbst fut la seule à le comprendre, la seule à croire, avec lui, que la justice est un bien inaliénable. Ransom n'osa jamais révéler à Florence ce qu'il avait découvert, ç'aurait été lui briser le cœur. Il dut endurer son mépris, puis prendre sur lui tout le poids de leur séparation. Ses amis raillaient son ingénuité. Comment pouvait-il faire croire qu'il n'avait jamais rien su des méthodes de Poindexter ? Et pourquoi s'en offusquer ? Et puis, de toute façon, le vieillard n'en avait plus pour longtemps. Ransom hériterait bientôt de toute l'affaire ; alors il pourrait, s'il le voulait, redresser les torts qu'avait causés le vieux ou les laisser sombrer dans l'oubli.

Mais Ransom avait un tout autre point de vue sur cette affaire ; il n'y voyait que les forces du bien et du mal, engagées dans une bataille implacable. Toute concession à celui-ci, tout manquement à celui-là signifiaient la défaite.

Il se tint à l'écart du procès. Il n'avait presque plus de clients, et pourtant restait optimiste, sûr que la justesse de son attitude allait être officiellement reconnue. Or — et il en fut profondément scandalisé —, le ministère public ne fit pas la moindre allusion à ce que lui, avait, si facilement, découvert. La corruption était-elle généralisée ? N'avait-il fait qu'en égratigner la surface ? L'Etat avait obtenu gain de cause contre Poindexter, certes, mais on l'avait traité avec des gants, et on ne l'avait surtout pas dénoncé pour ce qu'il était : un escroc, un scélérat. Et le jugement n'avait rien enlevé à sa richesse et à son pouvoir. Le vieux millionnaire avait profité du mois qu'avait duré le procès pour aller se reposer à la campagne, avec sa famille ; puis il était revenu dans la capitale pour consolider son empire. Ainsi, rien n'avait changé. A un détail près : la carrière de Ransom avait été brisée. Poindexter n'avait eu qu'à lever le petit doigt pour le discréditer, Ransom étant déjà considéré comme une tête dure, un imbécile qui avait encore des principes, un traître à sa classe, incapable de comprendre ses propres intérêts.

Cette réputation le suivit partout où s'étendait l'influence maléfique de Poindexter, jusqu'à New York et Boston, au nord, et à l'ouest, jusqu'à Chicago, où Ransom tenta, encore une fois sans succès, de s'établir comme attorney. Alors, il avait connu Amasa Murcott. Le médecin l'avait convaincu de venir s'installer à Center City, et, depuis ce moment-là, ses affaires avaient commencé à aller mieux. Mais il lui avait fallu attendre neuf ans avant de voir réapparaître des perspectives d'avenir. Reese à Lincoln, Dietz à Center City, ne lui avaient pas caché les espérances qu'ils fondaient sur lui. Cependant, pour passer à cette étape ultérieure de son existence, il avait besoin de Carrie Lane, — ne fût-ce que comme témoin à charge au procès.

Il avait atteint l'âge où l'on se range, où l'on se retire ; mais pourquoi, lui, n'aurait-il pu tout recommencer ? Ce procès contre Dinsmore, s'il le gagnait, lui vaudrait les honneurs et la situation qu'on lui avait si longtemps refusés, et lui permettrait aussi de conquérir Carrie Lane.

Elle aurait voulu lui plaire, il en était certain, et pas par simple politesse. Il avait perçu le conflit qui la déchirait, aussi bien pendant le banquet que lors de leur rencontre chez Dinsmore. Elle n'en était pas encore arrivée à accepter sa manière de penser, certes ; mais n'était-ce pas en partie la faute de Ransom lui-même ? Il avait été si brusque avec elle. Que ne lui avait-il donné le temps de bien comprendre ce qu'il savait de sa situation, et de se persuader de l'honnêteté de ses intentions ! Mais elle se raviserait, se reprendrait ; il ne pouvait en douter. Et alors... et alors Ransom se mettait à imaginer quel serait son avenir avec elle, leur avenir. Car aucun autre avenir ne lui semblait possible ; avec aucune autre — ni la mère Roger, cette veuve qu'il allait voir certains soirs, ni les quelques autres femmes dont il eût pu demander la main, ni même Isabelle Page, grande maintenant, de plus en plus jolie, et qui ne cachait pas l'intérêt qu'elle avait pour lui.

Mais les jours passèrent ; puis les semaines. Son attente vaine le rendit de plus en plus nerveux ; puis elle se transforma en impatience ; et finalement — vers la fin de novembre, avec la première neige —, la déception initiale retomba sur lui, plus cruelle que jamais.

Les grands ormes, devant la pension, avaient perdu toutes leurs feuilles ; Ransom, lorsqu'il regardait par la fenêtre de son bureau, distinguait la frise du palais de justice. Mais Carrie Lane n'avait toujours pas cherché à le voir. Chaque semaine, il était question d'une nouvelle réalisation, ou d'un nouveau projet du successeur de Lane. Les rumeurs qui parvenaient jusqu'à Ransom, les commérages qu'il surprenait, le dépitaient, l'obsédaient, l'accablaient. L'automne était bien fini ; un hiver précoce lui avait succédé. Tout désormais allait s'arrêter, se figer, des mois durant. Faudrait-il attendre jusqu'au printemps qu'un événement vînt dégeler la situation. Si seulement il survenait, cet événement ? Attendre, alors que, chaque jour, Ransom recevait des nouvelles confirmant ses plus graves soupçons. Reese — comprenant ce que Ransom voulait de lui — avait pris des renseignements sur Dinsmore dans tout le pays, et lui transmettait, régulièrement, tout ce qu'on lui envoyait. Ransom vit peu à peu se dessiner un type de criminel aux contours tentaculaires, — allant du délit de vagabondage et du vol simple à l'attaque à main armée, de la fraude à la violation de promesse. Le domaine de sa malfaisance s'étirait des taudis de Boston et de l'East Side new-yorkais jusqu'aux salons bourgeois de Cleveland et Evanston. Ces derniers délits surtout intéressaient Ransom, car ils n'étaient pas encore tombés en prescription. Reese avait transmis copie d'une demi-douzaine de mandats d'amener, lancés contre Dinsmore par les magistratures de l'Ohio et de l'Illinois, et toujours en vigueur dans ces deux Etats. Le dossier commençait à avoir une épaisseur impressionnante.

Il fallait se rendre à l'évidence : cet homme élégant et aimable était un malfaiteur, presque depuis le berceau. Les pièces à conviction s'accumulaient, irréfutables. Il n'était plus permis de douter de la gravité du péril que courait Carrie Lane. Les belles manières du nouveau directeur général n'étaient qu'un vernis ; elles lui servaient à dissimuler sa nature, celle d'un homme aussi habile à exploiter les autres, en particulier les femmes, aussi dénué de scrupules et aussi retors que l'avait été Calvin Poindexter lui-même.

Cependant, les médecins auxquels Ransom s'était adressé par l'intermédiaire de Murcott avaient commencé eux aussi d'envoyer leurs réponses. Malheureusement, la documentation qu'ils fournissaient était loin de constituer une base d'attaque aussi solide que les rapports transmis par Reese. Seul, un certain docteur Clark, de Brattleboro dans le Vermont, qui depuis des années utilisait le magnétisme en chirurgie, avait confirmé sans ambages les déclarations de Simon Carr. Les autres tergiversaient ; ils s'exprimaient en termes voilés, craignant visiblement de se compromettre ; tous, cependant, reconnaissaient avoir été stupéfiés par certains effets prodigieux du magnétisme. Presque tous suggéraient à Murcott d'écrire à leurs confrères européens, et surtout à ceux de Vienne. C'était là, disaient-ils, que l'on avait poussé le plus loin l'étude de l'hypnose et son application au traitement des troubles psychologiques.

A part Clark, personne n'avait ne fût-ce que suggéré la possibilité pour le magnétiseur de s'assujettir totalement la volonté d'autres individus. Or, il fallait que ce fait fût confirmé par plus de deux personnes pour que Ransom pût l'utiliser comme clef de voûte de son argumentation. Un dentiste de New York avait bien envoyé un livre exposant l'argument de manière remarquable et sensationnelle, mais il s'agissait d'un roman, le *Trilby* de George du Maurier, récemment paru.

Tout cela était bien débilitant, mais il en fallait plus pour arrêter Ransom. Il avait appris, par la rumeur publique, que depuis le banquet, certaines dames de la ville ne recevaient plus Carrie Lane. On ne la voyait plus aux réunions mondaines dont elle avait été le plus bel ornement. Elle n'avait pas assisté au dîner que les Dietz avaient offert le jour du Thanksgiving *. C'était, assurément, une fête intime, à laquelle douze personnes seulement avaient été conviées. Mais Ransom fut surpris d'apprendre, de la bouche de Mme Page, que Carrie Lane ne viendrait pas non plus à la réception que les Mason donneraient pour Noël, ni au grand bal du Nouvel An, à la chambre de commerce.

Evidemment, elle pouvait invoquer son deuil pour justifier ces absences. Mais Ransom la soupçonnait d'obéir à

---

* Fête civile et religieuse, célébrée aux Etats-Unis le dernier vendredi de novembre.

des motifs bien moins nobles : d'avoir un tel besoin de la présence de Dinsmore qu'elle n'hésitait pas à y sacrifier sa propre réputation. Etat de fait choquant, intolérable, et qui surtout réduisait à néant les espoirs de Ransom. Le procureur continuait d'accumuler patiemment les informations et les preuves ; mais sans l'aide de Carrie Lane, suffiraient-elles à lui faire gagner le procès ? Et à quoi bon l'intenter, ce procès, si elle ne devait jamais lui accorder sa confiance ?

Depuis le jour de leur rencontre, chez Dinsmore, il l'avait entrevue peut-être une ou deux fois, mais ces images fugitives étaient restées gravées dans sa mémoire. Un jour, alors qu'il passait rue Center, il l'avait vue sortir de la pharmacie ; elle s'était arrêtée, hésitante, sur le seuil de la boutique, le teint très pâle, les yeux perdus ; un tout petit paquet, recouvert de papier noir, pendait à l'un de ses poignets, telle une breloque elle aussi endeuillée ; puis elle l'avait vu, et s'était détournée. Il l'avait aperçue encore une fois, un soir, tard, alors qu'il passait devant le lycée, avenue Taylor. La réunion hebdomadaire de la société des dames de Center City venait de se terminer. Les femmes se déversaient en grappes dans la rue ; elle sortit seule, la tête haute, mais ses sourcils froncés trahissaient la profondeur de sa consternation. Apercevant sa berline, elle s'était précipitée dedans. Ransom s'était arrêté et avait regardé la voiture s'en aller. Les autres femmes continuaient de bavarder dans la rue avant de rentrer chez elles. En entendant certains de leurs commentaires, Ransom avait senti son cœur « se serrer », comme avait dit une fois Mme Page, une sensation que, jusqu'alors, il ignorait.

Des sensations, des sentiments, se disait-il : a-t-on jamais vu un procureur intenter une action sur des bases aussi subjectives ? Et pourtant, s'il n'avait pas senti que quelque chose clochait dans la mort de Henry Lane, s'il n'avait pas perçu l'étrangeté du comportement de Mme Ingram, si un pressentiment ne l'avait pas poussé à aller voir Simon Carr, aurait-il découvert la véritable personnalité de Dinsmore ? Aurait-il perçu, et compris, le supplice qu'endurait Carrie Lane ? Non. Alors, pourquoi ne pas continuer sur un terrain qui s'était révélé si fertile ?

Il avait rendu plusieurs autres visites à Simon Carr, d'autant plus volontiers que le ranch n'était pas éloigné de la ferme de Mme Roger. Carr était content de le voir. Le vieil homme s'était révélé un fort agréable compagnon.

Il allait beaucoup mieux maintenant et était d'excellente humeur, non seulement parce qu'il s'était confié à Ransom, mais parce que Dinsmore, trop occupé en ville, n'était plus venu l'importuner. Carr répéta encore une fois l'histoire de sa vie, y ajouta de nouveaux détails, et finit par accepter de témoigner contre Dinsmore, au cas où l'affaire serait portée devant les tribunaux. Cette promesse était un atout fondamental dans les mains de Ransom. Mais il ne l'obtint qu'au prix de certaines conditions : Carr, en effet, exigeait l'annulation des mandats d'amener lancés contre lui dans l'Illinois, pour complicité avec Dinsmore, et n'acceptait de venir à Center City, pour le procès, que si on lui garantissait une protection efficace contre son ancien associé. Ransom dit à Carr qu'il pensait pouvoir satisfaire ces deux exigences, mais qu'il lui faudrait d'abord en parler au juge Dietz.

Encore fallait-il, cependant, qu'il soumît le cas à Dietz. Or, il ne l'avait toujours pas fait. Cela faisait presque un mois qu'il attendait un geste de Carrie Lane pour passer à l'action. Elle continuait de l'éviter, mais lui ne pouvait plus tergiverser : le danger qui la menaçait était trop grand — les rapports de toutes les polices de l'Union étaient là pour le prouver, désormais —, il fallait la sauver, y compris contre sa propre volonté, avant qu'il fût trop tard. Et c'est ainsi que Ransom décida de présenter toute l'affaire au juge.

Il eut la chance, d'ailleurs, de ne pas avoir à demander à le voir. Ce furent eux qui l'invitèrent, un soir, en remplacement d'un ami qui avait fait défection, à la dernière minute. Il s'agissait d'un dîner très familial, auquel Ransom n'eût jamais assisté, n'eût été ce hasard et aussi l'insistance de Lavinia. Dernière faveur du sort, tous les autres convives étaient des femmes. Aussitôt après le dîner, ces dames se retirèrent dans le petit salon avec leur ouvrage, et Dietz et Ransom se retrouvèrent seul à seul dans la bibliothèque. Il ne restait donc qu'à savoir tirer parti de cette situation inattendue.

Le juge abhorrait les circonlocutions. Que de fois, pendant les procès, Ransom ne l'avait-il pas entendu cravacher témoins, avocats et procureurs de continuels : « Au fait ! Au fait ! »

« Merci », dit Ransom, acceptant un verre d'eau-de-vie de pêche maison, puis, renchérissant sur la célèbre devise du juge : « A propos, Votre Honneur, j'ai besoin d'une ordonnance de cessation de poursuites en faveur de Simon Carr. Je ne peux pas me passer de lui comme témoin à charge. Il tient absolument aussi à être protégé, mais c'est une question purement technique. Je vous présenterai la demande en bonne et due forme demain matin.

— Et vous, qui voulez-vous poursuivre ? » dit le juge, réprimant à grand-peine un geste de surprise.

« Ah ! c'est justement l'autre affaire dont il faut que je vous parle. J'ai l'intention d'attaquer ce Dinsmore — vous savez, celui qui dirige toutes les affaires Lane — pour meurtre. Sur la personne de Henry Lane, bien entendu.

— Très amusant », observa Dietz, en continuant de fumer, sans s'apercevoir, apparemment, que la cendre accumulée au bout de son gros cigare menaçait de s'abattre sur son veston.

« Je ne dis pas ça pour vous amuser. Vous aurez tous les papiers demain matin.

— Mais que diable me racontez-vous ? » Dietz se redressa dans son fauteuil, si brusquement que toute la cendre dégringola sur son pantalon. « Qu'est-ce que c'est que cette histoire ? » reprit-il. On eût dit un grand hibou, apercevant soudainement une proie.

« Tout est dans la déposition de Carr. Vous aurez bientôt l'occasion de la lire. Mais vu que nous sommes seuls ici ce soir, et si vous avez quelques instants à me consacrer... »

Lorsque Ransom eut terminé — vers une heure moins le quart — l'exposition de son cas, le visage du juge, qui n'avait cessé de s'assombrir, s'éclaira d'un tout petit sourire :

« Vous vous êtes vraiment fait arracher une dent ?

— Regardez, dit Ransom, indiquant l'endroit.

— Merde alors ! Et moi qui pensais qu'elle vous manquait depuis des années, cette dent !

— On voit bien que la gencive n'est pas cicatrisée depuis longtemps, non ?

— Sans doute. En tout cas, vous êtes encore plus fou que je ne le pensais, dit-il, reprenant cette fois tout son sérieux. Vous me faites penser à un vieil ami, Jarrell ; il est prospecteur. Etant donné son métier, il est presque toujours fourré dans le Colorado ou le Wyoming. Mais chaque fois qu'il revient en ville, il passe nous voir. Ce n'est pas que Lavinia l'apprécie beaucoup, — il est plutôt du genre crasseux. Mais moi, je l'aime bien. Il a toujours des tas d'aventures à me raconter, cicatrices à l'appui. Il me

137

dit, en découvrant son bras : " Vous voyez ça ? Eh bien, c'est un grizzly, qui, un jour "... ou bien : " C'est les Cheyennes "... ou bien encore : " C'est une avalanche de pierres ", etc. Et il s'agit toujours de la même cicatrice. Sa mémoire lui joue des tours. Mais ça m'est égal. Et vous savez pourquoi ? Parce que j'aime bien qu'on me raconte une belle histoire, et que lui, il ne se prend jamais trop au sérieux. Tandis que vous...

— Auriez-vous peur de Dinsmore ? demanda Ransom, provoquant le juge à dessein. Ou des puissances d'argent ?

— Je ne crains ni l'un ni l'autre, répondit le juge, sans tomber dans le piège. Pas plus que je ne vous crains.

— Bien. Parce que Dinsmore, maintenant, est une puissance d'argent. Et c'est un type de pouvoir dont beaucoup de gens ont peur.

— Mais où voulez-vous en venir, avec tout ça ?

— Vous savez, dit Ransom, ignorant sa question, je ne me lancerais pas dans toute cette histoire si je n'étais pas sûr de...

— Sûr de quoi ? Que pouvez-vous attendre d'un jury formé d'agriculteurs, d'éleveurs et de boutiquiers ? De toute façon, ce n'est pas sérieux. Qu'est-ce que vous voulez faire ? Un procès en sorcellerie ?

— Non, il s'agit de quelque chose de tout à fait scientifique : le magnétisme, comme je vous l'ai dit. J'ai des preuves que cela marche. Simon Carr...

— Carr vient d'être congédié par son ancien patron. Il est donc censé lui être hostile à priori. Vous n'irez pas bien loin, avec ce genre de témoignages.

— Mais j'ai d'autres témoins : Yolanda Bowles, son petit-fils, Millard, la femme de Jack Bent...

— Des nègres et des tenanciers de saloon. Vous en avez, de beaux témoins !

— Et nous interrogerons aussi Mme Ingram. C'est elle la première personne à avoir attiré mon attention sur cette affaire.

— A-t-elle reconnu avoir été magnétisée ?

— Pas tout à fait. Mais c'est elle qui m'a parlé la première de l'influence de Dinsmore.

— L'influence de Dinsmore sur Mme Lane ? C'est ce qui vous préoccupe le plus, n'est-ce pas ? Mais vous le savez aussi bien que moi : ce n'est pas la première fois qu'une veuve riche, et respectée, s'amourache du premier venu, et lui confie le soin de sa fortune. C'est le contraire de l'histoire du prince et de la bergère, mais ça revient au même.

— Et vous approuvez ça ?

— Les avez-vous vus quelquefois chez moi, depuis le banquet ? Il est évident que cette situation ne me fait pas plaisir, mais il faut bien l'admettre. » Dietz hésita un instant, puis reprit : « Vous savez ce que les gens vont dire ? Ils vont vous accuser d'agir par ressentiment. Je sais bien, moi, que ce n'est pas vrai. Mais vous ne pourrez l'empêcher. »

Effectivement, se dit Ransom. Tout le monde l'avait vu en compagnie de Mme Lane, au banquet. Et on avait jasé, il le savait. Il se passait si peu de chose à Center City, que le moindre événement suscitait des bavardages à n'en plus finir. Mais s'il gagnait le procès, tout cela n'aurait absolument aucune importance.

Pour le moment, cependant, il fallait essayer de convaincre le juge. « Et si elle témoigne ? » dit-il, abattant son dernier atout.

« Qui ça ? Mme Lane ? Contre Dinsmore ? Pour dire qu'elle a été magnétisée par lui ?

— Non seulement magnétisée mais dominée, manœuvrée par lui comme une marionnette. »

Dietz réfléchit un moment. « Ce serait déjà un élément plus solide. Encore faudrait-il qu'elle l'accuse d'avoir provoqué la mort de son mari... L'a-t-elle fait ?

— Pas encore », dit Ransom, en laissant entendre beaucoup plus qu'il n'en était en réalité. « C'est à cause de magnétisme, vous comprenez...

— Ainsi vous voulez me faire croire que Dinsmore a fait deux petits signes, comme ça, avec les mains, et que hop ! Henry Lane a grimpé sur son automobile et s'est pendu ? Je ne saurais trop vous conseiller de vous munir d'une très sérieuse documentation scientifique, quand aura lieu ce procès, et si vous pouvez nous fournir une démonstration pratique, qui évidemment n'a pas besoin d'être aussi... Je vous en prie, James : ne m'interrompez pas. Il faut que je vous dise ce que je pense. Reprenez un peu de cette eau-de-vie, installez-vous commodément, et écoutez-moi. Mais calmez-vous, que diantre ! Je ne vous ai jamais vu aussi surexcité !

« Bon. Je comprends tout à fait vos sentiments, en ce qui concerne Mme Lane. C'est une honte. J'en suis, moi-même, profondément scandalisé. Je sais que vous autres, géorgiens, ne restez pas indifférents lorsque l'honneur d'une femme vous semble compromis, et je ne peux que vous approuver. Mais de là à porter l'affaire devant un tribunal, devant le mien surtout... Non. Est-ce clair ? Mais peut-être avez-vous d'autres motifs ? Dans ce cas, je pense qu'ils sont liés à votre séjour à Lincoln, cet été.

« Vous avez pris goût au succès, là-bas, continua-t-il. Ce succès, je ne nierai pas que vous l'avez mérité. Et je comprends très bien que vous cherchiez à le consolider. Je vous l'ai déjà dit : les gens de Lincoln attendent quelque chose de vous. Je sais d'autre part que beaucoup de procureurs ont bénéficié d'un avancement subit et rapide pour avoir mené à bien un procès particulièrement important. Certains, même, devançant le hasard, s'en sont fabriqué un sur mesure, ou ont gonflé artificiellement la portée d'affaires insignifiantes. Je ne vous accuse pas, bien sûr, de faire cela : je connais trop votre honnêteté. Et de toute façon, je ne vois pas ce que vous pourriez retirer de cette histoire à dormir debout. Mais je ne peux qu'espérer, pour vous, que survienne une affaire importante pour la ville, pour le pays.

— Mais celle-ci est justement de la plus haute importance, interrompit Ransom. Le pouvoir de Dinsmore...

— Laissez-moi terminer, je vous prie. Un procès, donc, important, et que vous pourriez gagner. Or, dans cette affaire — à part que je ne vois absolument pas comment elle a pu sortir de votre tête —, vous êtes perdant, dès le départ. Si je vous dis tout cela, et si franchement, c'est que je vous estime et souhaite de tout cœur votre réussite. C'est bien pour cela d'ailleurs que je vous ai parlé de Carrie Lane, le soir du banquet.

— Mais vous avez dit aussi que celui qui épousera Carrie Lane, quel qu'il soit, aura une influence décisive sur l'avenir de Center City, dit Ransom. Dinsmore serait-il une exception ?

— Absolument pas. Mais elle n'est toujours pas sa femme. Nous n'avons aucune raison d'agir, tant qu'il ne décide pas de l'épouser. Ce qui ne veut pas dire, bien entendu, que nous ne devions pas le tenir à l'œil. Mais, pour le moment, il n'a rien fait de répréhensible, ou d'inquiétant.

— Peut-être ; mais je suis sûr qu'il utilise le sursis que nous lui donnons pour préparer son prochain coup. Et il évalue sa force, il compte les gens qui sont prêts à s'aplatir devant lui, qui déjà le respectent pour la simple raison qu'il dirige la plus grosse affaire du comté. Plus il y en aura, de ces gens-là, et moins il aura à en magnétiser pour nous dominer tous.

— Vous croyez vraiment à ce que vous dites ?

— J'en ai la preuve. Il m'a comme subtilisé quarante minutes de ma propre vie. Ce n'est pas grand-chose, mais cela suffit à donner le frisson. Rien qu'en parlant ! Et tout à coup, plus rien, plus de conscience ! C'est un homme très dangereux. D'autant plus, maintenant, qu'il occupe cette position.

— Position dont il s'est emparé en magnétisant les Lane ?

— Oui. Et d'autres aussi. Vous tenez à ce que tous les habitants de cette ville soient transformés en pantins ? »

Dietz se tut, un long moment. Puis il dit : « Je regrette, mais je n'arrive vraiment pas à vous comprendre. »

Ransom se leva, exaspéré : « Vous comprendrez, quand vous verrez tout ce que je vous ai prédit. Et Mme Lane vous le dira elle-même. Je vous le promets. Elle viendra ici, s'assiéra dans ce fauteuil et confirmera tout ce que je vous ai dit !

— Allons, ne vous mettez pas dans ces états ! James ! Que faites-vous ? »

Ransom était déjà dans l'entrée et passait son manteau.

Dietz, l'ayant rejoint, le regardait, ébahi.

« Ma requête, en faveur de Carr, vous arrivera dès demain matin, dit Ransom.

— Vous êtes complètement fou », fut la seule réponse de Dietz.

Ransom traversa d'un pas rapide la nuit noire et glaciale, — sans en souffrir d'ailleurs, tant cette discussion (et la petite eau-de-vie) l'avait mis en ébullition. A la faible lueur des étoiles innombrables, de minces plaques de givre, serpentant entre les branches des arbres congelés, brillaient et semblaient d'anciennes ornières, interrompues. Le hennissement d'un cheval s'éleva d'une écurie lointaine, le narguant comme la lumière perçante de tous ces astres impassibles.

Il s'était trompé, en pensant qu'il allait persuader le juge du premier coup. Mais qu'eût-il dû faire d'autre ? Attendre, alors que Dinsmore ne cessait de gagner du terrain et consolidait son pouvoir ? Non. C'était une situation inacceptable, insupportable, si insupportable qu'il avait joué son va-tout, et déclaré une guerre que, sans l'alliance de Carrie Lane, il était condamné à perdre. Mais, au fond, si tout lui manquait, que perdrait-il à risquer tout ? D'ailleurs, une fois le procès intenté, il n'aurait à demander la permission de personne pour l'assigner à comparaître ; qu'elle le voulût ou non, elle devrait venir témoigner, et alors tous les arguments de Dietz s'écrouleraient. Lorsque Carrie Lane se trouverait sur le banc des témoins, en plein tribunal, et qu'il la questionnerait, elle ne pourrait plus maintenir l'attitude fuyante qu'elle avait eue jusqu'ici avec lui. Elle serait amenée à tout révéler. Nécessairement. L'appareil de la justice ne tablait-il pas justement sur la faiblesse de la nature humaine ?

Tous ces arguments se chevauchaient dans sa tête lorsqu'il arriva en vue de la pension. Mme Page avait laissé la lampe à gaz de l'entrée allumée, en veilleuse, à son attention. Mais il fut irrité en voyant que tout le monde dormait déjà, même Murcott ! (Il oubliait seulement qu'il était trois heures du matin.) Il avait tant besoin de parler à Amasa : il fallait absolument mettre au point tout l'aspect médical, scientifique, de l'affaire...

Il ne s'aperçut qu'à mi-étage, alors qu'il avait déjà éteint la lumière, que quelque chose de blanc, d'inhabituel, luisait dans l'entrée.

Il redescendit, frotta une allumette et s'approcha de la petite table où l'on déposait le courrier et les messages. La lueur blanche provenait d'une enveloppe qui, effectivement, n'était pas là lorsqu'il était sorti pour se rendre chez les Dietz. Il la prit ; une odeur ténue, connue, s'en dégagea. Il la porta à son visage : c'était son parfum.

Carrie Lane lui demandait de passer chez elle le lendemain après-midi, à deux heures précises. Son billet était bref, et, curieusement, ne laissait rien deviner de ses intentions. Elle lui disait simplement qu'elle s'était finalement décidée à lui accorder l'entretien qu'il n'avait jamais cessé de solliciter d'elle, à condition qu'il n'oubliât pas un seul instant qui il était et qui elle était et s'abstînt de toute violence, en parole et en action. Et surtout, il ne devait pas arriver avant deux heures bien sonnées.

Essayant de résister à la joie qui l'emportait, Ransom lut et relut le petit billet, puis scruta sa fine écriture : celle-ci pouvait révéler ce que les mots eux-mêmes ne disaient pas. Pourquoi s'était-elle finalement décidée ? Pourquoi avait-elle renoncé à son silence ? Parce qu'il était la seule personne à ne pas lui battre froid et qu'elle n'arrivait plus à supporter le vide hostile qui l'entourait ? Ou pour quelque autre raison, bien plus grave ?

Mais à quoi bon s'interroger ? Il allait la voir bientôt, c'était l'essentiel. La voir, la sauver et redresser les torts qu'on lui avait faits.

Cette fois, il fallait qu'il fût plus prudent avec elle ; il devait lui laisser tout son temps, l'encourager lorsqu'elle hésiterait et ne la pousser que lorsque ce serait absolument nécessaire, mais toujours calmement, doucement. Les méthodes agressives, qu'il avait utilisées jusqu'alors, n'avaient abouti à rien. Le mieux était de s'en tenir aux conditions qu'elle avait elle-même posées.

Bonnes résolutions qui se représentèrent à son esprit quand, s'étant engagé dans la rue Montante, il arriva en vue de la maison des Lane. Ransom était homme à s'abandonner à d'interminables et oiseuses conjectures sur des événements futurs dont il ne pouvait rien deviner, mais cela, au moins, il le savait. Aussi avait-il fait en sorte d'avoir une matinée très occupée ; ayant même décidé — combinaison de Yankee qu'il abhorrait en temps normal — de faire coïncider son repas avec un rendez-vous d'affaires, il avait déjeuné au restaurant de l'hôtel Lane avec un riche fermier de ses clients.

La maison des Lane était l'avant-dernière sur le tertre qui s'élevait entre la rue Montante et la rue Grant. De nombreux arbres et une végétation fournie poussaient sur la « colline », comme on l'appelait parfois ; il y en avait beaucoup plus que dans n'importe quel autre quartier de Center City, effet d'une intelligente politique jardinière, pratiquée depuis des décennies par les Mason, les Wheeler, les Lane et d'autres familles du quartier, dont la fortune était plus récente. Par rapport au reste de la ville et à la campagne environnante, qui s'étalaient sur une grande plaine, le petit tertre ne semblait pas avoir usurpé son titre de colline ; de fait, les frontons des maisons et le plus grands arbres étaient visibles de partout à Center City.

Les trois pignons de chez les Lane dominaient nettement, car la demeure avait été bâtie sur le point culminant de la butte. Pour parvenir jusqu'à l'entrée, il fallait abandonner le trottoir (la rue Montante était l'une des quatre rues de la ville à bénéficier de cette innovation) et gravir de hauts degrés de pierre.

Ransom, soulevant le lourd marteau de fer forgé, frappa deux coups à la porte, puis se retourna pour regarder encore une fois la ville. La vue s'étendait jusqu'aux entrepôts Lane de la rue Williams et même jusqu'à la gare, dont on distinguait le toit de bardeaux. A l'est, on apercevait l'arrière du palais de justice, la flèche de l'église épiscopale, l'aile cylindrique de l'imposante demeure de Dietz, puis le cimetière, des maisons éparses, plus petites, et enfin des fermes. Juste au-dessous de lui, de l'autre côté de la rue, s'élevaient les premiers arbres d'une longue étendue inculte, boisée, qui s'étirait loin vers le nord, barrant la plaine ; puis les pâtures reprenaient. Des reflets argentés signalaient les marécages, gelés maintenant, que l'on traversait pour arriver à Swedeville. La mairie du petit village était un point blanc, à peine visible à l'horizon. Et la vue s'arrêtait là : la Platte River et Grand Island, la seule grande ville avant Lincoln, se trouvaient à au moins quatre-vingts kilomètres... Mais que faisait Mme Ingram ?

Ransom se retourna pour frapper de nouveau, mais la porte était ouverte. Et Carrie Lane se tenait sur le seuil.

« Quelle vue magnifique ! dit Ransom, sortant de sa surprise. On voit tout.

— Mais on en voit encore plus du premier étage », dit-elle, l'invitant à entrer d'un geste de la main. Sans s'offrir à lui prendre son chapeau et son manteau, elle le conduisit directement vers l'escalier.

« Nous allons nous installer dans le petit salon, dit-elle lorsqu'ils furent arrivés à l'étage. Il est bien plus éclairé, bien plus agréable. » Ransom la suivit à travers une enfilade de couloirs, et ils débouchèrent dans une grande pièce que de très grandes fenêtres, tendues de rideaux légers, ouvraient sur le ciel de trois côtés. Rien que deux fauteuils, un petit sofa, deux petites tables, une console et un grand cendrier à pied. Quel changement par rapport au salon surchargé et sombre du rez-de-chaussée !

Elle s'avança pour lui prendre son vêtement et le suspendit dans un petit placard. Ransom, afin de manifester tout de suite qu'il n'entendait pas faire de cette visite un nouvel interrogatoire, approcha sans mot dire des fenêtres. Effectivement, la vue était encore meilleure : on distinguait le dépôt de la gare et la ferme de Bixby, au sud. Le panorama n'était interrompu que par la maison elle-même, au nord-ouest.

« Je n'aurais jamais soupçonné l'existence d'une telle vue », dit-il, pensant à l'urgence des affaires qu'il avait à traiter avec elle.

« Je la réserve aux *happy few*. Ce salon est la pièce que je préfère. D'ailleurs mon appartement est juste à côté. »

Ransom, continuant son tour d'inspection, finit par repérer le toit de la pension, et juste au-dessous, toute petite, la fenêtre de son bureau. Carrie Lane regardait-elle jamais dans cette direction ?

« Si vous voulez regarder plus à votre aise, dit-elle, je peux vous avancer ce fauteuil...

— Non, je vous remercie. Ça suffit. » Il s'assit dans le fauteuil, tandis que debout en face de lui, elle lui offrait une tasse de café.

Puis elle s'assit dans son fauteuil, de l'autre côté de la table à thé, l'autorisa à piocher dans la boîte de petits gâteaux ; et lui de refuser, et elle d'insister, et le petit manège de continuer tandis qu'ils buvaient leurs premières gorgées de café, et que Ransom se mettait à l'observer, franchement. Elle avait beaucoup changé.

On eût dit qu'elle sortait d'une longue et grave maladie. Mais elle n'avait rien perdu de son charme ni de son pouvoir de séduction, comme Ransom s'en rendit compte à son propre trouble. Comme si sa légère maigreur eût ajouté à sa sensualité. Ses yeux fauves, pailletés d'or, semblaient plus farouches, ses lèvres, sans fard, plus pleines, plus mûres, les boucles de ses cheveux, derrière les oreilles, plus douces, son cou, sa poitrine, ses petits seins fermes qui se soulevaient au rythme de sa respiration sous son corsage tendu... Tout en elle était un mélange attirant de dureté et de douceur. Mais elle avait commencé à parler.

« ... J'ai choisi ce moment, sachant que Mme Ingram devait s'absenter tout l'après-midi. Et M. Dinsmore aussi, évidemment.

— Je ne saurais trop louer votre discrétion, madame.

— Mais c'est tout à fait normal, monsieur, étant donné votre propre discrétion. »

Etait-ce un sarcasme ? Avait-elle parlé à Dietz ?

« C'est que, reprit-elle, j'appréhendais vos réactions, après notre rencontre fortuite, rue Van Buren ; je m'attendais à quelque initiative désobligeante de votre part.

— Or, je n'ai rien fait de tel.

— Et je ne peux que vous en remercier.

— Je vous en prie. Je ne pense pas, cependant, que vous m'ayez fait venir ici uniquement pour me remercier. Vous me connaissez très peu — aussi peu que je vous connais — mais quand même assez, je crois, pour savoir que je ne suis pas homme à abandonner, et que je vais toujours jusqu'au bout.

— J'avoue que vous avez cette réputation.

— Alors ?

— Ce que vous m'avez dit le soir du banquet, à propos de Henry... êtes-vous toujours décidé à le mettre à exécution ?

— L'acte d'accusation est déjà prêt. Je devais le soumettre au juge ce matin, mais, ayant reçu votre mot, j'ai décidé d'attendre encore un jour.

— Je comprends. Suis-je impliquée — c'est bien le mot, n'est-ce pas ? — dans cette accusation ?

— Cela dépend de vous, madame. Vous étiez sa femme, le connaissiez et n'ignoriez rien de ses sentiments ni des idées qu'il se faisait sur sa propre situation. Dans cette mesure, vous êtes mise en cause, ne serait-ce que comme témoin, et vous aurez également à produire sa dernière lettre.

— Et tout cela en public ?

— Hé oui, madame. Je me doute bien que cette perspective ne vous réjouit pas. Mais un procès public est inévitable.

— Bah, de toute façon, j'ai perdu toute réputation, dit-elle, un rien de colère dans la voix.

— Je n'ai jamais dit ça. »

Elle se leva et alla à la fenêtre. « Vous non, bien sûr. »

Les mains jointes, elle regardait la ville. Ransom respecta sa méditation. Au bout de quelques minutes, elle se retourna vers lui.

« Vous vouliez me sauver, n'est-ce pas ? C'est bien ce que vous disiez ? Qu'êtes-vous disposé à faire pour me sauver ? Jusqu'où êtes-vous prêt à aller ? »

Ransom n'hésita pas. « Je ferai tout ce qu'il faudra.

— Je suis prête à vous croire, encore que je ne sache pas pourquoi. Je vous en prie, restez assis. Nous n'allons pas faire les cent pas... » Elle retourna vers la fenêtre, comme si le contact du vide, ou l'immensité du paysage, lui eussent donné plus d'assurance. « Alors, vous devrez aller très, très loin, j'en ai bien peur.

— Je le crains. Mais ayez confiance en moi.

— Puis-je être sûre que vous ne me méprisez pas ?

— Mais non. Au contraire...

— Et que vous ne me mépriserez pas non plus lorsque je vous aurai dit ce que vous brûlez tant de savoir ?

— J'ai été moi-même magnétisé. Je peux me faire une idée...

146

— Quelle idée ? » dit-elle en revenant vers la table et en s'effrondrant dans son fauteuil. « Vous ne pourrez jamais vous faire la plus pâle idée de ce que je suis devenue. Mon histoire est digne de ces atroces romans feuilletons que vous autres hommes dévorez lorsque vous allez chez le coiffeur. Etes-vous préparé à ça, monsieur Ransom ? Quand vous m'aurez entendue, aurez-vous toujours ce désir fou de me sauver ? »

Ransom se mit à réfléchir à ce qu'il devait lui dire pour la convaincre. Mais déjà elle avait commencé à parler, à voix basse :

« C'est sûrement la faute de ma mère, disait-elle. Elle qui pensait que les jeunes filles devaient être tenues à l'écart du monde et de sa triste réalité. Oh ! je ne puis le lui reprocher. J'aurais sans doute fait la même chose à sa place, ou si j'avais eu moi-même une fille à éduquer. A vouloir le bien de ceux que nous aimons, nous en venons à enjoliver le monde, à faire tout pour qu'il semble plus beau qu'il ne l'est en réalité.

« Ainsi j'ai été élevée dans l'ignorance la plus complète, comme tant d'autres jeunes filles de bonne famille. Puis, alors que j'avais quatorze ans, mon père mourut. Nous étions une famille très unie ; aussi ce deuil me fit beaucoup souffrir et m'angoissa, d'autant plus que, connaissant ma mère, je savais que nous aurions vite fait de dilapider tout l'argent que mon père avait accumulé, ce qui advint très rapidement. Nous nous privions de manger pour avoir la possibilité de sauver les apparences. La seule issue, pour ma sœur et pour moi, était un bon mariage : notre mère ne cessait de nous le répéter.

« Ma sœur, plus âgée que moi, était déjà fiancée à l'époque. On précipita son mariage et elle partit avec son mari, en Pennsylvanie. Nous n'étions plus que deux à vivre sur notre petite rente. Ma mère cessa de me priver de plaisirs et de distractions, et je commençai à mener une vie plus agréable, mais, la plupart du temps, en dehors de la maison. Ma mère trouvait commode de m'envoyer chez nos nombreux parents ; moi-même, d'ailleurs, j'aimais bien voyager, et c'est ainsi que je passai les quatre ou cinq années qui suivirent le mariage de ma sœur. J'ai habité à Newport, à Long Island et même plus à l'ouest, à Grosse Pointe, chez ma tante Neal où je suis restée presque un an.

« C'est là que j'ai connu Henry Lane. Il était lié à la famille de ma tante, et vint la voir l'été que j'y étais.

Il avait alors dans les trente-cinq ans. Je le trouvais très beau, très intelligent, et j'appréciais infiniment ses attentions pour moi, surtout lorsque j'étais un peu triste de me sentir si loin de chez moi. Ma tante me dit que Henry Lane possédait une grosse maison de commerce à Center City, et que ses affaires allaient extrêmement bien. Evidemment, je n'avais jamais entendu parler de cette ville, pensant qu'il n'y avait à l'ouest du Mississippi que des bateliers et des Indiens. Ces quelques semaines passée chez ma tante suffirent à convaincre Henry qu'il avait trouvé sa future femme. Ce fut toujours sa manière d'agir, pas tant impulsive que marquée de résolutions rapidement mûries et définitives.

« Je ne m'en rendis compte, cependant, qu'une fois revenue chez moi, à New York, lorsque je commençai à recevoir ses lettres. Il y était toujours question de notre séjour chez la tante Neal, et je compris bien vite ce qu'il finirait par m'avouer et me demander.

« Je sais qu'on juge tout à fait normal, par ici, qu'une femme épouse un homme deux fois plus âgé qu'elle, et d'ailleurs c'est la même chose dans l'Est. Mais je ne l'avais jamais vu faire dans la société que je fréquentais. Aussi j'hésitais, je n'arrivais pas à m'y résoudre. Et surtout, je savais que, si je me mariais avec lui, je devrais quitter ma famille et tous ceux que j'aimais, pour venir m'enterrer dans une bourgade inconnue, mais dont j'étais sûre qu'elle n'était peuplée que de rustres ou, pour le moins, de gens n'ayant rien de commun avec moi, mes intérêts, mes aspirations. Et c'est ce que je disais à Henry dans mes réponses. Car je n'avais aucun autre argument pour l'éconduire.

« Au printemps suivant, il vint à New York. Pour me voir, me faire la cour, il n'avait pas hésité à laisser en plan ses affaires et à traverser tout le pays. Mais il n'était pas homme à s'en plaindre. Son charme et sa vigueur communicative emportèrent mes dernières résistances. Il plut à ma mère et à mon parrain. Quant à moi, j'étais bien obligée de reconnaître que je n'avais jamais connu un homme comme lui. A son départ, Henry m'assura qu'il était pleinement conscient de l'ampleur des sacrifices que je ferais en l'épousant, et me promit qu'il ne reculerait devant rien pour les compenser.

« J'acceptai donc, et vins m'établir à Center City. J'avais dix-neuf ans alors, et ne connaissais de la vie que les picnics, les soirées, les concerts, les vacances d'été et les promenades le long de l'East River.

148

« Excusez-moi de vous parler de tous ces détails personnels, mais il le faut, et vous comprendrez bientôt pourquoi. Hélas !

« Henry Lane m'aimait. Il m'a aimée jusqu'à son dernier jour. Sans cet amour qu'il me portait, il ne se serait peut-être jamais ôté la vie. Mais il me fallut longtemps pour comprendre la nature exacte des sentiments qu'il éprouvait pour moi. Ce n'était pas l'amour romanesque que j'avais vu décrit dans les romans, le seul dont on m'eût jamais parlé, mes nurses surtout. Ce n'était pas non plus la passion purement physique que moi, et toutes les filles que je connaissais, appréhendions et n'évoquions qu'en termes voilés, en chuchotant. La passion de Henry, c'étaient ses nombreuses entreprises, Center City, et dans une moindre mesure, la richesse et la politique. Ce qui ne veut pas dire que notre mariage ne fut jamais consommé. Mais Henry n'est jamais resté une nuit entière dans ma chambre, même au début. Il venait me voir, certains soirs, mais nous faisions chambre à part. Les années passèrent, et je ne concevais toujours pas ; ses visites s'espacèrent, puis cessèrent tout à fait.

« Il me traitait plus comme une jeune sœur, ou une grande fille, que comme sa femme. J'étais sa compagne, mais aussi en quelque sorte sa divinité : c'était en pensant à moi, c'était pour moi qu'il travaillait, faisait des projets, prenait des décisions. Je n'avais que très peu de devoirs — que ce fût envers lui, envers notre foyer, et envers la société. Que pouvais-je y faire ? J'ai accepté cette existence pendant presque dix ans. Une existence qui comportait beaucoup d'avantages, croyez-moi. Socialement parlant, j'avais fait un très bon mariage ; en fait, ma nouvelle situation dépassait toutes mes espérances. Réceptions, dîners, bals, garden-parties, concerts de charité, pour tout dire, il y avait autant de fêtes qu'à New York. Je possédais ma propre voiture, et j'étais complètement libre de mes allées et venues. Et j'avais des robes, des bijoux, des chapeaux, des fourures, des livres, tout ce que je voulais, et toujours de la meilleure qualité. Je me liai bientôt à d'autres dames de la ville ; j'étais fière de leur amitié. Bien sûr, elles me considéraient toujours comme une étrangère, mais nous étions bien ensemble, et c'était tout ce que je désirais. J'avais Mme Ingram, qui s'occupait à merveille de la maison, et toute une suite de domestiques, de jardiniers... Cette vie, finalement, me plaisait. La passion de Henry, certes, allait à d'au-

149

tres choses, mais il avait pour moi plus d'attentions que n'importe qui d'autre. Et cela aussi semblait me suffire. Il se lança dans de nouvelles entreprises : l'hôtel, les fermes, le commerce des grains ; et tout cela, je savais qu'il le faisait pour moi, pour tenir la promesse qu'il m'avait faite.

« J'aurais dû être aux anges ; je n'étais que contente. Mais on ne peut contrecarrer la nature indéfiniment. Une fois — nous étions à Lincoln —, je décidai de consulter un médecin que Henry connaissait. Il m'examina longuement et très sérieusement, puis m'affirma que j'étais en parfaite santé, et tout à fait en état de procréer. Discrètement, il me fit comprendre que c'était du côté de Henry que cela n'allait pas ; que lui, le médecin, le savait depuis des années, et que c'était pour cette raison que Henry avait tant attendu avant de se marier.

« Je ne compris pas tout de suite les paroles du médecin. Lorsque je saisis finalement leur signification, cette découverte m'accabla. Une seule chose manquait à mon bonheur, en effet, et c'étaient les enfants. Or, je me rendis compte que, tant que je serais la femme de Henry Lane, je ne pourrais jamais en avoir.

« Mais cela aussi, je finis par l'accepter. Je ne m'étais jamais sentie vraiment à l'aise, avec lui, dans nos rapports les plus intimes ; aussi ne les ai-je jamais regrettés. Je me consolais en passant aux femmes restées veuves dans leur jeunesse, ou aux vieilles filles dont la vitalité et la joie de vivre ne semblaient en rien affectées par ce manque. Mme Ingram en était un exemple vivant, dans ma propre maison.

« Mais je me rendis compte bientôt que j'étais insatisfaite, agitée. J'étais sujette à des maux passagers — migraines, exanthèmes, et autres — qui me prenaient à l'improviste, sans aucune raison apparente, sans que les médecins pussent rien y faire. A vingt-cinq ans déjà, j'étais une insomnieuse.

« Vous dormez bien, monsieur, n'est-ce pas ?... Alors, vous ne connaissez sûrement pas votre bonheur. Se voir refuser le réconfort de cet oubli quotidien est une calamité que je ne souhaiterais même pas à un ennemi. Je sais qu'on dit par ici : "Il n'y a que les méchants qui dorment bien." Que de fois j'aurais souhaité être une Messaline, une Lucrèce Borgia, pour pouvoir m'endormir ne fût-ce qu'une nuit !

« Ce mal qu'on dit léger est une torture raffinée que vous

ne pourrez jamais imaginer. Se coucher, le corps et l'esprit épuisés par les événements de la journée, et être incapable de les oublier, de sombrer dans le sommeil. Vous vous tournez et vous vous retournez, vous changez vos oreillers de place, enlevez vos couvertures, les remettez, changez de chemise, en mettez une plus fraîche ou une plus chaude, mais les heures sonnent les unes après les autres. Vous vous levez, regardez par la fenêtre ; pas une lumière, tout est noir, tout le monde dort, sauf vous. Un chien, dans une arrière-cour, aboie en rêvant. Vous errez dans les couloirs, espérant trouver une personne encore éveillée, même une servante. Mais devant toutes les portes où vous passez, vous ne percevez que la respiration calme des dormeurs, ou leur ronflement. Mais vous envieriez jusqu'à leurs râles.

« Tous sont inconscient, désormais, sauf vous et la maison elle-même. Le moindre bruit que vous faites, en marchant ou en touchant les objets, est décuplé par le grand silence de la nuit. Vous enviez le repos du plus pauvre souillon. Les lattes du plancher ont sous vos pas des craquements moqueurs, plus effrayants que le pire des cauchemars. Car le cauchemar, au moins, vient et passe. Tandis que ce tourment, vous savez que vous le retrouverez fidèle toutes les nuits. Vous allez dans la cuisine, faites un peu de feu pour chauffer un bol de lait, c'est une vieille recette de bonne femme. Cela vous calme un moment, vous remontez à l'étage, sûre que maintenant ça y est, ça va passer. Mais non, la torture reprend de plus belle. Vous rallumez la lampe, vous lisez jusqu'à ce que vos yeux en pleurent, vous éteignez. Toutes les pensées de l'univers semblent s'être donné rendez-vous sous votre crâne. Le ciel déjà s'éclaire, c'est presque l'aube. Vous avez perdu tout espoir Il va falloir bientôt tirer les rideaux. La colère vous prend. Mais alors, sans prévenir, le sommeil est arrivé, et il s'abat sur vous pour une demi-heure, une heure, quelquefois deux. Et il en est ainsi tous les jours, pendant des semaines, pendant des mois, et vous savez déjà que la folie vous guette, ou la maladie, ou les deux à la fois. Car, chaque matin, lorsqu'il monte jusqu'à vous comme l'eau sous les lèvres de Tantale, il vous le dit, qu'il ne se laissera plus jamais prendre, non, jamais plus.

« Oh ! que le poète a raison de l'appeler *O suave embaumeur de la minuit qui fermes/Sous tes doigts doux nos yeux amoureux des ténèbres/Quand notre soif d'oubli nous porte vers ton ombre*, et de l'implorer : *O si doux*

Sommeil ! Interromps ma prière et clos/Mes paupières consentantes. *

« Il y a des remèdes pour apaiser ce mal. Ils sont tous extraits de la même plante, ce lourd coquelicot violet d'Asie. Le laudanum, ou teinture d'opium, pris en petites quantités est un excellent somnifère. J'en prenais le moins possible, au début. Mais je fus contrainte d'augmenter les doses de plus en plus. Je l'ai utilisé pendant trois ans ; je dormais mieux, je le reconnais, cinq ou six heures par nuit, mais j'étais devenue complètement esclave de cette drogue.

« Vous me semblez toujours aussi décidé, monsieur. C'est un bon signe. Mais si horribles que soient ces révélations, je dois vous en faire d'autres encore, et bien pires. Je vous ai dit que nous irions très, très loin.

« Henry savait comment je me soignais ; il ne me serait jamais venu à l'esprit de lui cacher quoi que ce soit. Parfois je me demande si je n'aurais pas fait mieux de lui épargner cette révélation. Il m'avait assistée dans les pires périodes de mon mal. Et, quoiqu'il déplorât beaucoup la solution que j'avais choisie, il m'aida à en supporter les effets fâcheux, lesquels ne tardèrent pas à apparaître, à notre grande surprise d'ailleurs : je devins distraite, je me mis à oublier des rendez-vous, à avoir des absences, à sentir un écart toujours plus grand entre moi et les autres ; souvent, je me mettais à bredouiller au beau milieu d'une conversation ; tous mes mouvements devenaient lents, nonchalants. Tout cela était fort gênant, étant donné toutes nos obligations mondaines.

« Au bout de trois ans, ces effets s'étaient multipliés. Henry, très préoccupé, ne savait plus que faire. C'est alors qu'une autre solution se présenta d'elle-même.

« Henry respirait la santé, bien qu'il eût eu une enfance des plus pauvres. Mais il avait les dents dans un très mauvais état, sans aucun doute à cause de l'alimentation insuffisante et déséquilibrée dont il avait dû se contenter durant ses vingt premières années. Depuis le début de notre mariage, je le voyais passer d'un dentiste à un autre, sans grand résultat ; ses dents pourrissaient, et il devait se les faire arracher les unes après les autres.

« Aussi, lorsqu'il me parla de ses premières visites chez M. Dinsmore, je fus naturellement très heureuse pour lui.

---

* *To Sleep* (« Au Sommeil »), ode de John Keats.

Je savais les tortures que Henry avait endurées chez les autres dentistes, pour rien. Or, en moins d'un an, M. Dinsmore non seulement sauva toutes les dents qui restaient dans la bouche de Henry, mais substitua aux manquantes de fausses dents d'ivoire, fixées à une plaque, très adhérente, très commode, de caoutchouc vulcanisé. Et tout cela sans douleur !

« Henry ne fut jamais capable de me dire, au juste, comment M. Dinsmore avait fait pour savoir que je souffrais d'insomnie. A l'époque je pensais que Henry avait évoqué ce problème, en passant, au cours de leurs conversations. Plus tard, j'appris que Dinsmore l'avait découvert, comme tant d'autres choses de la vie de Henry, en le magnétisant. Henry était un homme réservé, secret même, dès qu'il s'agissait de ses affaires ; mais M. Dinsmore, en l'interrogeant sous hypnose, réussit bientôt à en savoir plus que moi ou qui que ce soit d'autre. Aussi vous auriez tort, monsieur, de douter de sa capacité à diriger les entreprises de feu mon mari.

« M. Dinsmore m'avait-il déjà vue et appréciée ? Ou voulait-il simplement éliminer toute opposition éventuelle de ma part ? Je ne saurais le dire. Toujours est-il que je n'avais aucune envie de me faire magnétiser ; si Henry insista tant, je suis sûre maintenant que c'est parce que Dinsmore le lui avait suggéré sous hypnose. Quand je repense à cet épisode funeste, je suis persuadée que si Satan avait suggéré à Adam de faire croquer la pomme à Eve, le résultat, pour nous, en eût été tout aussi désastreux.

« Une seule séance de magnétisme, et de quelques minutes seulement, suffit à me procurer un sommeil profond et réparateur, comme je n'en avais plus connu depuis des années, même en utilisant l'opium. Grâce à une seconde séance, je pus jouir du même sommeil, cette fois, durant toute une nuit. M. Dinsmore me magnétisa une troisième fois, et je crus alors que j'étais définitivement guérie. Mais au bout de trois mois, exactement, l'insomnie revint brusquement, aussi forte qu'autrefois. Je comprends maintenant que, ce faisant, il mesurait l'étendue de son pouvoir sur moi. Et il m'a dominée à un point tel, croyez-moi, qu'aujourd'hui encore, je ne suis jamais sûre de ne pas agir sur son ordre lorsque la nuit je dors, ou reste éveillée, ce qui m'arrive parfois.

« Mais évidemment, il ne m'a pas magnétisée pour le seul plaisir de me faire dormir ou de m'en empêcher. Il avait aussi peu de scrupules avec moi qu'avec Henry. En me plongeant dans cet état de faux sommeil, il réussit à me faire dire ce que je n'avais jamais confié à personne : que mon mari ne m'avait plus touchée depuis des années et qu'aucun autre homme ne l'avait fait.

« Je suis convaincue, aujourd'hui, qu'il aurait pu tout aussi bien abuser de moi à mon insu. Mais il préféra me torturer d'une manière plus cruelle et, je pense, plus satisfaisante pour lui. Il me fit la cour jusqu'à ce que je me soumisse à lui de mon plein gré.

« Oui. Henry était encore en vie, que j'avais déjà troqué la drogue contre l'adultère. Et à partir du moment où je me donnai à lui, il me rendit esclave de nouvelles tyrannies, plus subtiles que celles de l'opium, mais peut-être encore plus mortelles.

« Vous souvenez-vous que j'ai commencé cette confession en dénonçant l'ignorance dans laquelle m'avaient élevé mes parents ? Mais cette ignorance, je n'en avais jamais mesuré toute l'étendue avant que M. Dinsmore fût entré dans mon existence. Je croyais ne plus rien avoir à apprendre sur les rapports entre hommes et femmes, pour la pauvre raison que Henry était venu me voir dans mon lit, une demi-heure, de temps à autre, et il y avait de cela des années. Mes illusions s'écroulèrent comme un château de cartes.

« Je ne nierai pas que M. Dinsmore ne soit un homme extrêmement attirant, ni même charmant, quand il le veut. Et d'ailleurs, j'ai entendu beaucoup d'autres femmes dire la même chose que moi. Nul doute que leur jalousie explique en partie leur attitude actuelle à mon égard. Je n'avais jamais éprouvé pour Henry Lane un amour romanesque car, comme je vous l'ai dit, il ignorait ce sentiment ; Frederick, au contraire, réveilla tous mes rêves passionnés de jeune fille.

« A la différence de Henry, il était aussi d'une sensualité apparemment sans limite. Henry me touchait à peine. En revanche, lorsque je quittais le petit appartement au-dessus du saloon, avenue Van Buren, je me sentais tous les muscles endoloris, tous les nerfs excités, et parfois je découvrais même sur ma peau des marques et des bleus d'origine inavouable. Sa soif de plaisir semblait infinie, et pour la satisfaire, il inventait des manières toujours plus exquises de me faire jouir ou de me faire souffrir. Certains jours, je restais vautrée sous lui des heures durant, à en devenir folle. D'autres fois, il se jetait sur moi dès que

154

j'entrais et me possédait n'importe où, sur une chaise, sur le divan, sur une table, debout contre le mur, en me déshabillant à peine, puis me renvoyait. Il sondait tous les centimètres de ma peau ; tous les creux, tous les orifices, toutes les ouvertures de mon corps servaient à sa jouissance. Il aimait particulièrement me regarder, sans même me toucher parfois, tandis qu'exécutant ses ordres, je me dégradais devant lui, en prenant des poses ou en faisant des gestes de plus en plus obscènes. Ou bien il me contraignait à revêtir des costumes de catins patentées, puis me montrait des cartes postales françaises, illustrant des poses lascives qu'il m'ordnnait d'imiter. Il commandait, et je lui obéissais. Pour moi, il était comme une divinité barbare ; j'étais constamment prise au dépourvu par les nouvelles humiliations, ou les nouveaux plaisirs qui m'attendaient. J'allais à son corps comme à l'autel d'un Dieu, et restais devant lui en adoration, ne sachant que faire pour l'exciter et le contenter. Comme si nous ne nous suffisions point, il fit intervenir dans nos rapports des godemichés et autres engins analogues, et nous les utilisions l'un sur l'autre, perdant nos sexes séparés, devenant tous les deux à la fois homme et femme. Il trouva je ne sais où d'autres instruments, pour faire mal cette fois, et nous nous mîmes à nous torturer l'un l'autre. Chaque rencontre nous faisait perdre un peu plus de notre part divine et nous ravalait au rang de pourceaux pataugeant dans leur propre excrétions. Je ne pouvais, et souvent encore je ne peux croire que deux êtres humains peuvent s'utiliser à ce point et malgré tout rester sains d'esprit. J'ai dépassé toutes les limites de la dépravation. Ce que les prostituées les plus débauchées font par nécessité, je peux leur jurer que moi aussi, je l'ai fait, et par plaisir.

« Si ces femmes qui ne veulent plus me parler savaient ça, je serais jetée aux chiens comme Jézabel. Elles accusent les féministes de trahir notre sexe, mais cette trahison n'est rien à côté de la mienne.

« Vous avez l'air sidéré, monsieur Ransom ; comment pourriez-vous ne pas l'être, vous qui êtes obligé de respirer le même air que le monstre que je suis devenue ? Ne doutez pas que je n'aie pour moi le plus complet mépris. Sachez cependant que ces dérèglements sont finis. Il s'est pris maintenant une danseuse de music-hall. Il a tiré de moi tout ce qu'il pouvait, et désormais c'est elle qu'il avilit. Comme je la plains ! Et il m'a rejetée aussi facilement que si je

155

n'existais plus. Oh ! il est toujours poli avec moi, mais sans plus ; comment pourrait-il en être autrement, d'ailleurs ? Après toutes ces horreurs, il doit me juger aussi abjecte que je le juge moi-même. En tout cas — je dois le dire à ma propre décharge —, Henry ne sut jamais rien de nos rapports ; Frederick aurait eu sans aucun doute un plaisir cruel à le lui faire savoir, mais cela n'entrait pas dans ses plans.

« J'en ai dit assez, je crois, pour vous faire comprendre jusqu'à quel point il me domine. Je ne peux rien entreprendre sans craindre immédiatement qu'il ne le découvre en me magnétisant de nouveau. Vous avez vu de vos propres yeux combien il se délecte à exercer ce pouvoir en public, à me faire apparaître comme son jouet, devant tout le monde. Il suffit qu'il fasse le moindre geste, et, je me soumettrai à ses pires caprices : il le sait, et c'est pour cela qu'il m'ignore désormais. Quels que soient les documents qu'il me présente, je les signerai, il en est sûr, car je suis toujours sous son emprise. Il pense aussi que je ne le dénoncerai jamais, par crainte de révéler ma propre abjection.

« Je ne doute pas que c'est lui qui a provoqué le suicide de Henry. Pour obéir à ses désirs, point n'est besoin d'être en état d'hypnose : je le sais à mes propres dépens. Et Mme Ingram aussi, je le crains. Une fois — elle venait d'avoir une altercation avec lui, puis était allée dans la cuisine —, je la vis arriver en courant dans le salon, le bras en sang, complètement affolée : sans se rendre compte de rien, elle s'était fait une profonde entaille avec le couteau à pain. Il éclata de rire en la voyant, et n'accepta de l'aider que si elle lui promettait de ne plus "recommencer" — c'est-à-dire de ne plus s'opposer à lui — et en lui déclarant que, sinon, il lui arriverait d'autres malheurs de ce genre, encore pires. Il est évident que c'est lui qui lui suggérait tous ces comportements absurdes, pour l'impressionner et la mettre au pas.

« Henry subit sa domination plus longtemps et plus profondément que moi. Il allait le voir plusieurs fois par semaine. Cet hiver, je m'aperçus qu'il semblait de plus en plus préoccupé. Il se voyait au bord de la faillite. Et il n'y avait rien à faire pour lui ôter cette idée de la tête. La moindre anicroche dans ses affaires, qui, un an auparavant, ne lui aurait fait ni chaud ni froid, lui apparaissait désormais comme la preuve d'un ignoble complot ourdi contre lui

156

par les spéculateurs, les autres financiers, le gouvernement lui-même, le monde entier. Il ne remarquait plus les bénéfices qu'il continuait, évidemment, de faire, mais uniquement les pertes. Et elles l'atterraient. Il était capable de rester toute un nuit dans les bureaux du magasin, refaisant tous les comptes pour prouver que ses employés l'escroquaient. Un jour, il est allé refaire lui-même l'inventaire de tout le linge de l'hôtel. Il persécutait Mme Ingram, persuadé qu'elle falsifiait les comptes de la maison. Et il est allé jusqu'à m'accuser en public d'être une dépensière. C'était une situation atroce. Comme je vous l'ai dit, Henry était d'origine très modeste ; et sa seule hantise était de mourir dans la pauvreté. Or, Dinsmore l'avait persuadé que c'était ce qui lui pendait au nez, bien plus, que, malgré les apparences, sa ruine était déjà un fait accompli. C'est ainsi qu'il a détruit Henry. Il avait compris que Henry pouvait tout supporter, sauf ça. Chacun de nous a des angoisses, ou des vices, qui lui sont particuliers ; la force de Dinsmore est de les découvrir, et de leur donner une intensité fatale. C'est comme cela qu'il a tué Henry ; c'est comme cela qu'il m'a détruite.

« Maintenant, monsieur, dit-elle, épuisée par son récit, je vous prierai de partir, si vous n'y voyez pas d'inconvénient. Mme Ingram va bientôt rentrer. Je ne voudrais pas qu'elle sache que vous êtes venu ici. La pauvre pourrait le lui révéler s'il l'interroge, et je suis sûre qu'elle aurait à en souffrir. Je veux être la seule à supporter toutes les conséquences de ce que j'ai fait. Je ne peux pas y échapper. » Désormais, elle n'arrivait plus à dissimuler sa détresse. Le ton détaché, presque placide sur lequel elle avait décrit cette histoire effroyable, disparut. Sa voix se mit à trembler ; elle allait éclater en sanglots. Ransom distingua à peine ses derniers mots.

« Je suis tombée si bas que je ne vois pas comment je pourrais y échapper. »

Ransom ne reprit l'usage de ses sens qu'une fois arrivé dans le centre de la ville. Au fur et à mesure qu'il avait écouté le récit de Carrie Lane et regardé son visage de plus en plus décomposé, il avait senti s'abattre sur lui une torpeur, un engourdissement qui avait figé tout son être, comme si, au lieu d'être commodément assis dans un salon bien chauffé, avec une tasse de café à portée de la main, il avait été surpris tout nu par une tempête de neige.

En allant la voir, il avait pensé que les chagrins qu'elle allait lui raconter susciteraient sa propre compassion, et les lieraient plus étroitement l'un à l'autre ; or, elle l'avait appelé du fond d'un gouffre insoupçonné et insondable. En tant que procureur, il pensait tout savoir de la nature humaine et de ses aspects les plus inavouables. Mais il ne se serait jamais attendu qu'une personne qui les avait connus, surtout quand cette personne était Carrie Lane, lui décrivît, bien plus lui confessât de tels abîmes d'angoisse et de dépravation. Il avait tout fait pour garder son masque professionnel d'enquêteur durant sa confession, et pourtant elle avait perçu le trouble de Ransom, et elle le lui avait dit, sans être elle-même troublée. Ce sang-froid était stupéfiant. Comme si, pour avoir passé au travers de cette expérience abominable, elle avait acquis ce regard froid, détaché, supérieur sur l'âme humaine dont lui-même s'était toujours enorgueilli. Mais, au fond, n'était-ce pas une juste récompense de son malheur, de son supplice ? Quelle femme admirable, cependant, aussi grande dans sa confession que lorsqu'elle était, plus simplement, la première de la ville ! Et il était clair, désormais, que pour la sauver, il fallait non seulement l'arracher à Dinsmore mais aussi l'aider à dominer cette sensualité débordante, aberrante, qu'elle lui avait confessée.

Stimulé par cette idée, Ransom se mit immédiatement au travail en arrivant à la pension. Il enleva sa veste, rechargea le poêle, descendit une minute pour prier Mme Page de bien vouloir lui monter son repas dans son bureau, à l'heure du dîner, et entreprit tout de suite de rédiger un résumé des déclarations de Carrie Lane. Ces révélations devaient être présentées de telle manière que n'importe quel juge pût les accepter, mais il convenait de glisser sur certains détails et de se contenter de les suggérer. Après tout, il s'agissait d'un acte public ; s'il y avait besoin d'un supplément d'information, Carrie Lane pourrait toujours la donner verbalement et à huis clos.

Il fallait également remanier et mettre en bonne forme le témoignage de Simon Carr, ainsi que les dépositions plus brèves de Mme Bent, Millard, Yolanda Bowles et du Père Sydney. Quant à l'aspect scientifique de l'affaire, il valait mieux attendre que la documentation médicale fût plus complète.

Le dîner arriva, Ransom l'absorba sans s'en rendre compte tout en continuant de travailler. A un certain moment, il cria dans l'escalier qu'on lui montât du café ; Isabelle le lui apporta. Elle remarqua qu'il n'y avait pas assez de bois pour le poêle, si Ransom devait continuer de travailler tard dans la nuit. Le petit Nate monta deux grandes brassées de bûches, rechargea le poêle, rangea ce qui restait à côté de la cheminée, mais c'est tout juste si Ransom s'en aperçut. Bientôt, tout le monde étant allé se coucher, le silence le plus complet régna dans la maison. Le café — oublié sur le poêle — n'était plus qu'un liquide épais et poisseux au fond de la verseuse, le feu s'était éteint, l'aube se levait derrière de grands nuages noirs déchiquetés, quand Ransom, ayant relu une dernière fois tout ce qu'il avait écrit, se mit au lit.

Dinsmore pouvait fort bien avoir magnétisé Carrie Lane pendant la nuit et tout découvert : cette pensée réveilla Ransom en sursaut deux heures après. Il aurait dû la mettre en garde, lui dire de s'enfermer à clef dans sa chambre. Mais cela aurait-il suffi ? Qu'aurait-elle fait si elle avait entendu la voix du magnétiseur passer par le trou de la serrure ? Carrie Lane était toujours en danger, et Ransom s'aperçut qu'il n'avait rien fait pour la protéger.

Tandis qu'il se rasait, il entendit Nate monter les escaliers. Il appela le gosse, rédigea un mot en hâte, puis, donnant à Nate une belle pièce de vingt-cinq cents, lui demanda d'aller porter son message à Carrie Lane, d'attendre la réponse et de la lui rapporter avant d'aller à l'école.

Nate, qui ne se tenait plus de joie devant la belle pièce qu'il venait de recevoir, se précipita dans la rue, sans même prendre son petit déjeuner. Au bout d'un quart d'heure, il était déjà de retour. Ransom ouvrit la lettre tout de suite, dans le vestibule du rez-de-chaussée, sans chercher à se cacher de Mme Page et d'Isabelle qui observaient avec curiosité cette frénésie inhabituelle.

Carrie lui écrivait qu'elle allait bien. Dinsmore n'était pas venu chez elle ; il avait sans doute passé la nuit dans son appartement de l'hôtel Lane en compagnie de la danseuse. Carrie ajoutait qu'elle avait bien dormi et rendait grâce au Ciel des soins de Ransom et de sa constance passée.

Résistant à l'exultation qui montait en lui, Ransom mit le billet dans sa poche intérieure, se rassit, et termina son petit déjeuner, sentant que tout le monde avait les yeux fixés sur lui.

Une demi-heure plus tard, il était chez les Dietz, dans l'entrée, essayant de convaincre Lavinia de l'importance de sa visite. Le juge, en effet, avait décidé de consacrer toute cette matinée à la lecture et n'entendait être dérangé sous aucun prétexte. Devant l'insistance de Ransom, Lavinia se résolut finalement à aller dans la bibliothèque. Elle en ressortit en demandant à Ransom de lui remettre le dossier et en l'invitant à attendre que son mari eût examiné toutes les pièces. Puis elle pria Ransom d'accepter une tasse de café.

De mauvais gré, Ransom la suivit dans la petite salle à manger. La conversation de Lavinia l'énervait. Cela faisait au moins une heure qu'elle l'entretenait de potins sans importance, et la porte de la bibliothèque restait toujours fermée. Comment se faisait-il que Dietz ne l'eût toujours pas fait venir ? Ransom avait pourtant pris soin de mettre le témoignage de Mme Lane sur le dessus du dossier, et même, prévoyant que le juge refuserait de le recevoir tout de suite, d'ajouter une lettre de présentation où il attirait l'attention de Dietz sur la gravité du danger qu'elle courait.

N'y tenant plus, Ransom sortit en promettant qu'il serait de retour dans une demi-heure.

C'était le milieu de la matinée. La foule des piétons se faufilait entre les nombreux véhicules qui avançaient au pas à l'angle de l'avenue du Dakota et de la rue Center.

Il resta un moment indécis, se demandant s'il devait aller chez Carrie Lane. Mais dans son billet il lui avait déjà recommandé d'éviter Dinsmore coûte que coûte jusqu'à ce que lui-même trouvât un moment pour se rendre chez elle. Enfin, elle lui faisait confiance, Dieu merci ! Mais pour le moment, il valait mieux ne pas trop s'écarter de chez les Dietz.

Alors il se dirigea lentement vers la grand-place, d'un pas d'oisif, s'arrêtant aux vitrines des tailleurs de l'avenue Taylor, passant devant le bureau de la poste, remarquant que l'on était en train de changer les gouttières de l'hôtel Lane, passant devant le palais de justice (le conseil des anciens étaient réuni comme à l'accoutumé sur le grand banc, sous la présidence de Floyd, et examinait avec force piailleries et hochements de tête un article du *Star* de Center City), s'arrêtant chez le pharmacien pour acheter cinq *cents* de bonbons acidulés, enfin faisant quelques pas indécis sous les arbres du boulevard qui menait au quartier sud. Puis il fit volte-face et, suçant une pastille, retourna chez Dietz.

Arthur, qui était à la fois le majordome et l'homme à tout faire des Dietz, l'introduisit dans le vestibule et lui prit son manteau et son chapeau, en lui disant que le juge n'était toujours pas sorti de sa bibliothèque. Ransom était sur le point de reprendre son vêtement lorsqu'il entendit des voix féminines provenant du petit salon. Il se retourna et aperçut Lavinia. Mais entre ses grosses mains, elle tenait les longs doigts fins de Carrie Lane. Apparemment, celle-ci venait juste d'arriver, car elle avait encore son chapeau et sa voilette noirs.

« Ah ! vous voilà ! » dit Lavinia.

Il allait entrer dans le salon, lorsqu'une porte s'ouvrit au fond du couloir.

« Arthur ! Dis à Ransom de venir ici ! » cria le juge, puis, apercevant Ransom : « Ah ! vous voilà, James ! Ne restez pas là-bas, venez ici. De toute façon, ma matinée est fichue. »

Ransom fit signe aux dames qu'il reviendrait et se dirigea vers la bibliothèque.

Dietz s'assit lourdement dans son gros fauteuil club, derrière un bureau, recouvert de feuilles manuscrites. C'était l'acte d'accusation que Ransom venait de lui remettre.

« La dame Lane est déjà arrivée ? » demanda-t-il. Il était sombre et parlait sur un ton irrité.

« Elle est dans le salon.

— Je n'arrive pas à vous comprendre, James. Vraiment. Pourquoi vous entêtez-vous à ouvrir ce... cette boîte de Pandore ? Non : ce n'est pas la peine que vous me répondiez. Je sais bien pourquoi. Mais avez-vous pensé aux conséquences, à ce que cela signifie pour Center City ?

— Cela signifie tout simplement la destitution de l'usurpateur et la restauration de l'ordre.

— Ah ! si ce n'était que cela ! Mais j'ai bien peur que cela ne soit un choc pour la ville, une véritable amputation.

— Il faut la faire, dit Ransom.

— Mais on pourrait essayer de la limiter.

— Non, ce n'est plus possible, désormais. La gangrène s'est sûrement étendue jusqu'à Lincoln, jusqu'au Sénat. Si Dinsmore a seulement le dixième de l'influence que Henry Lane avait là-bas, nous sommes fichus. Vous le savez.

— Ce sera une rude bataille, je vous préviens.

— Je suis prêt à me battre.

— Ah ! Enfant de chœur incorrigible que vous êtes !
Quand vous déciderez-vous à devenir une grande personne ?
Bon. Faisons venir Mme Lane.

— Acceptez-vous mon acte d'accusation ? demanda Ransom.

— J'ai dit que je voulais parler à Mme Lane, répéta
Dietz en fronçant les sourcils. Elle a lu ça ?

— Non, mais elle sait ce qu'il y a dedans.

— Allez la chercher », dit-il, en lui jetant un regard
dur.

Ransom sortit.

« Ne vous en faites pas », dit-il à Carrie Lane, très
émue, tandis qu'il l'accompagnait vers la porte de la bibliothèque. « Je n'ai rien révélé des aspects les plus confiden-
tiels. Je n'ai pas caché la nature de vos rapports avec Dinsmore : il le fallait, pour démontrer que ses pouvoirs n'ont
pas de limites. Mais tous les détails restent entre nous. Ne
craignez donc rien : le juge ne vons posera aucune question embarrassante. »

Elle serra plus fort la main de Ransom. « Ce que vous
me dites me donne du courage, mais me révèle aussi combien je suis indigne de vos bontés. Je n'ai rien fait pour
les mériter.

— Si, vous avez fait tout ce qu'il fallait », lui dit Ransom
en chuchotant alors qu'il la faisait entrer dans la bibliothèque. Puis il referma la porte derrière elle.

Elle resta enfermée avec le juge presque tout l'après-
midi. Une heure environ avant la fin de ce long entretien,
Dietz appela Arthur et lui demanda d'aller chercher le
greffier. Quelques instant après, ce fut au tour de Lavinia
d'être appelée dans la bibliothèque. Elle en ressortit chargée
de deux missions : inviter Ransom à revenir dîner ce soir-
là et dépêcher Rina, leur gouvernante norvégienne, petite
femme des plus avisées, chez les Lane avec un message où
Carrie Lane informait Mme Ingram qu'elle restait cette nuit-
là chez les Dietz et lui demandait de remettre à la porteuse
du message un sac avec ses affaires pour la nuit.

Ransom rentra chez lui maussade. Il avait certes marqué
des points : Dietz prenait des mesures pour protéger Carrie
Lane, et n'allait donc pas tarder à inculper Dinsmore. La
machine s'était mise en branle, mais Ransom savait que
désormais, il n'était pour ainsi dire plus maître de rien.
Le maître maintenant, c'était Dietz, l'homme le plus tyran-
nique et le plus capricieux qui eût jamais occupé le siège

d'un tribunal de comté. Il pouvait aussi bien expédier l'affaire avec la vitesse de l'éclair qu'avec la lenteur inexorable de la résine suintant du tronc d'un conifère. C'était un allié sûr mais impénétrable. Comme ennemi, il était aussi poli qu'un courtisan de l'époque de Louis XV, et aussi mortel qu'un serpent-minute. Cela faisait presque dix ans que Ransom connaissait le juge, et l'homme ; et il savait qu'il avait tout avantage à ne le heurter en rien, maintenant que le procès allait, tôt ou tard, s'ouvrir. Sinon, il risquait de voir Dietz se transformer durant les débats en un arbitre aussi insensible, tatillon et implacable qu'un adjudant prussien. Ransom n'avait toujours pas oublié son premier procès à Center City, plus exactement le premier procès criminel dans lequel il avait représenté le ministère public. C'était un cas banal de règlement de compte, qui, apparemment, pouvait être expédié en quelques jours. Or, les débats s'étaient prolongés durant des semaines. Car il y avait chez Dietz — Ransom avait été alors fort surpris de le découvrir — un sens aigu du détail et un profond respect de la lettre de la loi, et, au fond, une conscience professionnelle et une conscience tout court bien rares chez un juge à l'ouest du Mississippi, et dont Ransom ne pouvait que le louer.

Revenu à la pension, il s'appliqua à ranger ses papiers. Cependant, il s'aperçut bientôt qu'il était complètement épuisé, les préoccupations de la journée l'avaient empêché de s'en rendre compte plus tôt. Il s'affala dans son fauteuil et dormit jusqu'à l'heure du repas.

Dietz le reçut comme si de rien n'était, et on passa tout de suite dans la salle à manger. Carrie Lane semblait très fatiguée, mais plus calme. Bien qu'ils ne fussent que tous les quatre, la conversation fut des plus compassées. Tous pensaient à l'affaire, mais à quoi bon en parler ? D'autant plus que Dietz avait ouvert le dîner par une épigramme latine sur les vertus peu digestives des discussions professionnelles. Les arguments les plus banals se succédaient, entrecoupés de longs silences, et Ransom, qui eût voulu parler tout de suite des questions qui lui tenaient à cœur, s'ennuyait à mourir. Sa seule consolation était de voir Carrie Lane assise à la droite du juge, réhabilitée déjà dans cette maison, où la veille encore on aurait refusé de la recevoir.

Après le dessert, Lavinia et Carrie montèrent au premier étage. Ransom, resté seul avec le juge, boudait.

163

« Vous savez, James, commença Dietz, que vous avez fait un très bon travail ? La présentation du cas est claire et exhaustive, et d'une haute tenue professionnelle.

— Alors vous l'acceptez ?

— Je n'hésiterais pas une minute à le faire s'il s'agissait d'un cas ordinaire. Mais il manque encore quelques petits détails ; en particulier il faut que tous les témoins signent leur déposition.

— Ce sera fait demain.

— Bien. Très bien. Comme je vous l'ai dit, tout cela suffirait en temps normal. Mais nous sommes confrontés à une situation tout à fait exceptionnelle et qui, à mon avis, exige des moyens exceptionnels. »

Ransom ne fit aucun commentaire.

« Je crois ce que vous m'avez dit, James. Je crois Mme Lane. La pauvre femme. Je crois Simon Carr, ainsi que les autres. Du moins, je suis prêt à les croire lorsqu'ils parleront sous serment.

— Et alors ?

— Le fait est que je ne crois pas à cette histoire de magnétisme. Or tout tourne autour de ça. Et il va falloir que vous convainquiez le jury de l'efficacité de ces tours de passe-passe, un jury qui sera composé d'hommes du peuple, pour la plupart, de paysans, d'éleveurs, de boutiquiers, que sais-je ? et pour qui n'est réel que ce qui est matériel, tangible.

— Je les convaincrai.

— Et comment ? Vous ne m'avez même pas persuadé, moi. Je vous l'ai déjà dit, que j'ai besoin d'une démonstration pratique. Tant que je n'aurai pas cette preuve, je ne peux pas signer l'acte d'inculpation.

— Que dois-je faire ? Faire venir Dinsmore ici et lui exposer notre problème ? En espérant qu'il aura la bonté de nous venir en aide ?

— Il me faut absolument cette preuve.

— Mais moi, je l'ai. J'ai été magnétisé. Je peux le certifier sous serment.

— Sans doute ; mais vous n'avez eu aucun des effets postérieurs dont ont parlé les autres. Or c'est sur ces effets postérieurs, ces actes accomplis par suggestion, par exemple, que vous avez construit, très logiquement, toute votre accusation. J'ai raison, n'est-ce pas ?

— Oui. Mais... Il me vient une idée. Simon Carr est lui aussi un magnétiseur. Je crois qu'il peut vous fournir la

164

démonstration que vous voulez. C'est lui après tout qui a enseigné le magnétisme à Dinsmore. »

Dietz réfléchit quelques minutes. « Amenez-le ici.

— C'est impossible ; il est gravement malade. C'est nous qui devons aller le voir.

— Allons-y demain matin alors.

— Pouvons-nous laisser passer tant de temps ? Je suis certain que Dinsmore soupçonne quelque chose. Que fera-t-il s'il apprend que Mme Lane est ici ? Il pourrait très bien quitter la ville.

— Décidément, vous ne m'aurez pas laissé souffler un instant, aujourd'hui ! » dit le juge. Puis il ouvrit la porte du couloir : « Arthur ! Attelle la voiture ! Non. Attends. » Se retournant vers Ransom : « Je préfère y aller à cheval ; qu'en pensez-vous ? Ça nous détendra. »

De fait, Dietz semblait d'une humeur encore plus noire lorsque Ransom revint des Ecuries Publiques. Il avait choisi pour le juge un hongre trapu et bien dressé.

« Dites donc, James, il fait un froid glacial. J'espère que nous serons payés de notre peine.

— Ne vous en faites pas », dit Ransom. Mais tandis qu'ils sortaient de la ville, il se demandait si Carr pourrait effectivement fournir la démonstration pratique que le juge exigeait. Et sinon, qu'adviendrait-il de ce procès ? Et de Carrie Lane ? Il fallait que ça marche. Au besoin, Ransom menacerait Carr pour l'obliger à le faire.

Malgré le vent glacial et la terre dure, gelée sous ses pieds, Golden semblait ravi de cette sortie, la première que Ransom lui accordait depuis plusieurs jours. Pour les guider, il n'avait que la lumière intermittente d'un mince croissant de lune qui fuyait derrière une multitude de petits nuages noirs. Le cheval courait au grand galop, comme attiré par le fond de la nuit. Ransom ne le retenait pas. Lorsqu'il se retourna, il s'aperçut que le juge le suivait à quelques pas. Dietz était un ancien de l'Ouest, et pour lui, aller à cheval était aussi naturel qu'aller à pied.

A mi-chemin, ils ralentirent leur allure, de peur que les chevaux ne se couvrissent d'écume et ne prissent froid tandis qu'ils attendraient dehors. La silhouette du ranch émergea peu à peu dans la nuit noire. Pas une seule lumière ; l'endroit semblait complètement abandonné.

Tandis qu'ils attachaient leurs montures, Ransom aperçut un rectangle vaguement éclairé sur le côté de la maison. Ce devait être la chambre de Carr. Ransom s'approcha des volets fermés, autour desquels filtrait une faible lumière.

« Simon ! Simon ! » appela-t-il, en frappant sur le volet.

Pas de réponse. Il insista. Alors un volet s'ouvrit, et Ransom distingua le profil d'aigle du vieillard.

« C'est moi, Simon. Il faut que je vous parle.

— A cette heure ? dit Carr. Vous êtes toqué.

— Ouvrez-nous la porte. Je suis avec le juge. Il veut vous parler. Pour l'ordonnance de cessation des poursuites.

— Maintenant ? Mais je suis en chemise de nuit.

— Ça ne fait rien. Venez nous ouvrir.

— Ça ne peut pas attendre ? » demanda Carr, mais Ransom se dirigeait déjà vers la porte. Dietz, sous le petit auvent, battait des pieds par terre et soufflait dans ses mains.

« Il arrive », dit Ransom.

Dietz inspectait les lieux d'un air méfiant. « Voici donc le ranch de Lane. On dirait un repaire de voleurs de bétail. Avec tout l'argent qu'il avait, il aurait quand même pu s'offrir un ranch digne de ce nom.

— C'est encore pire de jour.

— Ma maison de campagne à Plum Creek est un paradis à côté de ça.

— Je crois qu'il ne l'utilisait pas beaucoup.

— Il s'occupait trop de politique pour savoir ce que c'est que vivre décemment », dit le juge. C'était la première fois que Ransom entendait Dietz critiquer ouvertement Henry Lane. Il avait toujours pensé, jusqu'alors, qu'ils étaient deux adversaires polis. Y avait-il eu plus ? Peut-être le juge n'était-il pas mécontent, au fond, de la mort de Henry Lane. Etait-ce la raison pour laquelle il hésitait tant à inculper Dinsmore ?

Cependant Carr tira le verrou, et la grande porte de chêne s'ouvrit. Le vieil Anglais avait enfilé son pantalon sous sa chemise de nuit, chaussé ses brodequins et passé une espèce de robe de chambre ornée de dessins bizarres. Il ne lui manquait que quelques plumes pour ressembler à un sorcier indien. Sans saluer ses visiteurs, il referma la porte et les conduisit dans sa chambre, en éclairant le couloir avec un bout de chandelle.

Ransom fit les présentations. Les deux hommes se toisèrent sans se serrer la main, mais Carr offrit à Dietz son unique siège — le vieux fauteuil à bascule — et s'assit

166

sur le rebord du lit. Leur silence continua jusqu'au moment où Carr leva vers Ransom des yeux interrogateurs.

Mais avant qu'il eût pu dire un seul mot, Dietz commença :

« Etes-vous prêt à signer le témoignage que je viens de recevoir, et à confirmer, sous serment, que M. Frederick L. Dinsmore a utilisé, pour vous dominer, ainsi que d'autres personnes, cette technique à laquelle vous donnez le nom de magnétisme ? Etes-vous prêt également à exposer les circonstances de votre fuite hors de l'Etat de l'Illinois, en compagnie de M. Dinsmore, et vos pérégrinations à travers le Wisconsin, l'Indiana, etc., jusqu'à votre arrivée ici, à Center City ?

— C'est lui qui m'a forcé à le suivre et à venir ici, riposta Carr sans aucune hésitation. Pour moi, j'aurais très bien pu rester à Chicago. Je n'y avais rien fait de répréhensible. Rien du tout. C'est lui qui nous a forcés à le suivre, moi et sa femme, parce qu'il savait que nous aurions pu témoigner contre lui. En toute justice, on n'aurait jamais dû m'inculper. Monsieur l'a dit lui-même, dit-il en désignant Ransom. Il a dit que tout pouvait être annulé. »

Chacun avait défini sa position. Les rapports entre les deux hommes en semblèrent tout de suite facilités.

« Cette annulation est acquise si vous témoignez, dit le juge, esquissant un sourire.

— J'ai la ferme intention de témoigner. Ne vous en faites pas. Dussé-je aller pieds nus jusqu'au palais de justice pour le faire.

— Très bien. Demain, ou après-demain, nous vous ferons signer une déposition écrite. On vous la lira si...

— Je sais encore lire. Je n'en ai peut-être pas l'air, mais j'ai fait mes études à l'université d'Oxford, et je sais lire aussi bien que vous ou que qui que ce soit d'autre, et dans une demi-douzaine de langues, classiques et modernes.

— Je n'en doute pas », dit le juge, qui apparemment se prenait de sympathie pour Simon Carr. Dietz aimait les gens qui réagissaient, défendaient leur bon droit. « Je n'en ai aucun doute. Dans ce domaine, je pense que vous m'êtes supérieur. Je ne connais que le latin, à cause du droit romain, que j'ai eu à étudier à l'université. Mais passons à cette histoire de magnétisme. Comment se fait-il que quelqu'un puisse obéir aux suggestions du magnétiseur alors que celui-ci n'est plus là ?

— C'est très difficile à expliquer, mais, au fond, c'est assez simple », commença Carr. Le sujet, expliqua-t-il, est plongé par le magnétiseur dans un état semi-conscient, intermédiaire entre l'état de veille et le sommeil, et qu'on appelle l'hypnose. Il est alors extrêmement sensible, extrêmement réceptif à quelque suggestion, ou série de suggestions, que ce soit. L'hypnose a ceci de commun avec le sommeil que le concept de temps y est aboli ; il est donc possible, pour le magnétiseur, d'associer l'accomplissement d'une suggestion à des circonstances qui ne sont pas données au moment de l'expérience mais se réaliseront plus tard. Ainsi, il peut dire au magnétisé : en sortant, vous prendrez mon chapeau, — et il le fera. On peut également manœuvrer la mémoire, faire en sorte, par exemple, que le sujet, lorsqu'il aura accompli l'action suggérée, soit incapable de s'en rappeler la véritable cause. Dans certains cas, la personne magnétisée réussira à intrégrer cet acte à une suite logique et donc à l'expliquer, apparemment. Mais dans d'autres, elle ne comprendra jamais pourquoi elle a fait ça.

— Vous avez parlé, n'est-ce pas, d'une série de suggestions ? demanda Dietz. Comment cela fonctionne-t-il ?

— Pour être plus exact, j'aurais dû parler d'une chaîne de suggestions. Car ces diverses suggestions sont, en quelque sorte, enchaînées, imbriquées l'une dans l'autre. » Carr expliqua que dans l'état de transe le sujet n'est pas toujours prêt à exécuter certaines suggestions, parce qu'elles s'opposent à des suggestions précédentes, plus fortes, telles que croyances, préceptes moraux, évidences empiriques. « Ainsi, dit-il, fournissant un exemple, je peux vous dire : cet homme est un ennemi, tuez-le vite avant qu'il ne vous tue. Mais si cet homme est votre ami le plus intime, en qui vous avez confiance depuis toujours, vous n'exécuterez pas ma suggestion : parce que vous savez que ce que je vous ai dit n'est pas vrai, que, de plus, vous êtes attaché à une religion qui condamne l'homicide, etc. »

Dietz acquiesça de la tête.

« Cependant, reprit Carr, si, vous soumettant à des séances répétées, pendant plusieurs jours, plusieurs semaines, plusieurs mois, je sonde votre mémoire et finis par découvrir des souvenirs de petits incidents, de prises de bec — chose des plus communes, même entre les meilleurs amis —, je peux vous suggérer une interprétation tout à fait différente de ces épisodes, les transformer en autant de preuves d'une haine secrète et homicide à votre égard. Je les renforce, j'en fais de véritables obsessions ; enfin, vous avez tellement peur que cet ami vous tue que vous prenez les devants et l'assassinez. Voilà, en gros, la façon dont opère le génie maléfique de Dinsmore. C'est moi, peut-être, qui ai découvert l'importance des effets post-hypnotiques ; mais c'est à Dinsmore que revient le mérite d'en avoir fait une nouvelle branche de la magie noire.

— Et il l'a appliquée sur vous ? demanda le juge.

— Non. Du moins pas pour le moment. Mais sur sa femme, j'en suis certain. Et sur d'autres personnes, je crois.

— Sur Henry Lane ?

— C'est possible. Non. C'est tout à fait probable. Je ne peux pas dire que je l'ai vu de mes propres yeux suggérer à Henry Lane de se suicider. Mais je connais assez cette matière pour vous assurer que cela fonctionne. »

Dietz se tut un moment. Puis il reprit : « Mais il faut que moi-même j'en sois sûr, que j'expérimente sur moi-même l'efficacité de cette technique. M. Carr, il faut que vous me magnétisiez et me suggériez d'accomplir une action quelconque, ce soir, demain, que sais-je ? »

Carr fit une grimace. « Je ne sais pas. Je ne sais pas si je peux le faire moi-même. Je n'ai jamais été aussi doué que Dinsmore, du point de vue pratique.

— Essayez, dit Ransom. Voulez-vous que Dinsmore puisse avoir de nouveau l'occasion de vous magnétiser, de vous dominer ? »

Carr se leva, un peu ridicule dans son accoutrement.

« Je ne sais pas si je peux. Il faut vraiment que je le fasse ?... J'ai juré que je ne le ferai plus jamais.

— A lui ? demanda Ransom.

— Non. A moi-même.

— Faites cette exception. Sinon, il me sera impossible de faire condamner Dinsmore. »

Le vieillard réfléchit un long moment, puis dit tristement : « Après tout, le mal n'est pas bien grand, s'il ne s'agit que d'une seule fois. Mais j'aurai besoin de la bougie. » Il alla la prendre et la mit à côté d'eux.

« Comment pourrai-je savoir qu'elle est l'action que vous m'avez suggérée ? demanda le juge.

— Je le lui dirai, dit Carr, montrant Ransom.

— Non. J'ai besoin d'une preuve plus solide. Une preuve écrite. Tenez », dit-il, en lui tendant un stylographe. « Et voici du papier. » Dietz déchira un feuillet de son agenda. « Décrivez, de la manière la plus précise possible, l'action que vous me suggérerez de faire, puis pliez la feuille et cachetez-la. Comme cela, aucun doute ne sera possible. »

Carr resta un instant pensif, comme faisant un effort de mémoire, puis écrivit quelque chose sur le bout de papier, qu'il plia en quatre et cacheta avec la cire chaude de la bougie. Le juge inspecta ces sceaux improvisés, les jugea satisfaisants et mit la pièce dans la poche de son veston.

« Maintenant, monsieur Carr, si la présence de notre ami n'est pas nécessaire, nous allons le prier de bien vouloir sortir. Je crois que je m'en trouverai mieux. »

Minna, la gouvernante allemande de Carr, qui avait été réveillée par ce remue-ménage, avait allumé une bougie dans la cuisine. Ransom s'assit à la table et se mit à regarder par la fenêtre la lune qui se couchait, terne derrière des nuages pommelés. Il pleuvra demain, se dit-il ; à moins qu'il ne neige, avec ce froid. Quel hiver précoce, et rigoureux ! On n'était qu'au début de décembre pourtant. Mais qu'est-ce qu'ils fabriquent, tous les deux ? s'écria-t-il ; ils en mettent du temps. N'ai-je pas été magnétisé en deux minutes, moi ? Et si Dietz faisait partie des quatre pour cent de réfractaires ? Ça, ça serait bien de lui ! Et si Carr avait perdu ses pouvoirs ? Ah ! et puis zut ! Sans effort, il détourna ses pensées sur Carrie Lane. Qu'elle était belle à regarder pendant le dîner ! Un peu fatiguée, certes, mais maintenant qu'elle s'était épanchée, la tension qui tordait ses traits avait disparu. Et elle semblait rajeunie, bien plus jolie. C'était dur, de croire à tout ce qu'elle avait dit...

Son esprit commença à battre la campagne ; il avait sommeil ; il essaya de se retenir, mais bientôt sa tête tomba sur ses bras croisés sur la table. Quelques instants plus tard, Dietz le tira de sa torpeur.

« Debout, James. On rentre ! » Dietz sortit le billet cacheté de sa poche intérieure et l'observa. « Dites-moi : y voyez-vous quelque chose de changé ? »

Ransom l'inspecta. Les yeux lui piquaient. Non : tout semblait comme avant.

« Quand dois-je l'ouvrir ? demanda le juge à Carr.

— Lorsque vous serez rentré chez vous et aurez salué quelqu'un », répondit le viel homme. Il semblait incertain, et surtout épuisé.

« Vous a-t-il magnétisé ? demanda Ransom.

— Je crois. Il y a un laps de temps d'un quart d'heure environ dont je ne me souviens absolument pas. »

Dietz se dirigea vers la porte d'un pas martial, ne dit

même pas au revoir mais attendit, sans parler, que Carr déverrouillât la porte. Puis il enfourchèrent leur monture et partirent.

Après ce petit somme Ransom avait recouvré toute sa présence d'esprit. Il se découvrait même une acuité de perception qu'il n'avait pas eue à l'aller : il distinguait les moindres objets que la lune effleurait de ses derniers reflets. Il essayait de concentrer toute son attention sur les choses : l'air gelé, les bornes qui défilaient le long du chemin, l'horizon bas, etc., afin de ne pas penser à la seule question qui le préoccupait. Dietz exécuterait-il l'action qui lui avait été suggérée ? L'épreuve était imminente, si le billet de Carr devait être ouvert peu après leur retour chez les Dietz... Ah ! la ville se dessinait déjà dans le noir. La cité était plongée dans l'obscurité la plus complète — à cette heure-là, c'était normal — à part quelques réverbères rue Center, et la lueur vive de deux longs becs de gaz de part eu d'autre de la grande porte d'entrée de chez les Dietz. Curieux : le retour était toujours plus rapide que l'aller.

Ransom essayait de dominer son anxiété ; il s'était mis à trembler en mettant pied à terre. Ah ! s'il avait su ce que le juge était censé exécuter ! Il aurait pu l'aider, forcer un peu la situation.

Arthur leur ouvrit la porte sans dire un mot et prit leurs manteaux. Rien encore ne s'était produit.

Dietz fouilla dans sa veste pour trouver le billet cacheté.

« Et maintenant, voyons un peu ce qu'il y a d'écrit là-dedans », dit-il sur un ton bourru. Il était sur le point de briser les cachets, lorsque Lavinia arriva dans l'entrée.

« Enfin, vous voici ! dit-elle. Dieu merci ! Je me suis fait un sang d'encre. Pourquoi ne m'as-tu pas dit que vous sortiez ?

— *Buona notte*, dit le juge, se penchant sur la table de l'entrée pour y appuyer le billet. *Lasciaci soli, per favore, ché abbiamo da fare.*

— Ça alors ! s'exclama-t-elle. Depuis quand parles-tu italien ? »

Dietz releva les yeux. « Que dis-tu ?

— Mais si ; je viens de t'entendre. Vous aussi, vous l'avez entendu, n'est-ce pas, James ? »

Mais avant que Ransom eût pu dire un seul mot pour confirmer ce que disait la maîtresse de maison, Dietz avait ouvert le billet et s'écriait : « Bon sang ! » Puis il jeta le bout de papier sur la petite table et se précipita dans sa bibliothèque. « Arthur ! Prends un vêtement et viens ici !

— Vous l'avez bien entendu parler italien ? demanda-t-elle.

— Oui, oui », répondit rapidement Ransom, se jetant sur le billet. Il lut :

Lorsque vous serez arrivé chez-vous vous adresserez les mots suivants au premier membre de votre famille qui viendra vous saluer : Buona notte. Lasciaci soli, per favore, ché abbiamo da fare. *Je vous aurai répété ces mots plusieurs fois de manière que vous les prononciez correctement.*

La signature de Simon Carr s'étalait juste au-dessous de ces lignes.

Ransom entra dans la bibliothèque. Dietz écrivait frénétiquement quelque chose.

« Carl, veux-tu me dire enfin ce qui se passe ? dit Lavinia d'une voix angoissée. James, pouvez-vous m'expliquer...

— Tiens ! » dit le juge, s'adressant à son factotum, tandis qu'il cachetait une enveloppe. « Porte ça à Eliot Timbs. S'il n'est pas à son bureau, ni chez lui, fais-le chercher partout. Je veux absolument qu'il prenne connaissance de ça tout de suite. Lavinia, est-ce que Mme Lane est toujours ici ?

— Bien sûr. Mais qu'est-ce qui se passe ?

— M. Ransom a obtenu ce qu'il voulait.

— Ce qu'il voulait ? » Sans sortir de la pénombre, elle regarda Ransom.

« Oui. Et comme tu me vois, j'ai été purement et simplement magnétisé. Faites-lui voir ce billet, James. De ma vie, je n'ai jamais su un seul mot d'italien.

Elle lut ; mais elle semblait toujours ne rien comprendre. « Qu'est-ce que cela veut dire ?

— Cela veut dire, traduisit Ransom, "Bonne nuit. Laisse-nous seuls, s'il te plaît. Nous avons une affaire importante à régler."

— Tu vois ? dit le juge, se rasseyant. Alors, va te coucher, s'il te plaît. »

Vers midi, le lendemain, les petits nuages noirs, rapides, qui cherchaient à rattraper la lune la nuit précédente s'étaient fondus en une grande chape blanche, recouvrant tout le ciel. Depuis le matin, la température oscillait d'un degré toutes les heures : il était difficile de prédire dans quel sens évoluait le temps.

« Il va neiger », disait Mme Page, apportant dans la cuisine un jambon fumé qu'elle était allée chercher dans la dépense. « Il fait une humidité et un froid, dehors ! Pour être sortie une minute, je suis toute couverte de givre. »

Tout cela dit en guise d'avertissement à Ransom qui était dans le vestibule et se préparait à sortir. Le procureur la remercia de loin, et ouvrit immédiatement la porte, de peur qu'elle ne vînt vers lui et engageât la conversation. Bah ! se dit Ransom, un peu honteux de fuir ainsi son hôtesse. Murcott lui en aura dit assez, déjà, pour satisfaire sa curiosité ; le médecin n'est pas un imbécile, sans aucun doute il a déjà tout compris.

Je n'ai le temps d'expliquer à personne, pour le moment, mes continuelles allées et venues, tout le travail que j'ai eu à faire, l'autre soir, mon comportement un peu fébrile et toutes les choses curieuses qu'ils auront tous remarquées, évidemment. Mais il n'y avait pas que cela. Ransom craignait de gâcher l'excellente humeur dans laquelle il se trouvait en expliquant les raisons de sa grande activité au reste des mortels. J'ai l'impression d'avoir vingt ans, s'était-il dit, plus tôt dans la matinée, en sifflotant, alors qu'il regardait son image dans le miroir à barbe, mettait une chemise rayée, un col tout neuf et, malgré la saison, un coquet nœud papillon rouge. Tout à fait comme un jeune homme se préparant à aller faire les beaux yeux à quelque belle. Ce qu'il se préparait à faire, d'ailleurs, dans un certain sens, puisqu'il allait rendre visite à Carrie Lane chez les Dietz. Désormais, elle était complètement hors de danger, car Dinsmore venait d'être arrêté.

Malgré le froid mordant, Ransom, tout en marchant, ne pensait qu'à son bonheur. Arthur vint lui ouvrir, et Ransom alla directement dans le petit salon pour saluer les dames, laissant Dietz à ses lectures. Il l'avait bien assez dérangé hier.

Mais, dans le petit salon, il n'y avait que Lavinia. Prévenant les questions dont elle allait l'assaillir, Ransom s'enquit immédiatement de Mme Lane.

« Elle est partie, répondit Lavinia.

— Partie ? Et où ça ?

— Elle est retournée chez elle. Rina l'a accompagnée, ce matin, tout de suite après le petit déjeuner. Ah ! elle me manque déjà. Quelle femme ravissante, James ! Un vrai bijou ! »

Ransom allait l'interroger sur les raisons de ce départ inattendu quand la voix autoritaire du juge retentit dans le couloir.

« Salut, James ! dit-il en entrant dans le salon. Nous avons fait ce que nous avons pu. »

Que pouvait-ce bien signifier ?

« Comment ? Dinsmore n'a pas été arrêté cette nuit ?

— Si. Mais cet âne bâté de Timbs s'est contenté de le mettre en résidence forcée, dans son appartement à l'hôtel Lane. Et évidemment, j'ai vu Applegate rappliquer dès six heures du matin. Il voulait savoir à combien je fixais la caution.

— Ainsi, vous avez remis Dinsmore en liberté ?

— Que pouvais-je faire d'autre ? Dites-le moi ! Applegate avait un chèque en blanc signé par Mme Lane. Dinsmore devait lui en faire signer une demi-douzaine à la fois. Si bien que j'étais coincé. J'ai exigé une somme énorme : Applegate a blêmi, je dois le dire, mais il a rempli le chèque. Vous voyez : il n'y avait vraiment rien à faire. James ! Où courez-vous ? »

Ransom avait remis son chapeau et son pardessus. « Je n'y crois pas. Et puis, pourquoi l'avez-vous laissée partir, elle, sachant qu'il est toujours en liberté ?

— Attendez une minute, tête de mule ! Dinsmore ne peut être remis en liberté qu'au bout de vingt-quatre heures. C'est-à-dire pas avant minuit ce soir.

— Qu'importe ? Il s'en est tiré. Désormais elle court un danger dix fois pire. C'est évident, non ?

— Que voulez-vous que j'y fasse ? Que j'ordonne qu'on l'empêche d'approcher de chez elle ? Mais comment puis-je faire exécuter cette ordonnance avec un shérif idiot et un shérif adjoint nègre ?

— Il faut l'installer dans un endroit sûr.

— J'y ai déjà pensé. Je mets à sa disposition notre maison de campagne, à Plum Creek. Et elle est d'accord. Rina l'accompagnera et rentrera avec elle. Alors, calmez-vous, je vous en prie. Même si Dinsmore apprend où elle se trouve, il ne pourra aller la voir. Plum Creek est à l'extérieur du comté : or, il est interdit à Dinsmore d'en sortir, désormais. Si jamais il le fait, je le fourre en prison jusqu'au procès.

— Comment se fait-il que vous ayez décidé de le remettre en liberté sous caution ?

174

— C'est que j'y suis obligé. C'est la loi. La caution ne se refuse que lorsque l'inculpé est un criminel dangereux.

— Mais Dinsmore ne s'est-il pas enfui de Chicago, alors qu'il était déjà en liberté sous caution ? dit Ransom. J'en ai la preuve.

— Je sais. Mais cinq ans sont passés depuis. Et c'était dans un autre Etat. Ecoutez-moi, James ; Dinsmore n'est plus un gamin, comme vous avez l'air de le croire.

— Vous le connaissez mieux que moi, maintenant ?

— Ecoutez-moi, que diable ! Applegate est déjà en train de remuer ciel et terre. Jeffries aussi. Je peux vous assurer que le *Star* de Center City, dans son édition de demain, ne sera pas tendre pour nous. Ce crétin de Jeffries a préparé un petit éditorial... Il me l'a lu. Il nous accuse de mener une politique réactionnaire, de défendre nos privilèges contre les nouveaux venus. Je vous ai dit que ça serait la guerre. Ce maudit journaliste a jeté son dévolu sur moi, depuis qu'il est arrivé ici. Avec ce procès, nous lui avons enfin donné l'occasion de m'attaquer. Il appelle votre acte d'accusation un tissu de mensonges et d'allégations ridicules, il a beau jeu évidemment de railler cette histoire de magnétisme. Bien plus que Henry Lane ne le fut jamais, Dinsmore semble être l'homme dont des andouilles tels que Jeffries, Applegate et Mason ont besoin pour m'enlever le peu de pouvoir que j'ai.

— Mason aussi ?

— Voulez-vous lire la lettre qu'il vient de me faire parvenir ?

— Pouvez-vous les accuser d'entraver le libre cours de la justice ?

— Bien sûr que je le peux. Je peux même accuser tout le comté, si je le veux. Mais évidemment, je m'en garderai bien. Dinsmore respectera son engagement, croyez-moi. Il est trop sûr de son fait. Il sont tous allés le voir, là-bas, à l'hôtel Lane, et sont en train de fêter l'événement. Je vous conseille de bien préparer cette affaire. Prenez tout le temps qu'il faudra. Ne négligez aucun détail. Il faut que tout se tienne !

— Ça se tiendra », répondit Ransom. Puis il sortit.

Lorsqu'il se retrouva dans la rue, il regretta de ne pas avoir pris Golden avant de venir. Il eût voulu courir, pour être tout de suite chez Carrie Lane. Mais il se contenta de marcher du plus vite qu'il pouvait. Il évita l'hôtel Lane — devant lequel il passait, normalement —, remonta la rue du Dakota jusqu'à l'avenue MacKinley, et de là coupa à travers les prés gelés qui s'étendaient au-dessous de la rue Montante. Lorsqu'il arriva en haut des marches, devant la porte, il était hors d'haleine. Il souffla un certain temps avant de frapper.

Il lui semblait entendre du bruit dans l'entrée, mais il dut frapper plusieurs fois avant que Mme Ingram vînt lui ouvrir. Elle avait un air tout à fait rébarbatif.

« Eh bien ? Qu'y a-t-il ?

— Je voudrais voir Mme Lane », répondit Ransom, intimidé sur le moment par son aspect.

« Elle est occupée en ce moment.

— Voulez-vous me laisser entrer ? » demanda-t-il. Comme elle ne faisait aucun mouvement pour le laisser passer, il la bouscula légèrement pour pénétrer dans le vestibule. Il aperçut deux grosses malles au pied de l'escalier. « Auriez-vous la bonté d'aller dire à Mme Lane que je suis ici ? »

Elle le regarda. « Elle ne veut voir personne ; elle est très occupée.

— Elle m'attend », insista-t-il.

Mme Ingram fit une grimace ; puis elle eut l'air d'une personne qui se rend compte brusquement de la complexité d'une situation : « Ainsi, c'est vous la raison de tous ce remue-ménage ?

— Montez l'avertir que je suis là, voulez-vous ?

— Peut-être pourriez-vous m'expliquer tous ces micmacs ? » dit-elle, heureuse, apparemment, d'avoir trouvé un interlocuteur. « *Primo*, elle découche, ce qui ne lui est pas arrivé depuis trois ans, en me demandant de lui faire parvenir ses affaires pour la nuit. *Secundo*, à peine arrivée ici ce matin, Madame m'annonce qu'elle part pour la campagne. — En plein hiver ? je lui demande. Avouez que mon étonnement est bien naturel. Or, sans même me répondre, elle se précipite à l'étage, tire toutes ses affaires des placards et les entasse sur son lit, donne des ordres à droite à gauche. Et enfin, le comble ! pendant que je range tout ça bien proprement pour ne pas que ça s'abîme, elle m'envoie cette espèce de Norvégienne qui m'ordonne — je dis bien, qui m'ordonne — d'aller chercher des malles plus grandes, parce que Madame n'a pas assez de celles que je lui ai déjà fait porter.

— Je suis sûr que Mme Lane ne demandera pas mieux que de vous expliquer tout cela avant de partir, dit Ransom, cherchant à ne pas la heurter. Tout ce que je peux vous dire, c'est qu'il s'agit d'un moment difficile, et que vous devez faire tout votre possible pour l'aider.

— Un moment difficile ? Mais pourquoi ?

— Allons, restez calme. Mme Lane s'absente parce qu'elle n'est pas en sécurité, ici, à Center City. Mais cette absence ne durera pas longtemps. Je pense, d'ailleurs, que vous devriez imiter son exemple.

— Mais qu'est-ce qu'elle a à craindre, si elle reste ici ?

— M. Dinsmore. Vous savez qu'il a été arrêté cette nuit. Mais il sera remis en liberté ce soir, à minuit.

— Pour moi, monsieur, je n'ai rien à craindre de lui, déclara-t-elle. Et si elle, elle a peur, c'est qu'elle est tombée sur la tête. »

La mère Ingram était plus exaspérante que jamais.

« Voulez-vous dire à votre maîtresse que je suis ici », dit Ransom, renonçant à persuader la gouvernante.

Mais avant que celle-ci, exécutant finalement son ordre, fût arrivée au premier palier, Rina, la bonne des Dietz, apparut en haut de l'escalier, portant une valise et plusieurs boîtes à chapeaux. Apercevant Ransom, elle appela Mme Lane d'une voix forte. Mme Ingram, interloquée, s'arrêta et se retourna vers Ransom :

« Vous l'avez vue ? Elle se croit tout permis ! »

Rina se mit à descendre rapidement. Derrière elle, dans un magnifique habit de voyage en velours cachou, Carrie Lane apparut, une boîte à chapeaux dans une main et un petit sac dans l'autre. Son allure, son teint, ses yeux, tout en elle était brillant, radieux. Elle ressemblait plus à une jeune fille, s'apprêtant à partir pour un grand voyage depuis longtemps désiré, qu'à une veuve contrainte de fuir son foyer.

« Bonjour, monsieur. Que c'est aimable à vous d'être venu me voir ! »

Ransom monta à sa rencontre, s'empara du petit sac et lui prit la main. Elle avait l'air si heureuse, que toute l'anxiété de Ransom disparut. Elle était transformée ; Ransom se dit encore une fois qu'il avait fait ce qu'il fallait.

« Merci, dit-elle. Mais non, je vous en prie ; cette boîte est très légère. Rina, va voir si tu trouves Oscar, pour qu'il t'aide à charger tout ça dans la voiture. Il doit être du côté de la cuisine.

— Il est dans le bûcher, murmura Mme Ingram d'une voix sombre. Il était en train de dormir. Je viens de le secouer.

177

— Merci, Harriet. Mais dépêchez-vous de vous habiller. Nous partons.

— Je reste ici.

— Comment ? Et pourquoi ?

— Je n'admettrai jamais qu'un homme, quel qu'il soit, me chasse de cette maison. Et si vous aviez un sou de jugeote, vous feriez comme moi. »

Une ombre passa sur le visage de Carrie.

« Je vous en prie, Harriet. Vous savez très bien que ce n'est pas tout à fait ça. Allez, venez. Ça sera beaucoup mieux pour nous deux.

— Et qui gardera la maison ?

— Nous la fermerons à clef jusqu'à notre retour.

— Et si on vient nous cambrioler ? Non. Je refuse. Je suis responsable de cette maison. C'est pour cela que le pauvre M. Lane m'avait engagée. J'aurais l'impression de le trahir si je partais. Non. Je reste.

— Vous ne voulez même pas venir avec moi pour me tenir compagnie ? »

Mme Ingram croisa les bras et toisa sa patronne, sans mot dire.

« Je vais me faire du souci pour vous si vous restez seule ici, dit Carrie, essayant un autre type d'argument.

— Je vous remercie. Je sais très bien m'occuper de mes affaires.

— Vous en êtes si sûre que ça ? Bah ! J'espère que vous changerez d'idée. Ce seraient de vraies vacances. Ça vous changerait un peu d'air. Ce doit être si amusant la campagne, en hiver ! »

Mme Ingram gardait le silence et continuait de regarder Carrie d'un air de défi.

Ransom la prit à part. « Je n'ai rien de particulièrement urgent à faire, aujourd'hui. Ce serait un plaisir pour moi de vous accompagner jusqu'à Plum Creek. Si cela ne vous dérange pas, évidemment.

— Mais non, au contraire. Que vous êtes gentil ! dit-elle, sans perdre des yeux sa gouvernante. Vous me ferez compagnie. Lavinia doit me rejoindre demain », ajouta-t-elle, sur un ton plus bas, tandis qu'ils descendaient. Ils entrèrent dans l'affreux grand salon du rez-de-chaussée. « J'aimerais bien quand même pouvoir persuader Harriet de venir. J'ai peur pour elle si elle se retrouve toute seule. Pouvez-vous y faire quelque chose ?

178

— Peut-être va-t-elle changer d'avis après votre départ. Je passerai ici demain si vous voulez.

— Je ne voudrais pas abuser de vos services. Vous êtes trop généreux. Regardez où cela vous a amené, déjà : dans une voiture remplie de malles et de boîtes à chapeaux ! »

Ransom fut heureux de voir que son petit différend avec Mme Ingram n'avait pas altéré sa gaieté.

Rina avait trouvé Oscar, le jardinier, et tous les deux, aidés par le cocher, transportaient les malles du couloir jusqu'à la voiture.

« Vous serez complètement en sécurité, là-bas. Il lui est interdit de sortir du comté.

— Je sais. J'ai bien peur que mon seul ennemi ne soit l'ennui. Enfin, j'en profiterai pour lire une collection de romans que Henry m'a offerte, il y a des années. Je n'ai jamais eu le temps d'en ouvrir un seul.

— Je viendrai vous rendre visite. De toute façon, il faut que nous nous voyions avant le procès. »

Elle se tut. Elle avait ce curieux regard qu'il lui avait vu si souvent ces derniers temps, et dont il ne savait pas s'il exprimait la crainte ou le soulagement.

« Ah ! je crois que ces vacances vont me plaire. Venez tant que vous voulez : vous serez toujours le bienvenu. »

Rina entra dans le salon pour dire que la voiture était prête, que, maintenant, elle rentrait chez ses patrons et rejoindrait Carrie Lane le lendemain avec Mme Dietz.

Carrie la remercia et l'embrassa. Rina partit en courant. Ransom et Mme Lane passèrent dans l'entrée. Mme Ingram les y attendait, l'air glacial.

« Venez. Je vous en conjure, dit Carrie.

— Vous avez bien assez de compagnie comme ça, si j'ose dire. Passer d'un homme à l'autre, comme vous faites, ne... »

Mme Lane leva la main, son visage s'empourpra, mais elle arrêta son geste, et dit calmement :

« N'oubliez pas les palmiers de la serre. Henry les aimait tant. Il faut qu'ils n'aient ni trop froid ni trop d'humidité. » Puis elle sortit sans se presser et descendit les marches.

Mme Ingram s'avança, décroisa les bras. On eût dit qu'elle allait s'excuser. Mais son regard rencontra celui de Ransom, et elle se figea de nouveau.

« Si vous avez besoin de moi, madame Ingram, n'hésitez pas à passer, dit-il. Je suis à votre entière disposition. »

Elle regarda Mme Lane monter dans la voiture, puis,

179

sans saluer Ransom qui lui faisait un signe de la main, ferma brusquement la porte.

Rina avait eu l'heureuse idée de mettre dans la voiture le grand couvre-pied de Carrie Lane. Mais l'intérieur était tellement plein de sacs et de boîtes qu'ils ne voyaient pas comment l'étendre sur leurs jambes.

Comme ils n'avaient pas dit au cocher d'éviter le centre de la ville, celui-ci prit l'itinéraire le plus court pour rejoindre la route du sud et passa devant l'hôtel Lane.

A ce moment-là, Mme Lane, ayant fini de réordonner toutes les affaires qui avaient été mises n'importe comment, se cala au fond de la banquette pour regarder par la fenêtre. Tout à coup, elle eut comme un sursaut de surprise, détourna le visage de la fenêtre et porta les mains à son chapeau pour abaisser la voilette noire.

« Qu'... ?

— Rien », dit-elle, interrompant la question qu'allait poser Ransom. Puis, d'une voix faible, tremblant encore de l'effroi qui s'était emparé d'elle : « J'ai cru qu'il m'avait vue.

— De l'hôtel ? » dit Ransom sur un ton peu convaincu, se retournant pour regarder par la petite fenêtre arrière. Mais ils étaient déjà trop loin. « Il est impossible qu'il ait reconnu cette voiture, dit-il. N'est-ce pas pour cela que nous n'avons pas pris la vôtre ?

— Oui, je sais. Ce n'était sans doute que le reflet d'une lumière sur une des fenêtres. »

Mais, malgré ces paroles raisonnables, elle ne put s'empêcher d'avoir un frisson.

Ranson mit la main sous la couverture et prit celle de Carrie. Elle ne le repoussa pas, mais devint étrangement calme, pensive. Elle avait relevé sa voilette, mais ses beaux yeux étaient ailleurs ; elle semblait presque triste.

Lui, au contraire, jubilait. Non seulement parce qu'il était assis à côté d'elle, mais parce qu'il l'avait sauvée. Il ne dépendait que de lui, désormais, que ces forces qui l'avaient asservie et détruite ne pussent plus jamais la retrouver. Dinsmore pouvait toujours avoir le soutien de toute la ville, de tout l'Etat ; Mme Ingram pouvait rager tout ce qu'elle pouvait ; mais Carrie serait libre. Libre, et pour lui. Inconsciemment, il renforça l'étreinte de sa main.

« Oui ? » Elle le regarda. « Qu'y a-t-il, James ? »

James ! Elle l'avait appelé par son nom ! Pour la première fois ! Il lui prit le bras, et montra du doigt le paysage.

« Regardez. Il neige. »

Ç'avait d'abord été quelques rares flocons voltigeant incertains, puis un pullulement de points blancs virevoltant, provenant de tous les côtés, surgissant du néant. Mais à mesure qu'ils grossissaient, leur danse s'assagit en une simple et majestueuse chute. Ils tombaient, tombaient, de plus en plus denses, de plus en plus pleins ; et bientôt le ciel morne disparut derrière leur grand rideau blanc. Ransom et Carrie regardaient tous les deux ce spectacle par la fenêtre givrée, sans mot dire, unis dans un émerveillement enfantin.

Livre III

LE PROCÈS

(Début printemps 1900)

« Ah ! que cet exil me plaît ! Plum Creek me manquera énormément, vous savez.

— Comme je vous comprends, répondit Ransom.

— Tiens ! Et moi qui m'attendais à me faire taxer encore une fois de sentimentalisme !

— Allons ! Ne voyez-vous pas que je me suis épris de cet endroit, moi aussi ? J'espère bien que Lavinia vous invitera encore à venir ici, après le procès. On sera alors au printemps ; ce sera merveilleux. »

Carrie Lane referma son livre. C'était un recueil de poèmes de Tennyson. Elle venait d'en lire plusieurs à Ransom ; mais les clameurs soudaines des enfants qui jouaient dehors l'avaient interrompue : par la fenêtre du salon, on les voyait sauter autour d'un petit feu de joie au bord de la rivière.

« Ah ! oui. Le procès. Quel ennui ! Rien que de penser qu'il doit avoir lieu un jour ou l'autre...

— Rassurez-vous, dit Ransom. Vous aurez bientôt oublié tous ces tracas.

— Bientôt ? demanda-t-elle.

— Oui. Nous procédons dès demain à la formation du jury. Le procès lui-même s'ouvrira dans une semaine, tout au plus. En fait, nous pourrons commencer avant, dès que les jurés auront été désignés. Et alors, il ne me faudra pas longtemps pour faire condamner Dinsmore.

— Vous m'avez l'air bien sûr de vous.

— Vous ne me croyez pas ?

— Je ne sais pas. Mais je vous crois, ajouta-t-elle avec ferveur. Vous êtes la seule personne en qui j'aie encore confiance.

— Et n'est-ce pas assez ?... En tout cas, le procès sera vite expédié, je vous en donne ma parole.

— Soit ! Je n'y penserai plus », dit-elle, comme si elle

183

s'infligeait une petit blâme. « Voulez-vous que je vous lise d'autres poèmes ? »

Ransom acquiesça d'un signe de tête et se cala au fond de son fauteuil. Au bout de quelques minutes, il cessa de prêter attention aux mots. Il n'entendait plus que le son de sa voix, son timbre chaud et assuré, et le rythme des vers et des strophes qui le berçait et l'apaisait.

Il eût voulu dissiper toutes ses craintes. Mais en avait-il le droit ? L'affaire n'avait cessé de se compliquer, tout au long de l'instruction. Il était bien placé pour le savoir. Ce procès était devenu d'une importance capitale, non seulement pour les parties directement en cause, mais pour tout le monde, à Center City. Il avait comme précipité toutes les inimitiés, toutes les querelles, tous les antagonismes latents.

Les petits fermiers et les boutiquiers — soit la majeure part de la population — avaient compris que ce procès n'était pas une affaire purement judiciaire, mais qu'il devait aussi apporter la preuve de leur force ou de leur impuissance contre les gros propriétaires terriens, les banquiers et les politiciens qui avaient apporté leur soutien à Dinsmore. La polarisation des deux groupes s'était accentuée au cours de l'hiver, et leurs conflits avaient animé cette période, d'ordinaire si calme.

Dinsmore, ouvrant le feu, avait annoncé sa décision de mécaniser les exploitations agricoles de Lane : il avait déjà commandé à Indianapolis des charrues tractées et des moissonneuses-batteuses automatiques. Une demi-douzaine de ces machines étaient arrivées à la gare le lendemain même du premier janvier, et avaient été déchargées à grand renfort de publicité. Le journal de Joseph Jeffries avait célébré l'événement. L'augmentation de la productivité, disait Dinsmore, cité dans l'éditorial, aurait vite fait d'amortir le coût du nouvel outillage. Ce qu'il se gardait bien de dire — alors que c'était l'unique préoccupation des petits paysans, instruits par l'exemple des Etats de l'Est — c'est que ces machines permettraient non seulement de réduire à quelques jours la durée des semailles, mais de rentrer la moisson et de l'expédier à Chicago avec plusieurs semaines d'avance. Si la récolte était bonne — le *Farmer's Almanach* prédisait même des résultats exceptionnels —, Dinsmore pourrait décider d'abaisser ses prix, et ce serait la mort pour ceux dont la marge bénéficiaire était déjà réduite.

184

Moins d'une semaine après l'arrivée des moissonneuses-batteuses, les Graineteries Lane avaient annoncé une hausse de prix sur tous leurs articles, y compris le fourrage. Cette initiative déchaîna la colère des petits paysans, dont les réserves étaient au plus bas en cette période de l'année. En signe de protestation, une douzaine d'entre eux avaient acheté leurs semences et leur fourrage dans une autre ville. Compte tenu des frais de transport, ils avaient dépensé autant que s'ils s'étaient servis directement chez Dinsmore, mais l'honneur était sauf.

Puis Dinsmore avait fait construire une bande transporteuse, reliant directement le magasin de Lane aux entrepôts de la gare. Le nouveau dispositif, que tout le monde put observer, car il passait au-dessus de la rue Emerson, ne faisait pas grande impression : il était en bois, grinçait dans toutes ses articulations et semblait à tout moment sur le point de se bloquer. Néanmoins il fonctionnait, et chacun se rendit compte que cette innovation allait jeter sur le pavé une demi-douzaine d'ouvriers journaliers.

Dans tous ses déplacements, Dinsmore utilisait la grosse Réo étincelante de Henry Lane. Mason, le banquier, suivant son exemple, s'était acheté une luxueuse Oldsmobile marron. Et Jeffries, battant la grosse caisse, avait publié un nouvel éditorial dithyrambique : dans cinquante ans, déclarait-il, plus personne n'utilisera le cheval pour se déplacer. Transports publics et privés, acheminement des marchandises, tout sera assuré par des voitures, des camions et des omnibus automobiles : l'ère du moteur à explosion venait de commencer. Beaucoup de lecteurs en firent des gorges chaudes ; les plaisanteries fusaient chaque fois que l'on voyait une des deux automobiles déboucher d'une rue en bringuebalant. Mais, au fond, on s'était mis à avoir peur des innovations de Dinsmore.

Un mois auparavant les petits paysans avaient organisé leurs premiers comices agricoles depuis vingt ans. Cette fois, l'ennemi n'était plus l'éleveur de bétail, mais Dinsmore et ses suppôts. Durant trois jours, ce n'avait été que discours enflammés, doléances et lamentations, appels à l'unité, plans fumeux pour vaincre l'ennemi commun, mais, comme d'habitude, on s'était séparé sans que rien de concret eût été accompli.

Quelques jours plus tard, la chambre de commerce avait tenu son assemblée annuelle. Cal Applegate y présentait la candidature de Dinsmore à la présidence. La réunion avait rapidement dégénéré : les participants s'accablèrent d'insultes, et les coups ne furent évités que de justesse. Le parti anti-Dinsmore finit par l'emporter, mais à une très faible majorité. Le lendemain, évidemment, Jeffries dénonçait en gros caractères les « éléments réactionnaires » et autres « tenants du Moyen Age » qui avaient provoqué la défaite du successeur de Lane. Mais la popularité de Dinsmore avait stupéfié Ransom, et bien d'autres avec lui. Car l'homme était inculpé de meurtre, et nul ne l'ignorait.

Le pire, pensait Ransom, c'était que toutes les innovations de Dinsmore tendaient à augmenter la puissance économique de la famille Lane, et donc à léser les intérêts de la majorité de la population : ce fait ne pouvait manquer d'influencer défavorablement l'accueil que le jury réserverait à Mme Lane.

Après avoir réussi à faire inculper Dinsmore, Ransom aurait voulu qu'on lui retirât la direction des diverses entreprises de la maison Lane. Mais sur ce point, le juge Dietz s'était montré inflexible. De toute façon, aucune transaction ne pouvait se faire sans la signature, et donc l'accord, de Carrie Lane. Unique concession à Ransom, Dietz avait chargé un expert de vérifier chaque semaine les comptes de la maison Lane. Mais, pour le moment, on n'y avait rien constaté d'illégal ou de contraire aux intérêts financiers de Carrie Lane : aux yeux de Dietz, il n'y avait donc aucune raison d'attaquer Dinsmore sur ce terrain.

Ransom vit dans cette décision une manœuvre purement politique, destinée à ménager les tenants de Dinsmore, autrement dit les familles les plus puissantes de Center City. De fait, Joseph Jeffries cessa bientôt de tirer à boulets rouges sur la magistrature en général, et Carl Dietz en particulier.

Ransom avait eu quelques difficultés à faire accepter à Carrie Lane son interprétation des faits. Mais était-elle vraiment d'accord avec lui ? Ce doute l'assaillait souvent durant leurs conversations. Quoi qu'il en fût, la nouvelle situation présentait des avantages indéniables : Dietz, en effet, avait eu la gentillesse de fournir à Ransom un motif officiel de se rendre à Plum Creek. Par décision du juge, Ransom était la seule personne habilitée à soumettre à la signature de Carrie Lane les lettres et effets de commerce émanant des entreprises de feu son mari. Chaque fois qu'un de ces documents devait être signé, Dinsmore en remettait une

186

copie au juge, lequel — après l'avoir soumise à l'approbation de l'expert — la donnait à Ransom.

Il avait encore d'autres raisons de lui rendre visite : le témoignage de Carrie Lane serait d'une importance capitale pour l'évolution du procès ; aussi ne cessait-il de lui faire répéter sa déposition. Mais ces occupations, professionnelles en quelque sorte, ne suffisaient pas à expliquer tout le temps qu'il passait à Plum Creek.

Trois ou quatre fois par semaine, en fin d'après-midi, lorsque toutes ses autres tâches quotidiennes étaient finies, il parcourait à cheval les trente kilomètres qui séparaient Center City de la petite maison de campagne. Après une si longue chevauchée, il était naturel qu'il restât pour dîner, et même un peu après ; lorsque les sujets de conversations étaient épuisés, ou qu'ils n'avaient plus envie de parler, Carrie Lane lui lisait ses auteurs favoris : quelques poèmes de Tennyson ou de Keats, quelque extrait des romans mi-réalistes mi-populistes d'Elisabeth Gaskell et George Eliot.

Lorsqu'il arrivait plus tôt dans l'après-midi, ils allaient se promener, ou rendaient visite aux autres personnes habitant dans le petit village. Les amusements ne manquaient pas durant l'hiver, à Plum Creek ; si la contrée était trop plate pour qu'on pût y faire du ski, les petites collines qui descendaient doucement vers la vallée offraient des pentes idéales pour la luge, et la rivière gelée grouillait de patineurs.

Certains soirs, le mauvais temps l'empêchait de partir. Il y avait une bonne demi-douzaine de chambres à coucher dans la maison, si douillettement enchâssée dans un pli de terrain que, de loin, elle semblait une excroissance de la petite butte qui la protégeait du vent du nord. Les murs étaient d'une épaisseur imposante ; ils avaient été construits avec d'énormes blocs de pierre que le juge Dietz avait spécialement fait extraire dans une carrière du Colorado voisin, de longs fardiers les avaient acheminés jusqu'à Plum Creek. Le toit, légèrement en pente, était de rondins planés et bien polis, mais sans peinture, liaisonnés au moyen de cette espèce de bourbe desséchée, si commune dans le Nebraska. Aussi faisait-il une bonne chaleur à l'intérieur de la maison ; mais Ransom avait peine à croire le juge et sa femme lorsqu'ils affirmaient que ces murs et ce toit formaient une défense tout aussi efficace contre la canicule de l'été des Plaines.

Tous deux étaient très attachés à leur repaire campagnard : ils y venaient régulièrement, toutes les semaines, du vendredi après-midi au dimanche ou au lundi matin. Carrie ne manquait donc pas de compagnie, d'autant plus que l'on n'oubliait jamais d'inviter Ransom.

Hélas ! cette idylle allait bientôt finir, pensa-t-il brusquement. L'ouverture du procès signifierait le retour de Carrie Lane à Center City, et donc, l'impossibilité de la voir aussi souvent, ou du moins, aussi librement que durant ces derniers mois. Mais ces visites intimes reprendraient une fois le procès terminé, ils n'en doutaient ni l'un ni l'autre. Tout en la préparant aux aspects techniques de ce genre d'affaire, il lui faisait une cour, discrète certes, mais qu'il ne cherchait pas à cacher. Par respect pour elle, étant donné la confession qu'elle lui avait faite, il avait renoncé aux formes traditionnelles ou trop directes : il aurait pu la combler de cadeaux, la harceler de compliments et de déclarations passionnées, comme il l'avait fait vingt ans auparavant avec Florence Poindexter. Mais non, il se contentait de lui offrir sa présence apaisante, son soutien, lui répétant avec assurance que tout irait bien. Cette réserve était la seule forme de courtoisie digne d'un homme mûr et délicat, se disait-il chaque fois qu'il se sentait gagné par l'impatience.

Les limites qu'ils s'étaient eux-mêmes imposées suscitaient parfois en lui un sentiment de frustration tel que certains soirs, au lieu de rentrer directement à Center City, il faisait le détour par la ferme de la veuve Roger. Il était tard ; tout le monde dormait déjà dans la maison depuis plusieurs heures. Mais elle ne protestait jamais, ne refusait jamais de le voir. Elle se levait, passait une robe de chambre et venait ouvrir, encore tout endormie. Sans mot dire, à pas feutrés pour ne pas réveiller les enfants, elle le conduisait dans sa chambre, fermait la porte, le regardait se déshabiller avec précipitation et s'abandonnait à l'emportement de cette passion qui ne s'adressait pas à elle. Jamais elle ne lui demandait d'explications. C'était une femme grande et maigre, aussi fermée et aussi dure que la terre qu'elle travaillait, aidée de ses plus grands fils. Ransom la laissait en général au bout d'une heure ou deux, pour rentrer en ville avant le lever du jour ; l'ardeur qu'elle mettait souvent dans ces relations fugitives l'étonnait, le laissait songeur ; que pouvait-elle vouloir de lui,

188

au juste, et pensait-elle à lui lorsqu'il ne venait pas la voir ?

Après ces « séances », Ransom se sentait satisfait, mais comme dégrisé ; parfois même le remords s'emparait de lui et il se jugeait un débauché. Mais que faire ? Lorsqu'il était avec Carrie, il lui prenait parfois la main : c'était le maximum qu'il pût solliciter. Elle avait témoigné une telle honte de ce qui s'était passé entre elle et Dinsmore que Ransom n'osait même pas essayer de l'embrasser : ç'aurait été lui faire croire qu'il partageait le jugement extrêmement méprisant qu'elle avait porté sur elle-même. Il fallait qu'il attendît, et il attendrait jusqu'à la fin du procès. Alors, il lui demanderait sa main, et, finalement, aurait le droit de la posséder aussi ardemment, aussi pleinement qu'il le désirait.

Soupçonnait-elle la nature de ses pensées, lorsque, comme ce soir-là, ils étaient assis au coin du feu, dans le grand salon, et qu'elle lui faisait la lecture ? Qui eût pu le dire ? Mais elle ne pouvait pas ne pas être consciente de sa beauté. Surtout maintenant, qu'elle s'était complètement remise, qu'elle s'était « honteusement remplumée » lui avait-elle dit, récemment, en passant devant une glace. Alors il n'avait pu réprimer un compliment léger, qui ne laissait entendre qu'une part infime du plaisir qu'il avait à la voir ainsi changée. En fait, elle n'avait jamais été aussi désirable.

Mais cette transformation n'était pas seulement physique ; elle concernait tout son être. Il ne la sentait plus soucieuse, ou absente, comme au début. Elle ne demandait qu'à s'amuser, à rire ; à tout moment, elle s'asseyait au petit piano droit, et chantait en s'accompagnant. Elle ne l'avait plus fait depuis son adolescence, disait-elle. Le stéréoscope des Dietz la fascinait : elle passait des heures à regarder les images que le dispositif particulier de cet appareil rendait si étrangement semblables à la réalité, à la vie. Elle s'était fait une amie de Mme Traverse, la cuisinière des Dietz, qui lui avait enseigné à faire des pâtés et des gâteaux succulents, dont Carrie était très fière. Les enfants du voisinage l'avait élue inspiratrice de leurs jeux. Et lorsque Ransom arrivait, il la trouvait souvent au milieu d'un cercle de bambins, gamins et adolescents, racontant quelque fable ou lisant quelque poème. Et puis elle avait ses propres livres, ceux qu'elle dévorait quand elle se retrouvait seule, en particulier les romans interminables de Ouida. « Je le sais, vous autres hommes désapprouvez ces histoires à l'eau de rose,

189

lui disait-elle, mais moi, j'en raffole » ; et Ransom en commandait une autre demi-douzaine à un libraire d'Omaha.

Il se surprit à rêver un passé impossible : que ne s'étaient-ils connus des années et des années auparavant, avant que ne survînt cette horrible affaire ! Peut-être, alors, ne se serait-elle jamais produite... Cette joie de vivre, que Carrie venait de retrouver, restait bien précaire ; il fallait absolument que Dinsmore fût condamné. Ransom aurait voulu la rendre insensible aux épreuves du procès, la magnétiser en quelque sorte, il aurait voulu qu'elle ignorât tout de cette affaire tant qu'elle ne serait pas terminée. Mais ces pensées furent interrompues, car elle s'arrêta de lire :

« Que c'est beau ! disait-elle.

— Oui... Voudriez-vous me relire ces derniers vers ?

— Voici. » Elle lui tendit le livre. Leurs mains se frôlèrent. « Lisez-les vous-même. »

Il reprit donc le poème de Tennyson, un peu avant la fin :

... Que ta voix s'élève
Comme un jet d'eau pour moi nuit et jour.
Les hommes, en quoi sont-ils meilleurs que les moutons
Et les chèvres, qui tout le jour broutent
Sans que nulle lueur imprègne la nuit de leurs cervelles,
Si leurs mains n'élèvent pas vers Dieu une prière
Pour eux-mêmes et pour ceux qui les aiment ?

Des moutons et des chèvres, l'image est bien choisie, se dit Ransom. Lui aussi, il élèverait sa voix pour elle, comme un jeu d'eau, nuit et jour s'il le fallait. Il brûlait de le faire, de commencer le procès, de dénoncer les outrages qu'elle avait subis et de voir Dinsmore et ses acolytes morts de honte.

« J'aimerais bien... dit Carrie, sans achever sa phrase.

— Que vouliez-vous dire ?

— ...Que nous puissions rester ici, vous et moi, sans être obligés de retourner là-bas. Parfois, je serais presque disposée à lui laisser tout, tout !

— Mais ne m'avez-vous pas promis que vous cesseriez de vous faire du mauvais sang ?

— C'est vrai, vous avez raison. Je ne sais plus ce que je dis. »

« Etes-vous prêts, Messieurs ? demanda Alvin Barker, le greffier. Puis-je faire entrer le jury ? »

Ransom répondit qu'il était plus que prêt, tandis que Cal Applegate asquiesçait d'un signe de tête. Barker se leva et alla ouvrir la porte de gauche. Les douze hommes choisis pour juger Dinsmore firent leur entrée. La salle était pleine à craquer. Un brouhaha continu montait du parterre, se déversait des tribunes. Des saluts furent échangés entre les jurés et le public, mais, alors que la foule, surexcitée, bouillait de curiosité et d'impatience, les douze hommes qui venaient de s'installer sur leurs bancs, à gauche de la salle, semblaient d'humeur particulièrement sombre.

Comment eût-il pu en être autrement, pensa Ransom, après les événements qui avaient déjà marqué la formation de la liste et avaient donné à ces hommes un avant-goût du procès qui allait s'ouvrir ? Ce ne serait pas une de ces affaires « pépère » où l'on pouvait discuter librement les témoignages et les pièces au fur et à mesure qu'ils étaient produits, comportement assez fréquent, chez les jurés, durant les procès ordinaires.

Ransom lui-même avait dû vite déchanter. La formation du jury avait toujours été une de ces affaires courantes que l'on expédiait en une matinée, tout au plus. Mais cette fois, Cal Applegate était passé immédiatement à l'attaque, sans perdre une minute. Il n'avait pas hésité à récuser les uns après les autres les cinq premiers jurés tirés au sort. Le premier — Helmut Lucas, un riche fermier — parce qu'il avait été l'un des porte-parole du comice agricole et avait boycotté publiquement les Graineteries Lane lorsque Dinsmore avait relevé le prix des semences. Le second, James Bowman, un habitué du bar de Bent, parce qu'il était resté sans travail après l'installation du fameux transporteur automatique.

Applegate avait continué sur ce ton durant toute la première matinée. Lorsque Barker ajourna la séance, Ransom se rendit soudainement compte que la partie pouvait être définitivement perdue s'il ne réagissait pas immédiatement. Eh bien, se dit-il, si Applegate veut la guerre, il l'aura, et pas de quartiers ! Aussi son premier acte, au début de l'après-midi, fut-il de récuser le sixième candidat, Andrew Jefferson, un Noir qui travaillait comme serveur à l'hôtel Lane ; et il agit de même avec les deux suivants, pour des raisons analogues. Lorsque enfin il eut accepté la candidature d'Abraham Mattis, l'entrepreneur des pompes funèbres,

Applegate lui signifia son accord, sans contestation et en lui adressant un sourire glacial. Mattis, ayant été le premier choisi, devenait par là même le chef du jury.

La bataille continua ainsi pendant quatre jours. Ransom et Applegate récusèrent quarante-trois noms. Il fallut convoquer trois collèges de vingt-cinq jurés chacun. Pour la troisième place, quinze candidats défilèrent avant que la défense et l'accusation tombassent d'accord.

Ransom avait été extrêmement irrité par l'attitude d'Applegate, et maintenant, il ne savait trop qu'en penser. Jamais personne ne l'avait contraint à de tels ergotages. Dès le début, il avait dû se tenir sur la défensive, tandis que son adversaire pourfendait chaque juré avec une agressivité et une finesse insoupçonnées. Ce n'était pas la première fois qu'il avait affaire à Applegate : l'avocat n'avait jamais témoigné grand intérêt pour cette procédure préliminaire. Non qu'il fût un mauvais juriste ; mais il n'avait jamais donné dans la chicane.

Or, cette fois, il semblait impossible de trouver, non seulement à Center City, mais dans le comté tout entier, les douze hommes remplissant les conditions d'impartialité nécessaires. Le matin du troisième jour, Applegate suggéra de renvoyer l'affaire devant un autre tribunal ; mais Dietz rejeta cette proposition, et, irrité par ces lenteurs, vint présider personnellement la sélection des jurés.

Le jury, en principe, devait être constitué de douze hommes honnêtes et impartiaux. En fait, chacune des deux parties voulait des hommes à elle. Ce qui n'était pas difficile, dans une ville aussi divisée par le procès. Le problème, justement, était de trouver des hommes qui fussent acceptables tant par la défense que par l'accusation. Aussi la moitié des jurés provenaient-ils d'ailleurs ; ces hommes n'avaient sans doute jamais entendu parler de Dinsmore ; quant à l'autre moitié, elle réunissait les rares citoyens de Center City qui, apparemment, n'avaient aucun intérêt personnel à servir la maison Lane ou à lui nuire.

Les douze élus constituaient un échantillon assez fidèle de la population de Center City et de ses environs, que ce soit du point de vue de l'âge, de la situation sociale ou de la nationalité d'origine. Mais comment pensaient-ils ? Quelles étaient leurs opinions ? Ransom, qui les fixait les uns après les autres (on attendait l'ouverture des débats), aurait bien été incapable de le dire ; une chose au moins était sûre : Applegate n'en savait pas plus que lui. Ransom devrait épier toutes leurs réactions, ainsi réussirait-il peut-être à deviner leurs sentiments. Il se mit à passer mentalement en revue leurs comportements éventuels, et, déjà, il s'interrogeait sur la signification qu'il devrait leur donner. Pour le moment, tous étaient à la fois amis et ennemis en puissance.

Que penser, par exemple, d'Abraham Mattis, l'entrepreneur des pompes funèbres ? Cela faisait des années que Ransom le rencontrait régulièrement aux veillées mortuaires et aux enterrements. Mais que savait-il de lui, au fond ? Qu'il travaillait dur, était très réservé, parfois même carrément rébarbatif, qu'il était marié depuis vingt-cinq ans, était resté sans enfants, avait pignon sur rue et venait d'acquérir un petit ranch dans les environs. Et c'était tout. Or, le sort avait voulu que cet homme devînt le chef du jury. Quant aux autres, il les connaissait encore moins bien : il y avait Bernard Soos, l'ancien barbier, l'un des vieillards les plus bavards de la ville (mais, depuis qu'il avait accédé à la dignité de juré, il était devenu, au dire de Floyd, « muet comme une carpe et franchement infréquentable ») ; Anthony Pulver, vingt-cinq ans, l'assistant du pharmacien, perpétuellement en quête de la femme idéale ; Caldwin Bain, trente-trois ans, caissier à la Centennial Bank de Mason, et grand amateur de chevaux et de sports équestres. C'était le type même de l'homme insouciant. Que pouvait bien lui importer la mort de Henry Lane, le salut de Carrie Lane ou l'avenir de Center City ? Enfin, il y avait Ned Taylor, le camionneur de la boulangerie, quarante ans, père de famille, sans aucune passion ni aspiration manifestes. Ces cinq hommes, Ransom les connaissait au moins de vue et les saluait lorsqu'il les rencontrait dans la rue. Les sept autres, au contraire, lui étaient totalement inconnus.

Ransom fut bien obligé de conclure que ce jury n'avait rien de stimulant ; aucun de ces hommes, semblait-il, n'était capable d'imaginer autre chose que son train-train quotidien. Face à de tels jurés, il allait falloir mobiliser toutes les armes de la rhétorique et de la psychologie, tout rendre clair comme de l'eau de roche, recourir moins à la logique qu'à la répétition, faire appel à leurs valeurs morales, et ne pas hésiter à jouer sur les sentiments.

Mais ce qu'il y avait de plus troublant, c'était la métamorphose d'Applegate. L'avocat considérait-il son avenir comme lié à celui de Dinsmore ? Ou avait-il été magnétisé par lui ? Cette dernière hypothèse, dont Ransom n'arrivait pas à se défaire, était bien plus sinistre. Si elle était juste, Applegate allait être cette fois un adversaire redoutable, d'autant plus que Dinsmore, durant tout le procès, serait assis juste à côté de lui.

Un martèlement prolongé interrompit ces réflexions : Alvin Barker, ayant saisi le marteau du juge, demandait à la salle de se taire. Le boudonnement des voix cessa peu à peu ; les discussions restèrent suspendues, laissant la place à un grand silence interrogateur. Des rumeurs rapportant les difficultés rencontrées dans le choix des jurés avaient commencé à filtrer dès le premier jour. On n'en était pas revenu. Aussi tout le monde en ville s'attendait à un procès sensationnel ; des hommes, des femmes, et même des enfants, attirés en grand nombre, avaient afflué à l'audience comme s'il se fût agi d'un cirque ou d'une fête foraine. Ransom était écœuré : il voyait la loi foulée aux pieds, le procès ravalé au rang d'un vulgaire spectacle. Avec ce que je vais leur dire aujourd'hui, pensa-t-il, ils auront en tout cas de quoi alimenter leurs conversations !

Barker annonça « La Cour ! » Le crissement de mille chaussures lui répondit : tout le monde était debout. La porte de droite s'ouvrit, Dietz apparut, gagna rapidement son siège, et, jetant sur la foule un regard désapprobateur, déclara l'audience ouverte. Sans perdre un instant, il adressa quelques mots d'avertissement au public et aux représentants des deux parties : il entendait que le procès se déroulât dans le plus profond respect de la loi. Puis il s'assit.

Le greffier se mit à lire l'ordre du jour, et Ransom utilisa ce nouveau temps mort pour repasser dans son esprit les principaux points de son discours d'ouverture. Il l'avait déjà récité par deux fois avant de venir, devant son miroir à barbe ; mais le procureur savait aussi improviser, et il avait laissé la porte ouverte aux améliorations que pouvait lui dicter l'inspiration.

En face de lui, Dinsmore reculait légèrement sa chaise par rapport à celle d'Applegate, afin d'appuyer le dossier incliné contre la balustrade de bois sculpté qui séparait le tribunal du public. Lorsqu'il eut trouvé la position juste, il s'installa commodément, les jambes croisées et le tronc légèrement abandonné en arrière. Qui se serait douté que cet homme détendu, et d'une élégance exquise,

194

était le scélérat que Ransom s'apprêtait à dénoncer ? Dinsmore tablait sur son apparence, c'était un bon calcul.

« La parole est à l'accusation. »

Comme Ransom se levait, il vit Applegate se pencher vers son client. Celui-ci tourna vers Ransom ses deux yeux bleus perçants et inclina la tête en signe de salut. Sans lui répondre, Ransom commença :

« Votre Honneur, Messieurs du jury, Mesdames, Messieurs.

« En ma qualité de représentant de l'Etat souverain du Nebraska, de procureur de l'Etat dans le comté de Kearney et de citoyen de Center City, j'accuse le sieur Frederick L. Dinsmore, d'une part d'avoir volontairement provoqué la mort de Henry Lane domicilié, ci-devant rue Montante au numéro dix-huit, le 17 avril 1899, d'autre part d'avoir fait un usage criminel d'un genre spécial de manipulation mentale aux dépens de la personne de Mme Carrie Lane, dans le dessein de s'assurer sa situation actuelle de directeur général des diverses entreprises ayant appartenu au défunt. »

Ransom s'arrêta un instant pour sonder le silence. Puis il reprit :

« L'accusation s'appuie non seulement sur le témoignage des personnes qui ont été magnétisées par l'accusé, et que nous citerons durant ce procès, mais sur les écrits de tous les savants qui ont étudié cette étrange technique de manipulation mentale et ont conclu à son efficacité ; ces témoignages nous permettront, nous permettent d'affirmer que l'accusé, faisant un usage maléfique de ses dons exceptionnels, a volontairement plongé dans la détresse et l'angoisse non seulement Henry et Carrie Lane, mais aussi sa propre femme, aujourd'hui décédée, et son propre maître, celui que tout le monde, ici, croyait son assistant. Nous montrerons enfin que tous ces crimes font partie d'une machination minutieusement ourdie par l'accusé et dont le but est le pouvoir économique et la domination sur notre société. »

Cette fois le silence fut rompu. Divers bruits de bouche ou de gorge exprimaient l'étonnement du public. Ransom tourna le regard vers les jurés : ils semblaient tous attristés, bien plus que choqués ou scandalisés. Seul Bain, l'amateur de chevaux, conservait son air inexpressif et hautain. Très bien, se dit Ransom, continuons :

« Au cours de ce procès, Messieurs les jurés, il vous arrivera d'entendre des personnes dignes de foi témoigner sous la foi du serment des faits qui mettront à rude épreuve vos croyances et vos certitudes. Je vous prie de réserver votre opinion et de ne rien rejeter qui pourrait vous sembler absurde tant que vous n'aurez pas tout entendu. Vous avez sans doute déjà assisté à des expériences de magnétisme — dans les foires, par exemple — et toujours cru qu'il s'agissait d'une pure supercherie, comme je le croyais moi-même jusqu'à ces derniers temps. Or, vous serez amenés vous aussi à abandonner cette croyance, car le magnétisme est en fait une force bien réelle, étrange et insidieuse, et qui donne un pouvoir immense à celui qui sait l'utiliser : je possède des preuves irréfutables de ce que j'avance. Le magnétisme a fait l'objet de nombreuses études ; des médecins et des savants distingués l'utilisent désormais pour soulager la douleur et pour soigner la neurasthénie et autres troubles mentaux. Nous ne saurions donc méconnaître ses aspects bénéfiques.

« L'homme à qui l'accusé doit tout, son maître, l'un des plus grands savants britanniques en ce domaine, j'ai nommé Monsieur Simon Carr — Ransom fit une pause, et attendit que le mot, chuchoté de bouche à oreille, eût fait le tour de toute la salle — Monsieur Carr, dis-je, viendra déposer à cette barre. Son témoignage me permettra de prouver que l'accusé, ayant appris cette technique de manipulation mentale et l'ayant poussée à la perfection, l'a immédiatement utilisée à des fins criminelles, réduisant au rang d'esclaves non seulement sa propre femme, mais M. Carr lui-même, contraignant des jeunes femmes à abandonner leur famille, alors qu'il habitait dans d'autres villes des Etats-Unis, les séduisant par son utilisation... »

Nouvelle pause. Chuchotements prolongés.

« ...Les séduisant par de fausses promesses de mariage, tandis qu'il abandonnait sa pauvre femme.

— Objection ! Votre Honneur, s'écria Applegate. Allégation non pertinente, non fondée et diffamatoire !

— Objection retenue, dit le juge.

— Grâce au témoignage de M. Carr, reprit Ransom, je montrerai que l'accusé a utilisé ses pouvoirs de magnétiseur pour continuer la vie de criminel notoire...

— Objection ! s'exclama Applegate, se levant cette fois.

— Retenue. Au fait ! monsieur Ransom.

— Les preuves de ce que je dis sont contenues dans ces rapports de police, dit Ransom en brandissant une

196

liasse de papiers. Ils proviennent de trois Etats différents, et dans l'Illinois, l'accusé est toujours sous le coup d'un mandat d'arrêt. » Il fit une pause, s'attendant à de nouvelles protestations de la part d'Applegate. Mais comme l'avocat ne réagissait pas : « Et je montrerai que l'accusé, en sa prétendue qualité de dentiste...

— Objection, Votre Honneur. L'accusation calomnie mon client.

— Veuillez modifier votre formulation, monsieur Ransom, dit le juge.

— ...Que l'accusé a magnétisé à maintes reprises le défunt, M. Henry Lane, qui venait chez lui pour se faire soigner les dents ; que, ce faisant, il a appris de la bouche même du défunt d'importants secrets personnels et professionnels qui lui ont permis, ensuite, de faire croire à Henry Lane qu'il était un homme failli et ruiné... »

Les murmures d'étonnement ne cessaient de s'amplifier.

« ... Ce qui, évidemment, n'était pas le cas. Mais Henry Lane, sous l'emprise de la suggestion, le crut, se pendit et mourut. Dans un ultime message à sa femme bien-aimée, il a exposé les raisons de son suicide.

— Objection. L'accusation n'a aucune preuve, dit Applegate.

— Voici la copie de ce billet, Votre Honneur », déclara Ransom.

Le greffier prit le document et alla le présenter à la défense. Tandis qu'Applegate lisait, Ransom reprit :

« Nous prouverons, Messieurs les jurés, que l'accusé a également magnétisé Mme Carrie Lane, femme du défunt, dans le dessein prétendu de soigner l'insomnie dont elle souffrait depuis plusieurs années... »

Un murmure de voix féminines interrompit l'orateur.

« ...Or, au lieu de la soigner, l'accusé a soumis à son pouvoir cette pauvre malheureuse qui, privée de son unique soutien, est devenue entre ses mains une simple marionnette. »

Ces dernières paroles mirent définitivement le public en effervescence. Mais sur les bancs du jury, un seul homme réagit : O'Shea, l'un des deux employés du chemin de fer. Le plus misogyne du groupe, se dit Ransom.

« Mme Carrie Lane viendra elle-même devant ce tribunal confirmer ce que je viens de dire ; son témoignage, messieurs les jurés, vous brisera le cœur.

— Objection ! » dit Applegate, se dressant de nouveau.

« L'accusation tente d'influencer le jury en faveur d'un témoin.

— Objection acceptée, dit le juge. Continuez, monsieur Ransom.

« Enfin », reprit Ransom, s'interrompant après chaque mot pour laisser s'apaiser les tempêtes qu'il déchaînait, « nous montrerons que l'accusé n'a commis tous ces crimes que pour s'assurer la gestion du plus grand capital du comté de Kearney.

« Lorsque nous arriverons à la fin de ce procès, et que toutes ces affirmations auront été solidement fondées, je vous demanderai, Messieurs les jurés, en ma qualité de représentant du ministère public, de déclarer le prévenu coupable de crimes et de délits multiples, de le dénoncer comme un scélérat et un monstre aux yeux des hommes et de Dieu, et de le condamner à la peine capitale. »

Le brouhaha, qui n'avait plus cessé, explosa en un véritable hurlement lorsque Ransom demanda la peine de mort. Dietz assenait sur sa table des coups de marteau frénétiques, tandis que le greffier, de sa voix plaintive qu'il essayait de rendre forte, exigeait le silence. L'un des jurés, le jeune Pulver, semblait gagné par une tristesse profonde et accusait le sort. Quant à la salle, elle n'était que mouvement : têtes, lèvres, bras, mains, tout bougeait, en un déchaînement simultané de tous les moyens d'expression imaginables. Un îlot de paix : la défense. Applegate, penché sur sa table, prenait des notes. Dinsmore, toujours aussi détendu, sa chaise légèrement inclinée en arrière et adossée contre la balustrade, souriait, amusé, tandis que ses yeux étincelaient, tels de fins cristaux de glace reflétant les rayons du soleil.

« Je n'ai plus rien à ajouter pour le moment, Votre Honneur, dit Ransom.

— Silence dans la salle ! » s'écria Dietz, continuant de manier son marteau. Mais comme le tumulte redoublait, il ajourna la séance à deux heures de l'après-midi.

Dietz se leva, et il était déjà sorti que le public en était encore à se demander ce qu'il avait pu dire.

Ransom se sentit tout dégrisé lorsque l'audience reprit après le repas. Ce fut un morne après-midi. C'était au tour de la défense de présenter sa version des faits ; la plaidoirie d'Applegate se révéla d'un ennui mortel, non seulement pour Ransom (tout ce qu'il entendait, il l'avait déjà lu dans les articles de tête du journal de Joseph Jeffries), mais aussi pour le public : tout le monde s'attendait à une défense passionnée, à la hauteur de ce qu'avait été l'accusation, or, il fallut se contenter d'un cours d'histoire piteux où la vérité était faussée en permanence.

Pourquoi Applegate avait-il choisi cette ligne de défense ? L'avocat était sans doute le seul à le savoir. En tout cas, son attitude n'avait rien à voir avec l'intelligence, rusée et élégante, que Ransom associait à la personne de Dinsmore.

L'accusé, d'ailleurs, partageait visiblement l'ennui général. L'avocat, qui était venu se placer face au jury, ne cessait de répéter la thèse, bien connue, de Jeffries : son client était victime d'un complot tramé par les éléments les plus conservateurs du comté. Et d'énumérer toutes les innovations que Dinsmore avait réalisées, puis, toutes celles, encore plus nombreuses, qu'il projetait de réaliser. Je défends, disait-il, le droit qu'a tout homme d'améliorer sa condition par le travail, et de citer tous les exemples possibles de l'histoire américaine, comme si l'on mettait en doute ses déclarations. Lorsque, évoquant l'enfance de Dinsmore dans les taudis misérables de l'East Side new-yorkais, il compara la jeunesse de son client à celle d'Abraham Lincoln, la salle se mit à pouffer de rire, et Dinsmore lui-même ne put réprimer un sourire. Sans se démonter, Applegate continua, annonçant qu'il démontrerait, preuves à l'appui, l'existence d'une conspiration contre son client ; il parla avec mépris de « la plupart des témoins à charge », sans mettre personne en cause cependant ; il ne fit aucune déclaration qui eût pu susciter quelque surprise, et, à part les rires, ne provoqua aucune réaction de la part de son auditoire.

Ransom n'accorda plus à ses propos qu'une vague attention — au cas où il y aurait quelque objection à faire, hypothèse bien improbable — et commença à observer le public. Il aperçut de nombreux vides dans les rangs du parterre et des tribunes ; les gens, se rendant compte que plus rien de palpitant ne pouvait se produire, retrouvaient leurs préoccupations quotidiennes, se levaient et sortaient. Les jurés s'ennuyaient et, à part cela, ne laissaient rien percer de leurs sentiments. Dinsmore se curait les dents. Et Applegate parlait toujours. Ransom se mit à contempler la salle.

Les murs, les fresques, les bancs, les balcons, les balustrades, le carrelage, tout avait été lavé, astiqué, briqué pour l'occasion. Le palais de justice de Center City n'avait qu'une dizaine d'années. C'était l'édifice public le plus somptueux de l'Etat, après le Sénat. L'harmonie de ses proportions classiques et l'élégance de sa décoration, aussi bien extérieure qu'intérieure, lui avaient valu le surnom de « petit Capitole ». Ce tribunal était l'orgueil de la petite ville. Ironie du sort : les deux personnes qui avaient le plus contribué à sa construction étaient Henry Lane et Carl Dietz. Le premier s'était déjà détruit, poussé par Dinsmore ; quant au second, il était l'objet de calomnies et d'insultes, en ce moment même, dans son propre tribunal. Non que Dietz semblât s'en soucier. Sa profession lui avait appris depuis longtemps à garder un masque impénétrable, et rien en lui ne laissait transparaître la colère qu'il devait ressentir, en entendant les litanies d'Applegate contre les forces réactionnaires et les ennemis de la prospérité de Center City.

Encore une fois, pensa Ransom, les bons, les vertueux préfèrent se taire, plutôt que se défendre contre les coquins, les Dinsmore et tous ceux du même acabit. Combien d'autres, encore, feront de même ? Et en sera-t-il toujours ainsi ? Attitude étrange, et contagieuse : Murcott lui-même ne venait-il pas de se raviser, refusant de faire le témoignage que Ransom attendait de lui ?

La veille au soir de l'ouverture du procès, Amasa Murcott était venu voir Ransom dans sa chambre. Et le vieil homme, sirotant un digestif, avait confessé à son ami ses scrupules et ses doutes.

Il ne pouvait déclarer sous la foi du serment que le mesmérisme fût une technique de manipulation mentale aussi efficace que Ransom le prétendait. Non : il n'avait jamais expérimenté lui-même cette technique et cette circonstance lui interdisait de prononcer un jugement aussi catégorique. Il devait rester fidèle à sa conscience professionnelle ; aussi n'entendait-il pas revenir sur cette décision.

C'était un coup dur, mais Ransom essaya d'en réduire les effets. Il rappela à Murcott que, de toute façon, il devait comparaître au procès, en sa qualité de coroner du comté, et qu'une fois à la barre, il devrait répondre en détail aux questions que Ransom lui poserait sur l'état de santé, physique et mental, de Henry Lane. Enfin le médecin n'avait-il pas dit que le visage de Henry Lane, mort, lui rappelait celui de Margaret Dinsmore ? Ces commentaires aussi, il devrait les répéter devant le tribunal. Murcott déclara qu'il confirmerait tous ces faits, mais rien de plus.

Alors Ransom introduisit la question du mesmérisme progressivement, exactement comme il projetait de le faire au cours du procès. Il interrogea Murcott sur les articles qu'il avait lus dans les revues médicales, sur les lettres qu'ils avait reçues. Murcott hésitait, esquissait de brèves explications, admettait certains faits, mais ne cessait de faire des réserves. Ransom se rendit compte que lorsque son meilleur ami viendrait déposer il aurait à le traiter avec autant de ménagements que le plus entêté et le plus hostile des témoins à décharge.

Dans un sens, toutefois, cette perspective le réjouissait. Tout le monde, à Center City, connaissait le médecin ; son esprit farouchement indépendant et son sens aigu de l'intégrité y étaient légendaires. Ransom devait donc faire tout son possible pour lui arracher deux ou trois concessions : venant d'un tel témoin, elles auraient une valeur inestimable.

Oui, mais comment faire ? se demandait-il, lorsqu'il s'aperçut qu'Applegate avait enfin terminé son monologue d'ouverture. Le juge Dietz, remerciant l'avocat de la défense d'un ton légèrement sarcastique, ajournait l'audience au lendemain. La salle se vida rapidement. L'huissier s'approcha de Dinsmore et l'invita à le suivre (l'accusé était de nouveau en résidence forcée, dans son appartement de l'hôtel Lane). Ransom et Applegate, qui avaient à ranger leurs papiers, se retrouvèrent seuls et échangèrent quelques propos aigres-doux. Puis ils sortirent. Chacun, étouffant un petit rire, se promit en lui-même de ne pas épargner l'autre par la suite.

Au cours du dîner, à la pension, il ne fut question que du discours de Ransom. Isabelle Page l'avait trouvé « terrible, palpitant ». Pour une fois, tous les commensaux étaient d'accord ; certains pensaient même que Ransom s'était d'ores et déjà assuré la condamnation de Dinsmore.

« Holà ! pas si vite, dit Ransom. Je n'ai encore produit aucune preuve ni aucun témoin.

— Si vous prouvez rien que le dixième de ce que vous avez dit, Dinsmore va se faire lyncher, vous pouvez en être sûr », déclara Floyd. Le vieux bavard avait récemment élu domicile à la pension de Mme Page ; c'était une aubaine pour Ransom, car le vieillard était à lui seul une véritable agence d'information. « C'est ce que tout le monde disait cet après-midi. Arrivez-vous à imaginer, mademoiselle continua Floyd, s'adressant à Isabelle, ses terribles pouvoirs magnétiques ?

— Je ne les imagine que trop bien, dit-elle en frissonnant. Pauvre Mme Lane. Maman, je me demande si nous ne devrions pas lui rendre visite.

— Et nous ne serons pas les seules, crois-moi. Toutes les femmes de la ville vont défiler chez elle, ne serait-ce que pour s'excuser, dit Mme Page. Eh bien, Nate, on n'aime plus le pot-au-feu maintenant ?

— Si...

— Alors, mange. Quant au procès, je suis certaine que M. Ransom nous donnera toutes les preuves nécessaires. Je le connais depuis neuf ans, comme pensionnaire et comme ami, et je sais qu'il ne bâcle pas son travail, et n'a rien d'un sanguinaire.

— Ecoutez-moi ça ! Ça s'arrose ! dit Floyd.

— Pas ici, en tout cas, dit la patronne, d'un air sévère.

— Et si Floyd veut m'en croire, ajouta le Dr Murcott, il n'"arrosera" rien du tout, ni ici ni ailleurs. C'est déjà assez dure de grimper les escaliers quand on n'a pas bu, n'est-ce pas, Floyd ? »

Floyd, en bougonnant, se mit à essuyer son assiette avec un gros bout de pain.

« Dois-je vous monter le café, ce soir ? demanda Mme Page. Si vous le désirez, je peux même vous en faire une pleine cafetière, spécialement pour vous.

— Non merci, je m'en passerai. Je préfère aller faire un tour.

— Vous n'allez quand même pas aller jusqu'à Plum Creek ? demanda-t-elle.

— Non, juste un petit tour. Ça m'aide à réfléchir. »

La cuisinière allemande reconnut Ransom, lui adressant un grand sourire, puis un flot de paroles incompréhensibles ; elle le conduisit à l'intérieur de la maison. Il y avait du monde, pour la première fois depuis qu'il venait au ranch de Lane : des ouvriers agricoles étaient en train de jouer aux cartes sur la table de la cuisine. Ransom leur jeta un coup d'œil en passant, juste pour voir si Carr se trouvait parmi eux. Aux hochements de tête et aux mines que faisait la servante, Ransom devina que le vieil homme était de nouveau cloué au lit.

« Il est venu ici, dit Carr, avant même de saluer Ransom et en s'asseyant sur son lit.

— Dinsmore ? Aujourd'hui ?

— Non, la semaine dernière.

— Vous a-t-il menacé ?

— Je ne crois pas... je ne sais pas. »

Ransom ferma la porte, de peur qu'on ne les écoutât. « Mais vous a-t-il magnétisé ?

— Non. Du moins, je ne crois pas. J'avais des vertiges le jour où il est venu. Et je ne me rappelle plus très bien ce qui s'est passé.

— Mais vous a-t-il magnétisé ? Ça, au moins, vous devriez vous en souvenir.

— Je vous l'ai déjà dit : je ne me rappelle rien. »

Ce fait était curieux, un peu inquiétant. Mais Ransom décida de ne pas insister. Eventuellement, il reviendrait plus tard sur le sujet.

« Comment se fait-il que je vous retrouve au lit ? demanda-t-il. Vous ne vous sentez pas très bien ?

— J'ai eu une rechute. Juste après sa visite. Toute cette agitation, vous comprenez...

Ransom cessa de se balancer sur le rocking-chair et regarda le vieillard avec attention. Simon Carr avait l'air d'aller aussi mal — plus mal, même — que le jour où Ransom avait fait sa connaissance. Ses yeux étaient encore plus enfoncés, son visage encore plus squelettique. Tout cela était fort préoccupant.

« Vous a-t-il parlé du procès ? demanda Ransom.

— Il a débité un tas d'inepties, auxquelles je n'ai guère prêté attention.

— Vous seriez-vous disputés, par hasard ? »

Carr, ignorant cette question, déclara d'un ton féroce : « J'irai témoigner. Jamais je n'ai eu autant envie de témoigner contre lui.

— Etes-vous sûr qué votre état de santé vous le permettra ?

— Ne vous en faites pas. Je ne suis pas encore à l'article de la mort.

— Vous devriez peut-être voir un médecin, avant de décider de vous rendre au tribunal.

— Vous semblez oublier que je suis moi-même médecin. Il s'est agi d'une petite attaque, sans importance. Croyez-moi. Je serai bientôt remis, et rien ne m'empêchera d'aller témoigner. »

Ransom se laissa facilement convaincre. Comment ferait-il si la collaboration du vieil homme venait à lui manquer ? Il fallait que sa voix, cette belle voix d'ancien élève d'Oxford, résonnât dans la salle du tribunal, et racontât tout ce qui s'était passé entre Carr et Dinsmore, et entre Dinsmore et sa femme. Il fallait que les jurés et les personnes du public entendissent, ressentissent l'indignation et la colère du vieux savant. Et le plus tôt serait le mieux.

Ransom, en quelques mots, fit part à Simon Carr du projet qui venait de germer dans son esprit. Je reviendrai demain soir après l'audience, dit-il ; Murcott m'accompagnera. Nous vous emmènerons en ville dans son cabriolet, et vous installerons auprès de nous, à la pension de Mme Page. De la sorte, pensa Ransom, j'aurai l'opinion d'un autre médecin.

« Cette perspective me ravit, dit le vieillard. Je suis prêt à aller où vous voudrez. Je suis si mal logé, dans cette bâtisse. Il y fait froid comme dans une cave, vous ne trouvez pas ? Et j'ai tant besoin d'être au chaud... »

Ces derniers mots ranimèrent les craintes de Ransom. Plus il y pensait, plus il en était sûr : Carr et Dinsmore s'étaient querellés, Dinsmore avait menacé son ancien maître et un conflit, plus ou moins violent, en était résulté. D'où l'état actuel de Carr. Maintenant que Dinsmore était en résidence forcée à l'hôtel Lane, il ne pouvait plus venir tourmenter le vieillard. Mais il pouvait toujours envoyer quelqu'un d'autre à sa place ; il fallait absolument mettre Carr hors de danger.

« Nous arriverons demain soir avant le coucher du soleil. Dites à la cuisinière qu'elle ne laisse entrer personne d'autre que moi.

— Mais pourquoi ? » demanda le vieillard. Puis il sembla comprendre. « Ne vous inquiétez pas. Je peux me défendre. »

Passant la main sous son oreiller, il en retira un petit poignard à manche d'ivoire. La lame luisait dans le noir.

« Je ne me laisserai importuner par personne, vous pouvez en être sûr. Que le diable lui-même apparaisse à cette porte, et il verra de quel bois je me chauffe ! Je me demande même si je ne l'ai pas vu rôder par ici, ces derniers temps », ajouta-t-il en riant. Cette bonne humeur était communicative, et Ransom en oublia momentanément ses préoccupations.

A peine fut-il seul, cependant, qu'elles l'assaillirent de plus belle. Et tandis qu'il revenait vers Center City, il ne pouvait s'empêcher de se demander pourquoi le vieillard avait refusé de parler de la visite de Dinsmore. Ransom avait oublié depuis longtemps la méfiance initiale de Carr à son égard. Cette soudaine réticence était vraiment étrange. La visite de Dinsmore — quoi qu'il se fût passé entre les deux hommes — était évidemment la cause de cette rechute, se disait Ransom pour la dixième fois ; elle avait mis le vieil homme dans une colère noire et renforcé sa résolution de témoigner. Parfait, se dit-il : la violence de son témoignage compensera les hésitations, inévitables, de Mme Lane. Mais il ne fallait pas que cela se fît aux dépens de la santé de Simon Carr. Le vieillard était devenu désormais si fragile, que Ransom n'excluait plus le risque d'une nouvelle attaque, sérieuse cette fois, ou même le pire.

Lorsque Ransom rentra à la pension, il eut la surprise de trouver Murcott encore debout. Le médecin l'attendait.

« Regardez-moi ça ! » dit-il, en lui fourrant un journal entre les mains.

Ransom le déplia et regarda la première page. Son attention fut tout de suite attirée par les caractères rouges, inhabituels : c'était une édition spéciale du *Star* de Center City.

Au-dessous, un titre en énormes caractères proclamait : « Ouverture du procès Dinsmore. De profondes critiques ont été adressées aux adversaires du progrès. »

Jeffries avait consacré la moitié de la première page aux radotages d'Applegate. Les thèses de Ransom étaient expédiées en un seul paragraphe.

« Quel vendu ! » articula Murcott. La colère lui coupait le souffle. « Jamais vu un canard aussi infâme. Et ce n'est pas tout. » Reprenant le journal, il l'ouvrit à la troisième page, puis le rendit à Ransom.

Celui-ci se mit à lire l'éditorial. Arrivé au milieu de la première colonne, l'attorney éclata de rire.

« Et cela vous surprend, vous ? Ils n'allaient tout de même pas m'envoyer des fleurs !

— Mais c'est de la diffamation pure et simple », dit Murcott, soulevé d'indignation. « Regardez : il vous traite d'imposteur et de menteur.

— Il le laisse entendre. Jeffries sait parfaitement jusqu'où il peut aller.

— Alors, écoutez. » Murcott reprit le journal et se mit à lire : « Les honnêtes gens de Center City doivent s'élever contre les esprits partisans, ambitieux et hypocrites, qui, pour flétrir le nom et attenter à la vie d'un des citoyens les plus éminents de notre ville, n'hésitent pas à recourir à des allégations extravagantes qui feraient rire même les Indiens." Tout cela est d'un ridicule patenté. "Citoyen éminent", à d'autres !

— Envoyez une lettre au journal, suggéra Ransom.

— Non, répondit Murcott. J'ai décidé de faire bien plus. J'étais juste sur le point de sortir pour me rendre en personne au siège de ce prétendu journal lorsque je vous ai entendu rentrer.

— Mais il est neuf heures passées.

— Je pense que Jeffries est toujours là-bas : ce torchon m'a été servi il y a à peine une heure.

— Attendez une minute, dit Ransom. Il m'est venu une idée. Je vous accompagne.

— Au siège du journal ? Vous voulez défier le bonhomme ?

— Non, répondit Ransom, en riant de la suggestion de son ami. Au bureau du télégraphe. Je vais envoyer un télégramme à William Reese, au Sénat, pour qu'il fasse venir ici des reporters de Lincoln. Je suis persuadé que tout le monde, dans l'Etat, a envie de savoir ce qui se passe à Center City. Vous verrez : quand Jeffries lira les articles du *Herald* de Lincoln, il sera obligé de remonter un peu le niveau des siens. »

D'un pas rapide, les deux hommes s'acheminèrent vers la rue Center. Arrivés devant le télégraphe, alors qu'ils se séparaient :

« A propos, dit Ransom, annulez tous vos rendez-vous de demain. Vous êtes le premier témoin que je cite. »

Le médecin s'arrêta net et fit une grimace épouvantable. Puis il s'éloigna sans dire un mot.

« A la demande de l'accusation, je prie monsieur le docteur Amasa Murcott de venir témoigner. »

Murcott se leva de son siège, au deuxième rang des tribunes — où, l'air maussade, il avait écouté le greffier faire le résumé des débats du jour précédent —, descendit, s'approcha de la barre et prêta serment. Son visage était aussi sombre que celui des douze jurés, en face de lui. Ransom savait bien que pour Murcott, cette convocation était une véritable corvée. Le médecin n'avait pas dit un mot de tout le petit déjeuner.

« Docteur Murcott, commença Ransom, c'est bien vous,

n'est-ce pas, qui, en votre qualité de médecin légiste, avez constaté le décès de Henry Lane, le 17 avril dernier ?

— Oui.

— Voudriez-vous dire au tribunal quelles ont été vos observations ?

— Mort par strangulation.

— Depuis combien de temps M. Lane était-il mort ?

— Je ne saurais le dire avec exactitude. Son cadavre n'était encore que partiellement rigide. Deux heures, peut-être, trois heures au maximum.

— Vous êtes arrivé sur le lieu du drame à 8 heures du soir, n'est-ce pas ?

— A peu près.

— Dans sa déposition, recueillie par le shérif, Mme Ingram a déclaré que, partie à la recherche de M. Lane pour lui dire que le dîner était prêt, elle l'a trouvé mort à 18 heures 30. A son avis, il était mort depuis une heure ou deux, à peu près. Est-ce exact ?

— A peu près », répéta Murcott. Ransom ne lui avait posé, pour le moment, que des questions tout à fait banales, techniques, le type même de questions auxquelles tout autre coroner aurait eu à répondre. Mais Murcott restait sur ses gardes.

« Docteur Murcott, pourriez-vous dire au tribunal si le cadavre de Henry Lane présentait quelque aspect inhabituel lorsque vous l'avez examiné ? Je me réfère, plus spécifiquement, à la position de ses membres.

— Effectivement. La main droite de Henry Lane était passée dans le nœud coulant.

— Vous venez de signaler que la rigidité cadavérique n'était pas encore totale. Est-il possible que la main de M. Lane ait pris cette position au cours des spasmes qui accompagnent ce type de mort ?

— C'est improbable.

— Est-il permis de supposer que quelqu'un, pour une raison ou pour une autre, ait mis la main de M. Lane dans cette position, après sa mort ?

— Non. Elle y était déjà avant sa mort. Le pouce était coincé dans le nœud coulant et présentait une large meurtrissure noire, analogue à celles du cou.

— Cette position de la main est des plus inhabituelles chez les personnes qui meurent par pendaison, n'est-ce pas, docteur ?

— Tout à fait inhabituelle, répliqua Murcott. En général ils ont les mains ligotées derrière le dos. »

Un éclat de rire salua cette observation sardonique. Mattis fut le seul à rester impassible. Il en avait vu d'autres. Ransom se demanda si ce contact permanent que Mattis avait avec la mort influencerait son jugement, et si oui, dans quel sens.

« Mais cette position n'est-elle pas plus courante lorsque la victime a les mains libres ?

— Non.

— Pourriez-vous donc nous dire la conclusion que vous avez tirée de vos observations ?

— Je conclus, à l'époque, que M. Lane avait, sans doute, cherché à empêcher le nœud de se resserrer.

— En d'autres termes, docteur, vous pensez que M. Lane a changé d'idée au moment même où il se pendait ?

— C'est possible.

— Pouvez-vous nous fournir une autre explication de cette posture insolite ?

— Non, je n'en vois pas d'autre. »

Un murmure parcourut l'assistance.

« Vous étiez le médecin traitant de M. Lane avant sa mort. Est-ce exact ?

— Oui.

— A quand remonte votre dernière visite à M. Lane ?

— A deux mois avant son décès.

— Et comment se portait-il ?

— Il était en excellente santé.

— On a dit que M. Lane s'était pendu parce qu'il s'était découvert une maladie incurable : qu'en pensez-vous ?

— C'est tout à fait improbable.

— Mais quel était son état psychologique, lors de cette dernière visite ?

— M. Lane était déprimé, anxieux, mélancolique.

— Vous a-t-il précisé les raisons de son état ?

— Il refusait d'en parler. Il refusait même de l'admettre.

— M. Lane était-il un cyclothymique ?

— Absolument pas.

— A votre avis, le suicide de Henry Lane peut-il s'expliquer par son état dépressif et angoissé ?

— Objection ! » s'écria Applegate, avant même que Ransom eût fini de formuler sa question. « Les témoins doivent être interrogés sur les faits, et non sur leur avis.

— Il n'y a pas de faits tant qu'ils n'ont pas été établis,

répliqua Ransom. D'autre part, l'avis du coroner du comté équivaut à un fait.

— Objection rejetée, dit le juge. Poursuivez, monsieur Ransom.

— Docteur, qu'avez-vous remarqué d'autre en examinant le corps de Henry Lane ?

— Rien d'autre.

— Me permettrais-je, docteur Murcott, de vous rappeler certaines de vos propres déclarations ? Ne m'avez-vous pas dit, en faisant l'autopsie, que le corps de M. Lane ne ressemblait pas à celui d'un pendu, en d'autres termes qu'il ne présentait pas certains traits caractéristiques de la mort par pendaison ?

— Je l'ai dit, effectivement. Le cadavre n'avait pas les yeux protubérants.

— Comment étaient-ils ?

— Normaux. Mais quand je suis arrivé, ils étaient déjà fermés.

— Quelqu'un lui avait-il fermé les yeux ?

— Non, que je sache.

— Faut-il donc en conclure que M. Lane avait déjà les yeux fermés au moment de sa mort ? » Le médecin ayant répondu que c'était possible, Ransom passa à une autre question : « La main de M. Lane, passée dans le nœud coulant, semble indiquer que le défunt a tenté d'échapper à la mort : c'est bien l'interprétation que vous nous avez donnée tout à l'heure ?

— Effectivement.

— L'expression des yeux de M. Lane ne contredit-elle pas cette interprétation ?

— Si. L'expression du visage aurait dû être beaucoup plus tendue. Surtout autour des yeux.

— Cette absence de contraction des muscles faciaux, chez une personne décédée de mort violente, est donc un phénomène tout à fait insolite, n'est-ce pas ? L'aviez-vous déjà observé, avant la mort de Henry Lane ?

— Oui.

— Ici, à Center City ?

— Oui.

— Récemment ?

— Il y a quelques mois.

— Et chez quelle personne ?

— Il s'agissait de Mme Margaret Dinsmore. »

Murmure prolongé dans l'assistance. Sur le banc du jury,

Ned Taylor, le camionneur au service de la boulangerie, sortit brusquement de sa somnolence. Ransom jeta un coup d'œil à Applegate pour voir s'il avait quelque objection à faire. Mais l'avocat se contentait de prendre des notes.

« Mme Dinsmore mourut noyée, n'est-ce pas ?

— C'est ce que tout le monde croit, en effet.

— Je vous remercie de votre collaboration, docteur », dit Ransom, retournant vers son bureau. « Attendez, je vous prie », reprit-il. Murcott faisait mine de s'en aller. « J'ai encore quelques questions à vous poser. » Puis, prenant sur son bureau un gros livre broché : « Connaissez-vous cette revue, docteur ?

— Oui. Je la reçois huit fois par an.

— Il s'agit du *New England Journal of Medecine and Surgery*, fondée en 1825. Dites-moi, docteur, est-ce une revue sérieuse ?

— Mes collègues et moi-même la considérons comme la meilleure revue américaine en ce domaine.

— Cette revue permet de suivre l'évolution des théories et des pratiques médicales, et je ne crois pas me tromper, n'est-ce pas ? en supposant que vous en lisez tous les articles, même ceux qui n'ont pas un rapport direct avec les maladies que vous soignez.

— Je suis un médecin de médecine générale. Tous les articles me concernent, et je lis toujours la revue d'un bout à l'autre.

— Alors, vous avez certainement lu cet article du Dr Hubert Larkin sur l'utilisation de l'hypnose en chirurgie ?

— Je l'ai lu, effectivement.

— Vous avez donc lu aussi cet article du Dr Rawlings... et celui-ci, du Dr... », etc. etc. Ransom énuméra les titres d'une douzaine d'articles, écrits chacun d'une main différente. Murcott les avait tous lus.

« L'hypnose, n'est-ce pas, docteur, fait partie des divers phénomènes magnétiques découverts par Mesmer, et connus sous le nom de magnétisme animal ?

— Oui.

— Au cours de ces deux dernières années, vous avez lu dans cette revue plus d'une douzaine d'articles concernant le mesmérisme et ses applications. Que pouvez-vous nous dire sur ce sujet ?

— Uniquement ce que j'ai lu dans ces articles », dit Murcott, à voix basse, et après un long silence. « Car personnellement, je n'ai jamais eu recours à cette technique.

— Croyez-vous, docteur, que cette méthode soit aussi efficace que le prétendent tous ces articles ? Qu'il s'agisse de calmer la douleur ou de soigner les maladies mentales ?

— Sans doute.

— Connaissez-vous Sir James Braid, de Londres ?

— Pas personnellement. Mais j'ai entendu parler de lui. C'était un médecin éminent ; je crois même qu'il fut anobli par la reine.

— Ce fut donc un savant tout ce qu'il y a de plus éminent. Il a consacré de très nombreuses études et expériences au mesmérisme et aux pratiques du magnétisme : le saviez-vous ?

— Pour l'avoir lu.

— Il n'en est pas moins vrai qu'il fut un grand expérimentateur en ce domaine ?

— On le considère comme le premier théoricien de l'utilisation de l'hypnose en chirurgie.

— Merci, docteur. Saviez-vous que Simon Carr fut non seulement un disciple du Dr Braid, mais aussi l'un de ses collaborateurs et son direct continuateur ?

— Non, je ne le savais pas », dit Murcott, visiblement troublé. Ransom précisa que Sir James Braid avait mis son propre laboratoire à la disposition de Simon Carr, afin qu'il poursuivît son œuvre : cette révélation fit grande impression sur l'assistance. Sur le banc du jury, O'Shea chuchota quelques mots à l'oreille de son collègue Tcheou (tous deux étaient employés du chemin de fer). Le Chinois ne lui répondit pas, et continua de regarder fixement devant lui. Que pouvait-il comprendre de ce qui se disait durant les audiences ? se demanda tout à coup Ransom. Les réponses que Tcheou avait données aux questions d'usage, lors de la formation de la liste de session, avaient été des plus sommaires ; il parlait très mal l'anglais. Le comprenait-il mieux ? Et puis, ses valeurs traditionnelles étaient-elles vraiment si différentes des nôtres ? Influenceraient-elles son vote lorsque le jury se retirerait pour formuler le verdict ?

L'émoi, dans le public, s'était calmé. On attendait la suite. Ransom reprit :

« Saviez-vous encore, docteur, que Simon Carr est non seulement docteur en médecine mais aussi en chirurgie dentaire ?

— Objection ! » déclara Applegate, tout en frappant du poing sur son bureau. « Ce "saviez-vous" est purement rhétorique : le témoin a déjà déclaré qu'il ne savait rien de la carrière médicale de Simon Carr.

— Objection retenue », déclara Dietz.

Ransom n'en avait pas moins marqué un point. Dorénavant tout le monde considérerait Carr comme un grand savant, et non plus comme l'obscur assistant de Dinsmore. Murcott, un moment décontenancé — se rendant compte qu'il avait été utilisé pour mettre en crédit un autre témoin —, puis se reprenant, se raidit, et afficha une méfiance extrême.

Ransom énuméra une demi-douzaine de noms et demanda à Murcott s'il les connaissait. Celui-ci fut bien obligé de répondre oui (en effet, c'était les noms des médecins auxquels Murcott et Ransom avaient écrit pour obtenir des informations sur la question du magnétisme). Répondant à une autre question du procureur, Murcott exprima la haute estime qu'il avait pour chacun de ces collègues ; puis il s'assit, l'air irrité, tandis que Ransom lisait les lettres envoyées par ces praticiens du magnétisme animal. Lorsque cette lecture fut terminée, Ransom demanda à Murcott :

« Le magnétisme, ou hypnotisme, permet donc, semble-t-il, non seulement d'abolir toute douleur durant les opérations chirurgicales, mais aussi de soigner toute une série de maladies. Qu'en pensez-vous, docteur ?

— Cette méthode semble efficace, en effet.

— Peut-on, au moyen de l'hypnose, modifier l'humeur du sujet, comme le suggèrent, ou même l'affirment, les lettres et les articles que nous venons de citer ?

— C'est probable.

— Je citerai de nouveau l'article du Dr Rawlings : votre collègue affirme avoir totalement guéri, en utilisant cette technique, une personne qui avait une peur panique des bovidés — gros rire dans l'assistance — ainsi que plusieurs femmes souffrant de mélancolie et d'insomnie. Pensez-vous, docteur, que l'on puisse, au moyen du magnétisme, produire une telle transformation du caractère ?

— Je le crois, en effet, dit Murcott.

— Cette technique, qui se révèle si efficace dans le traitement des troubles mentaux, ne pourrait-elle pas être utilisée aussi dans l'autre sens, afin d'altérer le comportement de personnes saines et équilibrées ?

— On peut, tout au plus, le supposer », dit Murcott avec une brusquerie soudaine. Puis, se mettant presqu'en

212

colère, il répéta : « Je vous l'ai déjà dit, je n'ai jamais utilisé cette technique.

— Mais le Dr Rawlings, qui l'a utilisée, l'affirme. Et, avec lui, le Dr Josiah Held du comté de Paoli, en Pennsylvanie. Et le Dr Joseph Breuer, de Vienne, déclare que l'on peut, par simple suggestion hypnotique, modifier l'humeur des gens, leurs croyances, leur caractère, que l'on peut les faire passer d'un extrême à l'autre, en quelques secondes, et qu'il l'a prouvé expérimentalement. Et il nous serait interdit de conclure à l'efficacité universelle de cette technique, sous le seul prétexte que nous-mêmes ne l'avons jamais pratiquée ! ?

— Je préfère m'en tenir aux suppositions, dit Murcott, écœuré.

— Le but de cette revue, docteur, n'est-il pas de faire connaître les innovations de la technique médicale, une fois qu'elles se sont révélées utiles et efficaces ?

— C'est l'un de ses buts.

— Nous pouvons donc conclure, sans risque de nous tromper — si j'en crois les nombreux articles que cette revue publie sur le sujet —, à l'efficacité du magnétisme. Il semble certain que la médecine officielle l'adoptera comme une de ses techniques, parmi les autres.

— A une seule condition, en tout cas, répliqua Murcott.

— Quelle condition ?

— Que le magnétiseur ait prononcé le serment d'Hippocrate et le respecte. »

Cette sortie décontenança Ransom ; Murcott était en colère, cela se voyait. Il fallait absolument le ramener à de meilleurs sentiments. Absolument.

« Voudriez-vous, docteur, nous préciser ce qu'est ce serment ?

— C'est le serment que prêtent tous les médecins, dans tous les pays du monde.

— Et que dit-il ?

— Il interdit d'utiliser aucune méthode, aucune technique, quelle qu'elle soit, quand ce ne serait pour soulager ceux qui souffrent, pour diminuer la douleur ou pour lutter contre la mort.

— En d'autres termes, docteur, le magnétisme est une technique très dangereuse ?

— Cela me semble évident ! » répondit Murcott.

Ransom eut peine à réprimer un grand ouf ! de soulagement.

213

Le témoin suivant était Amanda Bent. Ransom ne l'avait assignée que la veille. Elle se leva, pâle, l'air indignée, lorsque l'huissier prononça son nom, puis s'approcha pour prêter serment. Elle avait revêtu ses habits du dimanche, pour l'occasion, et ressemblait plus à une maîtresse d'école guindée, pensa Ransom, qu'à la vieille tenancière de bar qu'elle était. Cette impression s'évanouira, se dit-il, dès qu'elle aura ouvert la bouche.

« Bonjour, madame, dit Ransom.

— 'Jour », répondit-elle, d'une voix quasiment inaudible et par pure politesse. Elle semblait très mal disposée à l'égard de Ransom : elle ne le regardait même pas. Ses yeux étaient fixés sur Dinsmore, lequel, d'un air méfiant, était en train d'inspecter ses ongles.

« Me permettrais-je de vous demander, madame, si vous connaissez l'accusé ? Et si oui, dans quelles circonstances l'avez-vous connu ?

— C'était notre locataire.

— Il habitait dans votre bar ? » demanda Ransom, qui, en l'importunant de questions inutiles, espérait la rendre plus loquace.

« Non. Il louait les pièces du premier étage.

— Quel usage en faisait-il ?

— Elles lui servaient pour son travail. »

Décidément, elle était bien laconique. Ça ne lui ressemblait pas. Ransom aurait voulu qu'elle fût aussi bavarde que lorsqu'il lui avait rendu visite.

« De quel travail s'agissait-il, madame ?

— Chirurgie dentaire.

— Quand est-il venu vous demander de lui louer ces pièces ?

— Il y a trois ans et demi. Non, un peu plus.

— Pouvez-vous décrire cet appartement ?

— Dans le temps, c'était un appartement d'habitation. Mais, maintenant, il y a une salle d'attente, la pièce de travail avec le fauteuil et tous les instruments, et une pièce plus petite, qui ressemble plutôt à un grand débarras. Plus le cabinet de toilettes et les waters. » Elle continuait de lâcher ses mots un à un, comme à contrecœur, les yeux toujours fixés sur Dinsmore.

« Quels autres rapports avez-vous eus avec l'accusé ?

— Moi ? Aucun.

214

— Ne travailliez-vous pas pour lui ?

— Je faisais le ménage dans son appartement. Mais uniquement après la mort de sa femme. C'est cela que vous vouliez dire ?

— Oui. Mais n'étiez-vous pas aussi une cliente de l'accusé ?

— Si.

— Pendant combien de temps vous a-t-il soignée ?

— Pour tout dire, il ne me soignait pas régulièrement. Mais de temps à autre : chaque fois que j'étais libre et que lui-même n'avait rien d'autre à faire. Et puis je n'étais pas une vraie cliente, car il ne m'a jamais fait payer, ajouta-t-elle rapidement.

— C'était vraiment aimable, de sa part.

— Vous avez raison, dit-elle.

— Et combien lui demandiez-vous pour vos ménages, madame ? »

Long silence. Puis elle répondit, les lèvres serrées : « Rien.

— A la bonne heure ! C'était vraiment aimable de votre part, madame Bent. Mais voudriez-vous préciser l'étendue des soins qui vous ont été si gracieusement prodigués par M. Dinsmore ?

— Il m'a arraché deux dents et m'en a plombé trois autres.

— Combien de temps a-t-il fallu pour faire tout ce travail ?

— Je ne sais pas. Il s'occupait de moi chaque fois que nous étions libres, tous les deux.

— Une semaine ? Six semaines ? Un an ?

— Quelques mois, je crois.

— Vous avez dû bien souffrir durant cette période, n'est-ce pas madame ? »

Comme elle ne répondait pas, Ransom répéta sa question.

« Non, pas tant que ça. M. Dinsmore est un très bon dentiste.

— Personne n'en doute. Néanmoins, il est impossible de se faire arracher une dent sans ressentir un mal atroce, je pense que tout le monde, ici, en conviendra.

— Lui, en tout cas, ne m'a jamais fait mal.

— Ma foi, cela me semble difficile à croire.

— C'est que M. Dinsmore pratique une méthode indolore, ajouta-t-elle, d'une voix plus assurée. Il n'a jamais fait mal à personne, lorsqu'il pouvait l'éviter.

« — Voudriez-vous dire à la Cour en quoi consiste cette méthode ? »

La voyant à nouveau réticente, Ransom précisa ses questions.

« L'accusé vous administrait-il, avant de vous soigner, des médicaments pour atténuer la douleur ?

— Non.

— Alors, vous faisait-il respirer du protoxyde d'azote, du gaz hilarant ?

— Non, non.

— C'est à n'y rien comprendre !

— Ben... c'est que moi-même, je ne sais pas très bien comment il faisait. Il me parlait, d'une voix douce, en me disant : "Ne vous en faites pas, vous ne sentirez aucun mal. "

— Et c'est tout ? Il vous rassurait, vous extrayait la dent et ça ne faisait pas mal ?

— Oui, c'est ça.

— Ça, par exemple ! Ce que vous me dites me stupéfie, madame. La moitié des dentistes, dans ce pays, ne manquent jamais de rassurer leurs patients, en leur disant qu'ils ne sentiront rien. Mais ça fait quand même toujours un mal de tous les diables. »

Un rire nerveux secoua l'assistance.

« Il avait mis sur sa plaque : Chirurgie dentaire indolore, dit-elle, et c'était vraiment indolore.

— Personnellement, je suis prêt à vous croire, madame. Mais l'important est de convaincre les jurés. Je suis sûr que plus d'un, parmi eux, s'est fait arracher au moins une dent, et peut certifier qu'il en a ressenti une douleur insupportable, que son dentiste l'ait rassuré ou pas. »

Le public se mit à rire nerveusement. Quant aux membres du jury, dans l'ensemble, ils ne cachaient pas leur scepticisme.

« Il ne m'a jamais fait mal, déclara-t-elle, pas une seule fois.

— L'accusé vous faisait asseoir dans le fauteuil, vous tranquillisait en vous disant que vous ne sentiriez aucune douleur, puis prenait ses pinces, les introduisait dans votre bouche, les refermait sur la dent, l'ébranlait puis tirait un grand coup, et ça ne faisait absolument pas mal. C'est bien ce que vous vouliez dire ?

— Mais je ne l'ai jamais vu utiliser des pinces pour me soigner.

216

— Ni aucun autre instrument ?

— Non, aucun instrument.

— Pourtant il fallait bien qu'il utilise quelque instrument, pour arracher les dents ! Mais peut-être qu'il les rassurait, elles aussi, et qu'elles sortaient toutes seules ?

— En ce qui me concerne, en tout cas, je ne me souviens d'aucun instrument.

— Mais vous qui faisiez le ménage dans son cabinet, vous aurez bien remarqué qu'il avait des pinces, des daviers et autres instruments ?

— Ah ! ça oui ! Il fallait que je les plonge dans l'eau bouillante, après chaque intervention. C'est aussi un dentiste "antiseptique", vous savez.

— Il me semble donc évident que ces instruments servaient à extraire les dents et à procurer d'autres soins. N'est-ce pas aussi votre avis ?

— Sans doute, dit-elle, mais elle ne semblait pas très convaincue.

— Mais, comme vous l'avez dit, vous ne vous en souvenez pas ?

— Non.

— Vous étiez peut-être endormie durant l'opération ?

— Objection ! s'écria Applegate. Question tendancieuse.

— Objection rejetée, dit le juge. Monsieur Ransom, veuillez continuer.

— Ainsi vous dormiez durant ces opérations, et c'est la raison pour laquelle vous ne vous rappelez plus les instruments dont on se servait pour vous soigner, n'est-ce pas ?

— C'est-à-dire que je ne dormais pas vraiment, je...

— Je vous en prie. Continuez.

— Je ne sais au juste ce qu'il m'arrivait. Il me parlait très gentiment, me disait de belles choses, me rassurait, etc. Puis tout à coup, je me retrouvais dans la salle d'attente, sans rien me rappeler de ce qui s'était passé entre-temps.

— Et la dent malade avait été arrachée ?

— Oui.

— Ou plombée ?

— Oui.

— Pourriez-vous décrire la manière dont vous parlait l'accusé ? Vous disait-il que vous vous sentiez bien et reposée ? Répétant et répétant les mêmes mots, à l'infini ?

— Oui, c'est ça. C'est exactement ce qu'il faisait.

— Et malgré toute la peur que vous aviez d'avoir mal, vous vous détendiez et vous n'y pensiez plus ? Et bientôt vous vous retrouviez dans un état second, analogue au sommeil ?

— Oui, je crois.

— Madame Bent, savez-vous ce qu'est le magnétisme ?

— Je n'en savais rien jusqu'à tout à l'heure.

— Savez-vous, madame, que M. Dinsmore vous magné-tisait, avant de vous soigner, et que c'est la raison pour laquelle ces opérations, extrêmement douloureuses, ne vous ont jamais fait mal ?

— Objection ! hurla Applegate. L'accusation influence les opinions du témoin.

— Veuillez prendre connaissance de la déposition numéro cinq, Votre Honneur », dit Ransom. Le greffier prit la che-mise correspondante et la tendit au juge.

« Madame, continua Ransom, m'avez-vous vu dans le cabinet de M. Dinsmore, et si oui, quand ?

— Cet automne. Vous veniez vous faire arracher une dent.

— Et vous, qu'y faisiez-vous ?

— J'ai apporté l'eau bouillante pour les instruments.

— Pensez-vous que je vous aie vue, alors ?

— Non. Vous ne pouviez pas me voir.

— Je me permettrai, madame, de confirmer toutes vos déclarations : effectivement, je me suis fait arracher une dent, ce jour-là. Et sans douleur. Grâce à la méthode que vous nous avez décrite. Votre Honneur, Messieurs les jurés, ce que je viens de dire, je l'ai déjà déclaré par écrit, dans la déposition numéro cinq : je me suis fait arracher par l'accusé cette molaire inférieure droite, le 15 octobre 1899, en tout début d'après-midi. Le magnétisme est la méthode que M. Dinsmore a employée pour m'épargner toute dou-leur. Je vous remercie, madame.

— Puis-je partir ? demanda-t-elle, ne comprenant plus rien.

— Maître Applegate ? demanda Dietz. Avez-vous des ques-tions à poser au témoin ?

— Non, Votre Honneur.

— La séance est suspendue, et reprendra après le déjeu-ner. »

« Oui, m'sieu, dit Millard, je me le rappelle très bien, c't' après-midi-là. Et c'est pas étonnant. J'étais avec le fils à Yolande, Billy, dans la grange ; on battait le seigle. Nous

218

avons un champ de seigle du côté de Swedeville, enfin, nous en sommes que les fermiers ; mais le battage, nous le faisons toujours dans une grange derrière la maison, juste à côté de l'écurie. Je me trouvais donc là ; mon travail, c'était de mettre les gerbes de seigle dans la machine. Tout à coup, je sens les planches qui craquent, sous mes pieds, je tombe, et v'là ma jambe droite aspirée dans le tarare, comme si c'était du grain. Je me suis mis à hurler. Heureusement que Billy a arrêté cet engin presque tout de suite. Mais quand j'ai retiré ma jambe, elle était toute en sang. Le fils à Yolande s'est mis à crier : "Mon Dieu, mon Dieu" et est sorti comme un dératé. Moi, j'étais par terre, étendu de tout mon long, je regardais ce sang qui coulait de partout, et je beuglais comme une vache à l'abattoir, tellement que ça me faisait mal, et puis j'avais une de ces peurs !

« Et puis v'là Billy qui revient, avec M. Dinsmore. M. Dinsmore dit tout de suite à Billy d'aller lui chercher sa trousse, elle était toujours dans la maison, dans la chambre du père Carr. Et moi, je me disais que j'allais mourir, en voyant tout ce sang. Ma jambe était ouverte jusqu'ici. »

Et de montrer du doigt un endroit, sur le haut de sa cuisse. Un silence absolu régnait dans l'assistance. Voilà un très bon témoin, se dit Ransom, il est vrai que ce genre d'accident s'oublie difficilement.

« Qu'est-ce qu'a fait alors M. Dinsmore ? demanda Ransom.

— Il m'a pris par la gorge, comme ça — comme s'il voulait m'étrangler. Qu'est-ce que c'est que ça, encore, je me suis demandé. D'abord ma jambe qui passe dans la machine, et maintenant cet homme qui veut m'étrangler ! Alors j'ai essayé de faire une prière, tellement que j'étais sûr d'y passer.

— Or, vous n'êtes pas mort.

— Non m'sieu, puisque j'suis là. M. Dinsmore s'est mis à me dire des mots à l'oreille : que tout allait s'arranger, que ma blessure allait se refermer ; il l'a répété au moins une dizaine de fois. Et il n'arrêtait pas de me dire : vous me comprenez ? vous me comprenez ? Or, moi, je pouvais pas y répondre, même si j'avais voulu, il me serrait trop la gorge, et puis, de toute façon, j'avais trop peur.

— Mais, à un certain moment, vous avez cessé d'avoir peur, n'est-ce pas ?

— Oui, c'est ça, c'est tout à fait ça. Puis Billy est revenu, avec la trousse. M. Dinsmore m'a lâché la gorge, et s'est mis à déchirer mon pantalon. Il hochait la tête. Mais moi, je n'avais plus peur ; et pourtant, maintenant qu'il m'avait enlevé mon pantalon, ce n'était pas une belle chose à voir, tout ce sang qui dégoulinait, tout le long de ma jambe. Ça avait fait une grande tache sur le plancher, tout autour de moi. "Mauvais, mauvais, ça saigne trop", disait M. Dinsmore. Alors il m'a repris par la gorge, en me disant qu'il fallait que je cesse de saigner, plusieurs fois de suite, et en me demandant toujours si je comprenais. Comme si je pouvais y faire quelque chose !

— Mais l'hémorragie s'est arrêtée ?

— Ben oui, plus ou moins. Ça devait couler encore un tout petit peu, vu qu'il m'épongeait de temps en temps, tout en me recousant. Mais ça pissait plus à flots, comme avant.

— Cela a dû bien vous étonner ?

— Non, monsieur.

— Pourquoi ?

— Ça, j'en sais rien. En tout cas, j'étais tout à fait tranquille. Il me disait qu'il allait remettre ma jambe en état, et je lui faisais confiance.

— Aviez-vous déjà vu M. Dinsmore opérer quelqu'un ? Ou aviez-vous entendu parler de lui comme chirurgien ?

— Non, monsieur. Jamais.

— Et, malgré tout, vous ne vous préoccupiez pas ?

— Non. Je suivais des yeux tout ce qu'il faisait. Il a commencé par bien me nettoyer la plaie, puis il a pris une longue aiguille et du fil transparent, et il s'est mis à me recoudre, en fermant bien la plaie avec son autre main.

— Vous avez tout observé ?

— Oui, m'sieu.

— Combien de temps a duré l'opération ?

— Je sais pas, au juste. Mais Yolande, Nancy et les autres ont tout vu, eux aussi. Et quand nous sommes rentrés chez nous, il s'était passé au moins une heure, depuis l'accident.

— Savez-vous, par hasard, combien de points de suture on vous a faits ?

— Billy, le fils à Yolande, en a compté cent cinq, dit Millard avec fierté.

— Pour recoudre une plaie aussi longue, dit Ransom, se tournant vers le jury, n'importe quel chirurgien emploierait au moins une heure, et plus probablement une heure et demie. J'aimerais vous lire maintenant deux extraits du

220

New England Journal of Medecine and Surgery. Le premier est un compte rendu du Dr Abel Clark, de Rochester. Le Dr Clark écrit : "Au cours d'une de ces expériences (sur les personnes susceptibles d'être plongées dans les couches les plus profondes de l'hypnose), nous avons pratiqué une entaille dans la main du sujet. Celui-ci n'a ressenti aucune douleur ; bien au contraire, il a observé l'opération avec le plus grand calme, sans s'inquiéter du sang qui coulait à flots. Lorsque nous lui avons dit que l'épanchement de sang allait presque cesser, il a répondu qu'il comprenait. En quelques secondes, l'hémorragie s'est réduite à un simple filet de sang. Sans aucune intervention chirurgicale, et sans qu'aucun anesthésique ait été administré au patient. Le sujet ne s'est pas départi de son calme lorsqu'on lui a cautérisé et suturé la plaie. Cette expérience a été tentée sur un sujet volontaire, qui avait déjà fait preuve, en plusieurs occasions, de son aptitude à atteindre les couches les plus profondes de la transe hypnotique, tout en restant éveillé, et s'est déroulée sous le contrôle d'un magnétiseur éprouvé, connaissant déjà les réactions du sujet durant les expériences. Les meilleures conditions étaient donc réunies. " »

Ransom remit l'article à l'huissier et poursuivit :

« Voici, maintenant, un autre article du même journal. Il est du Dr Charles Causable, du Magdelen College de Cambridge. "En cas d'urgence, lorsqu'on ne peut recourir aux pratiques traditionnelles, trop longues, l'hypnose peut être provoquée au moyen de techniques plus expéditives — que nous avons expérimentées sur des sujets particulièrement suggestibles." Je ne vous lirai pas la description des deux premières techniques, dit Ransom, car seule la troisième nous intéresse ici : "Enfin, en appuyant la main sur le haut de la cage thoracique, et en exerçant une forte pression sur les carotides au moyen du pouce et de l'index, on provoquera chez le sujet le sentiment d'être étranglé : en fait, on le plongera dans un état d'hypnose profonde et de complète suggestibilité. Cette technique ne réussit que dans un cas sur mille."

« Messieurs, dit Ransom, c'est cette dernière méthode que M. Dinsmore a utilisée pour soigner Millard Bowles. Millard (Ransom se retourna vers le témoin), aviez-vous déjà été magnétisé par l'accusé, avant cet accident ?

— Non, monsieur. Ou bien alors, j'en ai rien su.

— Cela signifie, Messieurs les jurés, Votre Honneur,

que l'accusé, dans cette situation d'extrême urgence, a recouru à une technique rare et très peu connue, pour provoquer la transe hypnotique chez un sujet dont il ignorait le degré de réceptivité au magnétisme. En outre, il a non seulement accompli, sur la personne de M. Bowles, une véritable opération chirurgicale, de la durée d'une heure et demie, mais il a aussi réussi — ce qui tient du prodige — à arrêter, par simple suggestion, la forte hémorragie qui risquait de saigner à blanc le malheureux. Il s'agit, Messieurs, d'un exploit extraordinaire !

— Objection ! » dit Applegate, se dressant pour se faire entendre. « L'accusation tente de résumer avant que tous les témoins aient été cités.

— Je vous prierais de respecter la procédure, monsieur Ransom », dit le juge.

Sans se démonter, Ransom, se tournant vers Applegate, continua : « Votre Honneur, l'accusation ne tente pas de résumer. Elle cherche simplement à prouver, en se fondant sur ce témoignage, et sur d'autres, non seulement que l'accusé est un magnétiseur professionnel, mais qu'il n'hésite pas à recourir aux techniques les plus risquées de son art, avec une maîtrise et une liberté qui en disent long sur sa pratique et son habitude du succès. Ce que je veux prouver, Votre Honneur, c'est que l'accusé, M. Frederick Dinsmore, n'est pas un simple illusionniste de foire, mais un véritable maître, et peut-être le plus grand magnétiseur vivant de notre époque !

Ransom n'avait cessé d'élever le ton de sa voix, et, maintenant, hurlait à pleins poumons, pour couvrir les vociférations d'Applegate objectant à chaque mot, les clameurs soudaines du public, le martèlement continu du juge Dietz et les cris aigus de l'huissier, réclamant le silence.

Lorque ce tumulte se fut quelque peu apaisé, Ransom dit : « Je n'ai plus de questions à poser au témoin. »

« Connaissez-vous l'accusé, mon révérend ? »

Le pasteur regarda Dinsmore ; ses yeux restèrent fixés sur lui plus longtemps qu'il n'eût été nécessaire, comme s'il n'en croyait pas ses yeux.

« Oui, monsieur, répondit le Père Sydney, tristement.

— Voudriez-vous dire au tribunal comment vous l'avez connu ?

222

— La congrégation que je dirige, la Première Eglise Baptiste, se réunit dans des locaux qui se trouvent juste au-dessous de l'appartement que louait M. Dinsmore.

— L'accusé était-il membre de votre congrégation ?

— Non, monsieur. Mais Mme Dinsmore, de son vivant, assistait à nos réunions lorsqu'elle le pouvait.

— Tandis que l'accusé n'y est jamais allé ?

— Une ou deux fois, peut-être.

— Vous connaissez donc l'accusé en tant que voisin et par l'intermédiaire de sa femme ?

— Pas seulement, monsieur, » répliqua le pasteur.

Le Père Sydney se montrait aussi prudent que Murcott, mais pour d'autres raisons. Quelques heures auparavant, il avait pris Ransom à part pour lui dire qu'il ne ferait rien pour incriminer Dinsmore, car il le jugeait innocent. Ransom s'était empressé de tranquilliser le ministre : il entendait simplement lui poser quelques questions, et, en aucun cas, lui demander d'incriminer Dinsmore. Mais cette discussion avait eu lieu avant la déposition de Mme Bent. Sydney s'était alors rendu compte que les déclarations, apparemment anodines, pouvaient être retournées contre l'accusé et servir à le charger. D'autre part, le pasteur s'était montré très ému, au moment du serment sur la Bible. D'une voix grave, il avait affirmé qu'il dirait toute la vérité et rien que la vérité, mais maintenant, il tremblait de tous son corps, de peur que ses paroles ne fissent du tort à Dinsmore.

« M. Dinsmore, se mit à dire le Père Sydney d'un ton sermonneur, a pris conscience, grâce à notre congrégation, de la fraternité des hommes, quelle que soit leur confession ou leur race. (Le Père Sydney était un Noir, ainsi que la plupart de ses ouailles.) C'est ainsi que, sur ma demande, il s'est mis à soigner gracieusement les fidèles qui ne pouvaient se passer de ses services, mais étaient trop pauvres pour les payer.

— C'est donc essentiellement par l'intermédiaire de ces personnes que vous avez connu l'accusé ?

— Oui, Monsieur.

— Combien de membres de votre congrégation ont-ils été soignés ainsi, gratuitement, par l'accusé ?

— Environ une douzaine.

— Et durant combien de temps, mon révérend ?

— Depuis l'hiver 98 jusqu'à ces derniers temps, à peu près.

— Voudriez-vous indiquer leurs noms au tribunal ? »

Le Père Sydney énuméra une douzaine de noms, dont le greffier prit note, à la demande de Ransom. Celui-ci parcourut la liste, puis se retourna vers le pasteur :

« Alonzo Johns est bien le directeur des Ecuries Publiques Lane, n'est-ce pas ?

— Oui, monsieur.

— Et depuis combien de temps ?

— Depuis cet été, je crois.

— Que faisait-il, auparavant ?

— Il était ouvrier agricole.

— C'est une véritable promotion, dit Ransom. Et Althea Robbins, quelle est sa profession actuelle ?

— Elle est femme de charge à l'hôtel Lane.

— Depuis quand ?

— Depuis juin dernier.

— Mme Robbins avait-elle déjà occupé une fonction analogue ?

— Non, que je sache. Elle a bien été au service, autrefois, d'une famille blanche, quelque part dans l'Ohio, mais cela fait très très longtemps.

— Et M. Junius Brown : il est à présent, n'est-ce pas, contremaître aux entrepôts Lane, rue Emerson. Que faisait-il auparavant ?

— Il travaillait comme ouvrier, de temps à autre. »

Ransom énuméra tous les noms de la liste, s'arrêtant chaque fois pour interroger le Père Sydney sur la profession actuelle et passée de chacune des personnes qu'il avait nommées. Toutes, sans exception, occupaient une place relativement importante dans les entreprises de la maison Lane ; toutes avaient été embauchées après l'accession de Dinsmore à la direction générale de ces entreprises et s'étaient substituées aux anciens employés, qui souvent étaient depuis dix ans ou plus au service de Henry Lane.

« Vous avez dit, mon révérend, que toutes ces personnes ont bénéficié gratuitement des soins dentaires "indolores" de l'accusé ?

— Oui, monsieur. Tous m'ont déclaré qu'ils n'avaient ressenti aucune douleur.

— Et qu'ils n'avaient rien eu à payer ?

— Oui, monsieur.

— Nous pouvons donc en conclure, dit Ransom, s'adressant cette fois au jury, que l'accusé a magnétisé toutes les personnes nommées par le Père Sydney. Cette déduction

224

est corroborée par les dépositions, orales ou écrites, de sept de ces personnes : ces témoignages sont à votre disposition, Messieurs du jury. D'autre part, dès que M. Dinsmore a pris la direction de la maison Lane, ces douze personnes, onze hommes et une femme, ont accédé, à l'intérieur des diverses entreprises de cette maison, à des postes sans aucun rapport avec leur expérience et leurs capacité professionnelles antérieures. Tout cela me semble clair.

— Monsieur Ransom, dit le juge Dietz, d'un ton fatigué, tout le monde n'est pas en mesure de suivre votre raisonnement. Voudriez-vous avoir l'obligeance de nous dire où vous voulez en venir ?

— Le fait est, Votre Honneur, que la défense, dans son exorde, a dénoncé une conspiration contre l'accusé. Or, si conspiration il y a, elle est le fait de l'accusé lui-même : c'est lui qui a conspiré pour s'emparer de la gestion de la maison Lane ; et c'est pour disposer à sa guise de cet immense capital, qu'il a magnétisé les douze personnes que nous venons de nommer, se les est totalement assujetties par des séances répétées et enfin les a arbitrairement placées aux divers postes clé de son administration.

— C'est une allégation absurde, s'écria Applegate, debout, blême.

— Maître Applegate ! dit le juge durement. Si vous avez une objection à faire, je vous prie de recourir aux formes appropriées. Sinon je serai contraint de vous retirer la parole.

— Objection, Votre Honneur ; cette allégation n'est fondée sur aucune preuve.

— Monsieur Ransom, dit le juge, veuillez continuer.

— Je soutiens que l'inculpé a conçu ce projet dès le moment où Henry Lane est venu le voir pour se faire soigner les dents : que dès cette époque, il a entrepris de former, à leur insu, une équipe de gens qui lui fussent dévoués corps et âmes, et que donc ses menées remontent à cette date, soit deux ans avant le prétendu suicide de M. Lane.

— Pouvez-vous le prouver ? s'écria Applegate.

— Comment pouvez-vous autrement expliquer, rétorqua Ransom, que toutes ces personnes — qui, de leur propre aveu, ont été magnétisées par votre client — et uniquement ces personnes aient été promues aux positions enviables qu'elles occupent aujourd'hui ? Quand je vois un homme, qui toute sa vie durant a travaillé comme ouvrier agricole, devenir tout à coup le gérant des écuries publiques d'un chef-lieu de comté, personnellement, je n'y comprends rien. A moins que cette personne ne soit l'homme de confiance, que dis-je : la créature d'un puissant de ce monde ! Mon révérend, je n'ai plus de question à vous poser. A vous, Maître Applegate. »

Mais l'avocat n'avait rien à demander au témoin, et le Père Sydney, consterné, s'éloigna de la barre.

L'huissier pria alors Yolanda Bowles de venir déposer. Comme tous les autres témoins, elle était parée de ses plus beaux atours : en l'occurrence une interminable robe de serge pourprée, avec sur le devant une rangée d'olives qui lui descendaient du menton jusqu'aux pieds. Elle semblait encore plus gigantesque que nature, se dit Ransom. Elle prêta serment, puis casa tant bien que mal sa modeste personne dans le box des témoins. De ses yeux brillants, elle explorait tous les angles de la salle, comme si elle eût voulu fixer à jamais les détails insoupçonnés que lui permettait de découvrir sa nouvelle position.

Ransom savait qu'elle lui était acquise et qu'il n'était donc pas nécessaire de l'aiguillonner ou de la circonvenir.

« Madame Bowles, en mars 1897 l'accusé a pris en location un appartement de quatre pièces, vous appartenant et situé dans votre propre maison, passage de l'Hiver, et l'a occupé jusqu'au début du mois de juin dernier. Comment se fait-il que l'accusé soit venu vous demander de lui louer votre appartement ?

— C'est M. Bent, le patron du bar, qui l'avait recommandé.

— Pourriez-vous dire au tribunal quels rapports vous entreteniez avec l'accusé et vos autres locataires ?

— Aucun, pour ainsi dire, avec M. Dinsmore, ou avec M. Carr. Ils faisaient bande à part, si je peux me permettre.

— Et avec Mme Dinsmore ?

— Elle me parlait presque tous les jours.

— Voudriez-vous décrire à l'intention du jury, madame, l'impression que vous a faite l'accusé lorsqu'il est arrivé chez vous ?

— A vrai dire, je me suis demandé : comment se fait-il qu'un homme aussi bien habillé, aussi propret, aussi coquet, veuille venir habiter chez des nègres.

— Et qu'en avez-vous conclu ?

— Je me suis dit : "Mon p'tit bonhmme, t'es v'nu là pou' t' planquer, t'as sû'ment què' qu'chose à t'reprocher."

226

Vous avez vu ça, vous, un Blanc habiter dans une arrière-cour grouillante de négrillons ? »

Son honnêteté populaire faisait les délices du public. Mais elle ne prêta pas la moindre attention à ces réactions de la foule et continua de répondre d'un ton sérieux et dur.

« Mais vous n'aviez aucune preuve ? demanda Ransom.

— Non, monsieur. Pa'ce que, comme je vous l'ai déjà dit, il me parlait jamais — et M. Carr non plus d'ailleurs. C'était toujours sa dame qui venait payer le loyer... Il m'a parlé une fois, quand même, maintenant que je me rappelle. »

Evidemment, elle s'était souvenu de quelque chose d'autre, depuis la discussion que Ransom avait eue avec elle. S'agissait-il d'un fait important ?

« Voudriez-vous nous dire en quelle occasion ?

— Tout au début, quand ils ont emménagé. Il est venu me trouver, et il m'a dit que eux, ils ne pouvaient pas utiliser les mêmes cabinets que nous autres nègres. » Ignorant les éclats de rire, elle poursuivit : « Alors je lui ai répondu : "Mon bon monsieur, ya qu' ceux-là, yen a pas d'autres, on est pas à Chicago, ici." Alors il me dit qu'il veut des cabinets rien que pour eux, de l'autre côté de la glacière. "Allez-y, que je lui réponds, je vous empêche pas de le faire." Mais il m'a répondu que lui, il voulait pas s'en charger et que c'était à Billy et Millard de le faire. Or, c'était le temps des semailles, et ils étaient au champ toute la journée. Ils n'avaient pas de temps à perdre à construire un autre cabinet. Voilà ce que je lui ai dit.

« Et que s'est-il passé après, madame ? »

Elle baissa les yeux. « Un soir, il a pris Billy à part, après dîner, et il lui a mis en tête, je sais pas comment, de faire tout le travail. Le lendemain, Billy a pas été au champ, et il est resté à la maison : il a creusé la fosse, construit une petite cabane, et tout et tout. Quand j'ai vu ce qu'il avait fait, je l'ai attrapé, et même battu. Mais il m'a dit que c'était pas de sa faute, et qu'il avait fait sans s'en rendre compte. Je me suis dit qu'il y avait rien à faire, avec un homme pareil, et depuis ce jour-là j'ai dit à tous les nègres de se tenir à l'écart de l'accusé.

— Il avait magnétisé Billy, pour lui suggérer de le faire ?

— C'est ben possible, monsieur. Et malgré ce que je leur avais dit, il a réussi à parler à tout le monde dans la maison, sauf à moi. Je voulais même pas l'écouter. Mais les autres : dès que l'accusé avait besoin de quelque chose, ils arrêtaient ce qu'ils étaient en train de faire, et lui obéissaient. Et c'est la pure vérité, monsieur Ransom ; j'ai pas juré pour rien sur la Bible.

— Je vous crois, madame », dit Ransom. Ce récit était une aubaine inespérée, qui, manifestement, avait fait grande impression sur le public.

« Passons à autre chose. Vous nous avez dit, madame, que vous causiez presque tous les jours avec la femme de l'accusé. Quel était l'objet de vos conversations ?

— Elle n'arrêtait pas de me parler de ces malheurs.

— Et pourquoi était-elle malheureuse ?

— Elle venait d'une bonne famille, qu'elle disait. Mais elle s'était enfuie pour épouser l'accusé, il y avait de ça bien des années. Mais il l'avait bientôt négligée ; il revenait bien vers elle, de temps à autre, mais dans l'ensemble, il ne la voyait jamais et la laissait toujours seule. Et elle n'en pouvait plus de parcourir le pays dans tous les sens, chaque fois qu'il l'abandonnait.

— M. Dinsmore et sa femme vivaient pourtant ensemble, à cette époque. Comment expliquez-vous alors sa détresse ?

— Elle le soupçonnait de fréquenter d'autres femmes. Elle était folle de lui. Mais il voulait plus avoir affaire à elle, qu'elle disait. Il la traitait pire qu'une négresse : il lui faisait faire le ménage, et pas seulement dans leur appartement, mais aussi dans son cabinet de consultation, au-dessus du bar. Alors qu'ils ne vivaient même pas comme mari et femme. Que, des fois, il restait des semaines sans lui adresser un seul mot. Mais elle, elle lui était dévouée corps et âme, et adorait jusqu'aux traces de ses pas. »

Ces derniers mots tombèrent dans un silence absolu. Les yeux du public semblaient passer alternativement de Yolande à Dinsmore. Mais celui-ci était plus indifférent que jamais.

« Et de quoi d'autre parliez-vous, avec la femme de l'accusé ?

— Elle disait qu'elle était malade. Qu'elle était phtisique. Mais j'avais des raisons d'en douter, Monsieur. Et je mettais tout sur le compte de ses chagrins.

— Objection ! s'écria Applegate. Le témoin n'a pas de connaissances médicales.

— Si que j'en ai, répliqua Yolande, s'emportant. Et surtout sur la consomption. Lorsque j'étais bonne d'enfant, avant l'émancipation, j'ai soigné ma petite maîtresse de la

228

consomption, pendant plus de deux ans, jusqu'au moment où elle en est morte, la pauvre enfant. Vous pouvez pas me dire que je m'y connais pas, en maladies. Et je peux vous le dire : la pauvre Mme Dinsmore, elle souffrait peut-être, mais pas de consomption en tout cas. Jamais je l'ai vue cracher plus que n'importe qui d'autre, quant à cracher le sang, n'en parlons même pas. Elle n'a jamais eu de grosses fièvres, et jamais non plus de boutons ou de "pussules" sur la poitrine, autant que j'ai pu en voir. Dieu m'est témoin : quand vous avez vu pendant deux ans une pauvre créature mourir de cette maladie, vous savez la reconnaître, après.

— Quels symptômes Mme Dinsmore présentait-elle ?

— Elle avait perdu l'appétit. Elle mangeait moins qu'un oiseau. Et puis la nuit, elle ne dormait pas. Et à force de travailler et de se faire de la bile, elle a commencé à dépérir. Comme si elle avait eu réellement la consomption.

— Mais peut-être souffrait-elle d'une autre maladie ? » dit Ransom, pour prévenir une éventuelle objection de la défense.

— Ça, c'est bien possible. Mais pour elle, c'était la consomption, elle ne voulait pas en démordre, et elle était sûre qu'elle en mourrait.

— Vous qui semblez avoir bien connu cette dame, pourriez-vous nous dire si, se croyant perdue, elle aurait été capable de se suicider ?

— Ça, j'en sais rien. Tout ce que je peux dire, c'est que jamais j'ai connu une créature aussi malheureuse, de ma vie.

— Vous est-il arrivé, madame, d'entendre l'accusé et sa femme se quereller ?

— Objection, dit Applegate. Toutes ces questions, concernant la vie privée de l'accusé et de sa femme, semblent sans rapport avec les faits dont nous avons à débattre.

— J'ai bien peur que si, dit Ransom. Votre Honneur, Messieurs du jury, l'accusation fera comparaître à cette barre, demain matin, un témoin qui répétera devant vous ce qu'il a déjà attesté par écrit — à savoir : que l'accusé désirait se défaire une fois pour toute de cette pauvre femme, que depuis leur mariage, il considérait comme un fardeau insupportable ; qu'il l'a abandonnée à maintes reprises, mais que l'infortunée, ne reculant devant aucun obstacle, a toujours réussi à le retrouver. Ce témoin déclarera également qu'en une de ces occasions, elle a surpris son mari à Chicago, juste au moment où il s'apprêtait à épouser une jeune fille extrêmement riche. Sous la foi du serment, ce témoin déclarera que l'accusé ne cessait de magnétiser sa femme et avait sur elle un empire absolu, qu'il réussit ainsi à lui faire croire, par suggestion, qu'elle était atteinte d'une grave, d'une incurable tuberculose. Et sa femme le croyait, alors qu'elle n'avait aucun symptôme de cette terrible maladie. C'est pour vous en donner confirmation que j'ai fait comparaître, aujourd'hui, Mme Bowles.

— Si aucun de vous, Messieurs, n'a de question à poser au témoin... dit le juge, sans terminer sa phrase. Très bien. Les débats reprendront demain matin. » Puis il disparut. Le public se leva et sortit sans se presser, dans le plus grand vacarme, chacun tenant à faire entendre ses commentaires.

Une demi-heure plus tard, alors qu'il se dirigeait vers la sortie du tribunal, Ransom croisa Dietz dans les couloirs.

« Bravo, James. Mais ne vous dispersez pas trop. Il faut que tout se tienne.

— Ne vous en faites pas, tout deviendra clair comme de l'eau de roche lorsque Carr prendra la parole. »

Lorsque deux heures plus tard, Ransom et Murcott arrivèrent au ranch de Lane, ils trouvèrent Simon Carr fin prêt pour le départ. Bravant le vent, le vieil homme s'était assis devant la porte, face au soleil couchant. Il avait déjà fait porter dehors une malle toute cabossée qui devait le suivre depuis un bon demi-siècle. Il s'était chaudement habillé : un Ulster râpé de couleur grise, surmonté d'une grande écharpe, l'emmitouflait jusqu'aux oreilles, et il avait mis ses gants. Mais il n'avait pas de chapeau, et les longues mèches de ses cheveux blancs flottaient au gré du vent. Son visage semblait plus décharné que jamais ; de loin, on eût dit la tête d'un hideux oiseau de proie. Abominable nature, se dit Ransom, qui à cet âge où l'homme a tant besoin de ses semblables, le défigure d'une manière si repoussante !

En descendant de la voiture, Murcott dit à voix basse :
« Cet homme est très malade, James. Peut-être vaudrait-il mieux qu'il reste ici. »

Le médecin s'approcha de Carr et immédiatement, avant

même que Ransom ne les eût présentés l'un à l'autre, saisit le poignet du vieillard pour lui prendre le pouls.

« Heureux de faire votre connaissance, monsieur, dit Murcott froidement. Vous devriez vous couvrir, avec ce vent.

— Je réchauffais mon vieux crâne aux rayons du soleil.

— Il va falloir le loger au rez-de-chaussée », dit Murcott, se tournant vers Ransom. Puis s'adressant de nouveau à Carr : « Pouvez-vous marcher, monsieur ?

— Ma jambe gauche est en parfait état. C'est la droite qui me donne du fil à retordre. Mais je marche très bien, avec ça. » Se baissant, il ramassa un vieux bâton noueux. « Mon vieux bout de frêne... »

On monta dans le cabriolet. Ransom s'assit à côté de Carr, Murcott conduisit. Enfoui sous les couvertures, le vieil homme tournait la tête de droite et de gauche, regardant avec curiosité défiler le paysage, comme s'il le voyait pour la première fois. Ransom tenta à plusieurs reprise d'engager la conversation. En vain, d'ailleurs ; la voiture, sur cette mauvaise route, faisait un bruit d'enfer.

Dès qu'elle vit Carr, Mme Page comprit qu'il fallait libérer une pièce au rez-de-chaussée.

« On va installer l'Irlandais (le vénérable manteau de Carr était, aux yeux de l'hôtesse, un indice suffisant de sa nationalité) dans le petit salon. Comme ça, il sera à côté de la cuisine et du cabinet médical d'Amasa, en cas de nécessité. J'ai besoin d'un peu d'aide, James. »

Ransom admira la rapidité avec laquelle elle transforma cette petite pièce sombre en une lumineuse chambre de malade, puis attendit que Murcott eût terminé son examen.

« Reposez-vous un moment, Simon », dit le médecin, ouvrant la porte de la salle d'attente. Puis, sans cesser de soutenir le vieillard : « Mme Page va vous montrer votre chambre. Elle est à deux pas de la salle à manger. Quel veinard ! D'ailleurs, nous n'allons pas tarder à manger. »

Ils continuèrent de badiner sur ce ton pendant quelques minutes. Décidément, il ne leur a pas fallu longtemps pour devenir copains, se dit Ransom. Lorsque Carr eut rejoint Mme Page, Murcott fronça les sourcils :

« Vous savez, James, dit-il, nous sommes fous d'avoir amené cet homme ici.

— Que dites-vous ? Il n'a pas l'air d'aller si mal que ça : il marche...

— Pendant combien de temps, encore ? Un jour, une

heure ? Il peut avoir une nouvelle attaque d'une minute à l'autre. On était tellement secoués durant le trajet que ça m'étonne vraiment qu'il n'ait pas eu de convulsions à l'arrivée. En tout cas, James, il n'ira pas témoigner. Il va vraiment trop mal.

— Mais je vous jure de ne pas le garder plus d'une heure.

— Il lui faudra déjà une heure pour se lever, s'habiller et arriver jusqu'au tribunal. Non, il est trop malade.

— Mais je ne peux me passer de lui, dit Ransom. Vous le savez bien.

— Je sais, je sais ; mais je sais aussi que je ne peux pas vous permettre de faire mourir cet homme, sous le prétexte que vous en avez besoin dans votre beau procès.

— Malédiction », s'exclama Ransom, pensant tout haut. Tout allait si bien. Il avait préparé le terrain à merveille, et demain il y aurait affluence au tribunal, tout le monde viendrait écouter le témoignage de Carr. « Il va vraiment si mal, Amasa ?

— Mal ? c'est peu dire. On ne sent presque plus son pouls. C'est à se demander, parfois, si on n'a pas affaire à un fantôme. Vous n'aurez qu'à lire sa déposition. Cela reviendra au même.

— Absolument pas. Il faut que les jurés voient Carr et l'entendent parler. Convenez-en : c'est d'une importance capitale. Aucune déposition ne pourra jamais avoir l'effet de paroles jetées directement à la face de l'accusé.

— Il est trop malade. » Murcott se montrait inflexible.

« Alors changeons notre fusil d'épaule, dit Ransom. Je pourrais faire passer tous les autres témoins avant lui — Carrie, Isabelle, Mme Brennan et Mason. Carr peut très bien rester ici. Grâce à vos soins, je suis certain que son état s'améliorera. Et dans une semaine, à peu près, je pourrai le convoquer : je ne le garderai pas plus d'une heure par séance. Et je lirai une partie de la déposition, en expliquant qu'il est trop malade pour répondre à toutes mes questions. »

Murcott se taisait.

« Je vous promets que je ne le soumettrai à aucun effort.

— Je n'en doute pas. Mais vous n'êtes pas le seul. Applegate, lui aussi, a le droit de lui poser des questions.

— Je vous l'ai déjà dit : il ne déposera qu'une heure par jour, et au maximum pendant une semaine.

— Bah, nous verrons.

— Il veut absolument témoigner, reprit Ransom. Il

n'attend que ça. Il sera très déçu. Mais je suis certain qu'ici, son état va s'améliorer. Il avait toujours si froid, là-bas, au ranch. Il me l'a dit lui-même.

— Nous verrons, James. C'est tout ce que je peux vous dire. »

Mais pour Ransom, qui connaissait bien le docteur, ce « nous verrons » équivalait à un oui. Cette pensée le soutint durant le dîner, qui fut long et ennuyeux. Il pensa également à la visite qu'il allait rendre, ce soir-là même, à Carrie Lane, pour lui annoncer la nouvelle. Ça ne changeait pas grand-chose, au fond, quant au résultat : le témoignage de Carrie était fort attendu, lui aussi, et il ne doutait pas qu'elle eût, désormais, les faveurs du public. Au point où en sont les choses, se dit-il, ses paroles auront peut-être même plus d'effet que celles de Carr.

Le vieil homme était resté dans sa chambre. Isabelle Page, qui pour la première fois de sa vie avait l'occasion de parler à un authentique Britannique, déclara qu'elle n'entendait le partager avec personne. Elle lui apporta son repas, et resta assise à côté de lui bien après qu'il eut fini de manger. Avec lui, elle avait tout de suite manifesté la meilleure part d'elle-même. Sa jeunesse, sa curiosité entreprenante enchantaient le vieillard ; de la salle à manger, durant les pauses de la conversation, on entendait résonner ses longs éclats de rire caverneux.

Ransom vint le voir avant de sortir.

« Pour ça, dit Carr, je ne regrette vraiment pas d'être revenu à Center City. La nourriture est succulente et la compagnie fort agréable. »

Isabelle sourit, puis se leva, comprenant que Ransom désirait rester seul avec Carr. « Je reviendrai, je vous le promets, dit-elle, en sortant.

— Charmante enfant, monsieur de l'Etat. Et moi qui n'arrivais pas à comprendre pourquoi vous ne cherchiez pas mieux qu'une pension...

— Allons, allons ! protesta Ransom. Je la considère comme une jeune sœur. Je l'ai vue naître, pour ainsi dire. » Puis, passant au sujet qui lui tenait à cœur : « Vous ne comparaîtrez que la semaine prochaine. Entre-temps, j'aimerais bien que vous prépariez un peu votre témoignage.

— Quoi ? Je ne commence pas demain ? Du reste, je suis prêt, je n'ai pas besoin de m'"entraîner". Je sais parfaitement ce que j'ai à dire, vous savez. Je suis sûr que c'est

Murcott qui vous a dit que j'étais trop malade, n'est-ce pas ?

— Non, c'est moi qui ai modifié mes plans, dit Ransom, mentant. J'ai décidé hier de faire passer Mme Lane avant vous, et de réserver votre témoignage pour la fin. Je crois que ce sera plus efficace. En tout cas, votre état de santé n'a rien à voir dans tout cela.

— Je suis heureux de vous l'entendre dire. Vous êtes le seul à comprendre, à part moi, bien sûr. Etant docteur moi-même, comme vous le savez, je sais parfaitement si je vais bien ou si je vais mal, quoi qu'en disent les autres.

— Quels autres ?

— Le salopard que nous allons envoyer à la potence.

— Dinsmore ? Quand donc l'avez-vous vu ?

— Je vous en ai déjà parlé, hier, je ne l'ai pas revu, depuis.

— Et il a dit quelque chose concernant votre santé, lors de sa dernière visite ?

— Il m'a dit que "j'avais pas intérêt" à témoigner.

— C'est ce qu'il vous a dit ?

— Exactement.

— Et il vous a menacé ?

— Non, c'est beaucoup dire. Evidemment, je ne lui ai jamais parlé de toute l'aide que je vous ai apportée, pour le faire arrêter. Il accuse uniquement Mme Lane. Ça, il n'a pas mâché ses mots en parlant d'elle. Quant à moi, il est venu pour me bafouer, comme d'habitude, et me dire que ses nouveaux amis le protégeaient, procès ou pas. Je ne l'avais jamais vu aussi plein de lui-même. Il se pavanait, se rengorgeait, c'était à en vomir. Et c'est à ce moment-là qu'il a dit cette phrase.

— Que vous n'aviez "pas intérêt" à témoigner ?

— Oui, quelque chose comme ça : que même si je décidais de témoigner, de toute façon je n'y arriverais jamais. Attendez, que je me rappelle ses paroles exactes... "Il est bien évident que personne ne t'écoutera, vieux menteur. De toute façon, tu n'iras jamais au-delà de la première phrase de ton baratin, si par hasard tu te risques à témoigner." Je lui ai demandé pourquoi. Alors il m'a répondu : "Vieil imbécile, tu ne vois pas que tu ne tiens qu'à un fil, et que ton cœur peut te lâcher d'une minute à l'autre ?" »

Ransom était déçu. Il eût espéré des menaces plus précises.

« Oh ! il est trop astucieux pour ça, dit Carr. Mais je vous assure que j'assisterai en personne à sa pendaison.

— Vous a-t-il magnétisé, ce jour-là ? demanda Ransom.

— Non. Il n'a même pas essayé. Il sais qu'avec moi, ça ne marche pas.

— Que voulez-vous dire ?

— C'est assez difficile à expliquer. Lorsque je me suis aperçu qu'il essayait de recommencer ce petit jeu, j'ai décidé de ne plus me laisser faire. Je me suis concentré, le plus intensément que j'ai pu, sur une poésie qui me trottait dans la tête, ce jour-là. Et j'ai réussi à me rappeler tout le poème. C'est une ode d'Horace, si mes souvenirs sont bons ; on me la fit apprendre par cœur au temps de ma jeunesse. Je me suis donc concentré, tant que j'ai pu, sur ce poème, jusqu'au moment où j'ai presque cessé d'entendre ses paroles. De son côté il a dû penser qu'étant trop malade, je n'étais plus capable d'aucune concentration — soit exactement le contraire — et que donc je n'étais plus suggestible. Or, je l'étais encore, je peux vous l'assurer : chaque fois que j'arrivais à *Non omnis moriar*, je recommençais à sentir ses paroles s'insinuer dans ma conscience. Pour repousser sa volonté, j'ai mis dans le combat toutes mes forces mentales. Et j'ai vaincu. Mais je ne sais si je pourrais recommencer. J'essaierai, c'est sûr, car je ne veux plus qu'il me magnétise, non, jamais plus.

Les paroles du vieillard résonnaient encore aux oreilles de Ransom, lorsqu'il s'engagea dans la Rue Montante. Un méchant vent de mars, descendant en rafales du haut de la colline, transforma cette promenade en une pénible ascension. Ransom se mit à repenser aux difficultés inattendues que la maladie de Carr venait de faire surgir. Dans son esprit, le témoignage de Carr devait préparer le tribunal à celui de Carrie, et tracer la voie qui mènerait en droite ligne à la condamnation de Dinsmore. En lui-même, Ransom s'était plu à comparer à une voie romaine la façon dont il avait construit « son » procès. Mais maintenant, se dit-il tout à coup, se reprenant, ça sera un véritable arc de triomphe ! Les témoins mineurs en étaient les assises et les parties portantes, le témoignage de Carrie en serait la voûte, et celui de Carr la clef. Mais alors, sous les coups puissants qu'assènerait son réquisitoire, toute cette belle construction s'écroulerait sur Dinsmore et le jury n'aurait plus d'autre choix que de ratifier la condamnation !

« Ah c'est vous ? » entendit-il dire derrière lui, d'une voix déçue. C'était Mme Ingram qui venait d'ouvrir la porte. Tout à ses considérations architecturales, Ransom en avait oublié qu'il marchait, et avait frappé à la porte de Carrie Lane sans même s'en rendre compte.

Mme Ingram s'écarta pour le laisser entrer, et au lieu de s'offrir à le débarrasser de son manteau et de son chapeau, déclara d'une voix sèche, avant de lui tourner le dos :

« Elle est en haut, dans la bibliothèque. »

Elle a l'air toujours aussi fâchée, se dit Ransom, la regardant s'éloigner. Puis il se dirigea résolument vers l'escalier. Tout en montant, il se demanda s'il ne devrait pas la citer, après Carrie et Carr. Il avait aperçu Mme Ingram tous les jours, dans les tribunes, depuis le début du procès. Lui reprochait-elle, par hasard, de ne pas l'avoir encore convoquée ? Si, au contraire, les raisons de sa bouderie étaient les mêmes que la dernière fois qu'il l'avait vue (lorsque Carrie et lui étaient partis pour Plum Creek), si, donc, elle avait toujours envers lui ce même ressentiment inexplicable, cela pourrait être amusant de l'asticoter en public pendant une demi-heure. Oui, mais au fond il ne valait mieux pas : il y aurait bien plus d'inconvénients que d'avantages à la convoquer.

Carrie l'attendait, sa main déjà tendue prête à prendre celle de Ransom. Elle portait une jupe paille qui lui seyait à merveille. Son visage rayonnait ; elle était si jolie qu'il voulut la prendre et la serrer tout contre lui, sur sa poitrine, pour sentir le parfum et le contact de son corps. Mais il lui prit sagement la main, et la conduisit vers l'une des fenêtres.

« Cela fait trois jours que nous ne nous sommes vus, dit-il.

— Vous avez les traits tirés, James. Vous ne dormez pas assez.

— Même de nuit, la vue qu'on a d'ici est magnifique. Le tribunal est tout illuminé.

— Je vous ai vu dans la rue, pendant que vous montiez ici. Vous aviez l'air si sévère ; je me suis dit...

— Non, j'étais simplement pris par mes pensées. Regardez, dit-il. On voit mes fenêtres d'ici. Là-bas, juste derrière les arbres.

— Là-bas ? » demanda-t-elle. Elle s'inclina vers lui, et ses cheveux le frôlèrent. Sur la vitre glacée, leurs souffles mêlés formaient un gros rond de buée.

« Non, plus à gauche. Vous voyez ces deux fenêtres éclairées ?

— Ces deux volets oranges ?

— C'est ça. En fait ils sont jaunes. C'est curieux : il doit y avoir un effet optique, dû à la distance ou à quelque chose d'autre.

— Maintenant que je sais, je promets de vous envoyer un baiser tous les soirs avant de dormir, dit-elle.

— Carrie ?

Elle se tourna vers lui, il l'embrassa. Elle ne chercha pas à se dégager, mais ne s'abandonna pas non plus aussi complètement qu'il l'eût espéré.

« Je vous déçois ? demanda-t-il.

— Non, répondit-elle, les yeux interrogateurs.

— Vous trouvez que j'abuse un peu de mes prérogatives professionnelles ? »

Elle se libéra. « Vous savez bien tout ce que vous avez fait pour moi. Mon salon n'a pas désempli depuis l'ouverture du procès. Que de visites ! Et dire qu'il y a quelques mois, toutes ces dames hésitaient à me saluer lorsqu'elles me rencontraient dans la rue.

— Etes-vous contente ?

— Un peu, oui. Mais ce qu'elles sont fatigantes ! Elles ne cessent de parler, et de manger tout en parlant. Elles ont vidé tout mon garde-manger. Mme Ingram est dans tous ses états. Pas seulement pour ça, d'ailleurs.

La gaieté de Carrie était complètement passée. Ransom la fit asseoir. Il voulait en savoir plus.

« Depuis mon retour, commença-t-elle, nous n'avons fait que nous disputer. Je me demande bien pourquoi. Etant donné ma longue absence, elle se croit autorisée à prendre des manières de maîtresse de maison, et me considère, moi, comme une hôte. Mais je l'ai remise à sa place ; je lui ai rappelé qu'elle n'est que mon employée, et que je peux très bien la remplacer si ça me chante. Nous avons eu cette explication aujourd'hui. Depuis, elle ne m'a pas dit un mot. Ce dont je lui suis reconnaissante, d'ailleurs.

Ransom apprécia son ironie, et espéra qu'elle en montrerait autant au procès.

« La présomption de Mme Ingram m'a toujours étonné, dit-il.

— Elle ne cesse de parler du procès, et voudrait me convaincre de ne pas aller témoigner. Elle me dit que ça ne peut me faire que du tort. Si seulement elle savait, dit Carrie tristement, si seulement elle savait. Quand s'est-elle mis en tête de s'instituer cerbère de ma réputation ? Je me le demande. Tout cela est bien fâcheux.

« — Carrie, dit-il, venant tout droit au fait, je suis venu vous dire que vous témoignez demain, et non plus la semaine prochaine comme nous l'avions décidé. » Comme elle le regardait sans comprendre, il lui expliqua rapidement la situation : la rechute de Carr, le diagnostic de Murcott, le danger qu'il y avait à faire passer tout de suite les derniers témoins mineurs, alors que le procès avait si bien commencé. Il fallait continuer sur la lancée, et c'est pour cette raison qu'il avait besoin d'elle, demain. Il lui dit également qu'elle n'avait pas grand-chose à craindre d'Applegate : l'avocat, depuis le début, n'avait fait que des objections de pure forme, et, manifestement, considérait la cause comme perdue. Evidemment, on ne pouvait exclure un contre-interrogatoire de sa part, « mais, dit-il pour l'encourager, vous avez déjà avec vous la moitié de la ville. Et après-demain tout le monde sera de votre côté.

— Mme Ingram va se mettre dans une rage noire », dit-elle en plaisantant. Mais elle ne pouvait cacher son inquiétude.

« Je serai à côté de vous, dit-il, auprès de vous. Et puis, il y a des salles d'attente réservées spécialement aux témoins, si vous ne voulez pas aller vous asseoir au milieu de tout le monde en attendant qu'on vous convoque.

— Je n'ai pas peur, vous savez, du moins je ne pense pas que j'aurai peur. Votre présence me rassurera. Je veux absolument témoigner, j'y tiens énormément. Je me fiche pas mal de ce que les gens peuvent dire ou penser de moi.

— Bien. Alors, à 9 heures et demi au palais de justice. Allez voir directement Alvin Barker. Il vous conduira dans une salle d'attente. Bon, maintenant, je m'en vais. Ne vous dérangez pas, je connais le chemin. Au revoir ; reposez-vous bien. »

Ransom était en train de boutonner son manteau, dans l'entrée, lorsqu'il crut apercevoir une ombre, sous la cage d'escalier.

« Je me demande si je ne ferais pas bien de vous assigner vous aussi, Mme Ingram. Qu'en pensez-vous ? » dit-il d'une voix désinvolte en ouvrant la porte.

Un froufrou de jupes, puis le son amorti d'une porte calfeutrée que l'on referme furent la seule réponse de l'ombre.

Traversant l'avenue Lincoln, Ransom remarqua un attroupement en face des bureaux du *Star*. Jeffries doit avoir dépassé les bornes dans son dernier numéro, se dit-il, cherchant à interpréter la rumeur.

S'étant approché, il s'aperçut que la foule n'était pas en face des bureaux de Jeffries, comme il l'avait supposé, mais quelques mètres plus loin, et encerclait un fourgon couvert d'une bâche, stationné le long du trottoir. Quelqu'un, à l'intérieur du véhicule, vendait des journaux. Ransom reconnut plusieurs personnes et en particulier Floyd qui s'avança vers lui, brandissant un journal.

« Le Jeffries va être obligé de boire son encre, à partir de dorénavant, dit Floyd.

— Cessez d'agiter ce machin, et passez-le-moi que je le lise.

— C'est le *Herald* de Lincoln. Edition de demain. Arrivé par le Missouri Express. Le journaliste leur télégraphie son article, ils l'impriment et hop ! ils nous l'envoient. Voilà ce que j'appelle vivre au XX° siècle !

Ransom, sans l'écouter, lut : « L'hypnotiseur semble de plus en plus compromis », puis, en sous-titre : « Comment on subtilise un empire financier. Révélations sur la mort de Mme Dinsmore » et, enfin, en caractères plus petits : « Hypnotisme de masse ? Aucune tentative de réfutation de la part de la défense. »

Suivait un long reportage, exposant et commentant les débats du jour, et citant largement les déclarations des divers témoins. De nombreuses références étaient faites également aux deux premiers jours du procès. A la fin de l'article — qui s'étendait encore sur deux pages — la rédaction du journal annonçait, en encart : « Etant donné le caractère extrêmement partial des reportages publiés sur l'affaire Dinsmore par l'unique journal de Center City, le *Herald* de Lincoln reproduira à partir de demain, à l'intention des habitants du comté de Kearney, le compte rendu intégral des débats — et ce, pendant toute la durée du procès. » Enfin Joseph Jeffries avait trouvé à qui parler !

« Eh bien, qu'en pensez-vous ? demanda Floyd, qui ne se tenait plus d'impatience.

— Tout cela m'a l'air fort bien. Mais, dites-moi, tous ces gens sont en train d'acheter le *Herald* ?

— Evidemment, qu'est-ce que vous croyez ? Tout le monde en a marre, ici, des sornettes de Jeffries. Et vous savez aussi : Merrifield, le journaliste de Lincoln, eh bien, il a dit que maintenant on allait parler du procès dans tous le pays. Parce que le *Herald* est associé avec d'autres journaux, dans tous les Etats-Unis, de New York à San Francisco.

— Ah ! C'est merveilleux, dit Ransom. Il faut absolument que je parle à ce Merrifield, pour le remercier.

— Eh là ! Rendez-moi mon journal ! » cria Floyd à Ransom que s'en allait, pensant qu'au fond c'était au *Herald* de le remercier ; après tout, il leur fournissait bien une occasion d'augmenter leur tirage... « Achetez-en un, si vous tenez tant à lire ce que vous savez déjà.

— Tiens ? Vous savez lire maintenant ? rétorqua Ransom.

— Hum ! fit-il d'un air penaud. Je le veux quand même. Comme souvenir. »

Ransom prit le petit déjeuner dans sa chambre, le lendemain matin, afin de réviser ses notes : elles concernaient les questions qu'il avait l'intention de poser à Carrie Lane. Il s'absorba tellement dans ce travail que l'horloge marquait déjà 9 heures et demie lorsqu'il releva les yeux pour la première fois.

Il était encore légèrement essoufflé quand, Barker ayant ouvert la séance, le juge Dietz pénétra dans la salle. Mais c'était à Ransom de prendre la parole ; sans se presser, il disposa ses papiers devant lui, sur son bureau, toussota, et, ayant enfin recouvré toute sa voix, commença :

« Messieurs les jurés, je vous ai promis, à la fin de l'audience d'hier, de faire déposer aujourd'hui l'homme qui, au cours de ces dernières années, a été le plus proche collaborateur de l'accusé, soit l'une des rares personnes, sinon la seule, à pouvoir témoigner que l'accusé a abusé de ses pouvoirs magnétiques hors du commun pour manœuvrer et asservir non seulement ces douze personnes dont nous a parlé le Père Sydney, mais aussi sa propre femme et son propre maître.

« M. Simon Carr est ici, à Center City. Mais son grave état de santé m'interdit de le faire témoigner aujourd'hui. »

Un murmure s'éleva dans l'assistance. Tous les jurés semblèrent déçus, à l'exception du vieux Soos, l'ami de Floyd, qui affichait un air entendu, comme si le témoignage de Carr était une fable à laquelle il n'avait, lui, jamais cru. Ransom avait toujours pensé que Soos était de son côté. Se serait-il trompé ?

« Si j'en crois un avis médical autorisé, M. Carr sera bientôt suffisamment remis pour pouvoir venir témoigner.

Je pourrais évidemment vous lire sa déposition écrite, mais M. Carr exige d'être confronté directement à l'accusé. Aussi malade, aussi usé que soit ce vieillard courageux, c'est son droit et on ne saurait le lui refuser. Les faits qu'il entend dénoncer vous bouleverseront, j'en suis certain.

— Merci, monsieur Ransom, dit le juge, sèchement. Avez-vous un autre témoin à nous proposer, à la place de M. Carr ?

— Oui, Votre Honneur : Carrie Lane. »

Un grand brouhaha manifesta la satisfaction du public. *Panem et circenses*, pensa Ransom, quelle éternelle vérité !

L'huissier audiencier prononça la phrase rituelle :

« Mme Henry Lane est priée de venir à la barre. »

Même Dinsmore se leva. Aujourd'hui, il aura autre chose à faire qu'à se curer les dents ou s'inspecter les ongles, se dit Ransom, luttant contre la tension incroyable qui émanait du public.

« L'accusation prie Mme Henry Lane... » répéta l'huissier d'une voix stridente.

Mais elle n'apparaissait toujours pas.

« Monsieur Ransom, dit le juge soudain, auriez-vous l'obligeance de produire votre témoin ? Mme Lane est peut-être dans une salle d'attente.

Ransom était déjà debout lorsque la porte de droite s'ouvrit. Carrie Lane apparut.

« L'accusation prie Mme Henry Lane de venir à la barre, répéta l'huissier pour la troisième fois.

« Me voici », dit-elle, ramenant sa traîne vers elle. On eût dit une gravure de mode. Elle portait les vêtements de deuil les plus élégants que Ransom eût jamais vus. La manière dont elle avait fait son entrée, et dont elle se tenait maintenant, la désignaient toujours, et sans conteste, comme la première dame de la ville.

Ransom lui offrit le bras et l'accompagna jusqu'au banc des témoins. Tandis qu'elle prêtait serment, un caquet intempestif s'éleva dans les tribunes, couvrant sa voix. Ransom leva la tête, parcourut plusieurs rangées de femmes en grande conversation, et finit par y découvrir Mme Ingram, qui, elle, ne parlait pas et, ignorant Carrie Lane, n'avait d'yeux que pour Dinsmore. Celui-ci, immobile, pétrifié, comme un chat s'apprêtant à bondir sur sa proie, fixait le témoin, sans faire attention aux paroles qu'Applegate chuchotait en hâte à son oreille.

Dietz tambourina sur son bureau. L'ordre se rétablit peu à peu. Sentant qu'il avait de nouveau l'attention du public,

Ransom se tourna vers la barre. C'était une riche idée que de l'avoir convoquée ce jour-là, se dit-il. Quelle entrée !

« Connaissez-vous l'accusé, madame ?

— Oui, monsieur.

— Voudriez-vous préciser, à l'intention du tribunal, la nature de vos rapports avec l'accusé ?

— Oui, mais j'ai bien peur que ce ne soit assez difficile. Car c'est un sujet plutôt complexe. »

Bien répondu, pensa Ransom. « L'accusé travaille pour votre compte, n'est-ce pas ?

— C'est ce que l'on croit.

— Comment ? L'accusé n'est-il pas directeur général de toutes les entreprises de la maison Lane ?

— Si.

— Et depuis la mort de votre mari, M. Henry Lane, toutes ces entreprises vous appartiennent, n'est-ce pas ?

— Oui.

— Et pourtant, vous avez laissé entendre que l'accusé ne travaille pas pour vous ?

— Oui. Il travaille en fait pour son propre compte, dit-elle, avec une pointe d'amertume dans la voix.

— Mais c'est bien à vous que reviennent, n'est-ce pas, tous les bénéfices réalisés dans ces entreprises ?

— C'est exact.

— Et n'est-ce pas vous qui avez nommé l'accusé directeur général de votre maison ?

— Non. Il a occupé ce poste de sa propre autorité.

— Et vous ne l'avez pas empêché ?

— Non.

— Pourquoi, madame ? »

Elle se taisait, et regardait Ransom, sans bien savoir quoi lui répondre.

« Vous ne pouvez pas dire pourquoi vous n'avez pas empêché l'accusé de se nommer de lui-même à la direction de vos entreprises ?

— Si, je peux le dire. Mais personne ne me croira.

— Puis-je vous rappeler, madame, que vous témoignez en justice, et que vous avez juré de dire toute la vérité ? Je vous prierais donc, madame, d'expliquer au jury pourquoi vous n'avez rien fait pour empêcher l'accusé d'occuper ces fonctions lucratives, et de s'arroger le pouvoir social qu'elles impliquent ?

— C'est que, dit-elle d'une voix embarrassée, en hésitant

242

sur ces mots, c'est que j'étais, à l'époque, complètement dominée par lui.

— Quel sens donnez-vous à ce mot, madame ?

— Il m'avait magnétisée, littéralement.

— Parlez plus haut, s'il vous plaît. »

Elle répéta sa phrase, à voix haute, et en articulant bien ses mots. Le silence était absolu. Tout le monde retenait son souffle. « Il m'avait magnétisé, littéralement.

— Combien de temps a-t-il exercé sur vous ses pouvoirs magnétiques ?

— Un an, environ.

— Et la nature de cet ascendant était telle que vous n'avez pu rien faire pour l'empêcher d'occuper cette position dirigeante dans votre propre maison ?

— Effectivement, il pouvait faire ce qu'il voulait. Je ne pensais même pas à l'en empêcher. »

Elle est merveilleuse, se dit Ransom. C'est encore mieux que je ne l'espérais. Il lui adressa un demi-sourire, en guise d'encouragement. Puis il alla à son bureau et fit semblant de consulter ses notes, en fait il voulait laisser passer une minute ou deux avant de reprendre l'interrogatoire, pour permettre à tout le monde de bien assimiler les premières déclarations de Carrie Lane. Comme prévu, un murmure s'éleva bientôt dans les rangs du public. Lorsqu'il revint vers la barre, il remarqua un trouble sur le visage de Carrie. Mais il n'y accorda pas grande importance, et lui sourit de nouveau.

« Voudriez-vous nous dire, madame, depuis quand vous connaissez l'accusé ?

— Depuis le début de l'hiver 1898. »

Encore une fois, Ransom la pria de parler plus haut. Non pour l'effet, comme il l'avait fait auparavant, mais parce qu'elle était vraiment inaudible.

« Dans quelles circonstances avez-vous fait sa connaissance ?

— Mon mari... feu mon mari l'avait invité à dîner.

— M. Lane était un ami de l'accusé ?

— C'est un bien grand mot.

— Quels étaient donc leurs rapports, à cette époque ?

— Je n'ai su que par la suite ce qu'il en était réellement. J'ai pensé à l'époque, que si Henry avait invité M. Dinsmore, c'était uniquement pour le remercier de lui avoir si bien soigné les dents. Je pensais donc que l'accusé était seulement une relation de mon mari.

— Mais qu'en était-il en fait ?

— J'ai appris par la suite que Henry était **magnétisé** par lui.

— Comment l'avez-vous su, madame ?

— C'est lui qui me l'a dit.

— Qui ? Votre mari ?

— Non, lui », dit-elle. Elle désigna Dinsmore, puis détourna le regard, immédiatement.

« Comment expliquez-vous, Madame, que l'accusé vous ait fait cette révélation ?

— Je ne sais pas. Pour me tourmenter, sans doute. Il aimait beaucoup faire ce genre de choses, pour me martyriser. »

Ransom se tut, laissant à tout le monde le temps de méditer cette dernière phrase, et se mit à arpenter, l'air absorbé, l'espace qui séparait le banc de celui du jury. Puis il revint vers Carrie Lane ; elle avait la main sur la joue gauche.

« Madame, voudriez-vous dire au tribunal dequis quand votre mari connaissait l'accusé ?

— Depuis le début de cette année-là. C'est en janvier 1898, je crois, qu'il s'est rendu pour la première fois au cabinet dentaire, dit-elle, d'une voix quasiment désespérée.

— Votre mari s'est rendu très souvent chez l'accusé, pour se faire soigner les dents, n'est-ce pas ?

— Oui. » Cette fois, elle semblait épouvantée. Que se passait-il ? Elle avait répondu si bien, jusqu'alors.

« Pourriez-vous être un peu plus précise, madame ?

— Si je me souviens bien, il allait se faire soigner les dents une fois par semaine, et cela a duré des mois et des mois. Il avait les dents en très mauvais état...

— Madame, y a-t-il quelque chose qui vous gêne ?

— Non, dit-elle en hésitant.

— Alors pourquoi vous cachez-vous les yeux ? La lumière vous gênerait-elle ?

— Non. Mais sa voix était encore plus hésitante.

— Alors enlevez votre main s'il vous plaît, afin que tout le monde puisse vous voir. »

Elle lui obéit. Puis tout de suite se couvrit de nouveau le visage, de la main gauche.

— C'est impossible, dit-elle, apeurée.

— Pourquoi, madame ?

244

Elle le regarda : elle était sur le point de fondre en larmes. Qu'est-ce qu'elle peut bien avoir ? se dit-il.

« Madame Lane ?

— C'est impossible. » Elle ne put réprimer comme un cri de douleur. « Non, je ne peux pas. Il me regarde. Ses yeux, non, non. »

Ransom se retourna brusquement. Dinsmore était aussi immobile qu'une statue ; son visage, de marbre. Mais ses yeux, ses yeux semblaient deux vrilles enflammées. Bon sang ! se dit le procureur. Il essaye de la magnétiser. Ici, en plein tribunal ! Devant tout le monde ! Depuis le début du procès, lorsqu'il interrogeait les témoins, Ransom s'était toujours placé de telle façon que tout le monde pût les voir. Se rappelant la tactique qu'il avait adoptée, lors du grand dîner chez les Dietz, pour bloquer le fluide de Dinsmore, Ransom s'interposa entre ce dernier et Carrie Lane.

« Cela va mieux, ainsi ? Lui demanda-t-il.

— Oui, un peu. Mais il l'entendit à peine.

— Madame, je vous prie de dire au tribunal ce qui ne va pas.

— Je... je... je ne peux... » balbutiait-elle.

L'audace de cet homme stupéfiait Ransom. En plein tribunal ! il n'en revenait pas. Eh bien, se dit-il, montrons-nous aussi audacieux que lui. Et il s'écarta de manière que Dinsmore pût de nouveau la voir.

« Madame, je désire que vous regardiez l'accusé et que vous disiez au tribunal ce qui se passe en ce moment précis. »

Elle se cachait les yeux, maintenant.

« Je ne peux pas. Je ne peux pas le regarder.

— Je vous en supplie, dites au tribunal ce qui se passe.

— Non. Je vous en prie. Ne le laissez pas... Arrêtez-le. Empêchez-le ! » s'écria-t-elle, en se levant brusquement. Elle essayait de s'enfuir. Ransom la saisit par le bras.

« Dites-leur ce qui se passe. Je vous en supplie, Madame. Dites-leur pourquoi vous ne pouvez pas regarder l'accusé. » Elle tremblait de tout son être. Il lui prit la main, et à grand-peine la retira de devant son visage. Puis il se mit à la fixer dans le blanc des yeux, en se rapprochant de plus en plus. « Parlez, dit-il. Expliquez-leur. »

Elle lui jeta un regard éperdu.

« Allez ! Dites-leur !

— Il... Il est en train de me magnétiser.

— De là-bas ?

— Oui.

« — Et sans rien faire d'autre ? Uniquement en vous regardant ?

— Oui. Oui. Ah, mon Dieu !

— L'a-t-il déjà fait en d'autres circonstances ? Madame Lane, l'a-t-il déjà fait ? » Il dut la secouer pour obtenir une réponse.

« Oui. Il l'a déjà fait. Des dizaines et des dizaines de fois. »

Elle avait eu beaucoup de peine à articuler ces derniers mots. Elle commença à vaciller sur ces jambes, le tremblement nerveux qui l'agitait cessa, ses paupières palpitèrent un instant et elle tomba dans les bras de Ransom. Elle s'était évanouie. Ce fut un désordre indescriptible. Ransom la souleva et la porta devant le banc des jurés.

« Messieurs du jury, voici une preuve irréfutable des pouvoirs de cet homme.

— Objection, Votre Honneur ! » hurla Applegate, assenant de grands coups de poing sur son bureau. « Objection ! Si le témoin ne pouvait pas regarder en face mon client, c'est qu'elle mentait et qu'elle le savait. C'est qu'elle calomniait M. Dinsmore, malgré le serment qu'elle a fait de ne dire que la vérité ! Je demande que l'on raye sa déposition et qu'on la condamne pour outrage à la magistrature ! »

Mais Dietz maniait frénétiquement son marteau, tandis que l'huissier hurlait à s'écorcher la voix.

Ignorant tout le monde, Ransom se dirigea vers la porte par laquelle Carrie Lane était entrée.

« J'ai des sels » dit quelqu'un, lui ouvrant la porte. C'était Isabelle Page. Elle était rouge comme une pivoine. Elle aida Ransom à transporter Carrie dans l'une des salles d'attente.

Lorsque Carrie eut repris ses esprits, Ransom se reprocha d'avoir poussé les choses si loin. Et pourtant c'était nécessaire : cette preuve, directe, vivante, était supérieure en efficacité à tous les témoignages, à tous les articles savants.

« Comment vous sentez-vous ? lui demanda-t-il.

— J'ai la tête qui tourne un peu, encore.

— Vous vous êtes conduite de manière admirable, lui dit-il en prenant sa main. Je suis vraiment navré de vous avoir infligé cette épreuve. Mais il le fallait : ce que vous avez prouvé en quelques minutes, des centaines de témoi-

246

gnages n'auraient jamais pu le faire. Je vous en prie, pardonnez-moi. »

Comme elle ne répondait pas, Isabelle dit :

« M. Ransom a raison. Tout le monde a eu si peur pour vous. C'est scandaleux !

— Faut-il que je revienne à la barre ? dit Carrie. C'est impossible, tant qu'il sera dans cette salle lui aussi. James, vous ne pouvez pas vous imaginer ce que c'est. C'est à peine si je vous voyais, si je vous entendais. C'était comme si un train était passé entre vous et moi. Et puis cette douleur, dans les yeux. Je vous en supplie, ne me demandez pas de continuer à témoigner.

— N'y pensez plus, dit-il. Reposez-vous. Il faut que je parle un instant au juge. Ne vous en faites pas. Vous êtes le meilleur témoin depuis le début du procès. Je ne peux que vous féliciter. » Son évanouissement avait tiré tous les jurés de leur réserve. Même les plus abrutis s'étaient montrés profondément préoccupés, et l'un d'entre eux, Gus Tibbels — un riche agriculteur qui venait des fins fonds du comté —, avait même offert d'aider Ransom à la porter. La victoire était peut-être d'ores et déjà assurée.

Elle le regarda un instant, puis soupira.

« Restez avec elle », ordonna-t-il à Isabelle. « Et ne laissez entrer personne d'autre que moi. »

En ouvrant la porte, Ransom tomba sur Mme Ingram.

« Laissez-moi entrer, dit-elle, comme il la bloquait.

— Il y a déjà quelqu'un avec elle. » Mme Ingram roulait des yeux furibonds.

« Je vous avais bien dit qu'elle ne devait pas témoigner. Et je l'avais avertie, elle aussi.

— Je regrette, mais elle a témoigné et elle continuera de le faire.

— Après une pareille épreuve ! Vous n'avez pas de cœur.

— J'en ai toujours plus que M. Dinsmore. Quant à vous, madame Ingram, vous plairait-il de raconter au tribunal certains amusements auxquels il vous a soumise ?

— Je ne vois pas ce que vous voulez dire ?

— Vous souvenez-vous vous être fait une entaille au bras pendant qu'il vous observait ? Et ne vous est-il jamais arrivé de piquer une crise d'hystérie parce que vous vous sentiez perdue à vingt mètres à peine de chez vous ?

— Laissez-moi, dit-elle.

— Alors cessez de me mettre des bâtons dans les roues. Et laissez Mme Lane tranquille, que ce soit ici ou chez elle. Vous m'avez compris ? Sinon je vous fais témoigner, et, croyez-moi, je m'amuserai bien plus que Dinsmore.

— Vous êtes aussi méchant que lui, dit-elle. Vous êtes tous des bêtes sans cœur. »

Elle tourna les talons et se dirigea vers la salle d'audience. Ransom la suivit. En son absence, la séance avait été levée. Beaucoup de gens étaient debout, mais restaient dans la salle de peur que l'audience ne reprît.

« Le juge Dietz est dans son bureau, dit Alvin Barker, avec Applegate. »

Il y avait quelqu'un devant la porte du bureau de Dietz. Ransom ne l'avait jamais vu. C'était un jeune homme grand, à la tignasse fauve et au visage couvert de taches de rousseur. Ransom s'approcha. L'inconnu lui tendit la main :

« Permettez-moi de me présenter : Will Merrifield, du *Herald* de Lincoln. Comment va Mme Lane ?

— Bien. Très bien. Elle va beaucoup mieux maintenant.

— Pourra-t-elle continuer à témoigner ?

— Je n'en sais rien encore, mon ami. Mais je vous le ferai savoir. En tout cas, je vous félicite pour votre article. Continuez.

— Cette histoire va vous faire une première page du tonnerre, monsieur Ransom. Avec un titre grand comme ça !

— Bien. Très bien. »

Ransom ouvrit la porte. Applegate était blême de colère :
« ... Pire qu'une farce de carnaval, disait-il. Ce genre de procès est inadmissible !

— Ah ! James, dit le juge, heureux de le voir. Entrez. Asseyez-vous. Prenez un siège vous aussi, Cal. »

Applegate s'assit sur une chaise à dossier haut, l'air boudeur.

« Mme Lane a repris connaissance, dit Ransom. Elle ne veut plus témoigner. Mais j'ai encore beaucoup de questions à lui poser.

— En tout cas, je ne veux plus d'évanouissements et autres scènes de pâmoison, dit le juge.

— C'est du théâtre de bas étage, ajouta Applegate.

— C'est la faute de votre client ! répliqua Ransom.

— A d'autres ! C'est une hystérique, voilà tout ! »

Dietz les interrompit : « Pouvez-vous faire en sorte que ce genre d'incident ne se reproduise plus ?

— Et comment ?

248

— Trouvez une solution. Cal a raison : tout cela est un peu trop théâtral.

— S'il n'y avait pas eu Dinsmore, dans la salle, pendant qu'elle témoignait...

— Objection ! Le prévenu a le droit d'assister à l'intégralité des débats publics, selon le droit civil anglais.

— Il a raison, James.

— Peut-on le mettre ailleurs qu'en face d'elle ?

— Mon client a le droit de regarder les témoins en face. Là n'est pas le problème, monsieur Ransom. C'est votre cliente qui...

— Et si on lui mettait un voile ? suggéra Dietz.

— C'est une idée. Mais il faudrait lui en mettre plusieurs.

— Oui. De toute façon, il n'est pas nécessaire qu'elle voie, dit le juge. Et on peut toujours lui relever ses voiles, s'il faut qu'elle identifie un document ou toute autre pièce.

— Peut-on trouver des voiles assez épais ? demanda Ransom.

— Demandons à Mme Brennan. Elle ne doit pas être loin d'ici. Je l'ai vue dans les tribunes, avec d'autres vieilles dindes. »

On trouva Mme Brennan qui ne fut que trop heureuse d'offrir son aide.

« Ce sont mes modèles qu'elle porte aujourd'hui, vous savez », ajouta-t-elle. Point n'était besoin d'être grand clerc, pour deviner quel avait été le thème principal de ses bavardages dans les tribunes.

Son magasin étant à deux pas du tribunal, Mme Brennan fut de retour au bout de cinq minutes. Ransom se dirigea tout de suite vers la salle d'attente en compagnie de la couturière ; lorsqu'il ouvrit la porte, il trouva Isabelle et Carrie en grande conversation, intime, apparemment, car elles cessèrent de parler en le voyant. Mme Brennan marcha d'un pas décidé vers sa cliente, et, sans même expliquer les raisons de sa présence, commença d'épingler une masse de voiles sur le large bord du chapeau que portait Carrie Lane.

« Qu'est ceci, James ?

— Voyez-vous au travers ?

— Très vaguement.

— Me voyez-vous ?

— Je ne vois qu'une forme confuse. Mais, dites-moi, James, il va falloir que je retourne témoigner ? dit-elle, en relevant ses voiles.

— Je n'ai que quelques questions à vous poser. Nous n'avons encore rien dit de l'état mental de votre mari, à la veille de sa mort. Il faut que tout cela soit exposé clairement, afin qu'aucun doute ne soit possible. D'autres personnes corroboreront votre témoignage ; n'est-ce pas, Isabelle ?

— Bien sûr.

— Vous voyez, Carrie. Il faut que vous continuiez de témoigner. Ne serait-ce que pour établir les raisons de la mort de votre mari. C'est essentiel. »

Elle n'avait pas encore l'air très convaincue. « Vous pensez que ces voiles suffiront, comme protection ?

— Je n'en suis pas tout à fait sûr. Mais je pense que ça fera l'affaire. Si par hasard vous sentez que quelque chose ne va pas, dites-le : nous interromprons immédiatement la déposition.

— Oui, mais que ferons-nous, si ça ne marche pas ?

— Nous aviserons sur le moment. On pourra en parler avec Carr : lui, au moins, devrait avoir une idée sur le problème. »

Quand on eut vérifié, par divers petits jeux, l'opacité des voiles, Ransom déclara à l'huissier que le témoin était prêt, et que l'audience pouvait reprendre.

Lorsque les spectateurs et les jurés retournèrent à leurs places, il purent jouir de ce rare spectacle : une femme voilée de noir assise au banc des témoins. Dietz dut donner de nombreux coups de marteau avant que le calme revînt dans la salle.

« Le témoin, dit le juge, a demandé que sa vue soit protégée. La décision du tribunal sur ce sujet est la suivante : tous les moyens disponibles, et légaux, seront mis en œuvre, pour permettre au témoin de continuer à déposer. »

Au premier rang des tribunes, à côté de Will Merrifield, un petit homme barbu ne cessait de baisser et de relever la tête en regardant Mme Lane : c'était l'illustrateur du *Herald*.

« Je vous rappelle, madame, que vous parlez toujours sous la foi du serment, dit Ransom. Comment vous trouvez-vous ?

— Bien », répondit-elle, se cramponnant des deux mains aux accoudoirs du fauteuil.

« Alors nous pouvons continuer. Voudriez-vous dire au jury, madame, quand vous avez été magnétisée pour la première fois par l'accusé, et dans quelles circonstances ?

— Mon mari savait que je souffrais d'insomnie depuis un certain temps. A partir de l'été 1897, l'absence de sommeil commença à nuire à ma santé. Pour dormir, je me suis mise alors à prendre tous les soirs un peu de teinture d'opium. Remède efficace, mais qui n'allait pas sans dangers. Henry s'aperçut que j'étais de plus en plus distraite et bien souvent absente. Les soucis qu'il se faisait pour moi l'amenèrent un jour à parler de mon insomnie à l'accusé. M. Dinsmore assura à mon mari que je pouvais très bien dormir, sans recourir à aucun médicament : il suffisait de me magnétiser.

— Quand a eu lieu la première séance ?

— Le soir même où j'ai fait la connaissance de l'accusé.

— Pouvez-nous nous décrire exactement ce qu'il s'est passé ce soir-là ?

— Après dîner, mon mari et M. Dinsmore m'invitèrent à m'asseoir dans un grand fauteuil confortable du petit salon. L'accusé s'assit tout près de moi sur une ottomane, tandis que Henry s'asseyait à côté. L'accusé me demanda alors de me détendre et de décontracter progressivement tous les muscles de mon corps. Plus précisément, il le disait, et sous l'effet de la suggestion, je me sentais de plus en plus détendue. Je me rappelle avoir fermé les yeux un instant, puis les avoir rouverts sur son ordre. Je pense qu'à ce moment-là, j'étais déjà sous hypnose, car il s'est mis à vérifier ma réceptivité à diverses suggestions. Il m'a demandé de me lever et de marcher, tout en restant absolument détendue. Ce que j'ai fait. Puis il m'a dit que mon bras droit était tellement décontracté que je ne pouvais pas le soulever. Il m'a alors demandé de le faire : malgré tous mes efforts, je n'ai pas pu le soulever d'un pouce au-dessus de l'accoudoir.

— Cela vous a-t-il angoissée, madame ?

— Non. Absolument pas. Puis il m'a dit que je pouvais de nouveau remuer mon bras, ce que j'ai fait sans aucune difficulté.

— Etiez-vous éveillée et consciente, durant cette expérience ?

— Cette fois-là, oui. Par la suite, en effet, j'ai découvert qu'il y a plusieurs types d'hypnoses. En d'autres occasions, l'accusé m'a plongée dans un état hypnotique bien plus profond : c'était un peu comme si je m'étais endormie ; lorsque je me réveillais, je ne me rappelais absolument rien de ce qui s'était passé. Il utilisait ce type de magnétisation profonde pour me poser des questions extrêmement indiscrètes et pour me suggérer d'accomplir certaines actions ou d'adopter certains comportements inconscients.

— Pourquoi vous soumettait-il à ces séances approfondies ?

— A cause de la nature de ces suggestions.

— Que voulez-vous dire ?

— Il me suggérait des choses que normalement, je n'aurais jamais faites.

— Et vous les accomplissiez ?

— Oui.

— Contre vos propres désirs ?

— Mes désirs n'étaient rien face à sa volonté.

— Vous rappelez-vous autre chose de cette première séance de magnétisme ?

— Il dit que je dormirais très bien, cette nuit-là, sans avoir besoin de médicaments.

— Et ce fut le cas ?

— Oui. Je dormis très bien. Mais uniquement cette nuit-là. Pas le lendemain. » Elle marqua une pause. « Au bout de quelques jours, j'ai demandé à Henry de faire revenir le magnétiseur.

— Pourquoi, madame ?

— Ce type de cure ayant fonctionné une fois, je me suis dit qu'il fallait essayer d'obtenir un effet plus durable, permanent si possible.

— L'accusé vous a-t-il guérie définitivement de votre insomnie ?

— Définitivement, non. L'accusé a accepté de me soumettre à une nouvelle séance, tout en me disant qu'il ne savait pas si l'effet en serait définitif. Il m'a alors magnétisée et j'ai bien dormi pendant une semaine. J'ai fait revenir M. Dinsmore, et, cette fois, l'effet de la séance a duré un mois. Puis trois mois, et ainsi de suite.

— Ainsi, vous deviez le voir régulièrement, et vous soumettre chaque fois à une nouvelle séance de magnétisme ?

— Oui. Mais je le soupçonne aujourd'hui de m'avoir menti. Depuis j'ai appris, en effet, que les cures de ce genre sont, en général, définitives. L'accusé me trompait, et ainsi se réservait toujours de nouvelles occasions de me magnétiser.

— Afin de vous dominer de plus en plus ?

— Oui. Comme il l'avait fait pour Henry.

— Quand avez-vous pris conscience, madame, de cet ascendant qu'il avait sur votre mari ? Est-ce l'accusé qui vous l'a dit ?

252

— Non. Je m'étais déjà rendu compte de quelque chose auparavant. Je me souviens d'un soir, environ quatre mois après que j'eus fait la connaissance de l'accusé. Nous étions de nouveau réunis tous les trois pour dîner. Rien d'anormal, jusqu'au moment où je suis sortie de la salle à manger pour aller dans la cuisine. Si je me rappelle bien, j'étais allée prendre le dessert, spécialement préparé pour l'occasion. Quand je suis revenue à table, M. Dinsmore a commencé à me tenir des propos galants. Naturellement, j'en ai été stupéfaite, et cruellement mortifiée. Ses paroles étaient de plus en plus outrageantes, de plus en plus osées. J'ai levé les yeux vers Henry, pensant qu'il allait remettre notre invité à sa place, et vertement... Or, il semblait ne rien entendre, et dégustait béatement son gâteau. Je l'appelai : aucune réponse, aucune réaction. A ce moment-là, l'accusé a commencé à... bon, je me suis bouché les oreilles et j'ai fait le tour de la table pour aller secouer Henry, lui demander de réagir. Mais il m'a regardé en souriant. J'ai eu tellement peur, alors, que j'ai commencé à crier et à appeler les domestiques. M. Dinsmore m'a arrêtée, et m'a rassurée. Il a fait claquer ses doigts, par deux fois, et Henry est revenu à lui. Il m'a demandé ce que je faisais, debout à côté de lui, et pourquoi j'avais l'air si bouleversée. Je ne savais plus où me mettre, vous me comprendrez, et je me suis précipitée hors de la salle à manger.

— Vous n'avez pas été magnétisée ce soir-là ?

— Si. Je m'étais réfugiée dans ma chambre. Mais bientôt j'ai vu arriver Henry : il venait me demander de les rejoindre. Je ne voulais pas. Nous nous sommes disputés. Enfin, j'ai cédé. Et alors Henry m'a forcée à me soumettre à une nouvelle séance de magnétisme.

— Cette idée vous angoissait-elle ?

— Je ne sais pas. J'étais surtout en colère. Je ne comprenais pas l'attitude de Henry.

— Avez-vous reparlé de cet incident à votre mari, par la suite ?

— J'ai essayé, plusieurs fois. Mais il semblait ne rien comprendre à ce que je lui disais, comme s'il n'avait jamais assisté à cette scène. De nouveau, nous nous sommes querellés. Je lui ai dit que je ne voulais plus jamais voir l'accusé. Henry m'a alors accusée de préférer la drogue à la cure magnétique. Quelle scène horrible ! Jamais cela ne nous était arrivé.

— Je crois savoir, madame, que les querelles entre vous et feu votre mari étaient extrêmement rares ?

— Oui, nous ne nous querellions pour ainsi dire jamais, jusqu'au moment où M. Dinsmore est entré dans notre vie.

— En d'autres termes, madame, l'accusé a eu une influence délétère sur votre union ?

— Oh ! oui, dit-elle tristement. Cependant, je crois que je n'y aurais jamais pensé si Henry n'était pas mort de manière si horrible. Notre mariage était bien plus heureux que celui de beaucoup de gens. Je me sentais de force à affronter certaines contrariétés. »

Par respect pour sa douleur de veuve, ranimée par ces souvenirs, Ransom interrompit un instant l'interrogatoire. Il retourna à son bureau, et, de nouveau, fit semblant de consulter ses notes. Puis il revint vers elle :

« Le tribunal partage votre deuil, madame, et comprend votre douleur. Néanmoins, nous devons considérer l'état mental de votre mari à la veille de sa mort. Vous sentez-vous le courage de nous parler de cette période ?

— Oui. Je crois.

— Vous avez dit, madame, que lorsque l'accusé a commencé à fréquenter votre foyer, les démêlés se sont multipliés entre vous et votre mari ? Je suppose, cependant, que M. Dinsmore n'était pas le seul sujet de vos différends ?

— Effectivement. La plupart de nos disputes étaient dues au fait que Henry n'avait plus du tout la même manière de considérer ses affaires, son travail.

— Veuillez être plus précise, s'il vous plaît.

— Jusqu'alors, Henry ne m'avait jamais parlé de ses affaires. Il ne me demandait jamais mon avis, ce que je trouvais tout à fait naturel. C'est alors que j'ai remarqué en lui un changement : il est devenu morose...

— Quand ce changement s'est-il produit ?

— Au début de l'automne 1898. Or, je ne lui avais jamais vu l'humeur chagrine. Aussi me suis-je empressée de lui demander ce qui n'allait pas. Alors, pour la première fois, il m'a entretenu de ses affaires professionnelles, en me disant qu'elles le préoccupaient. Et son inquiétude est allée en augmentant : bientôt, il s'est mis à soupçonner ses employés, puis ses associés et enfin tout le monde, ses amis, ici et à Lincoln, le jardinier, Mme Ingram, parfois, même, des personnes complètement inconnues. Il croyait que tout le monde voulait le voler et provoquer sa ruine. »

Carrie Lane continua ainsi d'évoquer avec force détails les derniers mois de son mari. C'était maintenant un témoignage tranquille, bien moins sensationnel qu'en début de matinée. Mais tout aussi nécessaire, pensait Ransom, et plus efficace du point de vue du procès : toute cette partie de sa déposition était la preuve irréfutable de la culpabilité de Dinsmore. De temps à autre, Ransom jetait un coup d'œil à l'accusé. Celui-ci, ne pouvant plus magnétiser le témoin, avait repris son attitude d'indifférence. A un moment donné, alors que Ransom suivait le récit de Carrie Lane, son attention fut attirée par un minuscule et fugitif miroitement. Puis par un autre. Que pouvait-ce bien être ? Encore un autre. Ransom leva les yeux vers les tribunes, puis les abaissa vers le parterre, cherchant à identifier la source de ce scintillement quasiment imperceptible. C'était la lumière du soleil qui se reflétait sur quelque chose, cela ne faisait aucun doute. Oui, mais sur quel objet ? Et comment repérer un objet aussi minuscule ?... J'y suis, se dit-il, se retournant vers Dinsmore. L'accusé, d'un mouvement léger et régulier des poignets, s'amusait à produire un reflet sur ses boutons de manchettes. Mais pourquoi ?...

Ransom s'aperçut que Carrie parlait de plus en plus bas.

« Veuillez parler plus fort, madame », lui dit-il.

Mais elle continuait de murmurer ses mots. Ransom vit alors un éclair de lumière traverser ses voiles juste au niveau des yeux.

« Madame Lane, dit-il d'une voix forte.

— Oui, susurra-t-elle.

— Percevez-vous des éclairs fugitifs ? »

Murmures dans le public. Chacun se demandait ce qu'il se passait.

Comme Carrie ne répondait pas, Ransom se pencha par-dessus la barre, et souleva ses voiles. Elle était hébétée. Ransom l'empoigna par les épaules, et la secoua en répétant son nom. Elle reprit faiblement ses esprits.

« Madame Lane, vous sentez-vous bien ? »

Lentement, elle accommoda ses yeux sur lui. L'expression d'hébétude disparut, mais fit place immédiatement à une terreur si intense que lui-même en fut épouvanté. Elle s'agrippait au bras de Ransom avec une telle force que celui-ci sentait ses ongles pénétrer à travers la manche de sa veste.

« Ça recommence, James », dit-elle en haletant.

Dans le public, des gens se levaient pour mieux voir. Carrie ne le lâchait pas, comme un enfant effrayé. Elle geignait.

« Que se passe-t-il, monsieur Ransom ? » demanda Dietz.

Ransom essaya de se libérer. Impossible ! Alors il se retourna et hurla : « Huissier ! Saisissez-vous de l'accusé ! »

Mais à ce moment même, Carrie lâcha prise et s'affala en arrière sur son siège. Ransom bondit vers Dinsmore et saisit ses deux mains, avant même que l'huissier eût pu faire un seul geste.

« Votre Honneur, messieurs du jury ! Vous venez d'assister à une expérience de magnétisme exceptionnelle : le fluide a réussi à traverser six épaisseurs de voiles, les plus épais que nous ayons pu trouver ! » Ransom, tordant le poignet de Dinsmore, capta la lumière qui provenait de la fenêtre, puis dit : « Et maintenant, regardez ! » Il fit tourner le poignet de Dinsmore et le jet de lumière atteignit Carrie Lane qui, immédiatement, se couvrit les yeux de la main. Ransom répéta l'expérience, saisissant l'accusé à bras-le-corps et sans se préoccuper des piailleries d'Applegate.

« Malgré les voiles, ce reflet intermittent avait commencé de magnétiser le témoin, Votre Honneur.

— Objection ! s'écria Applegate.

— Ça ne va pas, non ? » disait de son côté l'accusé, s'adressant à Ransom.

Lâchant la main de Dinsmore, Ransom se retourna vers le juge : « Je demande que l'on mette les menottes à l'accusé.

— Et moi j'objecte », enchaîna Applegate.

Leur coupant la parole à tous les deux, Dietz se mit à tambouriner avec son petit marteau et leur fit signe de venir conférer avec lui. L'huissier hurlait. Merrifield prenait des notes en hâte, et l'illustrateur crayonnait un portrait de Dinsmore. Celui-ci, comme toujours affectait l'indifférence.

« Je n'admettrai jamais que l'on passe les menottes à mon client, dit Applegate. Non seulement c'est un honnête homme, mais rien, absolument rien ne prouve qu'il soit dangereux. Au contraire, c'est l'accusé le plus calme que j'aie jamais vu.

— Mais il magnétise le témoin. Vous l'avez vu vous-même.

— Taisez-vous, tous les deux ! Et écoutez-moi bien. Je suis prêt à suivre vos suggestions, Ransom, mais vous exagérez. Maître Applegate a raison : son client n'est pas violent, il serait illégal d'entraver ses mouvements.

256

— Si on lui passe les menottes, je forme un pourvoi en cassation », dit Applegate, enhardi par les paroles de Dietz.

« Je n'ai pas de menaces à recevoir de vous, maître Applegate. Encore une déclaration de ce genre, et je vous condamne pour outrage à la magistrature. Mais revenons au problème. Il est évident que les voiles ne suffisent pas à protéger la vue de votre témoin, M. Ransom. Je suspends l'audience jusqu'à demain matin. Entre-temps, tâchez de trouver quelque chose de plus efficace. »

Sans attendre de réponse, Dietz se retourna vers le public :

« L'audience reprendra demain matin à dix heures.

« Vous pensez donc que les lunettes suffiront ? disait le juge.

— Oui. Des lunettes noires. Comme celles que portent les gens qui ont la cataracte, répliqua Ransom. Avec des verres fumés. Et si ça ne suffit pas, nous ferons installer un écran de verre fumé.

— C'est ce que Carr vous a conseillé ?

— Exactement.

— Et il est sûr de l'efficacité de ce dispositif ?

— Non, pas tout à fait. Mais au moins cela protégera ses yeux.

— Mais vous ne trouvez pas que c'est beaucoup de dérangements pour un seul témoin ?

— Non. Nous en aurons aussi besoin lorsque Carr viendra témoigner. Lui aussi a subi l'ascendant de Dinsmore. » Ransom tira une feuille de papier de sa serviette. « Voici le croquis de l'écran. Il serait fixé directement sur la barre de bois qui se trouve devant le banc des témoins. C'est un simple cadre de bois pour tenir le carreau de verre fumé. Remarquez que nous serons les seuls à pouvoir voir le témoin.

— Tout cela m'a l'air très compliqué.

— Carr a dit que l'on pouvait remplacer le verre fumé par une plaque de mica, pourvu qu'elle soit assez épaisse. Cela coûterait beaucoup moins cher, pour un résultat équivalent. Dès que j'ai votre accord, je cours chez le vitrier.

— Vous y croyez, vous, à cette histoire de magnétisme ?

— Comment ? Mais vous avez bien vu ce matin, quand Mme Lane s'est évanouie...

— Je sais. Mais c'est un exemple isolé. Assez étonnant,

257

je le reconnais, mais de là à pousser quelqu'un au suicide...

— Attendez la suite du procès, vous verrez.

— Je n'en doute pas. En tout cas, je suis bougrement content que ce soit au jury de trancher. Car, en ce qui me concerne, je ne saurais vraiment pas quel parti prendre.

— Mais cet homme est un criminel ! Vous avez lu les rapports de police.

— Je sais. Je sais. Mais alors pourquoi ne font-ils rien pour se défendre. Applegate n'a pas fait un seul contre-interrogatoire. Ça ne lui ressemble pas.

— Applegate n'est plus le même depuis le début de ce procès. On croirait un diable à ressort, avec ses objections.

— Et vous croyez qu'ils ne tenteront rien de plus ? Je ne voudrais pas sous-estimer Applegate, James. J'ai déjà jugé des douzaines de causes défendues par lui. Je l'ai vu à l'œuvre. Il ne perd jamais une occasion d'intervenir, d'habitude. Et quand je le vois aussi calme, je le soupçonne toujours de mijoter quelque chose.

— Et que pourrait-il nous servir ? Un témoin à surprise ? La mère de Dinsmore, venant nous raconter que son fils était un petit garçon si sage... ? Non, Votre Honneur ; je pense qu'Applegate n'a aucune défense. C'est pour cette raison qu'il intervient si peu ; et c'est pour cette raison que Dinsmore s'est mis à recourir au magnétisme. Il est fichu, il le sait, et il a peur. »

Le juge semblait à bout d'arguments. Ils sortirent dans le couloir. Il faisait nuit. Une cloche sonna dix heures.

« Alors ? dit Ransom.

— D'accord pour l'écran. Mais demandez qu'on y mette une plaque de mica. J'aurai moins de plaintes de la part des contribuables. Ce sera un sacré spectacle, en tout cas. Je vous connais, James : vous aimez bien amuser la galerie. »

Lorsqu'il sortit de chez les Dietz, Ransom s'épargna la peine d'aller chez le vitrier. Certain d'obtenir l'accord du juge, il avait déjà commandé l'appareil. Il se dirigea d'un pas tranquille vers l'angle de l'avenue Lincoln. Il distinguait déjà le fourgon du *Herald* et la foule qui s'était rassemblée pour acheter l'édition spéciale. La nuit était très douce, alors qu'on était encore aux premiers jours de mars. Déjà le printemps, pensa-t-il. Quel beau printemps il passerait cette année-là, à Plum Creek ! Ce serait, cette fois, un véritable printemps, après tant d'années vides : une nouvelle naissance, avec de nouvelles ambitions, de nouveaux objectifs. Et avec Carrie.

Elle était admirable, pleine d'ardeur et avait confiance en lui. Quand je pense, se dit-il, qu'elle veut continuer de témoigner, malgré cette deuxième tentative de magnétisation ! (Il est vrai qu'il lui avait exposé auparavant les idées de Carr : les lunettes noires, l'écran.)

Mais Ransom savait que si elle tenait tant à témoigner, ce n'était pas seulement par vertu civique : elle voulait expier ses fautes, sa déposition était une confession *coram populo*. Elle voulait se décharger de tout ce passé sordide, libérer son avenir de toute influence maléfique.

Attitude fruste, primitive même, se disait Ransom. Comme Œdipe s'arrachant les yeux avec la broche de Jocaste. Quel étrange rapprochement ! pensa-t-il. Mais au fond il correspondait bien au personnage de Carrie Lane. Son éducation, le raffinement indéniable de ses manières n'avaient pas aboli en elle ce courant plus sombre qui nous vient de la nuit des temps. Avec quel brio, avec quelle force n'avait-elle pas décrit ces scènes orgiaques avec Dinsmore, sans rien taire des aspects les plus abjects, les plus pervers de ses rapports avec lui ! Comme si elle avait retiré un plaisir de ces évocations. Et pourtant elle lui avait bien dit que ces rapports ne lui avaient jamais procuré aucune jouissance réelle, mais uniquement dégoût et honte. Enfin, toute son attitude ne témoignait pas moins d'une sensualité cachée en elle qui ne demandait qu'à se déchaîner, qui se déchaînerait pour lui, dès qu'il le désirerait, dès qu'il l'aurait épousée. Il s'essaya à imaginer leurs futures amours. Mais la seule image qu'il réussit à évoquer fut celle des cuisses dures et musclées de la mère Roger. Les jambes de Carrie seraient d'une douceur infinie, il s'y glisserait moelleusement comme dans un drap de satin. Bon. Il lui demanderait sa main sitôt le jugement rendu. Elle attendait cette démarche, c'était évident. Mais, comme lui, elle voulait que tout fût réglé auparavant. Il leva les yeux vers la ville haute et aperçut les deux fenêtres, encore éclairées, de sa bibliothèque. Dommage qu'il fût si tard !

« Bonsoir, monsieur Goff », dit Ransom au barbier, qui achetait un journal.

Merrifield avait tenu sa promesse. Un énorme titre s'étalait sur toute la largeur de la page : « L'accusé magnétise le témoin. Mme Lane riposte en se voilant. » Juste au-dessous, au milieu de la page, un illustrateur de Lincoln, s'inspirant du récit de Merrifield, avait représenté la scène avec une ressemblance frappante. En contrebas, un croquis plus petit esquissait l'accusé dans sa pose habituelle : commodément assis, les jambes croisées, sur sa chaise adossée à la balustrade. Le visage n'était pas celui de Dinsmore, évidemment. Seule l'édition régulière, du lendemain matin, ainsi que les journaux des grandes villes, associés au *Herald*, porteraient les illustrations originales qui n'étaient pas encore parvenues à l'imprimerie de Lincoln. Mais l'effet était réussi. L'artiste n'avait pas oublié le halo de lumière émanant des boutons de manchette.

Ransom attendit d'être rentré à la pension pour lire l'article. Merrifield avait du style ; son récit était agréable à lire. De plus, il était d'une logique parfaite. Les aspects les plus essentiels étaient clairement mis en lumière ; l'analyse de la déposition de Carrie Lane, et de ses conséquences désastreuses pour la défense, était irréfutable. Evidemment, l'article consacrait beaucoup de place aux évanouissements et aux moments les plus dramatiques, mais il était fidèle et puissant.

Avant d'éteindre la lampe, il regarda encore une fois les illustrations de la première page. Elles faisaient de l'effet. Mais ce n'était rien, à côté de ce qu'on verrait demain.

Tous les obstacles qu'il avait rencontrés jusque-là, une fois surmontés, s'étaient transformés en autant d'appuis de sa ligne d'attaque : phénomène remarquable, pensa-t-il. Le procès ne se développait pas selon la forme qu'il avait projetée, mais il n'en suivait pas moins un schéma précis, tout aussi efficace, apparemment, malgré ses aspects inattendus. Un doute fugitif traversa son esprit : s'il ne savait plus quelle forme définitive prendrait « son » procès, n'était-ce pas que l'affaire lui avait complètement échappé des mains, qu'il en était devenu un aspect purement accessoire, comme tout le reste ? Perspective effroyable, angoissante. Comme de se retrouver, sans savoir pourquoi, engagé dans un événement historique aux conséquences incalculables. C'est ainsi que s'était déchaînée la guerre de Sécession (« la guerre entre les Etats », disait Ransom) : tout ce bruit, toutes ces souffrances, tous ces bouleversements, sans que jamais personne en eût donné une explication satisfaisante. Mais non. Cette comparaison était démentielle. Et pourtant, Dinsmore était plus qu'un homme. Par ses décisions économiques, il avait le pouvoir d'influencer bien des gens. Mais il affectait encore plus de monde par sa puissante personnalité. Oui, Dinsmore était plus qu'un individu, c'était une force, une force sinistre. Qui eût pu dire jusqu'où serait arrivé son pouvoir, si son ascension n'avait pas été arrêtée ? Il avait déjà réussi à se ménager des appuis au Sénat de l'Etat. Pour le moment, ces personnes haut placées n'étaient toujours pas intervenues ouvertement en sa faveur ; si Dinsmore était condamné, elles ne le feraient jamais. Mais on sentait partout leur influence : dans la nomination d'Applegate, dans la protection de Mason, dans les éditoriaux de Jeffries. Pour autant qu'en sût Ransom, l'issue de ce procès, si elle était favorable à Dinsmore, serait le signal d'une lutte entre deux factions, au sommet de l'Etat, à Lincoln. L'opposition des deux parties recoupait un conflit de partis, et plus profondément d'intérêts. Dietz le savait, il savait que lui-même, et tous les protagonistes de ce procès, étaient observés par des gens beaucoup plus puissants que lui : d'où sa prudence extrême. D'autant plus que maintenant, tout le monde à Lincoln, et dans le reste des Etats-Unis, pouvait suivre l'affaire en ouvrant simplement son journal.

Ransom ne pouvait plus contenir ses pensées. Il se sentit pris comme d'un vertige. L'important était de mener son affaire le mieux possible, de ne négliger aucun détail, de bien identifier tous les obstacles et de les surmonter, et enfin de ne laisser au jury aucune échappatoire. Pour le reste, on verrait.

L'écran de mica fit une plus forte impression, encore, que les voiles de Carrie Lane.

Lorsque Ransom arriva au tribunal, le lendemain matin, il trouva l'écran déjà installé. M. Henley, le vitrier, répondait aux questions du public et avait fort à faire pour empêcher les badauds de toucher à son œuvre. La foule s'écarta pour permettre à Ransom d'inspecter la chose, mais se referma en une masse encore plus compacte lorsque le procureur, passant de l'autre côté du dispositif, s'assit à la place des témoins pour s'assurer de son opacité. C'était un spectacle assez divertissant : les imperfections et les marbrures du mica transformaient les faces des curieux en autant de grotesques, on eût dit le numéro cocasse d'un cirque étrange. Il fallait absolument qu'il veillât à ne

261

jamais se faire voir par Carrie à travers cet écran fantaisiste.

« C'est un nouveau moyen de protéger le témoin contre le fluide magnétique, monsieur Ransom ? » demanda Will Merrifield, plume et carnet en main, les cheveux plus ébouriffés que jamais.

L'huissier invitait les badauds à rejoindre leurs places. « Encore une minute, je vous prie », dit une voix plaintive. Ransom sortit la tête de derrière l'écran et aperçut la face barbue de l'illustrateur du *Herald*. Enfin, ils restèrent seuls, lui et le journaliste.

Merrifield répéta sa question. Au physique, on aurait dit un gars de la campagne, mais il avait la vivacité d'esprit d'un gavroche. Décidément, ce type me plaît, se dit Ransom.

« Effectivement, finit-il par répondre. Le témoin portera aussi des lunettes à verres fumés.

— Est-il vrai qu'hier, l'accusé a réussi à magnétiser deux fois Mme Lane ?

— Il l'a presque magnétisée, corrigea Ransom. Evidemment, nous ne voulons pas que cela se reproduise. » Comme il continuait de parler, il se rendit compte que le journaliste était tout bonnement en train de l'interviewer. Il se demanda si Merrifield était au courant des aspects politiques cachés de l'affaire.

« C'est un succès incroyable, disait le journaliste. Hier, nous n'avons pas eu un seul invendu. Et ça va continuer, ne serait-ce qu'à cause des illustrations.

— Les gens parlent du procès, à Lincoln ?

— Je pense. Mais je ne suis pas retourné à Lincoln depuis que je suis arrivé ici. Je ne peux rien vous dire de précis.

— D'accord, mais vous êtes en contact télégraphique régulier avec votre rédaction. Ne vous a-t-on rien dit des réactions dans la capitale ? »

Cependant l'huissier demandait déjà à la salle de faire silence. Ransom et Merrifield convinrent de se revoir à la première suspension d'audience.

Carrie Lane portait cette fois une robe de velour marron. Mais ce furent surtout les lunettes noires qui suscitèrent les commentaires. Elle s'assit derrière l'écran. Lorsque Ransom lui demanda si elle se sentait protégée, elle l'admit, après s'être fait un peu prier, et lui adressa un grand sourire.

Ransom expliqua alors au jury les raisons de ces nouvelles installations, tout en jetant un coup d'œil, de temps à autre, vers le banc des avocats. Applegate ne cachait pas son dégoût ; il évitait délibérément de regarder le centre de la salle. Quant à Dinsmore, il affectait sa pose habituelle, et continuait de s'amuser avec ses boutons de machette, bien inutilement, désormais. Gus Tibbels, le fermier qui la veille avait proposé ses services à Ransom, était fasciné par l'écran ; il déclara, assez haut pour que le procureur pût l'entendre, que cette protection était indispensable. Ned Taylor, assis à côté de lui, signifia son accord d'un hochement de tête et foudroya Dinsmore du regard. En voilà deux sur qui je peux compter, pensa Ransom.

Puis il reprit l'interrogatoire. Carrie Lane, se rendant compte qu'elle n'avait désormais plus rien à craindre, abandonna ses réticences et fournit des réponses détaillées. Quand Dietz suspendit l'audience pour le déjeuner, Ransom déclara que pour sa part, et pour le moment, il n'avait plus de questions à poser au témoin. Les faits principaux avaient été examinés et ré-examinés, bien mis en relief et reliés les uns aux autres avec une logique implacable.

« A vous la parole, Maître Applegate », dit Ransom, lorsque la séance reprit. L'avocat, sans hésiter un instant, se leva et s'approcha de la barre des témoins. Ransom retourna à sa place et une fois assis, s'aperçut qu'il y avait un vide dans les bancs du jury : il se pencha vers l'huissier et, à mi-voix, lui fit part de sa découverte.

« Je le sais, monsieur. C'est O'Shea. Il s'est senti mal au moment du déjeuner. Mais il devrait revenir demain matin. De toute façon, il pourra toujours lire le compte rendu des témoignages auxquels il n'a pas assisté... »

Mais ils durent se taire, car l'avocat venait de commencer à parler.

« Madame, j'imagine aisément votre fatigue. Ne m'en veuillez pas si je dois, à mon tour, vous poser quelques questions. L'accusé, et son conseil, ont le droit de revenir sur tous les problèmes que pourrait encore se poser le jury, et de tenter de les résoudre en apportant de nouvelles informations. Vous me comprenez, n'est-ce pas ?

— Oui.

— Bien. L'un des points encore obscurs de votre témoignage est, à mon avis, la nature de vos rapports avec mon client.

— J'étais complètement dominée par lui, dit-elle, après un court silence.

— Cet état de fait s'est instauré dès que vous l'avez connu ?

— Non. Uniquement après qu'il m'eut asservie à sa volonté.

— Je comprends. Mais cette domination, ou cet asservissement, comme vous dites, sous quelles formes se manifestaient-ils ?

— Je ne vois pas ce que vous voulez dire.

— Précisons : mon client exerçait-il déjà cette domination sur vous, comme vous dites, du vivant de votre mari ?

— Oui.

— Vous avez dit également que son ascendant sur vous était total : voudriez-vous préciser ce que vous entendez par là ? Est-ce que cela signifie, par exemple, que vous vous rangiez à l'avis de mon client sur tous les sujets : habillement, comportements... ?

— Non. Rien de tout cela. Mais je devais le voir chaque fois qu'il le désirait. Alors il s'emparait de ma volonté, et me faisait faire tout ce qu'il voulait.

— Tout cela est fort intéressant, chère madame, encore que fort obscur. Voudriez-vous nous donner un exemple ? »

Carrie se taisait. Ransom se retourna vers le juge : celui-ci lui lança un regard dur, comme pour dire : « Vous n'avez pas voulu me croire quand je vous ai dit qu'Applegate attendait le moment propice pour intervenir ? Eh bien, nous y voilà ! »

« Je peux vous donner cet exemple, dit Carrie, finalement. Les obsèques de Henry. Je ne voulais absolument pas y assister. C'est l'accusé qui m'y a obligée.

— En faisant appel à votre sens du devoir ? »

Comme elle se taisait, Applegate poursuivit : « Ma foi, je ne vois rien de criminel dans cette attitude de mon client. Pourriez-vous nous donner un autre exemple ?

— Oui. La réception d'ouverture de la campagne électorale. Encore une fois, je ne voulais pas y assister, mais M. Dinsmore m'y a obligée.

— Quant à moi, madame Lane, je suis encore une fois obligé de vous dire que je ne vois rien de criminel dans cette attitude. En somme, vous reprochez à l'accusé de vous avoir incitée à vous distraire et à oublier un peu votre chagrin ? Je connais beaucoup de gens, moi, qui ne demanderaient pas mieux que d'être invités aux grands dîners offerts par monsieur Dietz ! »

Un éclat de rire salua cette boutade. Quand cessera-t-il

264

de faire le pitre ? se demanda Ransom. Applegate se promenait de long en large, l'air désinvolte, devant la barre ; quand s'arrêterait-il pour frapper ?

« Eh bien, c'est tout ? demanda l'avocat.

— Non, répliqua-t-elle. Car M. Dinsmore savait aussi bien que quiconque que si j'assistais à ce dîner, les gens me montreraient du doigt. Or c'est ce qu'il voulait : il voulait me faire sentir le mépris qu'on avait pour moi, et m'en faire souffrir.

— Comment ? Les gens vous méprisent, dites-vous ? Et pourquoi donc ?

— Je savais que des racontars couraient sur moi. Je faisais scandale.

— Ah, j'y suis. Et ces racontars concernaient vos rapports avec l'accusé ?

— Oui.

— Voudriez-vous dire au tribunal quelle était la substance de ces commérages ?

— On disait que M. Dinsmore et moi... que nous vivions ensemble. Ce bruit a été lancé peu après la mort de Henry, et, étant donné les nouvelles fonctions de M. Dinsmore, beaucoup de monde y croyait. Y compris votre femme, maître Applegate ; elle fait partie de celles qui m'ont traitée de haut, ce soir-là. »

Le public apprécia cette pointe ; elle fit rire même les jurés. Mais Applegate continua, comme si de rien n'était :

« Mais mon client vivait bien chez vous, à l'époque ?

— A quelle époque ?

— Au moment de l'enterrement.

— Non.

— En tout cas, il habitait chez vous lorsqu'a eu lieu le banquet électoral, n'est-ce pas ?

— Effectivement.

— Et c'est vous, je suppose, qui l'aviez invité à venir s'installer chez vous ? Afin qu'il pût vous voir immédiatement, lorsqu'il avait besoin de votre concours pour régler certaines affaires concernant son travail ?

— C'est exactement en ces termes qu'il a justifié son installation chez moi, dit-elle. Mais, pour ma part, je ne l'ai jamais invité à venir habiter à la maison. Et j'ai toujours désapprouvé son initiative. Un beau matin, M. Dinsmore est arrivé avec ses bagages, et s'est installé. Et je n'ai absolument rien pu faire pour l'en dissuader. Je dois ajouter que M. Dinsmore ne m'a jamais consultée sur la gestion de mes entreprises.

— Mais c'était à vous, n'est-ce pas ? de signer tous les contrats que M. Dinsmore passait avec d'autres entreprises, tous les effets de commerce émis par votre maison etc. ?

— Oui, c'est vrai. Je signais tous ces documents quand on me les présentait.

— Lorsque mon client habitait chez vous, madame, il était donc uniquement votre locataire. C'est bien ce que vous avez voulu dire ?

— Plus ou moins. Il ne me versait aucun loyer, évidemment. Alors qu'il s'était installé son propre appartement au rez-de-chaussée, avec une chambre à coucher et un bureau de travail.

— Et c'est cette cohabitation irrépréhensible qui a suscité un tel scandale ?

— Oui.

— Vous n'avez jamais eu de rapports plus personnels avec mon client ?

— Qu'entendez-vous par là ?

— Je veux dire : n'y a-t-il jamais eu de rapports affectifs entre mon client et vous ?

— Pour ça non, vous pouvez en être sûr. Je le méprisais, et mes sentiments à son égard n'ont toujours pas changé.

— Mais mon client, de son côté, n'était-il pas animé de sentiment plus doux ?

— Je suis incapable de dire ce qu'il ressentait réellement.

— Mon client vous a-t-il jamais fait part de ses sentiments à votre égard ?

— Oui, il s'est laissé aller à certaines déclarations. »

Un murmure s'éleva dans l'assistance. Mais où veut-il en venir, se demandait Ransom. A moins que... Bah, laissons-le faire : à la première incartade, je le bloque par une objection.

« En réalité, madame, poursuivit Applegate, mon client vous a parlé plusieurs fois de ses sentiments et vous a même fait part de l'amour profond qu'il éprouvait pour vous. Le nierez-vous ?

— Non, je ne le nierai pas. Mais j'ajouterai que votre client n'était pas avare de ses paroles.

— Ainsi vous avez rejeté ses avances ?

— Je ne croyais pas un mot de ce qu'il disait.

266

— Trouviez-vous mon client repoussant ? Physiquement grotesque ?

— Non.

— Je suis heureux de vous l'entendre dire, madame. Ma femme, qui prétend avoir beaucoup de goût en la matière, m'a assuré que la plupart des personnes de son sexe ne sont pas indifférentes aux charmes de M. Dinsmore. Mais je pense donc qu'elle se trompait en vous enviant d'avoir un tel homme pour amant, n'est-ce pas ?

— Son envie était tout à fait déplacée, effectivement. Je ne l'ai jamais aimé. Et lui, de son côté, n'a jamais compris que l'amour n'est rien sans liberté, et qu'on ne saurait l'extorquer par la force ou par la ruse. »

Bravo ! s'écria Ransom, en lui-même. Ses réponses étaient excellentes. Non seulement Carrie anéantissait les insinuations malveillantes d'Applegate, mais elle dénonçait, mieux que jamais, toute l'abjection de son client. Les bribes de conversation qui, des bancs du jury, parvenaient jusqu'aux oreilles de Ransom, ne contenaient que paroles élogieuses. Pulver, le jeune assistant du pharmacien, rayonnait de sympathie. Il était évident qu'il partageait les idées de Mme Lane sur l'amour et le mariage. Encore un de mon côté, se dit Ransom. Dinsmore inspectait ses mains, l'air sombre.

Applegate, apparemment, avait décidé de changer de tactique. Il demanda à Carrie combien de fois elle avait vu l'accusé avant la mort de son mari.

« Une douzaine de fois. Un peu plus, peut-être.

— Toujours chez vous ?

— Non. Pas toujours.

— Où vous voyiez-vous, lorsqu'il ne venait pas chez vous ?

— A son cabinet de consultation, avenue Van Buren.

— Vous faisiez-vous accompagner lors de ces visites ?

— Non.

— Y avait-il d'autres personnes chez M. Dinsmore durant ces visites ?

— Non.

— Je suppose qu'on avait remarqué vos allées et venues ?

— Je le suppose également.

— L'objet de ces visites avait-il, par hasard, quelque chose à voir avec vos dents ?

— Non, dit-elle, ignorant les rires.

— Que se passait-il, alors, durant ces visites ? Pouvez-vous nous le dire, Madame ?

— Je ne peux rien dire de certain. En général, j'étais magnétisée dès mon arrivée. Aussi ne me rappelé-je pas grand-chose de ces visites.

— Ce type de magnétisation entraînait l'amnésie ?

— Oui.

— Donc, tout était possible, durant ces visites ? »

Cette fois, Ransom fit usage de son droit :

« Objection, Votre Honneur. La défense importune inutilement le témoin. Madame Lane a déjà déclaré qu'elle ne se souvient plus de ce qu'il advenait lors de ces visites.

— Objection retenue. Maître Applegate, veuillez passer à un autre argument, je vous prie.

— Très bien », dit Applegate. Mais son interrogatoire aboutit bientôt à la même question. Ransom objecta, et Applegate fut encore prié de changer de sujet. Puis, encore une fois, il réussit, par des moyens détournés, à reposer au témoin la même question. Ransom, encore une fois, objecta. C'était agaçant. Mais Carrie tenait bon, ne répondait jamais à la question et trouvait toujours quelque chose à jeter dans les jambes d'Applegate pour bloquer son avance. Ransom finit par dénoncer cette tactique d'Applegate et demanda au juge de lui retirer la parole. Dietz l'admonesta et le menaça de sanctions.

« Votre Honneur, dit l'avocat. Je considère que le témoin doit nous fournir une réponse claire sur ce sujet.

— Pourquoi, maître ?

— Parce que je pense que l'acte d'accusation est une pure machination, et que ce témoin est un simple pion, manœuvré par la partie publique. Si — comme je le crois, et comme j'espère le démontrer devant ce tribunal — les liens unissant mon client au témoin ont été plus profonds que nous n'avons pu l'établir jusqu'ici, ce fait à lui seul expliquerait la nomination de mon client à la direction des diverses entreprises appartenant à Mme Lane et il ne serait plus nécessaire de l'accuser de supercherie, comme le fait la partie civile ; et il faudrait reconnaître que mon client a été uniquement mû par le souci de défendre les intérêts de la femme qu'il aimait.

— Objection ! hurla Ransom.

— Un instant, monsieur Ransom, dit le juge. Vous rendez-vous compte, maître Applegate, que la déclaration que vous venez de faire contient une accusation particulièrement grave à l'adresse du témoin ?

— Je n'affirme que ce qui est.

268

« — Etes-vous prêt à prouver vos allégations, maître Applegate ?

— Oui. J'ai un autre témoin.

— Eh bien, produisez-le. »

Carrie fut invitée à quitter le banc des témoins. Les dernières reparties d'Applegate avaient mis le public en effervescence. Des gens se levaient, se penchaient aux balcons des tribunes. L'huissier lut le papier que lui avait tendu l'avocat :

« La défense prie Mme Harriet Ingram de venir témoigner. »

Carrie venait de s'asseoir juste derrière Ransom. Mme Ingram s'approcha de la barre d'un pas rapide et prêta serment.

« Je n'ai pas besoin de protection visuelle », dit-elle dédaigneusement, lorsqu'on l'invita à aller s'asseoir au banc des témoins. On lui avança une chaise et elle s'installa devant l'écran.

Ransom entendit quelqu'un fredonner entre ses dents. Il lui sembla que ce son provenait du côté de Dinsmore. Il tourna la tête vers l'accusé et aperçut sur ses lèvres un vague sourire. Le juge signifia au public l'ordre de se taire. Ransom se pencha en avant pour être sûr de ne pas perdre un mot de ce qui allait se dire. C'était donc elle le témoin à surprise. J'aurais dû la convoquer moi-même, pensa-t-il. Mais qu'allait-elle dire ? Et que pouvait-elle dire ?

Applegate s'approcha du témoin en se donnant de grands airs. Il lui demanda si elle se sentait bien, et entra tout de suite dans le vif du sujet :

« Vous êtes chez les Lane depuis pas mal de temps, n'est-ce pas, madame ?

— Depuis 1890. Henry Lane m'a prise à son service juste après la mort du pauvre Alfred.

— Vous êtes restée chez eux si longtemps que vous êtes devenue, sans doute, plus qu'une simple employée, presqu'un membre de la famille ?

— En un sens, oui.

— Votre position particulière vous aura permis d'apprendre bien des choses sur la vie privée de M. et Mme Lane ? On vous aura fait des confidences, etc. ?

— M. Lane a toujours eu une grande confiance en moi. »

Ransom s'aperçut qu'elle était nerveuse. Elle ne quittait pas Applegate des yeux, et lorsque celui-ci s'éloignait trop de son champ visuel, elle se mettait à fixer le plancher, devant les bancs du jury.

« Et Mme Lane ? Avait-elle aussi confiance en vous ?

— C'est-à-dire que... jusqu'à un certain point, oui.

— Pouvez-vous dire au tribunal si M. et Mme Lane entretenaient de bons rapports ?

— Oui. Ils s'entendaient très bien, apparemment. Jusqu'à il y a cinq ans, environ. A cette époque Mme Lane s'est mis en tête qu'elle voulait avoir des enfants.

— Bien. Veuillez continuer, s'il vous plaît.

— Ils étaient mariés déjà depuis plusieurs années. Mme Lane a commencé à s'étonner de n'être jamais enceinte. Puis elle s'est mise à se faire du mauvais sang. De plus, elle considérait comme un mal de ne pas avoir d'enfant. Elle a commencé alors à consulter des médecins. Pas ici, à Center City, mais à Lincoln, où elle accompagnait souvent son mari.

— Et que lui a-t-on dit ?

— Les médecins lui ont dit qu'elle se portait très bien et pouvait avoir des dizaines d'enfants. Le problème était donc du côté de M. Lane. L'un des médecins qu'elle a vus à l'époque lui a dit qu'il avait soigné son mari d'une infection, plusieurs années auparavant, et que cette maladie l'avait rendu stérile.

— Comment Mme Lane a-t-elle accueilli cette nouvelle ?

— Elle a été très déçue, naturellement. Puis elle a accepté la réalité, en se disant que chacun, dans la vie, a sa part de malheurs. Il est vrai que, pour le reste, elle avait tout ce qu'une femme peut vouloir.

— Mais ce fait, avez-vous dit, transforma leurs rapports. Pourriez-vous nous dire comment ?

— Je suppose que M. Lane eut vent de la découverte que sa femme avait faite. Dans leur vie extérieure, cela ne changea pas grand-chose : ils avaient toujours l'air de s'entendre très bien et d'avoir beaucoup d'affection l'un pour l'autre. Mais, lui, ne cessait de se plaindre, de dire qu'il était trop vieux pour elle. Et c'est à ce moment-là qu'il a fait installer sa chambre à coucher au rez-de-chaussée.

— Auparavant il dormait dans la même chambre que Mme Lane ?

— Non. Mais leurs deux chambres étaient communicantes.

— Qu'avez-vous pensé de cette nouvelle installation ?

— J'ai tout de suite pensé qu'ils n'avaient plus... qu'ils ne vivaient plus vraiment comme mari et femme.

— Avez-vous remarqué des changements dans leur caractère par suite de cette interruption de...

— Non. Sur le moment, non. Mais au bout d'un certain temps Mme Lane a commencé à souffrir d'insomnie. Comme tout le monde, j'avais déjà entendu des femmes plus âgées, des veuves, raconter des histoires sur ce sujet, et j'ai interprété l'insomnie de Mme Lane en conséquence.

— Vous l'avez attribuée au fait qu'il ne vivaient plus ensemble maritalement ?

— Oui. »

Cette fois, ça suffit, se dit Ransom. « Objection ! Votre Honneur. L'accusation voudrait savoir quelle est la pertinence de ces questions sur la vie privée du témoin précédent.

— Maître Applegate, dit le juge. Que voulez-vous prouver par cet interrogatoire ? »

Applegate alla tout droit vers le juge et lui dit quelques mots à voix basses, de manière que personne d'autre ne pût les entendre. Tout le monde, dans la salle, était visiblement intrigué par ces nouvelles révélations : Ransom entendait chuchoter partout derrière lui. Il se tourna vers Carrie, pour voir comment elle réagissait à tous ces potins. Mais elle avait quitté la salle. Dieu merci !

Dietz avait pris un air renfrogné, mais, à la grande surprise de Ransom, il repoussa l'objection et invita Applegate à continuer.

« Après que M. Lane eut cessé d'accomplir ses devoirs conjugaux, savez-vous, madame, si sa femme a eu des rapports avec d'autres hommes ?

— Objection ! hurla Ransom, debout, furieux.

— Rejetée. Asseyez-vous, monsieur Ransom. L'accusation aura la possibilité de contre-interroger le témoin.

— Mais, Votre Honneur, quel est le but de toutes ces questions ?

— Nous n'en savons pas plus que vous, dit le juge, ignorant le courroux de Ransom.

— Merci, Votre Honneur, dit Applegate. A nous, madame : vous rappelez-vous encore ma question, ou dois-je la répéter ? Depuis ces cinq dernières années...

— Je m'en souviens encore, l'interrompit-elle. Et je dois y répondre par l'affirmative. »

Bruits divers dans la salle. Merrifield couvrait trois pages de notes à la minute. L'illustrateur était en train de faire le portrait du nouveau témoin.

« Déjà du vivant de M. Lane ?

— Je n'en suis pas certaine. Mais après, si.

— Précisez, je vous prie.

— Evidemment, je ne suis certaine que de ce que j'ai entendu dire.

— De ce qu'elle a *déduit*, Votre Honneur, hurla Ransom. Si elle n'a pas réellement assisté aux faits, elle ne peut que les avoir déduits. Voilà ce qui arrive quand on écoute derrière les portes ou qu'on épie aux trous de serrure ! »

Dietz donna quelques coups de marteau sur son bureau et réprima Ransom en lui ordonnant de s'asseoir.

Il s'assit. Mais il avait marqué un point. Il avait fait apparaître Mme Ingram sous un mauvais jour. Il fallait bien faire quelque chose pour l'empêcher de ruiner la réputation de Carrie. Et puis, de toute façon, qu'est-ce que cela signifiait : elle défendait Dinsmore, maintenant ? Après tout ce qu'il lui avait fait ? C'était à n'y rien comprendre.

« Continuez, madame Ingram », dit le juge.

Maintenant elle semblait assez troublée. « Comme je l'ai dit, je n'ai su qu'il y avait quelque chose entre elle et lui que lorsqu'il s'est installé à la maison.

— Elle ? Lui ? Voudriez-vous nous dire de qui il s'agit ?

— De Mme Lane et de M. Dinsmore, évidemment. »

Lorsque le tohu-bohu se fut apaisé :

« Vous voulez parler de l'accusé, Madame ? demanda Applegate. Veuillez désigner cet homme au tribunal.

— Le voici, là-bas », dit-elle, montrant du doigt Dinsmore.

Tout cela était du cirque, Ransom le savait. Mais il n'arrivait pas à s'expliquer le comportement de Mme Ingram. Le haïssait-elle à un tel point ? Cela semblait difficile à croire. Etait-elle magnétisée ?

« En fait, Votre Honneur, disait Applegate, le présent témoignage contredit complètement tout ce que Mme Lane a déclaré sous serment. Je demande qu'elle soit condamnée pour outrage à la magistrature, et que sa déposition soit rayée des procès-verbaux.

Applegate souligna ces dernières paroles d'un grand geste de la main, mais Ransom s'était déjà levé :

« Objection ! L'avocat se méprend sur les paroles de mon témoin. Mme Lane a déclaré qu'elle n'avait jamais eu de rapports affectifs avec l'accusé. Et c'est tout.

— Je ne vois pas ce que l'affection vient faire dans tout cela ! dit Applegate.

— Lisez les minutes. C'est écrit noir sur blanc.

— Me permettrais-je de réitérer ma question ? dit Applegate. Quelle est la différence ? Il a eu rapports, et c'est ce qui compte.

— Distinguo, maître Applegate. Mme Lane a déclaré qu'elle était totalement dominée par l'accusé. Et ce fait, avec tout ce qu'il implique, nous le savons déjà. Et nous savons aussi que le témoin a eu des rapports extrêmement intimes avec l'accusé — ce que vous vous efforcez de prouver —, qu'il la contrainte à de tels rapports, alors que M. Lane était encore en vie et à maintes reprises, et ce en utilisant ses pouvoirs magnétiques. Pouvoirs dont il nous a amplement démontré, hier, l'efficacité. Si le ministère public n'a pas inclus le viol, parmi les divers crimes de votre client, c'est uniquement par respect pour l'honneur du témoin précédent. Mais désormais, vous aurez également à répondre de cette accusation ! »

Ransom se cramponnait au rebord de son pupitre, comme s'il avait eu peur d'être emporté par sa fureur. L'annonce du nouveau chef d'accusation déchaîna un vacarme assourdissant.

« Maître Applegate, dit le juge, lorsque le calme fut revenu. Voici le procès-verbal de la déposition de Mme Lane. M. Ransom a raison : il n'y a pas de contradiction entre les deux témoignages. En conséquence, votre motion est repoussée. Avez-vous d'autres questions à poser au témoin ?

— Oui, Votre Honneur. Une seule question. Madame, l'accusation prétend que mon client manœuvrait Mme Lane en la magnétisant, et ainsi la contraignait à certains actes ou à certains rapports. Ce que vous avez vu vous permet-il de confirmer cette version des faits ?

— Pas du tout. Ils semblaient très épris l'un de l'autre.

— Aussi bien l'un que l'autre ? Et pouvez-vous nous citer un fait qui ait confirmé votre impression ?

— Oui, dit-elle. Je les ai vus. C'était ridicule, pervers. Elle était habillée comme la dernière des traînées, et prenait des poses lascives. Et tous les deux riaient et buvaient des boissons alcooliques.

— Je n'ai plus d'autres questions à poser au témoin, Votre Honneur, dit Applegate.

— Mais moi, j'en ai », enchaîna Ransom. Je vais te faire passer l'envie de sourire, se dit-il, en regardant Mme Ingram.

« Madame, vous avez porté beaucoup d'accusations depuis que vous êtes à cette barre. Mais, apparemment, vous ne comprenez pas la nature des scènes auxquelles vous avez assisté. Le témoin à charge soutient qu'elle était alors magnétisée, que tout ce qu'elle faisait, elle le faisait par suggestion, et que l'accusé recourait à cette forme de violence psychologique, parce qu'elle-même, de son propre gré, ne se serait jamais donnée à lui. Mais vous qui connaissiez la situation humiliante à laquelle l'accusé avait ravalé Mme Lane, vous qui étiez presqu'un membre de la famille Lane — comme vous l'a fait dire maître Applegate —, que n'êtes-vous intervenue pour interrompre ou empêcher ces scènes qui vous offensaient tant ?

— Je... Ce qu'ils pouvaient faire ne me regardait pas.

— Mais maintenant si. Pourquoi ? »

Elle se tut, ne réussissant pas à trouver une réponse.

« N'est-il pas vrai, madame, que depuis le retour de votre patronne à Center City, vous avez eu avec elle de nombreuses altercations ? Et qu'à un certain point, elle vous a même menacée de vous renvoyer ? »

Elle continuait de se taire, les yeux baissés.

« Est-ce vrai ?

— Oui.

— Quel était le motif de ces altercations ? »

Silence.

« Ne vouliez-vous pas dissuader Mme Lane de témoigner à ce procès ?

— ... Si.

— Savez-vous, madame, que tenter d'influencer un témoin déjà assigné est un acte que nos lois considèrent comme un crime ? Et ce crime, madame, vous venez précisément de le confesser. »

Maintenant, elle était épouvantée. « Je ne le savais pas. Je voulais simplement lui épargner cette honte publique. Je voulais sauvegarder sa réputation.

— Sauvegarder sa réputation ? Mais comment osez-vous le dire ? Depuis que vous êtes ici, vous n'avez fait que flétrir son nom ! »

Applegate intervint. Dietz demanda à Ransom de cesser d'importuner le témoin. Mme Ingram était pâle, se tordait les mains ; ses gros yeux commençaient à se remplir de pleurs.

Mais maintenant qu'il l'avait, Ransom était bien décidé à lui faire vider son sac. Et, passant outre à l'avertissement de Dietz, il continua :

« Voudriez-vous dire au tribunal si vous saviez que Mme Lane était magnétisée par l'accusé ? Je vous rappelle, dit-il en guise d'avertissement, que vous avez prêté serment, et je regretterais d'avoir à vous inculper aussi de faux témoignage.

— Oui. Je le savais.

— Saviez-vous aussi que l'accusé a continué de magnétiser Mme Lane après la mort de son mari ?

— Oui.

— Il est donc possible — je dirais même très probable — que Mme Lane fût sous hypnose lorsqu'elle se livrait aux comportements humiliants que vous avez décrits ?

— Je ne sais pas.

— Voudriez-vous nous dire maintenant, madame, si vous, vous avez été magnétisée par l'accusé ?

— Oui. Peut-être, dit-elle après un long silence.

— Peut-être ? Cette nuance me semble bien inutile. Avez-vous été magnétisée, oui ou non ?

— Oui.

— Lorsque l'accusé vous magnétisait, madame, vous êtes-vous surprise à accomplir des actions que d'ordinaire, vous n'auriez jamais faites ?

— Oui mais ça, jamais. Je n'aurais jamais fait de choses aussi dégoûtantes !

— C'est ce que vous dites ! De toute façon, je ne crois pas que M. Dinsmore... »

Elle le foudroya du regard.

« Bien, reprit-il. Néanmoins, l'accusé vous a suggéré certaines actions bien insolites, n'est-ce pas, madame ? Voudriez-nous nous dire lesquelles ?

— Je ne me rappelle pas.

— Permettez-moi alors de vous les rappeler. Vous souvenez-vous du curieux accident qui vous est arrivé, un jour, dans la cuisine... »

Un grand fracas l'interrompit. Les battants de la grande porte, ouverte avec violence, tournaient encore sur leurs gonds. Nate Page était en train de traverser la salle en courant et en appelant Ransom à grands cris.

L'huissier bondit sur ses pieds. Nate était déjà arrivé à la balustrade. Ransom se précipita vers lui.

« Rentre chez toi. Tu ne vois pas que je suis en plein travail ?

— C'est maman qui m'a dit de venir vous chercher. On a tiré sur Simon Carr. »

Entendant ces mots, Amasa Murcott se leva et sortit en hâte. Ransom dut rester encore quelques instants.

L'audience fut suspendue, puis renvoyée au lendemain, étant donné l'heure tardive.

Lorsque Ransom arriva à la pension, les abords étaient déjà noirs de monde. Comme il jouait des coudes, pour se frayer un passage, il tomba sur Floyd.

« On le tient, dit Floyd. Le voici.

— Qui ça ?

— La crapule qui a tiré sur le père Carr. »

Quelques hommes s'écartèrent, et Ransom put apercevoir un Noir, à moitié plié sur la corde qui le ligotait : c'était Millard.

« C'est lui ?

— Ouais. Et voici le revolver. » Floyd lui présenta un objet enveloppé dans son vieux foulard à carreaux. « C'est pour les empreintes digitales, ajouta-t-il. On sait jamais. »

Floyd souleva précautionneusement le bout de tissu. C'était un six-coups. Où avait-il bien pu le dégoter ? Et pourquoi avait-il voulu tuer Carr ?

« James, James ! » appela Mme Page, qui venait d'apercevoir Ransom dans la foule.

« J'arrive !

— Faites vite. Et vous autres, dégagez ! Allez, ouste !

— Floyd, prenez Millard avec deux autres personnes, et emmenez-le dans le salon. Il faut que je lui parle. Quant à vous autres, dit-il en élevant la voix, rentrez chez vous. Vous n'en saurez pas plus en restant ici. »

Mme Page avait déjà pris son balai et l'agitait d'un air menaçant. Ransom, Millard, Floyd et les deux autres se précipitèrent vers l'intérieur, sans ménager personne, et l'hôtesse poussa le verrou.

La porte de la salle d'attente était fermée. « Puis-je entrer ? » demanda Ransom à Mme Page.

Comme celle-ci lui faisait signe qu'elle ne le savait pas, Ransom ouvrit délicatement la porte et aperçut le médecin penché sur Carr.

« Amasa », chuchota-t-il.

Murcott se retourna en hochant la tête.

« Alors ? reprit Ransom.

— Il a été touché à l'épaule et au bras. J'en ai déjà retiré une. Mais il a eu une attaque. Encore une autre et il est fichu. »

Carr ouvrit un instant les yeux, puis les referma.

« Laissez-moi seul, James. Il faut que j'essaye de lui

extraire cette deuxième balle. Je vous rappelle dans un instant. »

Ransom sortit. Mme Page l'attendait dans le couloir.

« Racontez-moi ce qui s'est passé.

— Je ne sais pas, au juste, dit l'hôtesse. J'étais dans la cuisine quand j'ai entendu quelqu'un frapper à la porte d'entrée. M. Carr se trouvait alors dans le vestibule. Il m'a dit qu'il allait voir qui c'était. Et alors, j'ai entendu deux coups de feu. J'ai bondi dans l'entrée. Carr était là, par terre », et elle montra la grande tâche de sang, qui n'était pas encore tout à fait sèche, « et Millard, sur le seuil de la porte, ce pistolet dans la main. J'ai poussé un hurlement. Millard a levé les yeux vers moi, puis il a jeté son arme par terre et a pris les jambes à son cou. J'ai dû continuer de crier, parce que j'ai vu les gens qui se trouvaient sur le trottoir d'en face se mettre à courir par ici. C'est Floyd qui l'a attrapé. Puis les autres l'ont aidé à le maîtriser.

— Mais pourquoi ? Millard... Simon Carr ? Bon. Il faut que je lui parle.

— Vivra-t-il ? demanda Mme Page.

— Qui sait ? Je n'y comprends rien de rien. Quelle journée ! D'abord Applegate, puis la mère Ingram, et maintenant ça ! C'est à devenir fou.

— Calmez-vous, James, dit-elle, prenant soudain un air préoccupé. Je ne vous ai jamais vu dans un tel état. Venez avec moi dans l'arrière-cuisine : un petit verre d'eau-de-vie vous fera du bien. »

Ransom la suivit. Elle lui tendit un gobelet. Il le vida d'un seul coup ; mais il n'arrivait toujours pas à maîtriser ses émotions. Ni à croire ce qui s'était passé. Ça n'avait aucun sens. Mais il fallait qu'il se calmât, s'il voulait parler à Millard. Il se fit servir un autre verre d'eau-de-vie, s'assit et resta sur sa chaise jusqu'à ce qu'il se reprît.

Se sentant mieux, il se leva et alla dans le salon.

« Veuillez sortir, je vous prie », dit-il aux deux hommes qui gardaient le prisonnier. « Attendez-moi à la porte. Le cas échéant, je vous appellerai. »

Les gardiens improvisés sortirent en bougonnant. Ransom referma la porte derrière eux. Millard était agenouillé par terre et gémissait.

« Allez, Millard. Debout. Ne crains rien. Personne ne veut te faire de mal. »

Millard leva vers lui des yeux épouvantés.

« Je voulais pas le faire, je vous le jure. Mon Dieu, pitié !

— Allez Millard. Lève-toi ! »

Millard se recroquevillait, tout tremblant. Ransom le saisit à bras-le-corps et le mit sur ses pieds. Son visage sombre ruisselait de sueur.

« Voilà qui est mieux, dit Ransom.

— Je voulais pas le faire...

— Où as-tu trouvé ce six-coups ?

— Je sais pas, monsieur Ransom. Je le jure devant Dieu.

— Qu'est-ce que tu as fait aujourd'hui ?

— O mon Dieu, mon Dieu, aidez-moi. J'en sais rien, je le jure. Tout ce que je sais, c'est que j'étais dans les cuisines de l'hôtel Lane. J'étais passé dire bonjour à Althéa Robbins. A ce moment-là, M. Dinsmore est arrivé. Il revenait du tribunal. I' rigolait et tout. Il m'a appelé. Il m'a dit de monter dans sa chambre, au moment du déjeuner. Quand j'y ai été, il m'a fait un tas de compliments pour tout ce que j'avais dit sur lui, au tribunal. Et il m'a remercié très gentiment. Puis je suis sorti. Il fallait que j'aille acheter un peu de fourrage pour la mule. Mais, au lieu de ça, je sais pas comment, je me suis retrouvé ici, sur le seuil de la porte, et Mme Page qui hurlait tout ce qu'è' savait. Et puis le vieux professeur, par terre, en travers de l'entrée, avec le sang qui lui dégoulinait, et ce six-coups dans la main —, jamais je l'avais vu, jamais, je le jure, par Jésus-Christ Notre Seigneur. Alors j'ai pris peur, j'ai jeté le pistolet et je me suis mis à courir, j'avais peur qu'i' me prennent. Mais maintenant, c'est fait. I' disent qu'i' vont me pendre au poteau du télégraphe, mais vous les laisserez pas faire, hein, monsieur Ransom ? J'ai jamais voulu du mal au professeur. Je le jure... »

Ransom rassura Millard, puis réfléchit au récit qu'il venait de lui faire. Ça se tenait. Il y avait encore du magnétisme là-dessous : Millard était parti pour acheter du fourrage, et s'était retrouvé soudain ici, sans savoir pourquoi, et avait tiré sur Carr. Tout cela avait duré, au moins, une demi-heure. Une demi-heure dont il n'avait plus aucun souvenir. Une demi-heure où il était devenu étranger à lui-même...

Ransom demanda à Millard de raconter encore une fois ce qui s'était passé à l'hôtel Lane. Mais rien de ce qu'il disait n'expliquait la suite, jusqu'au moment où Millard, au comble du désespoir, précisa : « Je vois bien que vous me croyez pas. Eh bien, regardez : voici le dollar d'argent. C'est M. Dinsmore qui me l'a donné. »

Ransom prit la pièce et la regarda.

« Te l'a-t-il donnée comme ça ? demanda Ransom. Ou bien l'a-t-il d'abord gardée un certain temps dans la main ?

— Oui. Il s'amusait avec. Il la retournait dans tous les sens, il l'envoyait en l'air, avec le pouce, comme ça, comme quand on joue à pile ou face, pour me faire voir que c'était une vraie pièce.

— Comme ça ? dit Ransom.

— Oui. C'est ça.

— Et après que tu l'as eu bien regardée, il te l'a donnée ? »

Millard eut l'air décontenancé par cette question.

« Ah ben ça, je m'en souviens vraiment pas. Il a dû me la fourrer directement dans la poche, quand je suis sorti. »

Ransom fit sauter la pièce dans sa main : elle était toute neuve, et brillait au soleil bien plus que les boutons de manchette. Plus aucun doute n'était possible : il avait **magnétisé Millard**, lui avait donné le revolver et lui avait suggéré d'aller tuer Simon Carr. »

On frappa à la porte du salon. C'était Floyd.

« Excusez-moi, si je vous dérange. Mais le shérif est ici.

— Eh bien, que se passe-t-il ? dit Eliot Timbs.

— Doux Seigneur ! » gémit Millard, retombant à genoux.

Ransom prit Timbs à l'écart, dans le couloir, et en quelques mots lui expliqua ce qui s'était passé. Mais le shérif se mit à le regarder d'un air stupide : apparemment il ne comprenait rien du tout à cette histoire.

« Mais pourquoi il voulait tuer Carr, ce nègre ? » finit-il par demander, confirmant du même coup l'impression de Ransom. Celui-ci recommença ses explications.

« Où est le revolver ? demanda Timbs.

Ransom le prit dans le tiroir.

— Quelle merveille ! dit le policier.

— N'y touchez pas. Il faut que les empreintes digitales restent intactes.

— Il a dû le voler à quelqu'un.

— Ne dites pas d'absurdités ! C'est Dinsmore qui le lui a donné.

— Vous croyez ? Regardez les initiales, sur la crosse : C.D. Ça ne peut pas être Dinsmore, puisqu'il s'appelle Frederick de son prénom. En tout cas, quel engin ! Tiens :

il y a encore quatre balles dedans. Il voulait pas le rater, ce sale nègre. »

Au fond, Timbs ne témoignait aucun intérêt pour les mobiles du crime ou pour les hypothèses de Ransom. Ce qu'il voulait, c'était l'arme et le prisonnier. Ransom louvoya, envoya un billet d'explication au juge, par l'intermédiaire de Nate, mais il dut finir par se résigner, et Timbs sortit, traînant derrière lui son prisonnier en pleurs, et se pavanant devant les badauds qui étaient toujours rassemblés devant la pension.

Ransom allait s'asseoir pour réfléchir un peu, avant le retour de Nate, quand il s'entendit appeler par son nom. C'était Isabelle Page. Elle était encore en habits de ville.

« Mme Lane est ici, dit-elle. Au premier étage. Dans ma chambre. Elle a appris tout ce que Mme Ingram a dit sur elle au tribunal, et elle ne veut pas rentrer chez elle. »

Ransom s'attendait à voir Carrie toute en larmes. Mais elle descendit bientôt, et se montra surtout préoccupée du sort de Simon Carr.

Les deux femmes vinrent tenir compagnie à Ransom. Le salon du rez-de-chaussée n'était séparé que par l'entrée du cabinet du médecin. Augusta Page apporta le thé et se joignit à eux. Personne ne parlait. Au bout d'un certain temps, on entendit sonner cinq heures. Mme Page se leva, en disant qu'elle devait préparer le dîner, et Isabelle la suivit. Carrie et Ransom restèrent seuls, face à face, de chaque côté de la petite table. Ransom lui prit la main.

Finalement Murcott sortit, s'épongeant le front. « Madame Page, pouvez-vous m'apporter des serviettes propres ?

— Puis-je le voir ? demanda Ransom, se levant.

— Oui. Et vous feriez mieux de vous dépêcher, répondit Murcott avec humeur.

— Que voulez-vous dire ?

— Il est mourant, James. Mourant. Allez le voir, Madame. Il vous demande.

— Vous venez, James ? dit Carrie.

— Allez-y. Je vous rejoins tout de suite. »

Elle entra et s'agenouilla au chevet de Carr.

« Eh bien, vous voilà satisfait ? dit Murcott. Je le savais que cette histoire de procès signifiait la mort de Carr. Je vous l'ai même dit.

— Mais pas une mort comme celle-ci.

— Quelle belle surprise ! »

Ransom tenta d'expliquer au médecin le déroulement des faits, mais celui-ci l'interrompit :

« Mais l'important, c'est qu'il est en train de mourir, vous ne vous rendez pas compte. Et qu'est-ce que ça peut faire de savoir qui l'a tué, et pourquoi, et comment... ?

— Cessez de vous disputer ! dit Mme Page, s'interposant. Amasa, allez vous laver les mains. »

Murcott lança à Ransom un regard furibond, puis passa dans la cuisine.

Carr était étendu sur le divan de la salle d'attente, la tête calée sur un coussin. Ses vêtements étaient tout tachés de sang. Il avait les yeux ouverts, et regardait Ransom et Carrie avec sérénité. Mais son faciès était déjà celui d'un mort. Ses lèvres remuaient doucement : Ransom s'aperçut qu'il était en train de parler à Carrie, mais d'une voix si faible qu'il ne l'avait pas entendue en entrant.

Ransom s'approcha et s'agenouilla à côté d'elle.

« ... et je dois vous remercier, madame, disait-il. Grâce à vous, nous nous sommes libérés de lui. Mais bientôt je jouirai d'une autre liberté. »

Elle ne le contredit pas. Mais, sentant que Ransom était arrivé, elle dit : « M. Ransom est ici. Il désirerait vous dire quelque chose. » Puis elle se leva, et s'assit sur une chaise, à côté.

Ransom prit sa place.

« Ainsi vous vous appelez Ransom ? Figurez-vous que je ne le savais pas, dit-il. Il eût ri, s'il n'eût été si faible. J'ai connu jadis des Ransom. Ils vivaient à Londres mais étaient Irlandais.

— On m'a toujours dit que nous venons de Roscommon, sur la baie de Galway.

— Alors c'est bien la même famille. Curieuse coïncidence, n'est-ce pas ? Cette jeune fille que je courtisais était sans doute votre cousine. Elle s'appelait May Ransom. Elle avait des cheveux magnifiques, c'était une éternelle forêt d'automne. » Il se reposa un instant. « Vous avez vu dans quel état est réduit mon beau costume ? C'est celui que je devais mettre pour aller témoigner. Ah, que ne m'avez-vous convoqué tout de suite. Désormais je n'irai jamais plus.

— Vous êtes donc si souffrant ?

— Non, je ne souffre pas. Mais je me sens partir, peu à peu. La plus étrange sensation que j'aie connue. On dirait des millions de minuscules piqûres d'épingles ; et après chaque piqûre, plus rien. C'est la vie qui s'en va : toutes ces petites contrariétés, tous ces petits ennuis auxquels on a fini par s'habituer, et qu'on sent de nouveau au moment où ils cessent d'être là. »

Ransom ne savait que répondre, mais il voulait absolument consoler Carr ou le rassurer d'une manière ou d'une autre. « Ne vous en faites pas pour votre témoignage. Je le lirai à votre place.

— Mais il faut que les gens comprennent ce que j'ai voulu dire », dit Carr. Puis il se tut. Ses paupières se fermèrent. Ransom ne percevait plus sa respiration. Il appuya son oreille sur la poitrine du mourant. Il respirait encore. Il sembla dormir un court instant, puis reprit :

« Vous devez le lire de telle façon que les gens aient l'impression d'entendre ma propre voix.

— J'essaierai. Soyez-en sûr.

— Mais vous devez faire plus que d'essayer. Car il faut qu'il soit condamné, et à mort. Seule la mort peut l'arrêter. Car il est plus virulent que la peste. Et il est encore jeune, il en est encore à découvrir ses pouvoirs. C'est un génie du mal. Ses capacités inventives, lorsqu'il s'agit de faire le mal, sont illimitées. Restez toujours sur vos gardes, aussi bien à l'intérieur qu'à l'extérieur du tribunal. Il aura magnétisé ses geôliers, j'en suis certain. Tant qu'il n'est pas mort, il est libre. Dominer un homme ou une femme, par-ci par-là, ne l'intéresse pas ; en fait, ce qu'il veut — il me l'a dit, une fois — c'est maîtriser tout un groupe d'individus, le plus grand possible. Si on le laisse vivre, son pouvoir sera illimité. »

Le moribond étouffa un râle.

« Gardez-vous de lui. Ne le sous-estimez pas. Il a toujours fini par se sortir des situations les plus désespérées. En ce moment même, je suis sûr qu'il a déjà passé à la contre-attaque. Ne vous fiez pas à son apparence : c'est un masque. Car il ne reculera devant rien : pour lui, la vie d'autrui n'a aucune valeur, d'ailleurs, vous le savez déjà. Mais que cela soit toujours présent à votre esprit. Il n'a pas notre intelligence, ni la vôtre, ni la mienne, mais il est aussi rusé qu'un animal de proie. Il réussit toujours à découvrir chez les autres des failles insoupçonnées, et il sait les élargir et les transformer en gouffres insondables. Puis il s'y terre comme un fauve, et vous saute à la gorge au moment où vous y attendez le moins. Et il est d'autant plus mauvais qu'il se croit perdu. Je n'aurais jamais été touché, si vous ne l'aviez pas coincé. Je le sais : je l'ai déjà vu pris au piège, et je sais qu'il a toujours trouvé une porte de sortie. Il est plus astucieux, plus perfide que la plus maligne des bêtes. Faites très attention. M'entendez-vous ?

— Je vous suis.

— Parfait. C'était tout ce que je voulais vous dire. Et maintenant je veux voir ma chère petite anglophile.

— Mademoiselle Page ? demanda Ransom.

— Oui. Isabelle. Notre enfant chérie.

— Je vais la chercher.

— Attendez. J'ai encore une chose à vous dire. Rappelez-vous bien ce que je vous ai dit : lisez mon témoignage, non comme vous me l'avez entendu lire, l'autre jour, sous la véranda, mais comme je l'aurais lu moi-même devant le tribunal. Les mots vrais recèlent un pouvoir formidable. Encore faut-il les dire de la manière juste. C'est ce que j'aurais fait. C'est ce que vous devez faire. »

Simon Carr mourut alors que tout le monde était à table. Isabelle, la seule qui fût restée auprès de lui, entra dans la salle à manger au moment du dessert, et fit signe à Murcott de la suivre.

Entre-temps, des messagers étaient arrivés. Nate était revenu porteur d'un billet de la part du juge : Dietz écrivait qu'il était sur le point de partir pour la maison d'arrêt afin d'y interroger Millard. Le jardinier des Lane, Oscar, avait apporté une lettre de Mme Ingram pour Carrie : elle implorait le pardon de sa maîtresse. On décida alors que Mme Lane retournerait chez elle, accompagnée d'Isabelle ; quant au pardon, Carrie ne savait pas très bien si elle devait l'accorder ou le refuser. Les deux femmes étaient bouleversées par la mort de Simon Carr. Après le dîner, Mme Page demanda à tous les pensionnaires d'aller dans le salon du premier étage, loin de la chambre de Carr. Ransom se retira dans son bureau, pour travailler. Il était certain que Murcott viendrait le voir, pour s'excuser auprès de lui ou pour continuer la polémique. Mais il ne fit rien de tel. Tard dans la nuit, Ransom l'entendit monter péniblement les escaliers ; puis il passa devant sa porte sans s'arrêter et s'enferma chez lui. Le lendemain matin, Murcott était déjà sorti lorsque Ransom descendit pour le petit déjeuner : le médecin était parti visiter ses malades à Swedeville. Mais Ransom ne pouvait réprimer en lui un sentiment d'irritation devant cette désaffection de son ami, comme s'il n'avait pas déjà assez d'ennuis !

Enfin, on verra, se dit-il, lorsque l'audience reprit. Il avait encore à interroger Isabelle Page, Mme Brennan, l'ancien gérant de l'hôtel Lane et Noah Mason. L'audition de ces témoins — qui parlèrent des derniers mois de Henry Lane, de ses attitudes inexplicables, de ses colères, de ses soupçons, de sa peur de la banqueroute — se déroula sans incidents. Applegate lui-même fit montre d'une certaine dignité, et se contenta de deux objections.

Tout le monde avait entendu parler de la mort de Carr. Aussi tous les murmures se turent quand Ransom annonça qu'il allait lire lui-même la déposition du défunt. L'assistance observa jusqu'à la fin de la lecture un silence religieux. On approchait de midi : la lumière du soleil, descendant en rayons obliques, dessinait sur le pavement des zébrures évoquant des projections de vitraux et semblait élever la salle aux dimensions d'une nef. Parfois on entendait crisser la plume du scribe. Et Ransom lisait la déposition de Carr avec autant d'émotion que s'il eût prononcé son oraison funèbre.

Lorsqu'il eut terminé, Dietz suspendit l'audience jusqu'à l'après-midi. Ces dernières paroles de Carr, se mit à penser Ransom, étaient le couronnement du procès ; elles avaient porté bien plus, maintenant que le vieil homme était mort, que s'il était venu affronter directement Dinsmore. « Témoignage d'outre-tombe » — Ransom imaginait déjà le titre à sensation des journaux du lendemain. Mais il s'agissait de bien plus que de cela : ce témoignage était aussi l'ultime pièce à conviction présentée par la partie publique et la plus préjudiciable à la cause de l'accusé, qui durant la lecture s'était encore distingué par son indifférence.

Ce procès avait donc suivi jusqu'au bout sa propre logique, une logique inattendue mais qui n'était pas pour déplaire à Ransom. Car, désormais, la condamnation était la seule issue possible. Il le voyait aux regards effarés que s'échangeaient les jurés, à l'étrange expression lugubre qui venait d'apparaître sur tous les visages, y compris celui d'Applegate. C'est donc avec un sentiment de pleine confiance en soi que Ransom avait répondu au juge que oui, il en avait fini ; que non, il n'avait plus de témoins à citer et enfin que oui, l'accusation en restait là jusqu'au réquisitoire.

Mais ce sentiment fut durement ébranlé pendant la suspension de séance, et Ransom était encore assez préoccupé lorsqu'il reprit sa place au banc de l'accusation. Entre-temps, en effet, on l'avait mis au courant de divers éléments troublants dont il n'avait pas encore réussi à prévoir toutes les conséquences.

L'enquête sur le meurtre de Carr avait abouti à deux résultats surprenants : le premier, le plus déconcertant, était l'identification du propriétaire du six-coups. Il appartenait à Carl Dietz. C'est le juge lui-même qui avait annoncé la nouvelle à Ransom, en le prenant à part dans son bureau. Il lui avait montré l'arme, et les initiales. Millard avait donc dû passer chez les Dietz, car le revolver était toujours rangé dans le tiroir du bas d'un secrétaire, dans la bibliothèque du juge. Dinsmore avait voulu doubler son crime d'un affront, c'était clair. Ce qui l'était moins, c'était comment il avait fait pour découvrir l'existence de ce revolver, et sa place, à moins qu'il n'eût fureté dans les tiroirs de la bibliothèque, lors de la réception électorale, ce qui semblait bien improbable.

L'enquête avait également établi qu'entre le moment où Millard était sorti de l'hôtel et celui où il avait fait feu sur Carr, il s'était écoulé, non pas une demi-heure, comme l'avait cru Ransom, mais une heure et demie. C'était logique, étant donné que Millard avait dû passer d'abord chez les Dietz, mais Ransom ne put réprimer un frisson d'angoisse : il n'avait jamais pensé que la transe hypnotique pût durer aussi longtemps.

Parlant avec Ransom, Dietz avait déclaré que le meurtre n'était pas un élément pertinent au procès, et il avait interdit au procureur d'en faire mention, même dans son réquisitoire. Que si Ransom, cependant, jugeait bon de faire parvenir à la rédaction du *Herald*, d'une manière ou d'une autre, des informations sur le sujet, lui, Dietz, réprouverait officiellement ces fuites, mais pratiquement, ne ferait rien pour les empêcher.

Maigre consolation ! se disait Ransom en regardant les gens arriver dans la salle. Mais à peine l'huissier eut-il annoncé la reprise des débats qu'une nouvelle contrariété surgit. Ned Taylor, l'un des onze jurés restants, se mit à se tordre sur son siège, en accusant de fortes crampes d'estomac. C'est tout juste s'il ne s'écroula pas en quittant le banc du jury. Au bout d'une demi-heure l'huissier revint et déclara que l'homme avait été renvoyé chez lui. Il ne restait donc plus que dix jurés. Ransom avait toujours considéré Ned et O'Shea comme de chauds partisans des thèses de l'accusation, mais il doutait fort que les dix autres fussent tous aussi farouchement convaincus de la culpabilité de Dinsmore.

L'huissier imposa le silence et Dietz revint sur son siège.

« La parole est à la défense. »

En se levant, Cal Applegate se tourna un instant vers son client et lui dit quelques mots à voix basse. Dinsmore ne lui répondit pas, mais darda sur Ransom un regard plus métallique que jamais. Puis l'avocat prit place à la barre, face au jury.

Ransom s'était déjà demandé si Dinsmore avait magnétisé Applegate. Hypothèse qui n'avait rien d'invraisemblable, puisque l'accusé n'avait cessé d'utiliser ses pouvoirs, depuis l'ouverture du procès. Mais s'il en était ainsi, il fallait bien reconnaître qu'Applegate était un cas à part. Car loin d'apparaître hébété et insensible à ce qui se passait autour de lui, l'avocat avait suivi les débats sans jamais relâcher son attention ni perdre une seule occasion d'intervenir. Et Ransom, qui avait été profondément irrité par son attitude chicaneuse, lors de la formation du jury, et ses très nombreuses objections, se sentait bien obligé de reconnaître qu'à sa place, il aurait fait exactement la même chose pour défendre son client. En fait, Applegate n'avait jamais déployé une intelligence aussi vivace : subtil, fourbe, jouant d'astuces, il ressemblait étonnamment au Dinsmore que Simon Carr avait décrit avant de mourir. Le magnétiseur avait-il insufflé à l'avocat cette part de lui-même ? Car Dinsmore avait dit deux ou trois mots, tout au plus, depuis le premier jour. Parlait-il à travers l'avocat ? En avait-il fait son instrument ? A moins que Dinsmore eût simplement déclenché chez l'avocat des potentialités jusqu'alors cachées, hypothèse encore plus sinistre. Dans ce cas, il n'avait même pas eu besoin de recourir au magnétisme, mais simplement de lui faire miroiter tous les avantages que lui vaudrait la victoire.

Quelle que fût la cause de cette transformation, Applegate devait continuer de stupéfier Ransom tout au long des deux jours qui suivirent, par la façon inouïe dont il avait construit son plaidoyer.

« Votre Honneur, Messieurs du jury, Mesdames, Messieurs, commença-t-il. Je ne rivaliserai pas en art oratoire avec mon collègue du ministère public. Je le sais, mes manières sont rudes, et plus directes, et je vous prie, à l'avance, de m'en excuser. Je suis un homme du Nebraska. Je n'ai pas eu la chance de faire mes études dans un collège de l'Est. Je n'ai lu ni Cicéron, ni Démosthènes, ni tous ces auteurs classiques que mon collègue, j'en suis sûr, connaît sur le bout des doigts. Aussi ce plaidoyer ne sera pas un beau discours, mais simplement une causerie, entre nous.

« J'ai suivi ce procès dans son intégralité, et, tout comme vous, j'ai pu voir mon collègue parler à un tas de gens. Et ces personnes, en répondant aux questions qu'on leur posait, ont dit plein de choses curieuses et parfois déroutantes. Je n'entends pas vous parler de ces témoins, ni remettre en question leur parole : je ne doute pas qu'ils ne fussent tous sincères, ni toutes sincères. Car nous avons eu le plaisir de voir à cette barre de nombreuses personnes du beau sexe. La plupart de ces dames étaient fort belles, encore que nous ne puissions pas toujours admirer leur visage. Nous connaissons bien les goûts raffinés de notre collègue en ce domaine. Il est célibataire, voyez-vous, et c'est ce qui nous a valu cet agréable défilé.

« Je m'adresse ici plus particulièrement à vous, hommes mariés qui connaissez les femmes de près, qu'il s'agisse de vos épouses ou de vos filles : je ne veux absolument pas reprocher à mon collègue d'avoir utilisé tant de témoins du beau sexe, ni me servir de ce fait pour prouver l'inanité de ses allégations. Mais, comme moi, vous savez que ces dames sont d'humeur changeante et souvent sujettes à des caprices. Parfois même, elles ont tendance à broder un peu. Cependant, je vous prie d'oublier tous ces petits détails. Ces dames ont prêté serment avant de parler : elles sont donc censées avoir dit toute la vérité et rien que la vérité.

« Quant aux témoins du genre masculin, ils ont été un peu plus variés. Nous avons eu le docteur Murcott, bien sûr : un homme fort respecté dans cette ville. Mais nous avons vu également un pauvre pasteur apeuré de l'avenue Van Buren, ainsi que quelques nègres, dont un actuellement sous les verrous. Comme vous le savez, c'est l'homme qui a tué le plus insaisissable des témoins à charge, j'ai nommé notre regretté Simon Carr, dont mon collègue n'a cessé de nous promettre la venue mais qui entre-temps est parti pour un monde meilleur, j'espère, que celui-ci.

« Tous ces témoins nous ont raconté un quantité impressionnante de faits, touchant aux domaines les plus divers. Quant à moi, je trouve tout cela du plus haut intérêt. Un peu comme ces interminables romans que ma femme me recommande toujours de lire, mais que je n'ai, malheureusement, jamais le temps de terminer. Les histoires que l'on nous a contées dépeignaient des conduites, ô combien ! courageuses, et parlaient de pouvoirs surhumains, sur l'esprit et sur le corps. On nous a régalés du spectacle d'une veuve endeuillée, et en grand apparat, mais qui était incapable de regarder en face l'homme qu'elle accusait. Nous avons fait des découvertes médicales intéressantes ; quelques-unes étaient même un peu osées. Deux ou trois rumeurs ont été confirmées. D'autres ont été réfutées. Cela dit, il m'est tout bonnement impossible de contre-attaquer, quant au fond, les thèses et les arguments développés par l'accusation. Car quel est le suc de tous ces beaux discours ? Je dirais qu'il est bien pauvre, bien évanescent : supercherie et illusionnisme, voilà tout. Pouvoirs mystérieux et formidables. Mesmérisme. Magnétisme. Hypnotisme. Transes. Suicides. Lettres de suicide. Insomnie. Drogues exotiques. Je ne sais pas ce que vous en pensez, mais je trouve ça un peu difficile à avaler. Un peu comme ces romans, dont je vous ai parlé, et que Mme Applegate me raconte au petit déjeuner. Mais enfin, tout cela ne permet nullement de condamner un homme aussi honorable et travailleur que M. Dinsmore.

« C'est pourquoi je ne citerai aucun témoin à décharge ; cela ne servirait à rien qu'à vous faire perdre votre temps. Il me semble plus utile de vous parler de mon client, l'inculpé, M. Frederick Dinsmore. De sa vie, des luttes qu'il a eu à mener, de ses contributions au progrès, que personne ne saurait ignorer, ici, à Center City ; je dirai également pourquoi certaines personnes l'ont choisi pour cible et ont décidé de monter cette affaire contre lui.

« M. Dinsmore est né en 1859. Il est le onzième d'une famille de quinze enfants. Ses parents, chassés d'Irlande par la grande famine de la pomme de terre, étaient venus sur notre terre en quête d'une vie meilleure. En fait, ils ne trouvèrent que pauvreté, misère sordide, crime et travail noir. Ils s'installèrent dans les taudis du quartier est de New York. M. Dinsmore père travaillait toute la journée dans une ferme, à Brooklyn. Sa femme et ses deux filles aînées étaient ouvrières dans une usine textile. Nous avons tous lu les saisissantes descriptions de l'East Side new-yorkais dans l'*Illustrated Weekly* de Frank Leslie, et les statistiques sont là pour nous convaincre de la gravité de ce fléau. Mais elles ne nous diront jamais ce que peut être la vie d'un enfant dont le seul monde est cet univers surpeuplé, sans lois, où l'on meurt presque d'inanition et dans lequel la prostitution recrute jusqu'aux camarades de son âge. Sans parler des épidémies, de l'alcoolisme, du vol généralisé, des rixes continuelles dans les rues et de la dissolution des mœurs.

« Mais Frederick, se distinguant en cela de ses frères et sœurs, aspirait à une vie meilleure. Les livres qu'il avait réussi à se procurer lui disaient que cette vie existait. Et il décida de la chercher. A force de persévérance, il obtint une bourse d'études, et entra comme interne dans une école du centre de la ville. Bien qu'il fût un élève modèle, il découvrit que sa pauvreté et ses origines lui interdisaient de réaliser ses rêves. Il eût voulu devenir médecin pour contribuer à soulager toutes les misères qu'il n'avait que trop connues. Mais une fois l'école finie, où trouver l'argent qui lui permît de poursuivre de si longues études ? Imaginez la déception de ce garçon qui arrive en vue du but désiré et simultanément se rend compte qu'il ne pourra jamais l'atteindre. C'est ainsi que Frederick retourna dans les taudis de l'East Side, contraint de gagner son pain et brisé dans tous ses espoirs. »

Et Applegate continua sur ce ton : il expliqua comment ce jeune garçon avait réussi à préserver son sens moral et ses ambitions malgré tous les revers de fortune qui avaient marqué son adolescence. L'avocat raconta cette période noire de manière émouvante, parfois même bouleversante. Et Ransom était surpris de son éloquence, et surtout de son habileté à tout présenter sous un jour qui fût favorable à son client. Losqu'il disait que Dinsmore était né dans un milieu extrêmement pauvre et avait fréquenté une école de riches, il respectait la vérité. Mais Ransom avait su que le jeune garçon n'avait jamais terminé ses études scolaires, et avait été renvoyé à treize ans, à cause de sa mauvaise influence sur ses camarades. Il avait dû se remettre à travailler, certes, mais pas aussi longtemps que le laissait entendre Applegate. En fait, à quinze ans, il avait commencé à faire « travailler » deux de ses propres sœurs. A dix-sept ans, il était connu comme un membre respecté des Black Squad, une bande de voyous de triste réputation, que Tammany Hall utilisait pour briser les meetings de l'opposition. Mais là était le moindre de leurs méfaits ; car les activités de la bande allaient de la simple rixe au cambriolage et au meurtre. Applegate survola cette période. En revanche, il s'étendit longuement sur l'amitié que le jeune Dinsmore avait su inspirer à Cornelius Van Wycke, l'un des hommes les plus riches et les plus haut placés de New York. Dinsmore avait effectivement été le protégé de Van Wycke durant plusieurs années, — et ce fait avait stupéfié Ransom lorsqu'il l'avait lu pour la première fois dans les rapports de police. Quel intérêt un homme comme Van Wycke pouvait-il bien avoir pour Dinsmore ? Bah. Quoi qu'il en soit, à la suite du vol par Dinsmore d'une somme d'argent considérable, Van Wycke n'avait plus voulu entendre parler de lui. Applegate, lui, expliquait cette rupture par « les menées infâmes de certains parents de Van Wycke ».

Ransom prit note de cette falsification, comme il le faisait d'ailleurs chaque fois qu'il en repérait une. Il les réfuterait toutes, preuves à l'appui. Mais pour le moment il était contraint d'écouter sans réagir cette enfilade interminable de contre-vérités. Qu'est-ce qu'Applegate peut bien espérer d'obtenir par de tels procédés ? se demanda-t-il. Il doit bien se douter que moi aussi, je connais les faits. Or, ces faits démentent tout son panégyrique.

Applegate avait déclaré dans son exorde qu'il n'était pas dans ses intentions de prononcer un grand discours. Mais que faisait-il d'autre ? Il avait pris la parole un peu après deux heures, et il était déjà quatre heures. Or l'avocat n'en était encore qu'au mariage de Dinsmore, « cet acte de générosité spontanée », disait-il, « envers une pauvre jeune fille, qui, pour s'être éprise de mon client, avait été durement chassée du foyer paternel ». Mais, apparemment, personne ne s'ennuyait. Ransom se souvint d'une maxime de Dietz : les gens aiment qu'on leur raconte de belles histoires, et se demanda si Applegate n'était pas en train d'appliquer consciemment, cyniquement, cette philosophie désabusée. Il est vrai aussi, se dit Ransom, que je ne vois vraiment pas ce qu'il pourrait faire d'autre, sinon débiter des âneries. Car il est dans une situation complètement désespérée : il n'a plus aucun témoin à citer, et ne pourra jamais rien dire de sérieux à l'appui de sa fameuse théorie du complot. Il est évident que dans ces conditions il ne lui reste plus qu'à tirer les choses en longueur et jeter de la poudre aux yeux.

Le juge avait sans doute lui aussi percé à jour son manège, car il suspendit l'audience dès quatre heures et demi, renvoyant au lendemain la suite, et, dit-il, « espérons-le, la fin », du plaidoyer.

290

Ni Dinsmore, ni Applegate ne relevèrent ce sarcasme ; et le lendemain matin, à dix heures, l'avocat reprit, là où il l'avait laissée, son édifiante biographie.

« Et ce fut au cours de cette période, particulièrement dure, de son existence, que mon client fit la connaissance du docteur Carr, dont la déposition vous a été lue hier. Paroles, ô combien ! choquantes, et, dirais-je, outrageantes à notre égard, si l'on pense que nous n'avons jamais cessé de nourrir le plus profond respect pour l'homme sans lequel nous, je veux dire mon client n'aurait jamais pu réaliser le rêve de sa vie : contribuer comme médecin à soulager les misères humaines. Nous ne saurions douter de l'authenticité de ces paroles : le faire reviendrait à contester les dires de la partie publique. Loin de nous cette intention. De fait, nous voyons dans cette déposition l'élucubration aberrante d'un vieil homme malade, insatisfait et aigri. Et je suis certain que, confronté à mon client, le témoin n'aurait jamais osé porter des accusations aussi extravagantes. »

Applegate compléta son attaque par une description hautement fantaisiste des rapports entre les deux hommes : on y voyait Dinsmore, assoiffé de savoir, supplier Simon Carr de lui enseigner la chirurgie dentaire, assimiler avec une rapidité phénoménale les connaissances de son maître et devenir bientôt un praticien aguerri de son art. C'est ainsi que le jeune dentiste, soucieux de réduire au minimum la douleur de ses patients tout en leur procurant les meilleurs soins possibles, avait été amené à découvrir et à adopter les techniques les plus modernes ; et d'énumérer : dentiers montés sur base de caoutchouc vulcanisé, fraise mécanique, utilisation de l'amalgame d'argent pour les obturations dentaires, etc., etc. Lorsque Carr était devenu trop vieux pour continuer d'exercer sa profession, Dinsmore — apprenait-on — lui avait témoigné sa gratitude en le gardant auprès de lui comme assistant et comme conseil, puis en subvenant généreusement à ses besoins, lorsque le vieillard n'avait plus été capable de rien faire. Mais là ne s'arrêtait pas « notre » munificence et « notre » esprit d'abnégation : « nous » nous étions « dépensés sans compter pour tenter d'enrayer les troubles névrotiques de la pauvre Mme Dinsmore, puis pour alléger ses derniers jours ». « Nos » actes de générosité, « innombrables » — mais tous énumérés et décrits par le menu — « nous » avaient attiré l'amour de « nos » voisins et de « nos » anciens patients. Et cette philanthropie avait culminé dans tout ce que « mon client »,

« après la mort tragique de son grand ami », avait fait pour Mme Lane : alors ce bienfaiteur de l'humanité n'avait pas hésité une seconde à « sacrifier sa profession lucrative », pour « assurer le dur labeur et les cruels soucis qu'impliquait la gestion du patrimoine de la veuve ».

Une telle hypocrisie stupéfiait Ransom. Heureusement, se dit-il, que Carrie n'est pas là pour entendre ces mensonges éhontés. Quant à Dietz, il devait être si écœuré qu'il interrompit Applegate au beau milieu d'une période pour suspendre la séance.

Une heure plus tard, comme Ransom arrivait au palais pour l'audience de l'après-midi, il vit venir vers lui Barker, le greffier. Le juge voulait s'entretenir un instant avec le procureur, dans son bureau privé.

« Nous avons encore perdu un juré, annonça Dietz, d'un ton particulièrement brusque.

— Quoi ? qui ? quand ?

— A la bonne heure ! Je vois que le commerce de ces maudits journalistes a déjà renouvelé votre rhétorique ! Poser dix questions à la fois, voilà tout ce qu'ils savent faire. Passons. Il s'agit de Gus Tibbels, l'un de nos trois bienheureux agriculteurs. Il est sorti tout à l'heure de la salle des jurés, juste un instant pour prendre l'air, a-t-il dit, et il n'est jamais revenu.

— Etant donné que Taylor lui, est revenu, ce matin, cela veut dire que nous nous retrouvons encore avec dix jurés.

— C'est impensable », s'écria soudainement Ransom. Il venait de se rappeler l'air profondément proccupé de Tibbels lorsque Carrie s'était évanouie, et les services qu'il s'était offert de rendre. « C'est impensable. C'est la première fois que je vois un procès où trois jurés tombent malades. Mais s'est-on mis à sa recherche ?

— Mme Brennan l'a vu sortir de la ville après l'audience de ce matin. Elle a dit qu'il se dirigeait vers l'ouest — ce qui laisserait penser qu'il avait l'intention de rentrer chez lui. J'ai donc dépêché quelqu'un à sa ferme. S'il n'y est pas, patience ! Je ne peux pas faire fouiller tout le comté.

— C'est à n'y rien comprendre ! Ce procès, jusqu'ici, n'est qu'une suite de disgrâces.

— D'autre part on m'a dit que Taylor s'est plaint de vertiges durant toute la matinée, dit le juge. Je doute que nous le revoyions cet après-midi.

292

— De vertiges ?

— Oui, apparemment : il disait avoir des éblouissements et des bourdonnements d'oreilles. Sans causes physiques, a dit le médecin qui l'a examiné. Toujours est-il que Ned n'était pas dans son assiette. »

Au mot vertiges, Ransom avait tressailli. Il pria le juge de répéter sa description des symptômes.

« C'est Dinsmore, dit le procureur. J'en suis sûr : Carrie Lane aussi se plaignait d'éblouissements et de bourdonnements d'oreilles.

— Qui sait ? dit le juge, sceptique.

— Et maintenant il essaye de magnétiser les jurés ! Ah ! je comprends ce que fabrique Applegate. Ils essayent de gagner du temps. Et Applegate continuera de nous raconter des bobards jusqu'à ce que Dinsmore ait magnétisé tous les jurés.

— Doucement, James. Vous êtes en train de les accuser d'un délit particulièrement grave, plus grave que la subornation. Alors qu'Applegate n'a jamais reconnu que Dinsmore exerçât, ou même seulement connût le magnétisme. Vous l'avez entendu.

— Je ne lui ai entendu dire que des blagues. Tout comme vous. Rien que des boniments et des contre-vérités. Ce sera pour moi un jeu d'enfant de démolir tout son panégyrique. Quant à prouver que Monsieur est un magnétiseur, ne vous en faites pas : j'ai moi-même été magnétisé par lui, et je suis prêt à me citer moi-même comme témoin.

— Je ne crois pas que ces acrobaties juridiques soient nécessaires.

— Ce que je peux vous dire en tout cas — et je vous en donne ma parole —, c'est que ces trois jurés étaient partisans de la condamnation, comme par hasard.

— Il faut plus de trois jurés pour le condamner. D'autre part, on ne peut rien dire de ce qu'ils pensent tant qu'ils n'auront pas voté. Non, je regrette vraiment, mais je ne peux pas accepter ce nouveau chef d'accusation.

— Alors, vous les laissez faire ?

— Non, rassurez-vous. Nous allons nommer d'autres jurés, en les prenant dans le public. Car il nous faut des gens qui aient suivi le procès depuis le début. Nous allons faire ça cet après-midi, avant la reprise des débats. Et pour être sûr d'avoir toujours douze jurés, nous allons désigner des remplaçants. Et maintenant, faisons venir Applegate et Barker.

« — A mon avis, ça ne suffira pas à arrêter Dinsmore.

— Que voulez-vous, encore ? Qu'on le flanque derrière votre machin en mica ?

— Je ne vois pas d'autre solution pour l'empêcher d'hypnotiser les jurés.

— Applegate va faire un barouf de tous les diables, s'il vous entend dire une chose pareille. Non, je m'y oppose, pour le moment du moins. Commençons par appliquer mon plan : pour tout juré de perdu, nous en nommons deux à sa place. Je crois que ça fera réfléchir Dinsmore. D'autre part, ne le quittons pas des yeux lorsque la séance reprendra. Et si vous, ou moi, le voyons faire quelque chose de suspect, hop ! au coin ! Mais pas avant. »

Les formalités de la constitution du jury supplémentaire se prolongèrent tout l'après-midi : tirages au sort, récusations, questions rituelles. Pour Ransom, ce fut un retour débilitant aux premiers jours du procès.

Le lendemain matin, les débats ayant repris, Ransom ne cessa d'observer Dinsmore, et ne remarqua rien d'anormal. Applegate continuait de parler : la fin du plaidoyer ne devait pas être loin, car il était maintenant question des nouvelles activités de Dinsmore, de ses initiatives progressistes, de sa haute moralité commerciale, du respect et de l'admiration que ses qualités avaient suscités aussi bien en ville que dans le reste du comté.

Dinsmore regardait bien les jurés, de temps à autre. Mais à intervalles irréguliers, et sans témoigner pour eux beaucoup d'intérêt. Il laissait tranquilles ses boutons de manchette et ne faisait rien d'autre, apparemment, qui pût être interprété comme une tentative de magnétisation. Ransom parfois l'entendit fredonner à voix basse ; cela durait quelques minutes. Et d'ailleurs, il ne s'agissait même pas d'un fredonnement. On eût dit le ronronnement béat d'un gros chat, si léger que les jurés, beaucoup plus éloignés que Ransom du banc de l'accusé, ne devaient pas l'entendre. Ransom parfois, se demanda même s'il ne s'agissait pas d'une simple hallucination.

Et pourtant, un autre juré manquait, ce matin-là : Anthony Pulver, l'assistant du pharmacien, le plus jeune de tous. Le seul à n'avoir jamais caché son aversion pour Dinsmore et, surtout, sa sympathie pour Carrie Lane. Il était tombé d'un escabeau, la veille, en aidant son patron à ranger des bocaux. Et maintenant, il était au lit, incapable de marcher, et même de rester assis. Un remplaçant avait été immédiatement nommé. Mais pour Ransom, c'était une nouvelle tuile, et de taille.

Applegate en était enfin arrivé à la péroraison. C'était une réédition pure et simple de son discours d'ouverture (autrement dit, une description fort impressioniste de « l'obscur complot ourdi contre mon client »), agrémentée de considérations sur le progrès et les « pionniers de la modernité », reprises mot pour mot des éditoriaux de Joseph Jeffries.

Dietz remercia l'avocat pour ses « paroles lucidement obtuses et inspirées ». Même Applegate perçut le trait d'ironie, qui déclencha l'hilarité du public. On ne se tenait pas de répéter la formule du juge, on s'évertuait à dégager toutes les allusions impliquées par ses multiples paradoxes. Sur ces entrefaites la séance fut suspendue.

Cet après-midi-là, ce fut au tour de l'accusation de récapituler tous ses moyens. Ransom réfuta point par point les « contes fantastiques » d'Applegate. Ransom esquissa une véritable « contre-biographie » de l'accusé, relevant tous les épisodes falsifiés ou omis par l'avocat, et réfutant sa version des faits sur la base d'une série de documents justificatifs, qu'il soumettait chaque fois à l'appréciation du juge et des jurés. Puis il passa au réquisitoire proprement dit. Avec une économie de style remarquable, et particulièrement bienvenue, il exposa en un tableau méthodique le contenu de toutes les dépositions. La conclusion se dégageait d'elle-même : Dinsmore ne pouvait avoir fait que ce que tous les témoins avaient dénoncé, c'est-à-dire, en substance, assassiné deux personnes, et peut-être même trois — Ransom risqua l'allusion sans hésiter — par amour du pouvoir.

Ransom, se rasseyant, était encore plein de tous ses mots — comme s'ils eussent continué de flotter, devant lui, à mi-hauteur, dans la salle — et il en admirait l'harmonie et la force intrinsèques. Pendant deux bonnes heures, il avait tenu les jurés en haleine : il avait vu leur attention, il l'avait ressentie presque physiquement. Il avait fait ce que Simon Carr lui avait ordonné de faire : il avait dit la vérité, il l'avait parlée, mettant toute son âme dans les mots. Et les mots, s'animant, étaient devenus pouvoir.

Il était satisfait, et épuisé. Comme il se reposait un instant dans son bureau — une petite pièce du tribunal que l'on avait mise à sa disposition pour ce procès — avant de rentrer chez lui, Alvin Barker entra porteur d'une enveloppe cachetée. La main qui avait écrit le nom de Ransom lui était inconnue. Et l'enveloppe ne portait pas le nom de l'expéditeur. Ransom voulut s'en enquérir tout de suite mais il s'aperçut que Barker avait disparu.

Il brisa alors le cachet et lut :

Le meilleur l'a emporté, à ce qu'il semble. Rendez-vous au n° 100 de l'hôtel Lane, ce soir après 8 heures. Je vous ferai quelques concessions d'homme à homme.

L'en-tête était celui de l'hôtel Lane. Le billet était signé FREDERICK L. DINSMORE.

Tiens ? Applegate ne sera pas là, se dit-il, surpris, avant de se laisser aller à la joie dont le comblait ce message : car il avait vaincu, il triomphait. L'accusé était à sa merci, cette farce de procès était finie, et, du même coup, la nouvelle vie que Ransom attendait allait enfin commencer. L'avenir pouvait le porter n'importe où : à un poste important dans la magistrature assise, au Sénat de Lincoln, ou même au Congrès fédéral, pourquoi pas ? Désormais, en effet, plus rien ne pouvait empêcher qu'il obtînt ce qu'il méritait. Et il retournerait là-bas, à Washington — vingt ans après y avoir connu la défaite — avec les honneurs, une situation assurée et tout ce qu'il fallait pour devenir un législateur célèbre et respecté. Et Carrie Lane serait avec lui, évidemment. Cette rentrée fera certainement du bruit, songeait-il en arrivant à la pension ; les gens ne parleront que de ça. Il est vrai que dans la capitale de l'Union, on n'était guère habitué à ce genre de retour.

Lorsque l'on passa à table, pour le dîner, cependant, l'humeur de Ransom avait complètement changé : tous ses beaux rêves s'étaient effacés ; à leur place, il n'y avait plus que craintes et soupçons. Quelles concessions Dinsmore pouvait-il lui faire ? Et s'il s'agissait d'un piège ? Le réquisitoire de Ransom, en effet, avait irrémédiablement détruit tous les arguments de la défense. Dinsmore le savait ; Applegate aussi. L'accusé devait faire une dernière tentative de sauver sa peau ; c'était logique. Et c'était sans doute pour cela qu'il avait invité Ransom. Allait-il essayer de le tuer ? Il n'oserait pas. Tenterait-il de le magnétiser ? C'était plus probable. Mais qu'espérait-il obtenir par ce procédé ? L'interruption du procès ? Il était déjà trop tard : le réquisitoire avait été prononcé ; le lendemain matin la défense déposerait ses conclusions et l'affaire irait alors devant le jury. Dès demain soir, nous serons fixés, se dit Ransom. Comment eût-il pu en être autrement ?

Autant de raisons, donc, de repousser l'invitation de Dinsmore, et d'attendre, tout simplement, et sereinement, le lendemain matin. Lorsque Ransom eut prit cette décision, vers la fin du repas, il se sentit tout de suite beaucoup mieux. Il se mit à plaisanter avec son hôtesse et avec les autres pensionnaires et tenta même de distraire le médecin qui lui aussi semblait plongé dans de graves pensées.

On sortit de table. Ransom monta tout de suite dans sa chambre où, machinalement, il se changea et remit le costume qu'il portait à l'audience, son habit professionnel, le signe qu'il sortait pour régler une affaire. Allons le voir, après tout, se dit-il en ajustant sur sa chemise un col tout propre et raide d'empois. Ransom était même décidé, au cas où ces concessions seraient intéressantes, importantes, à tout faire pour amener Dinsmore et Applegate à modifier leur système de défense. Certes, il fallait s'attendre à une furieuse résistance, de la part de Dinsmore, mais il s'apercevrait bien vite que le jeu en valait la chandelle. Si l'accusé acceptait de plaider coupable, en effet, Ransom diminuerait les chefs d'accusation et éliminerait ainsi l'éventualité de la peine de mort. Cet acte de miséricorde montrerait à Dinsmore comment punissent les hommes civilisés. L'accusé avait beau être sauvage, il n'en serait pas moins contraint de voir que même dans son triomphe, un homme de bien n'oublie jamais d'être généreux, qu'il peut être ferme, certes, mais répugnera toujours à sacrifier une vie humaine.

Tout à ces réflexions, Ransom sortit sans dire un mot à personne. Il était fier de lui, tel un apôtre s'apprêtant à obtenir la conversion d'un grand pécheur.

Ces sentiments exaltés l'animaient encore lorsqu'il arriva à l'hôtel Lane. Un homme qu'il n'avait jamais vu auparavant se tenait derrière le bureau de la réception, une magnifique table de marbre sculpté. L'inconnu leva vers Ransom un visage où se détachaient de petits yeux noirs et une fine moustache brune, taillée aussi régulièrement qu'une brosse.

« J'ai rendez-vous avec maître Applegate », dit l'attorney.

La brosse remua. Et pourtant Ransom n'avait pas saisi un seul mot de ce que l'homme venait de lui dire.

« Comment ?

— Je ne connais aucun Applegate dans cet hôtel.

— Il m'a demandé de venir le voir après 8 heures. Regardez : c'est écrit ici. » Ransom montra le billet, soulignant du pouce le numéro 100.

« Vous voulez dire M. Dinsmore, dit l'employé d'une voix légèrement agacée. Veuillez me suivre. »

L'homme sortit de derrière le comptoir et conduisit Ransom vers un grand panneau de verre peint, y ouvrit une porte que le visiteur n'avait pas remarquée, puis un portillon de bronze, et ils se retrouvèrent, comme par enchantement, dans le fameux ascenseur pneumatique. La vitre opaque, d'un blanc laiteux, et le portillon étaient décorés de lignes courbes entremêlées, qui représentaient sans doute une plante grimpante avec des fleurs et des fruits — motif répété ailleurs dans le hall d'entrée —, si bien que l'on avait l'impression de pénétrer dans un tableau plutôt que dans une machine. A Center City, cet ascenseur faisait encore figure d'innovation — il n'y en avait que deux autres dans toute la ville. Son installation, très récente, faisait partie des efforts déployés par Dinsmore pour rehausser le prestige de l'hôtel Lane.

En un clin d'œil, et sans bruit, l'appareil porta les deux hommes au premier étage. L'employé ouvrit la porte de verre et fit signe à Ransom de sortir.

« Dernière porte à gauche », indiqua-t-il.

Le battant de verre opaque se referma avec un bruit sec, et l'ascenseur disparut.

Quelqu'un dormait dans un fauteuil devant la porte du 100 : c'était l'adjoint de Timbs, préposé à la garde de Dinsmore. Carr ne s'était pas trompé : le prévenu était sans aucun doute complètement libre de ses allées et venues.

Ransom secoua l'homme sans ménagement et lui ordonna d'un ton brusque de rester éveillé. Pris de frayeur, le gardien se leva d'un bond et frappa à la porte. Ransom se demandait combien d'autres portes de l'appartement donnaient sur le couloir et si elles étaient verrouillées.

Il s'apprêtait à poser cette question lorsqu'une voix l'invita à entrer. Le policier referma la porte derrière Ransom, sans pousser le verrou, évidemment !

Petit détail que Ransom oublia immédiatement en apercevant Dinsmore. C'était stupéfiant, ahurissant.

L'accusé — cet homme qui, le lendemain même, devait être condamné à mort — était assis, à moitié vautré, plus exactement, sur un canapé couleur rubis, et était en train de

298

s'essuyer amoureusement les lèvres à une serviette de table, brodée et de linge précieux. La veste de son costume gris, à fines rayures était ouverte, laissant apparaître son gilet de soie moirée qui miroitait à la lumière vive des lampes à gaz. Un de ses pieds élégamment bottés reposait sur un petit tabouret capitonné de forme et de couleur assortie au canapé. Une table encombrée de porcelaines, de faïences et de verres à pied se dressait devant lui. De l'autre côté, digne complément de ce tableau épicurien, une jeune femme, assise dans une grande bergère, étirait jusque sous la table une splendide paire de jambes. Ses cheveux aux reflets d'or, noués lâchement en une manière de petit chignon, lui tombaient jusqu'au milieu du dos en longs enroulements.

« Ah ! monsieur Ransom, dit Dinsmore avec chaleur ; quelle bonne idée d'arriver à l'heure du dessert ! On m'a dit qu'il y avait une tarte à la noix de pécan ce soir. Cela devrait plaire à un vieux Georgien comme vous.

« Où est Applegate ? demanda Ransom sans bouger d'un pouce.

— Chez lui, j'imagine. Je ne suis pas tout le temps collé à ses talons. Tillie, veux-tu débarrasser, dit-il à la jeune fille, et sers-nous le café, le dessert et un peu de brandy. Vous prendrez bien un cordial avec nous, monsieur Ransom ?

— Je pensais qu'Applegate serait ici. A quoi rime cette entrevue, sinon ?

— On dirait que vous n'avez pas lu mon message. Vous ne pensiez tout de même pas qu'Applegate serait ici lui aussi. Il en aurait une attaque, s'il apprenait que je vous ai écrit.

— Vous voulez dire qu'il n'est pas au courant ?

— Evidemment. Il s'agit d'une affaire entre vous et moi. Il n'aurait jamais été d'accord. Bien, maintenant soyez raisonnable. Approchez-vous et prenez un siège. »

Dinsmore se leva et fit signe à Ransom de s'asseoir dans la bergère laissée vide par Tillie.

Cette mise en scène lui déplaisait fort, et il trouvait particulièrement irritante l'attitude d'hôte magnanime affectée par Dinsmore. Ransom s'était imaginé que cette entrevue aurait un caractère en quelque sorte officiel, avec production de pièces et une grande réserve de part et d'autre, un peu comme la reddition de Lee à Grant, telle qu'il l'avait vue une fois en peinture. En tout cas, il ne

s'attendait pas à cette petite fête dans l'intimité, avec pâtis-
series, liqueurs et prostituées.

« Allons ! insista Dinsmore ; vous n'allez tout de même
pas partir sous prétexte qu'Applegate n'est pas là ?

— Je suis venu pour cela, dit Ransom en montrant le
billet.

— Vous avez bien fait, très bien fait. Mais je ne vois
pas pourquoi nous ne devrions pas profiter des petits plaisirs que peut nous accorder l'existence, de tous ces petits
riens, dont vous voulez me priver, et très bientôt si je
vous en crois. Si ces moments sont parmi les derniers,
faisons en sorte qu'ils soient les plus agréables possibles,
n'est-ce pas ? Alors, laissez-moi vous débarrasser de votre
chapeau et de votre manteau. Disons que cette petite
soirée sera comme le morceau de sucre qui fait passer
la pilule. »

Ransom s'assit et regarda autour de lui. L'appartement
était merveilleusement arrangé et n'avait rien à envier
aux plus belles demeures de la ville : meubles de choix,
miroirs, tableaux, bibelots et autres objets d'art, tout
était riche et élégant.

« C'est l'appartement du sénateur, expliqua Dinsmore.
Il comporte également une salle à manger. Mais je préfère
la réserver pour les grandes réceptions. »

Tillie revint en poussant une table roulante, plus petite
mais aussi richement dressée que la première. Quand elle
les eut servis, elle s'assit sans façon sur le canapé ; mais
Dinsmore la pria immédiatement de se relever et de les
laisser seuls.

Il leva alors l'un des deux verres de liqueur qu'elle avait
apportés :

« A votre santé, monsieur Ransom. Votre réquisitoire de
cet après-midi a été extrêmement convaincant. La façon
dont vous avez mené ce procès d'un bout à l'autre confine
à la perfection. Vous n'avez absolument rien négligé dans
votre enquête et je dois reconnaître que votre exposition des
faits est un modèle de logique et de symétrie. »

Des compliments, maintenant ? Ransom n'y comprenait
plus rien. Il ne toucha pas à son verre.

« Allons ! Acceptez au moins d'y tremper les lèvres, pour
me montrer que vous ne repoussez pas mon admiration. »

Ransom but une petite gorgée puis passa au café. Il
importait avant tout de garder l'esprit bien en éveil.

« J'admire sincèrement votre talent professionnel. Depuis

que je vous connais, j'ai toujours souhaité vous avoir de mon côté. Vous êtes le meilleur de tous, je le sais depuis le début. Quant aux autres, quelle bande de faiseurs minables ! Bah ! n'en parlons pas. Aussi, j'ai été profondément déçu d'apprendre que vous aviez choisi d'être contre moi, plutôt qu'avec moi. On vous aura très mal conseillé.

— On n'ignore pas que je suis ici, vous savez », dit Ransom, ignorant délibérément toutes les allusions et toutes les pointes de Dinsmore.

« Je m'en doute bien. Vous êtes un homme intelligent et prudent. Il est sûr qu'on sait que vous êtes ici.

— Mais on n'en connaît pas la raison, s'empressa d'ajouter Ransom.

— Bien entendu. Votre haute conscience professionnelle vous l'interdit. C'est d'ailleurs ce que j'admire en vous, Ransom ; vous ne vous écartez jamais du droit chemin, même lorsqu'il vous en coûte. Tout au long de ces dernières semaines, je vous ai observé comme on observe un funambule. Tombera ? Tombera pas ? Mais vous avez tenu bon et surmonté les épreuves les unes après les autres. Vous êtes tenace. J'aime ça. »

Il leva son verre et but une nouvelle fois.

« Mais vous avez fait de votre mieux pour me faire tomber.

— A vaincre sans péril... Je n'allais pas vous faciliter la tâche, quand même ? Je me devais bien de vous mettre des bâtons dans les roues ; c'est de bonne guerre, et votre exploit n'en est que plus remarquable.

— Vous admettez donc avoir essayé de magnétiser les jurés ?

— Moi ? Je n'admets rien du tout.

— Alors nous n'avons rien à nous dire, dit Ransom en posant son verre et en se levant.

— Mais si. Mais si. Rasseyez-vous donc. Essayez un instant de ne pas vous comporter en procureur avec moi. Et vous verrez : toutes vos belles constructions s'écrouleront comme châteaux de cartes. Vous le savez très bien. Mais laissez-moi aborder les choses à ma façon. »

Ransom se rassit mais ne toucha pas à son verre.

« Vous ne voulez pas goûter la tarte ? » demanda Dinsmore ; comme Ransom ne répondait pas, il poursuivit : « Vous savez, je vous admire sincèrement. Mais il y a certaines choses que vous ignorez sur mon compte. Certains domaines que votre enquête, malgré toute sa minutie, n'a pas réussi à élucider. C'est pourquoi je suis sûr que vous vous posez encore des questions. N'est-ce pas ? Or, je suis le seul à pouvoir éclairer votre lanterne. Je crois vous connaître assez pour affirmer que vous n'aurez de cesse que tous vos indices ne se trouvent confirmés. J'ai senti chez vous l'esthète ; vous avez le goût de la perfection. Je ne me trompe pas, n'est-ce pas ?

— A quels domaines faites-vous allusion ?

— Vous voyez bien que je ne me trompe pas ! Bon. Je n'ai aucune intention d'entrer dans votre jeu — que cela soit clair — mais je crois quand même que je peux vous être utile.

— Quels sont ces domaines ?

— Chaque chose en son temps, je vous prie. Une dernière petite question d'abord. Comme vous êtes tout à fait ouvert à la critique — ce qui est d'ailleurs un trait de caractère admirable, à mon avis —, j'aimerais aborder une question d'intérêt mineur. »

Mais où veut-il en venir avec ces inepties, se disait Ransom. Quel guignol, ce Dinsmore ! Ça, il aurait parfaitement été à l'aise dans ces comédies de mœurs où des gens papotent autour d'une tasse de thé.

« Cela concerne votre philosophie, continua Dinsmore.

— Ma philosophie ?

— Oui. C'est le mot que j'emploierais. Ce que vous pensez de la vie. J'ai eu tout le loisir de vous observer depuis quelque temps. Vous êtes un homme cohérent, et, comme il se doit, vous avez une philosophie, une vision des choses qui sous-tend votre cohérence. Mais je crains fort qu'elle ne manque d'une certaine maturité, qu'elle ne soit même un peu fausse, pour tout dire. Car cette philosophie est celle d'un homme beaucoup plus jeune que vous, qui n'a pas encore été marqué, si je puis dire, par la vie et ses dures réalités.

— Que me contez-vous là ? »

C'était vraiment la dernière chose dont Ransom pensait parler ce soir-là.

« Quand nous sommes enfants, s'empressa d'expliquer Dinsmore, nous pensons que ceci est bien et que cela est mal. Et par là, nous entendons évidemment ce qui est agréable et ce qui ne l'est pas. Avoir un chocolat est agréable, donc c'est bien. Recevoir une gifle est très désagréable, donc c'est mal. Par la suite, au fur et à mesure que nous grandissons et que nous nous développons, nous découvrons que la vie n'est pas si simple. Le chocolat, s'il se trouve être le vingtième que nous avalons dans la journée, peut provoquer une bonne crise de foie. Ainsi le bien se transforme en mal. Et, comme le font toujours remarquer les maîtres d'école, une gifle reçue dans notre jeune âge peut nous insuffler une vertu que nous ne découvrirons qu'une fois adultes. Ainsi le mal devient le bien.

— Continuez, dit Ransom.

— Ce sont de simples analogies, bien sûr. Mais à mesure que nous avançons dans la vie, nous découvrons d'autres subtilités. La gifle, la fessée, plus souvent, peut engendrer une nouvelle espèce de mal. Outre le goût de la vertu, elle peut inspirer à un homme le goût du châtiment de la chair comme plaisir. Ce sont les Anglais qui ont découvert ce curieux phénomène...

— Mais Rousseau déjà...

— Je sais. Quoi qu'il en soit, je vois que vous avez entendu parler de cette forme de gratification. Et alors, dites-moi : est-ce bien ou mal ? Ou ni l'un ni l'autre ? Vous voyez, Ransom : ces choses sont pleines de subtilités. De contradictions qui ne peuvent être résolues une fois pour toutes. La vérité, souvent, est bien difficile à saisir. La plupart des choses, dans la vie réelle, sont un peu comme une balance : il suffit d'un tout petit rien pour les faire pencher vers le mal ou vers le bien. Et si elles sont justes, elles ne sont ni mal ni bien.

— Si vous essayez de trouver une justification philosophique à la façon dont vous avez utilisé les gens...

— Une minute ! Laissez-moi continuer. De même qu'on ne peut pas prétendre si facilement qu'une chose est toute bonne ou toute mauvaise, de même ne le peut-on pour les gens. Ils sont en général un mélange des deux.

— Mais ils ont des tendances, interrompit Ransom. Et ils doivent toujours tendre vers le bien.

— Quelle que soit la nature de ce bien ? » dit Dinsmore, l'air ravi, les mains écartées comme s'il tenait la réponse. « Vous voyez, Ransom, c'est là que vous me décevez. Vous me faites penser à ce pauvre crétin de Sydney, le baptiste. Avec sa foutue Bible. Comme si dans un livre, ou même dans tous les livres, on pouvait trouver réponse à tout : ce qui doit être, ce qui ne doit pas être, etc. C'est idiot. Mais je me demande si ce n'est pas mieux que ce que vous faites. Car vous, le dernier mot sur tout, c'est toujours en vous-même que vous allez le chercher. Vous êtes comme l'enfant, qui répète interminablement que la gifle est mauvaise et que le chocolat est bon. C'est absurde. C'est ridicule. Vous êtes un adulte, que diable ! Je ne devrais pas avoir besoin de vous le dire ! »

Ransom éclata de rire.

« Ecoutez, c'est mon affaire. Ne vous en faites pas pour moi.

— Alors, vous vous entêtez à penser comme ça ? Par exemple, vous pensez que je suis entièrement mauvais ? Mauvais sur toute la ligne ? Allez ! Avouez-le !

— Les preuves ne militent guère en votre faveur.

— Vos preuves ! Celles que vous avez trouvées. Mais il y en a d'autres. Regardez tout ça », dit-il, en faisant un geste circulaire de la main, tel le semeur ; « c'est pas des preuves ? L'hôtel. L'état florissant des affaires que je dirige. Henry Lane n'a jamais été capable, ne fût-ce que d'approcher une situation telle que la mienne. Aurait-il vécu dix fois plus, il n'y serait jamais arrivé. Il ne savait pas s'y prendre, c'est bien simple. Il ne savait même pas à quoi doit ressembler un hôtel, quels services il doit être en mesure de procurer. Quant à ses entreprises, et ses fermes, s'est-il jamais préoccupé d'y introduire le machinisme ? Tandis qu'au train où je vais, dans cinq ans, la maison Lane sera une force avec laquelle il faudra compter. Ce sera un véritable empire économique. Les gens en parleront comme ils parlent de Riis, de Morgan et de Rockefeller. Et cet empire redonnera vie à Center City d'une manière que personne ne soupçonnait. De celle dont Pittsburgh est devenu une grande ville, grâce à l'acier... ou Buffalo, une fois que le Canal de l'Erié est entré en activité. Cette ville deviendra le centre agricole du pays. A l'heure actuelle c'est une imposture d'appeler cette ville la « deuxième capitale de Nebraska ». Mais d'ici quelques années, elle dépassera Lincoln et Omaha, et même sans doute St Louis. Est-ce bien ou mal ? »

Ransom ne répondit pas.

« Vous voyez, ce n'est pas une question si facile. Je suis sûr que si l'on me considérait déjà comme le bienfaiteur de cette ville, que si l'on était déjà en train de me construire un monument sur la grand-place, vous ne penseriez pas la même chose de moi. Pas vrai ?

— Toutes ces affaires appartenaient à Henry Lane. Pas à vous. Vous n'aviez pas le droit de vous en emparer, de la manière dont vous l'avez fait. Quand bien même vous en feriez la première affaire du pays, cela ne changerait rien à la nature criminelle des procédés que vous avez employés.

— Toujours le même refrain ! Vous vous obstinez à prétendre que le cent unième chocolat est bon alors que vous allez le vomir dans une seconde. »

Le visage de Dinsmore s'assombrit. Il alluma un cigare et but une gorgée d'alcool.

Au bout d'une minute, Ransom dit :

« Je ne suis pas venu ici pour parler de morale, Dinsmore. »

Dinsmore continuait de faire la moue.

« D'accord, déclara-t-il soudain. Alors, posez vos questions.

— Quelles questions ?

— Ces domaines sur lesquels vous teniez tant à avoir des éclaircissements.

— Je veux d'abord votre confession.

— Un instant, s'il vous plaît. Je n'ai parlé que de concessions, en vous invitant à venir ce soir. Or, ces concessions, je viens précisément de vous les faire. Que voulez-vous donc savoir ?

— Comment avez-vous magnétisé les jurés ?

— Cessez d'employer ce mot, je vous prie. C'est complètement dépassé. Carr et consorts auraient pu encore appeler ça du magnétisme, mais moi, je parle d'hypnotisme.

— Quelle différence ?

— Le magnétisme évoque une idée abominable, vous le savez très bien. On imagine tout de suite le serpent qui subjugue sa proie par le seul pouvoir de son regard, ou je ne sais quoi d'aussi absurde. L'hypnotisme n'a rien à voir avec cela. Rien du tout. Vous me surprenez de penser une chose pareille. Si vous compreniez ce que cela signifie, vous sauriez que je ne suis pour rien dans les divers malheurs qui se sont abattus sur vos jurés.

— Mais vous avez bien magnétisé Mme Lane.

— Balivernes. J'ai simplement essayé de détourner son attention. Dieu sait combien il est difficile de ramener à la raison une femme outragée qui échafaude n'importe quelle histoire pour prouver qu'on a tort de la mépriser.

— Allons ! Je vous l'avais déjà vu faire. Au banquet chez les Dietz, vous vous souvenez ? Vous ne nierez pas qu'elle ne cessait de vous regarder, ce soir-là.

— Je ne le nie pas. Ce fut une soirée épouvantable pour moi. Elle ne me quittait pas des yeux, tellement elle était jalouse.

— Jalouse ?

— Bien sûr. Ah ! Quel soupir de soulagement j'ai poussé quand je me suis aperçu qu'on ne nous avait pas mis l'un à côté de l'autre ! Elle était incroyablement jalouse de toutes les femmes qui m'approchaient. Ce soir-là, je ne sais pas pourquoi, c'était Mme Mason. Vous pensez ! Ce vieux sac d'os ! La jalousie de Carrie ne me laissait pas un instant de répit. Et puis, elles m'en voulait à cause de notre situation, elle disait que trop de monde jasait. Mais que pouvait-elle espérer ? Elle n'avait qu'à pas se pendre à mes basques, et pas me suivre partout où j'allais. Car c'était aussi épouvantable pendant la journée. Elle me suivait de la maison ici, à l'entrepôt, au bureau. Je passais la moitié de mon temps à essayer de la convaincre de me ficher la paix pour pouvoir m'occuper un peu de mes affaires. »

Ransom sentit son visage s'embraser. Il se sentait tout honteux d'écouter ces mensonges effrontés. Il n'avait qu'une envie, lui clouer le bec, écraser son poing sur ce joli visage qui le regardait avec suffisance. Mais il s'abstint. Il ne prononça pas même une parole. Il se sentait comme paralysé par l'abjection de cet homme. Mais aussi — il fallait bien le reconnaître —, il était curieux d'en savoir davantage.

« C'est à ce moment-là que je me suis aperçu que je m'étais trompé sur son compte. Elle voulait que je l'épouse. Mais comment était-ce possible, si peu de temps après la mort de son mari ? C'était impensable. Et c'est juste à ce moment-là qu'il a fallu qu'elle tombe amoureuse de moi ! Un malheur n'arrive jamais seul, comme on dit. Figurez-vous qu'elle était même jalouse de Mme Ingram ! Le croirez-vous ? Même en ses pires périodes, Margaret était plus raisonnable. »

Il fallut une seconde ou deux pour que Ransom comprît que Dinsmore parlait de son épouse.

« Elles étaient toutes les deux du même acabit, Carrie et Margaret. J'aurais dû m'en apercevoir dès le début. Mais non, elle m'avait tourné la tête. La première fois que j'ai vu Carrie, je me suis laissé allé avec délices à une sorte de fascination. Ce n'était qu'un mois ou deux après mon arrivée à Center City. Il y a donc au moins trois ans de cela ; mais je me le rappelle encore très bien. Il faisait mauvais temps ; c'était un de ces jours d'été, de bruine et de brume. Elle était habillée tout en vert, d'un vert pâle, pâle. Je m'étais réfugié sous l'auvent d'un immeuble ; elle en est sortie et est passée à côté de moi. Avant de monter dans sa voiture, elle s'est arrêtée sur le seuil et a tendu la main pour voir s'il pleuvait fort. Il ne tombait que quelques gouttes. Elle s'est retournée et m'a souri. Une véritable espièglerie de gamine. Sa chevelure semblait éclairée de l'intérieur. Elle rayonnait. Puis, sans même se donner la peine d'ouvrir l'ombrelle qu'elle portait avec elle, elle a franchi en courant la dizaine de pas qui la séparait de la porte de la voiture. Quelqu'un, à côté de moi, m'a dit son nom et m'a expliqué qui elle était. Je n'oublierai jamais tout ce que ce sourire contenait de promesses. »

Dinsmore poussa un soupir, but encore une gorgée, et ralluma son cigare.

« Et vous voyez où son amour m'a conduit ? J'ai toujours su qu'une femme provoquerait ma perte. Ma tante Angeline le disait toujours : "Elles te tueront, Freddy. Elles te tueront." »

Ces réminiscences troublèrent Ransom plus encore que le reste. Par cruauté, il lui dit : « Mais pour le moment, c'est vous qui les avez tuées.

— Moi ? Et qui aurais-je tué ?

— Votre femme.

— Margaret ? La pauvre, non ; je ne l'ai pas tuée, Margaret. Elle a perdu pied sur le rebord glissant du bassin d'alimentation. Elle errait à travers champs, se plaignant de son sort, et invoquant le Ciel, lequel, bien entendu, s'en fichait pas mal. Elle était ivre morte, j'imagine ; comme toujours. Comment, vous ne le saviez pas ? Margaret, Dieu ait son âme, était une soulographe, une ivrognesse. C'est l'une des terribles découvertes que j'ai faites après l'avoir épousée. L'autre, c'est que c'était une menteuse. Elle travaillait comme servante dans la maison où nous avions l'habitude de nous rencontrer. Elle me raconta qu'elle était la fille de la famille. Or, j'appris ensuite qu'ils n'avaient pas de filles. Elle mentit encore une fois en me disant qu'elle était enceinte, pour que je l'épouse. Mais Margaret — Maggi les gambettes, comme on l'appelait — n'a jamais eu le moindre avorton de moi. Ni d'un autre. C'était une cendrillon, une gourgandine et, surtout, une ivrognesse, acariâtre, possessive et ne demandant qu'à se soumettre. Mais elle n'était pas pire que moi. Je l'ai beaucoup délaissée, c'est vrai ; mais tout homme sain d'esprit l'aurait fait, à ma place. D'ailleurs, je savais qu'elle me retrouverait toujours très bien toute seule. Jamais je ne lui ai voulu du mal. Quand elle est morte, j'en ai été soulagé, pourquoi serait-il interdit

307

de le reconnaître ? Et pourtant, si elle avait survécu, elle m'aurait peut-être sauvé, au moins, du commerce funeste de notre inestimable Mme Lane.

« Ah, mais vous froncez les sourcils, monsieur Ransom. Pourquoi cela ? Parce que vous étiez persuadé, conformément à votre vision infantile de l'univers, que ces femmes étaient bonnes et pures comme des anges ? Loin de là. Encore que s'il fallait désigner la pire des deux, j'hésiterais, encore aujourd'hui. Au moins Margaret avait l'honnêteté d'accepter sa nature sans hypocrisie et de ne pas dissimuler ses mœurs de putain sous des crinolines à quatre-vingt-dix dollars. Eh oui ! Ça vous surprend. Comme ça m'a surpris moi-même ; à mon grand plaisir, d'ailleurs, je dois l'avouer. Avant Carrie, je n'avais jamais rencontré une femme aussi libre, aussi affranchie de toutes contraintes ; et pourtant j'en avais vu d'autres. Evidemment, j'en suis tombé follement amoureux, quand j'ai fait ces découvertes. Rien que de la voir me ravissait déjà. Imaginez alors mon enchantement quand elle se révéla une maîtresse consommée, compréhensive à un point ! et douée d'une imagination... Que se passe-t-il, monsieur Ransom. Vous cherchez les toilettes ? »

Sans se rendre très bien compte de ce qu'il faisait, Ransom s'était levé d'un bond.

« Ce n'est pas possible que vous partiez déjà. Je n'ai sûrement pas répondu, encore, à la moitié de vos questions...

— Si vous croyez que je vais rester ici à vous écouter noircir des personnes, si... » Il n'acheva pas sa phrase.

« Ah ! je vois que vous êtes sensible aux critiques, quand il s'agit de Mme Lane. Je m'en doutais à moitié.

— Franchement, Dinsmore, vous n'espérez quand même pas que...

— Bien sûr, elle vous a fait entendre un autre son de cloche. Elle vous aura raconté que je l'ai magnétisée, et que c'est moi qui l'ai forcée à toutes ces folies, dont je ne savais absolument rien avant de la connaître. Mais qui sait ? Vous n'en savez peut-être rien encore... Allons ! Asseyez-vous ! Je ne dirai plus rien sur elle, je vous le promets. »

Ransom reprit son siège.

« Vous ne nierez quand même pas, dit-il, que vous vous êtes servi de cette technique, ou qu' au moins, vous la connaissiez théoriquement. Simon Carr m'a parlé de ses expériences, auxquelles vous avez bien participé, n'est-ce pas ?

— Oh ! si peu. Bien moins qu'il ne l'aurait voulu. Je

soupçonnais Carr de vous avoir bourré le crâne avec toute cette histoire. Mais depuis que je vous ai entendu lire sa déposition, j'en suis sûr. Or, ce que vous ne savez pas, monsieur Ransom, c'est qu'à partir du moment où il a rencontré ce monsieur Braid, et jusqu'à la fin, Carr a été obsédé par l'hypnotisme. Il s'est ruiné, il a abandonné une femme qui le chérissait et que lui-même aimait, il n'a plus cessé d'errer de ville en ville, de pays en pays, et tout cela, par amour du magnétisme. Si vous cherchez encore un maître magnétiseur — puisque c'est le terme, inexact, dont vous m'avez affublé —, alors Carr est votre homme.

« Le pire, cependant, c'est quand il s'est aperçu qu'il n'obtiendrait jamais rien avec ça. Il avait déjà essayé, alors, de me convaincre d'y consacrer ma vie, comme il l'avait fait, lui, et Braid avant lui. Quelle absurdité ! Je m'en suis rendu compte tout de suite. Enfin, il m'a quand même enseigné la chirurgie dentaire ; c'est moi qui l'ai voulu, d'ailleurs. C'est la seule chose d'utile qu'il savait. Pauvre Carr, sa vie n'a été qu'une tragédie. Quel gâchis de talents et d'intelligence ! Il aurait pu être un grand médecin, un bienfaiteur de l'humanité. Or, il ne fut qu'un charlatan. Mais quand il s'est aperçu qu'il avait perdu toute sa vie pour rien, c'est à moi qu'il a fallu qu'il s'en prenne. »

C'est le monde à l'envers, songea Ransom. La capacité que cet homme avait de mentir était phénoménale. Mais s'agissait-il uniquement de mensonges ?

« Et Henry Lane, c'est pareil ? demanda Ransom. C'est parce que sa vie l'avait déçue qu'il s'est pendu ?

— Henry Lane est un cas particulier, reconnut Dinsmore. Tenez, prenez un cigare. » Ransom ne le prit pas ; il but une autre gorgée de café, froid désormais. « Vous rappelez-vous les cinq années que j'ai vécues avec Cornelius Van Wycke ? Ne vous êtes-vous jamais demandé comment j'avais rencontré un type pareil, moi qui sortais des bas quartiers ?

— Je me suis dit que c'était par l'intermédiaire d'un de vos camarades d'école.

— Détrompez-vous ! J'ai connu Van Wycke par l'intermédiaire de la prostitution. »

Tout à fait plausible, se dit Ransom, qui demanda :

— Vous lui serviez d'entremetteur ?

— Je vois que vous ne me suivez toujours pas. C'est moi qu'on achetait et qu'on vendait. J'avais eu une sale histoire avec le chef des Black Squads. Un type qui s'appelait Kelly.

Un dur, je vous prie de me croire. Même la police évitait d'avoir affaire à lui. Bref, je lui devais une somme d'argent considérable. Impossible de rien lui rendre : la chance me tournait le dos. Kelly, et d'autres ânes bâtés de ses copains, voulurent un temps me faire la peau. Mais il se ravisa : il était moins bête qu'eux, quand même. Il trouva un moyen à la fois de récupérer l'argent que je lui devais et de m'humilier, ce qui le réjouissait fort, évidemment. Van Wycke faisait partie de cette demi-douzaine de notables qui descendaient sur le Bowery pour chercher des jeunes gens. Kelly me vendit à lui, et le tour fut joué. »

Ransom dut paraître surpris, car Dinsmore ajouta : « Vous connaissez l'existence de ce genre de vice, bien sûr. Enfin ! Les journaux en ont assez parlé il y a quelques années quand Oscar Wilde est passé en procès. »

Ransom reconnut avoir lu quelque chose à ce propos.

« Eh bien, les journaux ne faisaient qu'effleurer le sujet. C'est une grosse affaire, la fourniture de petits jeunes à ces messieurs. Les invertis, les pédérastes, comme vous voudrez. D'ailleurs, pour les petits gars, ce n'est pas si terrible que vous pourriez le penser. Moi, du moins, je m'en suis bien tiré. Le vieux Corny s'est épris de moi. Voyant ça, je l'ai vite mis au courant de ma situation avec Kelly. Et il a payé tout le magot. Ça s'arrangeait bien pour moi. Je vivais dans les beaux quartiers ; j'habitais un hôtel particulier près de la Cinquième Avenue. Je commençais même à m'empâter, tellement je me la coulais douce.

— Jusqu'au jour où vous lui avez volé de l'argent ?

— Je ne lui ai jamais rien volé. C'est lui qui me donnait tout. Il m'aurait même donné plus — des chevaux, des calèches, des maisons — et pas seulement des vêtements et des bijoux. Il était tellement amoureux, le pauvre vieux. Mais je me suis vite fatigué de tous ces mamours, et un beau matin, j'ai plié mes bagages. Il en est devenu fou, le père Corny. Et c'est ça qui a provoqué toutes ces histoires. Vous remarquerez que les poursuites contre moi ont cessé dès que Corny s'est rendu compte qu'il ne pouvait pas me récupérer. J'ai encore quelques-unes des belles choses qu'il a eu la bonté de me donner. »

En effet, les poursuites avaient été abandonnées. Ransom le savait. Mais était-ce la véritable explication ? Ou s'agissait-il encore d'une distorsion des faits ?

« Toujours est-il, reprit Dinsmore, que Henry Lane avait les mêmes penchants que le vieux Corny. Il ne l'a jamais admis et ne s'est jamais conduit comme Van Wycke le faisait. Mais cela recoupe un peu la différence qu'il y a entre un millionnaire d'une grande ville de la côte Est et un fermier prospère qui vit dans une bourgade comme celle-ci. Je ne crois pas d'ailleurs que Henry Lane ait beaucoup réalisé sa nature. Il a bien fait quelques écarts dans sa jeunesse. Mais après, plus rien, ou presque. Et il a très bien réussi à dissimuler qui il était. Tout simplement en se mariant, à une femme jeune, belle et tout. Mais ça devait forcément le reprendre un jour ou l'autre. Et quand c'est arrivé... eh bien, Henry n'a pas réussi à reconnaître sa vraie nature, à la voir en face. Et pourtant, ce qu'il avait le béguin pour moi ! Sans cette passion, je ne crois pas qu'il se serait fait soigner si longtemps les dents. Mais pour ma part, j'avais déjà suffisamment goûté à ce fruit dans ma jeunesse ; aussi, il est resté très insatisfait.

— Et c'est pour cela qu'il se serait suicidé ?

— Oui. Je crois.

— Parce que vous vous apprêtiez à faire des révélations sur son compte ? C'est cela ?

— Je n'en avais pas du tout l'intention. La seule chose qui m'intéressait, c'était sa femme. Tant qu'il m'a laissé faire, nous n'avons eu que d'excellents rapports. Le pauvre, il disait que ça lui était égal, au contraire, que cela ne pouvait que nous rapprocher. Mais cette idylle n'a eu qu'un temps.

— Il n'a rien dit de tout cela dans sa dernière lettre.

— C'était de la poudre aux yeux. Il savait aussi bien que tout le monde que son affaire était parfaitement solide. Et il ne l'a jamais caché à personne.

— Mais sa femme a dit que...

— Il ne lui a jamais dit la vérité. Comment aurait-il pu ? Avouer qu'il l'avait épousée uniquement pour la façade ? Et puis il était devenu jaloux, de nous deux. Il n'a pu supporter d'être exclu de notre bonheur, et c'est pour cela qu'il s'est pendu, sans aucun doute. »

Si bizarre qu'elle pût sembler, cette interprétation était tout à fait cohérente. Et elle expliquait pas mal de choses : le manque d'intérêt de Henry Lane pour sa femme, leur séparation de fait depuis des années, et même l'incapacité de l'homme — voire son refus — de devenir père.

« Pourquoi n'avez-vous rien dit de tout cela devant le tribunal ? dit Ransom.

— Pour déshonorer le mort ?

— Vous avez fait pis. Non, Dinsmore. Je ne vous crois pas. Je suis sûr que vous vous êtes servi du magnétisme pour diriger tous ces gens.

— De l'hypnotisme, rectifia Dinsmore. Et je n'ai pas dit que je ne m'en étais pas servi sur certains d'entre eux. Sur Henry Lane, par exemple, quand je le soignais. Sur Mme Lane également, pour essayer de la guérir de son insomnie. Quant au reste, c'est de l'affabulation.

— Et Millard ? Vous ne nierez quand même pas que vous l'avez fait venir ici, avant qu'il aille tuer Carr ?

— Effectivement. Je tenais à le remercier pour son témoignage en ma faveur.

— Et vous l'avez magnétisé !

— Pas du tout. Je me suis contenté de lui faire remarquer que ses bonnes déclarations ne serviraient plus à rien dès que le père Carr se serait présenté à la barre pour me calomnier. A votre façon d'annoncer le témoignage du vieux, même Millard avait compris que les déclarations de Carr m'enverraient à la potence.

— Ainsi il est allé tuer Carr par amour pour vous, tout simplement ?

— Pour sauver sa peau, oui.

— J'ai de la peine à le croire.

— C'est parce que vous avez une vision déformée des effets que l'hypnotisme peut avoir sur les gens. Vous les avez bien lues, pourtant, ces revues que vous avez produites à l'audience ? Or vous me semblez très peu informé. Par exemple, avez-vous lu qu'on peut être hypnotisé contre sa volonté ? Non. Bien sûr que non. Tous les faits que vous avez présentés concernaient des sujets volontaires. Je vais vous dire une chose : vous ne pourrez jamais provoquer ce phénomène chez une personne qui ne le désire pas. Encore moins si elle est consciente de votre tentative et essaie d'y résister. Vous devriez le savoir. Malgré toutes les sornettes que Carr vous a débitées. »

Dinsmore avait mis le doigt sur le point sensible. Ce qu'il venait de dire correspondait presque mot pour mot au motif invoqué par Murcott pour refuser de donner sa caution de médecin aux thèses de l'accusation.

« Deuxièmement, poursuivit Dinsmore, on ne peut pas hypnotiser tout le monde. Pour diverses raisons, il y a des individus qui sont meilleurs sujets que d'autres. J'ai moi-même eu assez de difficultés de ce côté. En tant que dentiste. Que de fois, la transe hypnotique du patient n'étant pas assez intense, j'ai dû recourir au protoxyde d'azote, qui, pourtant, ne m'inspire pas beaucoup. J'ai même dû m'en servir avec vous quand vous êtes venu me voir pour cette molaire infectée.

— Vous m'avez fait tourner de l'œil en une minute, dit Ransom.

— D'accord, mais il s'agissait d'une transe légère. J'ai eu recours au protoxyde d'azote pendant presque toute l'opération. C'est pour cela que vous avez dormi si long-temps. Mais je parie que je n'arriverai à rien avec vous, si vous ne le voulez pas.

— Ça a pourtant été facile l'autre fois.

— Ah ! mais c'est que vous le vouliez. Et que depuis plusieur jours vous étiez affaibli par la douleur et l'infection. Vous ne pouviez plus supporter la souffrance ; vous vouliez que je la fisse cesser. Voilà la différence ! Tandis que ce soir, par exemple, je suis sûr que vous ne tenez absolument pas à ce que je recommence. Tenez. Laissez-moi essayer. »

Il avait dit cela d'un ton léger, moqueur. Mais Ransom n'était pas dupe. C'était bien ce dont il s'était douté. Dins-more l'avait fait venir pour le magnétiser. Mais alors : tout ce qu'il avait raconté sur Henry Lane, sur Van Wycke, sur Mme Lane et Margaret, n'était-ce donc que des men-songes ? Et pourtant, tant de choses semblaient vraies, dans ce qu'il avait dit. Et ses explications ne venaient-elles pas combler toute une série de lacunes ? Sans doute, il avait subtilement mélangé le faux au vrai. Il était impossible de faire tout de suite le partage... Et pour le moment, en tout cas, l'essentiel était de rester sur ses gardes.

« Non merci, répondit-il.

— Comme vous voudrez. De toute évidence, vous avez l'esprit moins curieux que je ne le croyais. Je voulais simplement vous montrer combien vous vous trompez. A quel point les bases de votre argumentation sont erronées. Vous ne vous sentirez pas un peu coupable, après m'avoir condamné à être pendu, si vous découvrez que l'hypnotisme ne permet d'obtenir aucun des effets fantastiques dont vous avez parlé ? Non ? J'ai dû me tromper sur votre compte. Je pensais que vous aviez une morale plus rigou-reuse.

« Mais alors, faites-le pour l'amour de la vérité. Comme une expérience, dans la grande tradition de la science. Vous ne voulez pas connaître la vérité, Ransom ? "La vérité est belle, la beauté est vraie", comme disait Keats. Vous voyez : j'ai des lettres, moi aussi. Grâce au vieux Corny. »

En fait, Ransom avait une envie folle d'accepter le pari, et il avait toutes les peines du monde à la réprimer. Non tant pour les raisons que Dinsmore s'employait à énoncer, encore que l'une d'elles eût fait résonner chez lui une corde sensible ; ni par perversité non plus. Le fait est qu'il était sûr de pouvoir empêcher le fluide d'agir. Carr, malade, mourant, y avait bien réussi, pensait-il. Pourquoi pas moi ? Et puis, j'ai déjà expérimenté le phénomène ; et je sais comment cela s'est passé pour une dizaine d'autres personnes. Enfin et surtout, Ransom savait déjà ce qu'il avait à faire : Carr le lui avait dit, en effet. Il suffisait de se concentrer sur quelque chose d'autre, un poème par exemple, le plus intensément possible.

Dinsmore continuait de parler, mollement vautré sur son canapé, et avait toujours cet air dégagé et content de lui-même qui avait tant frappé Ransom à son arrivée. L'accusé n'avait évoqué que les aspects les plus vicieux, les plus démentiels et les plus sordides de la nature humaine. L'existence du mal semblait tout bonnement le combler d'aise. C'était cela, justement, qui incitait Ransom à relever le défi : il fallait montrer à Dinsmore que cette abjection, cette pourriture, dont il se vantait, ne triomphait pas toujours. N'était-ce pas ce sentiment missionnaire qui avait poussé Ransom à accepter l'invitation ? Le moment était venu de passer aux actes.

« Et si vous échouez ? demanda Ransom. Devrais-je vous croire sur parole, et abandonner les poursuites pour manque de preuves ?

— J'espère naturellement que vous ferez quelque chose dans ce sens. Mais j'en doute. Sachant l'opinion que vous avez de moi.

— Et vous avez raison. Je ne ferai rien de tel. Si vous échouez, cela ne prouvera qu'une chose... c'est que ma volonté est plus forte que la vôtre. »

Dinsmore éclata de rire :

« Alors, vous acceptez mon pari ?

— Oui.

— Eh bien ! Vous avez au moins le goût de la compétition, et du risque. »

Dinsmore se leva et demanda à Ransom d'écarter son fauteuil de la petite table. Puis il alla baisser le gaz. La pièce fut plongée dans la pénombre.

314

« On commence ? » dit-il en prenant une chaise et en s'installant à côté de Ransom.

Depuis un moment, celui-ci cherchait vainement un poème sur lequel se concentrer. Mais dès que l'autre lui demanda s'il était prêt, un vers lui revint à la mémoire. Ce n'était qu'un fragment, dont il ignorait la provenance, mais il l'avait ; cela suffisait.

— Vous êtes détendu ? Vous n'avez pas besoin de répondre. Contentez-vous de hocher la tête...

« Non. Je vois bien que vous n'êtes pas assez détendu. Je veux que vous relâchiez tous vos muscles, que vos membres pendent mollement. »

Ransom obéit, mais se mit à réciter lentement en lui-même : « *Mais alors, sauve-moi : sinon le jour écoulé continuera de luire / Sur mon oreiller, y couvant une engeance de malheurs infinis...* »

« Vos bras vous pèsent. Vos mains sont comme du plomb *ment sa force...* »

« *Sauve-moi de la conscience fouineuse...* Qu'y a-t-il, après ? Ah ! Oui... *Qui toujours la nuit déchaîne / Impudemment sa force...* »

« Votre tête est lourde, lourde. Comme un tournesol géant sur une tige trop fine. Elle vacille et elle tombe sur le côté. Elle est tellement lourde. Tellement lourde sur vos épaules... »

« *... Déchaîne impudemment sa force, fouissant comme une taupe.* C'est ça ! Je l'ai retrouvé. Mais est-ce tout ? Non. Il y a encore autre chose. »

« Vos jambes sont lourdes maintenant. Lourdes comme des troncs d'arbres abattus au fond d'une gorge obscure. En train de pourrir. Mortes. Lourdes et mortes. Elles ne sentent rien. Elles sont lourdes. Tellement lourdes. »

« Il y a encore deux vers dans ce poème. Mais que disent-ils ? Bah ! Recommençons : *Mais alors sauve-moi ; sinon le jour écoulé continuera de luire / Sur mon oreiller, y couvant une engeance de malheurs infinis...* »

« Vous êtes détendu, maintenant. Complètement détendu. Entièrement inerte. »

« *... Sauve-moi de la conscience fouineuse...* »

« Votre tête est lourde. Vos paupières sont lourdes. »

« *... de la conscience fouineuse qui toujours la nuit déchaîne / Impudemment sa force...* »

« Tellement lourdes. Vos paupières sont si lourdes. Qu'elles se ferment. Se ferment. »

315

« *...fouissant comme une taupe... fouissant comme une taupe... fouissant comme une taupe...* Et puis après ? »

« Vous êtes détendu, maintenant. Complètement détendu. Détendu. »

« *...la nuit sa force...* il fait nuit aussi, maintenant... *conscience fouineuse qui toujours la nuit... toujours la nuit... la nuit... la nuit... fouissant comme une taupe...* Comme sa voix... *fouissant comme une taupe... toujours la nuit...* »

« Vous êtes si relâché que vous ne pouvez plus bouger. Plus bouger. Plus bouger. »

« *...la nuit...* Non ! pas la nuit ! Le jour... le soleil... la lumière, oui ! *le jour écoulé continuera de luire sur mon oreiller...* Mais comment ça finit ?... Ce n'est pas la fin... *fouissant comme une taupe... comme une taupe...* »

« Lourd. Détendu. Lourd. Détendu. »

« *...sauve-moi de la conscience fouineuse...* après c'était... et... *sauve-moi de la conscience fouineuse... fouissant comme une taupe... une taupe... une taupe...* Et puis après ? Sauve-moi du jour écoulé ? De l'oreiller ? Pourquoi ne retrouvé-je point ces derniers vers ? Pourquoi ?... »

« *Monsieur Ransom !* »

Ce fut comme un coup de tonnerre.

Ransom rouvrit les paupières. Les yeux de Dinsmore, toujours aussi bleu, aussi étincelants, n'étaient qu'à quelques centimètres.

— Vous êtes réveillé, monsieur Ransom ?

— Oui. Oui. » Mais c'est alors seulement que Ransom se rendit compte qu'il n'avait cessé d'être éveillé, et qu'il avait entendu toute l'incantation de Dinsmore.

— Vous êtes bien réveillé ?

— Je vous ai dit que oui. Je ne me suis pas endormi une seule seconde.

— Vous avez fermé les yeux, pourtant.

— Je sais. Mais j'étais quand même éveillé. Vous êtes déçu ? »

Dinsmore fit deux pas en arrière.

« Si vous êtes si bien éveillé, levez-vous et faites le tour de cette bergère. »

Ransom éclata de rire. Le vieux Carr avait eu raison. Il avait suffi de se concentrer. Il se leva, fit le tour du fauteuil, puis resta immobile :

« Je vous l'ai dit que je suis éveillé, je l'ai toujours été.

— Mais vos bras et vos jambes étaient complètement relâchés.

— Peut-être. Mais mon esprit était parfaitement éveillé. Vous me parliez, vous me parliez, mais moi, j'essayais de me rappeler les derniers vers d'un poème.

— Quel poème ?

— Je ne sais plus. C'était... Oh ! Attendez ! J'ai retrouvé : ...*Tourne la clef d'un doigt léger en la serrure douce Et scelle le coffret silencieux de mon âme.*

« Oui, c'est bien les deux derniers vers du poème, dit Ransom, profondément soulagé. Et je sais même ce que c'est : c'est *Au Sommeil*, de Keats. Votre allusion à ce poète, tout à l'heure, a dû m'y faire penser. J'avais toutes les peines du monde à me le rappeler. »

Dinsmore s'était éloigné pendant que Ransom récitait (car il avait encore une fois repris tout le sonnet). Il remplit de brandy son petit verre de cristal et avala plusieurs gorgées.

« Vous êtes déçu, ça se voit, dit Ransom. Malgré tout ce que vous m'avez dit, vous auriez voulu me magnétiser, n'est-ce pas ?

Dinsmore baissa les yeux sur son verre, puis les releva vers Ransom.

« Oui, je l'avoue.

— Qu'auriez-vous fait, si vous aviez réussi ?

— Je n'en sais rien. Quelque chose de drôle, de vexant pour vous. Je vous aurais fait mettre à quatre pattes, par exemple, et je vous aurais ordonné de miauler comme un chat, etc. Mais il est tard. Mon imagination faiblit quand le jour avance. »

Dinsmore s'assit, allongea la jambe et posa un pied sur le coussin du canapé.

« Je crois que je vais prendre un peu de cet alcool », dit Ransom.

Dinsmore lui fit signe de se servir. Il se taisait, les yeux baissés sur son verre qui miroitait.

« Vous avez l'air content de vous, finit-il par dire.

— Je serai encore plus content si vous me promettez de venir à la barre demain.

— Hein ? Pour quoi faire ?

— Pour avouer.

— Quoi ? Dois-je avouer avoir joué les mignons pour le plaisirs de ces messieurs ?

— Si vous avouez, je modifie la peine.

— Vous voulez dire que vous avez l'intention de me refuser l'honneur d'une exécution publique ? Quel dommage ! Moi qui ai toujours rêvé de faire la première page des journaux.

— Plaidez coupable ; et je modifie les chefs d'accusation.

— Dans quel sens ?

— Nous mettrons ça au point.

— Il faut qu'il ne soit question ni d'assassinat ni d'homicide, sous quelque forme que ce soit. Selon Applegate, ce genre de crime entraîne toujours la peine de mort, dans ce charmant " Etat souverain du Nebraska " ».

— On va remplacer ça par les délits de fraude, de fausses déclarations, de détournements de fonds, etc., etc. Rien que des délits ayant trait aux affaires.

— Je crois que je préfère encore être pendu, plutôt que d'être condamné à perpette aux travaux forcés. »

Ce marchandage se prolongea une dizaine de minutes. De guerre lasse, Dinsmore finit par tout accepter.

Ransom voulait sceller cet accord par une sincère poignée de mains. Dinsmore s'y prêta de bonne grâce, mais ne put s'empêcher d'éclater de rire :

« C'est ridicule. Il va falloir que j'avoue des choses que je n'ai jamais faites. Des délits, même, dont on ne m'a jamais accusé.

— C'est votre seule chance de survie.

— Je le sais et c'est bien pour cela que j'accepte votre marché. »

Sur quoi, il tendit son vêtement à Ransom.

« Vous devriez rentrer maintenant. Il va falloir que je répète mon numéro pour demain. Ça ne sera pas si facile que ça.

— Pourquoi ? Vous n'avez qu'à dire la vérité.

— Oh ! la vérité ! » dit Dinsmore d'un air méprisant, tout en refermant la porte.

Ransom attendit d'être sorti de l'hôtel et de se retrouver dans la rue pour laisser éclater sa joie.

« J'ai gagné ! s'écria-t-il tout en battant des mains. J'ai gagné ! »

Lorsque l'audience reprit, le lendemain matin, le premier souci de Ransom fut de chercher Carrie des yeux. La salle était noire de monde ; mais il finit par la découvrir au fond, à droite, à moitié cachée sous ses voiles, à côté de

Lavinia Dietz. Tout le monde se retournait pour la regarder : mais elle avait l'air de ne pas s'en apercevoir. C'était une attitude, évidemment, car elle adressa un bref salut à Ransom dès que leurs regards se rencontrèrent.

C'est lui qui lui avait demandé de venir, la veille au soir. Bien qu'elle n'eût aucune envie d'assister au dénouement de ce procès, elle avait accepté. Elle avait aussi accepté d'autres choses...

Après avoir vu Dinsmore, alors que, tout exalté, il s'acheminait vers la pension, Ransom avait brusquement décidé d'aller rue Montante. Arrivé devant la maison, et enhardi par la lumière qui brûlait toujours à l'étage — bien qu'il fût très tard —, il frappa à la porte. Une des fenêtres s'ouvrit et Carrie elle-même apparut.

« C'est vous, James ? »

Il voulait absolument la voir, il le lui dit.

« Que s'est-il passé ?

— Il faut que je vous voie, absolument », répéta-t-il.

Alors elle disparut, et quelques minutes plus tard, ouvrit la porte en lui faisant signe de ne pas faire de bruit. Ses cheveux défaits lui couvraient les épaules, autant que le châle qu'elle avait jeté par-dessus sa chemise de nuit satinée.

« Harriet doit dormir. Mais me direz-vous ce qui s'est passé ? »

Sans répondre, Ransom s'approcha d'elle ; elle tenait son châle, fixant sur lui de grands yeux étonnés. Alors il la prit dans ses bras et la couvrit de baisers, jusqu'à en perdre le souffle et l'équilibre.

Elle s'écarta. Elle continuait de le regarder d'un air ahuri, un peu cocasse. Ransom lui prit la main et la baisa.

« Epousez-moi, murmura-t-il, frôlant des lèvres sa peau douce et parfumée. Epousez-moi, Carrie. Soyez ma femme. Dites-moi oui tout de suite.

— Mais nous devons encore attendre. Le procès n'est pas fini.

— Ce sera fait demain. Alors, donnez-moi votre promesse, dès maintenant. »

Le visage de Carrie ne cessait de passer du rouge, au rose, au pâle, comme la lumière des chandeliers de l'entrée balayée par les courants d'air.

« Que s'est-il passé, enfin ? »

Il continua de ne pas répondre. Il la serra encore entre ses bras, et lui redemanda si elle voulait de lui. Rapidement, et, il s'en rendait compte, de manière fort incohérente, il lui expliqua que le procès touchait à sa fin et que tout serait terminé dès le lendemain. Aussi ne pouvait-elle plus lui refuser son consentement.

« Mais ce n'est pas encore fini, répéta-t-elle encore.

— Ah ! Je vois qu'il faut marchander, avec vous aussi. Alors promettez-moi de m'épouser s'il est condamné. Ça me suffit. C'est plus qu'il ne m'en faut.

— Vous êtes donc toujours si sûr ? » Elle ne le suivait pas du tout.

« Venez à l'audience, lui dit Ransom. Venez assister à votre vengeance. » Et il lui assura que ce triomphe lui ferait oublier tout ce qu'elle avait subi.

Et il insista tant, se montra si ardent, si convaincant — jamais de sa vie, il n'avait déployé une telle force de persuasion — qu'elle finit par accepter tout : d'aller à l'audience, le lendemain matin, et de l'épouser, si la condition qu'ils avaient toujours mise à leur mariage venait à se réaliser.

Ransom la remercia et recommença à l'embrasser. Ils s'embrassèrent si longtemps, elle lui répondait avec tant de passion, qu'il n'hésita plus. En un même mouvement, il se baissa, la souleva dans ses bras et gravit la première marche. Elle poussa un petit cri et se serra contre sa poitrine, comme si elle avait eu peur de tomber. En haut des escaliers, elle entendit un bruit, ou prétendit l'avoir entendu. Il attendit quelques secondes, la pressant toujours contre lui et caressant du nez ses cheveux. Ce n'est rien, lui susurra-t-il, mais d'une voix si rauque, si traînante qu'elle lui sembla provenir d'un autre être. Puis, avant qu'elle eût pu protester, il traversa la bibliothèque, et, d'un léger coup de pied, poussa la porte de sa chambre. Là, un flot d'odeurs parfumées l'accueillit, lui rappelant un autre lieu où ils avaient déjà été ensemble ; mais où ? et quand ? Il la déposa doucement, les pieds sur le tapis, puis alla fermer la porte. Il se retourna ; assise sur le lit, elle le regardait. Il la reprit tout de suite dans ses bras. Son châle glissa. Il l'étreignit encore plus fort ; sous ses caresses, sa chemise de nuit s'ouvrit, descendit le long de son corps et tomba. Elle aussi s'était mise à le déshabiller, de ses longs doigts fins faisant glisser ses boutons, écartant ses vêtements, rapprochant leurs deux corps. Et alors, tout frémissant, hors d'haleine, il la posséda.

A la petite pointe du jour, il ouvrit la porte et sortit,

320

la joue encore brûlant de ses derniers baisers. Malgré la bise mordante la chaleur et l'odeur suave de son corps continuèrent d'imprégner sa peau, ses vêtements et même l'air qu'il respirait jusqu'à son retour à la pension. Et ce fut comme s'il s'était endormi avec elle.

Le lendemain matin, son parfum errait encore sous ses narines dans tous les lieux qu'il traversait. Et le sentant, il se rappelait le contact de sa peau, sous ses doigts, et de son corps tout le long du sien, ce corps souple, ferme, ardent qui lui répondait, ses petits cris, les mots à demi étouffés qui sortaient de sa bouche tandis qu'il n'en finissait pas d'étancher sa soif d'elle...

Elle serait vengée. Malgré ses craintes. Malgré les appréhensions du juge.

La résistance de Dietz sembla un moment constituer un obstacle insurmontable. Immédiatement après s'être levé, Ransom s'était rendu chez lui. Lavinia leur avait servi le café, puis les avait laissés seuls. Tandis que Ransom exposait son nouveau projet, le visage du juge s'était assombri. Dietz s'était mis à le regarder d'un air on ne peut plus incrédule.

« Mais qu'est-ce qui vous tracasse, tout à coup, James ? Vous avez peur qu'ils refusent de le condamner ?

— Bien sûr que non.

— Alors, pourquoi toutes ces tergiversations. Allez jusqu'au bout ; la loi vous le permet. Le seul qui ait du souci à se faire, c'est lui.

— Ce n'est pas nécessaire, et c'est excessif », dit Ransom.

Mais il savait que Dietz était un homme trop obstiné pour se satisfaire de ce genre de raisons, qui, après tout, ne regardait que la conscience de Ransom. Il convenait de recourir à des arguments objectifs, pratiques :

« Notre but, n'est-ce pas, c'est que Dinsmore soit écarté de la maison Lane, et jeté en prison. Il n'en faudra pas plus pour casser les reins de l'opposition à Center City. Sans lui, ils ne sauront plus quoi faire. Vous le savez très bien. »

Ransom se croyait, encore, très convaincant ; et pourtant l'autre ne cessait de soulever des objections. Le temps passant, il finit par laisser carte blanche à Ransom, à condition toutefois que Dinsmore, dans sa déclaration, se reconnût coupable des nouveaux chefs d'accusation. Cela dit, le juge continuait à n'avoir aucune confiance dans le bonhomme, et il ne comprenait absolument pas le revirement de Ransom. Certes, une telle atténuation des chefs d'accusation, et, par conséquent, de la peine, faciliterait leur tâche à tous, et surtout au jury. Mais — Dietz l'affirma sans ambages — ce projet ne lui disait rien qui vaille. Il attendait donc que Dinsmore eût parlé, et que la défense eût fini de plaider ; et alors, mais alors seulement, il permettrait à Ransom de prononcer son nouveau réquisitoire. Très très vilaine affaire, malgré tout, dit le juge en conclusion.

Enfin, il a accepté. C'est tout ce que je lui demandais, se dit Ransom, prenant sa serviette et disposant sur sa table ses notes, ses porte-plume, son encrier et son carnet. Pure mise en scène d'ailleurs — de même que son salut à Carrie et à Lavinia — car désormais, il n'avait plus besoin de rien ni de personne. Il ne lui restait qu'à écouter, confortablement assis au fond de son fauteuil. L'exaltation de la veille au soir était passée, certes ; n'avait-il pas fait tout ce qu'on pouvait attendre de lui ? Tout ce procès était son œuvre, il l'avait construit de bout en bout ; et ce jour-là, le dernier jour, il n'avait plus qu'à apprécier, en simple spectateur, la manière dont les autres allaient interpréter son dénouement. Aussi le bien-être dans lequel il baignait — cet épuisement béat qu'octroie toute satisfaction authentique — ne fut-il pas troublé, bien au contraire, lorsque l'huissier introduisit Dinsmore dans la salle d'audience.

L'accusé était vêtu avec plus d'élégance que jamais. Quel vaniteux, malgré tout ! se dit Ransom. Il portait un complet anthracite à fines rayures, avec un gilet et une cravate beurre frais. Apparemment, il avait renoncé à jouer les indifférents. Il semblait sérieux, presque contrit. Il ne salua ni Ransom ni personne d'autre, et attendit debout, la tête baissée, que le greffier eût fini de lire le sommaire des dernières audiences à l'intention du juge et d'un jury, de nouveau au grand complet.

Lorsque cette formalité fut terminée, Dietz déclara :

« Nous avons donc entendu hier le réquisitoire de la partie publique. La parole est à vous, maître Applegate. J'espère sincèrement que vous serez bref.

« Il ne me reste qu'à présenter mes conclusions, Votre Honneur, dit Applegate se dressant sur ses longues jambes d'échassier ; mais auparavant, mon client, l'accusé, aimerait venir à la barre pour y faire une courte déclaration.

— Ce procédé me semble bien irrégulier », dit le juge, jouant le jeu, comme s'il ignorait tout de ce qui allait suivre. « Mais peut-être vous ai-je mal compris. Désirez-vous que l'accusé réponde à des questions concernant les témoignages qui ont été faits devant ce tribunal ?

— Oh non, Votre Honneur. C'est cela qui serait tout à fait irrégulier. L'accusation a clos son réquisitoire, et nous en prenons acte. Mon client demande simplement s'il peut s'adresser au jury en son nom personnel. Je ne puis dire pourquoi exactement. Peut-être a-t-il l'impression que son conseil n'a pas su présenter son cas d'une manière adéquate... (Applegate conclut cette phrase par un signe de dénégation.) Je ne sais pas, Votre Honneur. Ce que je sais, cependant, c'est qu'il y a de nombreux précédents. Puis-je rappeler à la cour l'affaire Christian contre l'Etat de Virginie, en 1874, ou l'affaire Lebenhook contre Anthony, une affaire civile qui a été jugée à Philadelphie pas plus tard que l'année dernière. Voici d'ailleurs, les extraits des procès...

— Je sais, l'interrompit le juge. Que l'on fasse venir l'accusé à la barre. »

Dinsmore se leva à l'appel de son nom, prêta serment et fut conduit à la barre des témoins. Cependant, il refusa de s'installer dans le petit box, à moins qu'on n'enlevât l'écran de mica.

Le voilà qui s'accroche à des détails ; mais, au fond, c'est normal, songea Ransom, se mettant à la place du vaincu, alors qu'en d'autres circonstances, il aurait été profondément irrité par cette attitude.

Dinsmore refusa également la chaise qu'on lui offrait. Il tenait à rester debout, expliqua-t-il, pour pouvoir faire face au juge et au jury. Puis il attendit qu'Applegate eût regagné le banc de la défense. Le public se perdait en conjectures ; tout le monde semblait vivement intéressé.

« Je ne sais pas, commença Dinsmore, s'adressant aux jurés sur le ton de la conversation, si l'un d'entre vous, messieurs, a déjà risqué sa tête devant un tribunal. Si cela ne vous est jamais arrivé, permettez-moi de vous assurer qu'il n'y a guère de procès plus fascinants, plus séduisants pour l'esprit, à première vue. »

La salle observait maintenant un silence absolu.

« A première vue, en effet, car maintenant que j'ai fait cette expérience, je dois vous le dire : je ne la recommanderai plus à personne. Quel ennui ! Quelle déception ! D'autant plus quand il s'agit d'une affaire aussi cousue de fil blanc que celle-ci : où toutes les preuves sont ambiguës, fantaisistes, voire complètement fantastiques ; et où les témoins à charge sont des femmes hystériques, des vieilles grand-mères, et même des morts ! Toutes personnes dignes de foi, évidemment. C'est si évident qu'on n'a pas cessé de vous le répéter ! »

Qu'est-ce qu'il fabrique ? se demanda Ransom.

« Mais passons aux choses sérieuses. Comme vous le savez, comme toute cette ville le sait, après avoir exercé honorablement ma profession pendant des années, j'ai été associé, récemment, au développement et à l'épanouissement de Center City. Or, quoi qu'on ait pu vous raconter sur mon compte, on n'a jamais mis en doute mes aptitudes professionnelles, ni les qualités morales dont j'ai fait preuve à la tête d'une affaire si complexe et si difficile à gérer. N'est-ce pas ? Le nierez-vous, messieurs ? »

Les jurés se regardèrent les uns les autres. Aucun ne répondit.

Ransom se sentait comme cloué sur sa chaise. Où diable Dinsmore voulait-il en venir ? Quelle étrange manière d'introduire des aveux !

« Nous sommes donc d'accord sur ce point », dit Dinsmore, sur le ton péremptoire du mathématicien qui vient de démontrer un théorème. « Pourtant, hier soir, cet homme... — et il montra Ransom du doigt — cet homme, dis-je, est venu me voir dans ma chambre d'hôtel, sans que je l'y aie invité, et m'a déclaré qu'il renoncerait à toutes les charges ridicules qu'il s'est efforcé tout au long de ces semaines de faire peser contre moi, si je me reconnaissais coupable. Et coupable de quoi ? Je vous le donne en mille : de fraude et de mauvaise gestion ! C'est la vérité, grands dieux ! J'ai prêté serment sur la Bible, et je vous dis la vérité. Demandez-lui s'il nie. Allez ! Demandez-le-lui ! »

Les gens dans la salle commençaient à s'agiter. Les jurés eux aussi remuaient sur leurs sièges. Ransom s'en rendait compte, mais il se sentait paralysé.

« Demandez-lui aussi pourquoi il est venu me voir !

« Et ne vous étonnez pas s'il ne vous répond pas ; parce que ce procès est une farce, un coup monté, un tissu ridicule de mensonges et de balivernes ! Parce que ce Monsieur est prêt à m'accuser de n'importe quoi. La seule chose qui l'intéresse c'est que je sois condamné. Quelle que soit la peine. Quel que soit le crime. Il veut ma condamnation, voilà tout ! »

« Il ment ! hurla Ransom, qui venait de retrouver sa voix. Objection, Votre Honneur. »

324

Mais au même moment il y eut du bruit et une certaine confusion dans le public.

« Laissez-le parler, cria quelqu'un derrière Ransom. Nous voulons entendre ce que Dinsmore a à dire, dit quelqu'un d'autre. »

Et ces cris anonymes furent repris un peu partout dans la salle.

Pourquoi Dietz ne faisait-il pas taire Dinsmore ?

« Pourquoi M. Ransom veut-il tant que je sois condamné ? continua Dinsmore en haussant le ton. C'est tout simplement parce qu'il veut devenir le prochain sénateur de cet Etat, et parce que ses petits copains de Lincoln lui ont dit l'été dernier : "Apporte-nous la tête de Frederick Dinsmore, et, morbleu ! tu seras le prochain candidat." C'est enfantin, pour eux. Aussi simple que ça. Demandez-le-lui ! Et à celui-là aussi ! »

Dinsmore désigna le juge.

« C'est lui qui fait les députés dans ce comté. Pas vous, ni moi. Pas le peuple. Et ce sont ces deux hommes qui veulent que vous me condamniez après cette mascarade de procès. »

Dietz s'était mis à frapper avec son marteau. L'huissier d'audience se leva et exigea que le calme revînt.

Dinsmore, ignorant tout ce tumulte, poursuivit, s'adressant toujours aux jurés :

« Voulez-vous savoir jusqu'à quel point il est truqué, ce procès ? Je vais vous le dire. Car il y a un autre enjeu dans cette affaire, et cet enjeu vous le connaissez, vous l'avez déjà vu : c'est le témoin le plus impayable de toute cette guignolade : Mme Lane ! Demandez à n'importe qui de sa maison le nombre de visites que lui rend M. Ransom. Et combien de temps il y reste !

— Arrêtez cet homme, cria Dietz. Huissier ! »

L'huissier et le greffier se levèrent pour saisir Dinsmore par les bras. Tout en se débattant, il continuait de vociférer :

« C'est elle, la cause de tout ça ! La traînée ! Parce que j'ai refusé de l'épouser. La putain ! Vous l'épouseriez, vous, une roulure pareille ? Elle ferait honte aux courtisanes les plus expertes de Paris. Vous pouvez me croire sur parole, messieurs. M. Ransom vous le dira lui-même. Demandez-lui ce qu'il faisait là-haut après minuit !

— Conduisez-le hors de la salle, hurla Dietz, le visage blême, debout derrière son bureau. Hors d'ici !

— Il vous dira ce qu'il y faisait, après minuit. Lui et

sa putain de luxe ! Dites-leur, Ransom. Dites-leur comme elle excelle dans l'art de la chambre à coucher. Dites-leur... »

Ses dernières paroles se perdirent dans le tumulte, alors qu'on réussissait enfin à le faire sortir par la porte latérale.

Ransom était toujours debout, agrippé au bord de son bureau, assommé par le choc de la trahison.

« Silence dans la salle ! cria le juge, en actionnant son marteau. Tout le monde à sa place. Tout le monde à sa place. »

Quelqu'un saisit Ransom par-derrière et l'obligea à s'asseoir.

L'huissier revint dans la salle. Le silence se fit peu à peu.

« Maître Applegate, dit le juge. Je condamne votre client à la plus forte amende possible pour outrage à la magistrature. Si je devais relever la moindre complicité de votre part, je vous considérerais comme coupable du même délit, et redevable de la même amende. Jamais je n'ai vu la justice bafouée de la sorte. Je ne permettrai pas que ce tribunal soit utilisé pour régler des comptes personnels ou politiques. Est-ce clair pour tout le monde ? »

Applegate s'était levé en entendant son nom. Il se tenait tout penaud, la tête baissée, aussi dépité que tout le monde, apparemment, par l'incroyable sortie de son client.

« Et maintenant, maître Applegate, avez-vous quelque chose à ajouter ?

— Non.

— Parfait ! La cour va donc se retirer jusqu'à 15 heures. Cet après-midi, le jury devra délibérer. Je veux que toutes les parties soient présentes à l'heure dite. »

Il donna trois coups de marteau et quitta rapidement la salle. Les gens se levèrent, et les conversations, contenues depuis plusieurs minutes, explosèrent enfin.

« Avez-vous quelque chose à dire à propos des allégations de M. Dinsmore ? » dit quelqu'un à l'oreille de Ransom.

C'était Will Merrifield, placé de telle façon qu'il lui bloquait le passage.

« Démentez-vous ces allégations ? Quelle est la nature exacte de vos relations avec Mme Lane ? Est-il vrai que vous lui avez rendu visite hier soir après minuit ? »

Ransom s'était effondré dans son siège, à la fin de l'audience. Maintenant, chacun de ses muscles, de ses nerfs, de ses vaisseaux revenait à la vie. Il bouillait de colère. Sans répondre, il commença à rassembler ses affaires.

« Est-il vrai que vous allez annoncer votre candidature

au Sénat ? » continuait Merrifield, qui n'était plus un allié désormais, mais un démon, avec sa tête de citrouille et ses cheveux poil de carotte. « Accepteriez-vous de révéler le nom de la personne qui patronne votre candidature ? »

Merrifield lui bloquait toujours le passage.

Ransom bouscula le reporter et se dirigea vers les portes du fond. Mais la foule encore dense attendait, l'attendait. Ah ! L'atroce curiosité peinte sur tous ces visages ! Et ce reporter qui ne cessait de le harceler ! Carrie, bien sûr, avait disparu. Et dire qu'il lui avait demandé spécialement de venir aujourd'hui ! Pour assister à ça !

Le journaliste agrippait Ransom par la manche, essayant de capter son attention, de le contraindre à répondre. Mais alors, Ransom vit approcher la deuxième vague des curieux : ceux qui étaient assis dans les tribunes. Ils allaient l'entourer, lui bloquer la sortie. Sa colère s'évanouit devant la nécessité de fuir.

« Regardez, dit-il soudain. Dinsmore est revenu ! »

Tout le monde s'étant retourné, il s'esquiva par une porte latérale, et, une fois dehors, dans le couloir, courut vers son petit bureau et s'y enferma à clé. Les autres l'avaient suivi. Ils se mirent à frapper, à l'appeler, à essayer d'enfoncer la porte.

Il se tenait près de la fenêtre, brandissant sa serviette comme un bouclier, au cas où ils réussiraient à pénétrer. Au bout de quelques minutes, cependant, les coups sur la porte et les cris cessèrent. Il se retourna pour regarder par la fenêtre, et resta immobile pendant un long moment.

Ce fut d'abord un malaise diffus, très vague, mais très réel. Puis un énervement, un agacement, une espèce de prurit généralisé, d'autant plus irrépressible qu'il n'avait rien de physique, impossible de se gratter, de se soulager. Comme une démangeaison mentale, comme quand on a un mot sur la pointe de la langue, là, là, et qu'il ne sort pas. Enfin, Ransom fut pris d'un désir fou, désespéré, animal, de se remuer, non, pas seulement de bouger : de faire quelque chose, quelque chose de précis. Mais quoi ?

Un quart d'heure après s'être enfermé, il ouvrit doucement la porte, et jeta un coup d'œil furtif dans le couloir : plus personne. Il retourna à la fenêtre. Et c'est alors que ça le prit.

Sur le coup il pensa qu'il était simplement en train de

décharger la nervosité suscitée en lui par les invectives de Dinsmore. Dietz avait vu juste, songea-t-il : Quel crétin j'ai été de faire confiance à ce criminel ! Quel spectacle abominable ! Quel cauchemar ! Quant aux suites de cette affaire, mieux valait ne pas y penser. Elles étaient incalculables.

Mais qu'est-ce que Dinsmore avait bien pu espérer obtenir par un tel déchaînement d'agressivité, de violence gratuite ? Pas le soutien du jury, en tout cas. Ces braves hommes avaient été aussi horrifiés que tout le monde. Dinsmore avait-il cédé alors à une impulsion soudaine ? Une envie irrésistible de se rebeller, de ne pas faire ce qu'il fallait, et, au fond, de se détruire lui-même ? A moins qu'il eût remarqué Carrie dans les rangs du public, et que cela lui eût déréglé l'esprit ? Quoi qu'il en soit, cette attitude ne pouvait, évidemment, que lui nuire. A côté de cette certitude, l'inquiétude nerveuse de Ransom, cette démangeaison de faire — quoi ? — avait bien peu d'importance. Et pourtant, il restait quelque chose à accomplir, il y avait un défaut, une imperfection quelque part ; Ransom le sentait ; mais où ? Et comment la corriger ?

Dietz allait lui passer un de ces savons... Mais Ransom pouvait faire en sorte de différer cette scène pénible. Et Carrie : il allait falloir lui expliquer ce que Dinsmore était censé faire, c'était la seule manière de lui faire comprendre pourquoi il l'avait tant suppliée de venir ici. Au fond, les motifs de Ransom avaient été assez méprisables : qu'avait-il voulu prouver à Carrie, sinon que lui, il était encore plus fort que cet homme qui l'avait ensorcelée ? Toujours ce besoin d'esbroufe ! Il faut que j'aille la voir, se dit-il, aussitôt après l'audience de cet après-midi. Qui sera, sans aucun doute, aussi la dernière ; car cette fois, le jury n'hésitera pas une seconde à condamner Dinsmore. Au moins, ce serait une bonne nouvelle ; elle compenserait les outrages que cet homme diabolique avait encore réussi à lui faire subir.

La nouvelle situation présentait donc toute une série de difficultés, certes ; mais aucune n'était insurmontable. Et pourtant il se sentait toujours aussi nerveux, de plus en plus agité même. Il dut se relever (il s'était assis à son bureau, pour penser) et se mit à arpenter la petite pièce, déplaçant ses dossiers, les mettant sur la table, élaborant un autre ordre, qui ne le satisfaisait pas... De temps en temps, il jetait un coup d'œil distrait par la fenêtre : dans la lumière brillante de ce début de printemps, les toutes petites feuilles rouges des bourgeons éclatés se détachaient, en un vif contraste, sur le fond noir des troncs et des branches encore nus. Il sortit même dans le couloir, plusieurs fois, comme s'il eût attendu quelqu'un, quelqu'un qui serait venu lui expliquer ce qu'il restait à faire.

Quelle bête je suis ! se dit-il, tout à coup. Cela faisait presque une heure qu'il tournait en rond, en se posant des problèmes absurdes. Il lui restait tout juste le temps de faire un saut à la pension pour se restaurer avant la reprise des débats.

A la hâte, il rangea ses papiers dans un tiroir, puis mit son pardessus et son chapeau. En sortant dans le couloir, il aperçut le shérif, de dos, à deux pas de lui. S'il continue à grossir à cette vitesse, se dit Ransom en souriant, il va finir par ne plus pouvoir passer par les portes ! Décidément, les gens sont trop honnêtes par ici : et nos flics s'empâtent ! Ransom s'avança vers lui. Timbs se retourna, portant la main à son ridicule ceinturon de cow-boy.

« Ah ! C'est vous, monsieur Ransom.

— Et qui attendiez-vous ? Jesse James ?

— Non. Mais ils vont bientôt l'emmener, et je suis chargé de le surveiller, au cas où il ferait le violent.

— Qui ? Dinsmore ? Il est toujours ici ?

— Oui. Au fond du couloir. Dans la salle des avocats, répondit le shérif. Si vous étiez sorti plus tôt, vous auriez pu les entendre, lui et Applegate. On aurait dit une meute de chats en chaleur !

— Ils se chamaillaient ?

— Ma foi, ça en avait tout l'air. »

Ransom se dirigea vers la sortie. Timbs aussitôt lui emboîta le pas.

« Il a vraiment exagéré, dit-il, hochant la tête tristement. C'est pas permis de dire ce qu'il a dit. Je savais plus où me mettre quand il a commencé à dégoiser toutes ces ordures, sur Mme Lane, et sur vous. Ah ! C'est pas joli. »

Ransom haussa les épaules, comme pour faire comprendre que ces saletés ne pouvaient pas l'atteindre. Mais ce qu'il venait d'entendre le réjouissait : cela confirmait ses hypothèses. Timbs, en effet, était un partisan de Dinsmore, un des plus chauds même ; si telle était son opinion sur le condamné, pardon, sur l'accusé, celle des jurés ne pouvait qu'être encore plus défavorable.

Il y avait encore une douzaine de personnes dans la salle

329

des pas perdus. Apercevant Ransom, Murcott traversa la salle pour aller le retrouver. Mais Timbs s'interposa brusquement, et poussa Ransom sur le côté, contre le mur lambrissé.

« Ecartez-vous, tout le monde ! » cria le shérif, alors qu'à part Ransom, il n'y avait personne à côté de lui. « Ecartez-vous ; on emmène le prisonnier ! »

Tout le monde se rua vers le couloir, pour mieux voir. Ce qui permit à Timbs de répéter son ordre et de prendre des airs d'importance. Dans la mêlée, Ransom n'entendit plus que le bruit des pas. Et alors, tous ces tapotements, ces crissements de chaussures déclenchèrent de nouveau en lui, encore plus forte, cette sensation de démangeaison intérieure qu'il croyait passée.

Elle le submergea en quelques secondes ; il fut pris de vertige. Il avait la nausée, la tête lui tournait, il devait faire des efforts surhumains pour ne pas tomber et ne pas défaillir.

Trois hommes débouchaient dans la grande entrée. En tête, Dinsmore, les menottes aux mains, un pardessus jeté sur les épaules. Juste derrière lui, le tenant par un bras, venait l'huissier. Applegate fermait la marche, les sourcils froncés, les lèvres pincées.

La démangeaison devenait insupportable — et cette envie de faire, de parfaire, irrépressible.

Les trois hommes, se dirigeant vers la sortie, s'approchèrent de Timbs et de Ransom. Dinsmore s'arrêta pour parler à quelqu'un que Ransom ne pouvait voir, car le shérif, placé devant lui, lui bouchait la vue. Les deux autres continuèrent. Puis Dinsmore se tut, au beau milieu d'une phrase, se retourna et se mit à regarder Ransom sans aucune expression particulière.

La lumière dans l'entrée sembla acquérir une intensité irréelle. Et tout — les gens, les voix, les bruits, les mouvements —, tout sembla soudainement loin, loin, et disparut. Il n'y eut plus autour de lui que des lumières, un chaos de rayons, d'éclairs, de reflets, de réfractions. Tous émanant d'un même point : ces deux yeux bleus, étincelants, éblouissants. Et tout à coup, la réponse fut, comme la lumière ; Ransom sut ce qui devait être accompli pour qu'il pût continuer de vivre et que tout fût parfait.

Dinsmore détourna les yeux et parla, mais à qui ? il n'y avait personne. Ransom bondit, s'empara du revolver de Timbs, l'arma, tendit le bras, visa et fit feu.

330

Un cri. L'arme. Métal. Etincellements, miroitements, ondes de lumière. Un choc. Tombe de sa main. Dinsmore s'inclinait lentement en avant. Un grand halo autour de lui. Portant une main à son bras. Commençant à tourner sur lui-même. Une tache sombre, en haut de son bras, et dans l'air à côté de lui, giclant, giclant... Puis d'autres bras, des choses, s'interposant entre cet écran de lumière où se trouvait Dinsmore et les yeux de Ransom, mais si lentement, si lentement — comme ces immenses vagues de l'Océan qui n'en finissent pas de retomber, en blanches gouttelettes dans la lumière, après s'être brisées sur les grands rochers de la côte.

Puis tout claqua, comme un fil télégraphique surtendu. Mouvements, bruits, visages, tout à coup, fondirent sur lui, remuant dans tous les sens. Le vertige le reprit, il allait tomber. Timbs, au-devant de cette cohue hideuse, toupie déboulant, hurlant. Quelqu'un saisit Ransom par-derrière. Une femme poussa un cri perçant. Des hurlements, partout. Dinsmore restait caché par d'autres personnes. La salle des pas perdus semblait un gigantesque stéréoscope : les trois dimensions, l'épaisseur des corps, et tout, à la fois si présent et si lointain. « ...une chose pareille, nom de Dieu ! » dit une voix à côté de lui. Murcott. C'était la voix de Murcott. « ...l'auriez tué, sûrement si je... à temps votre bras... fou ? non... qui vous a pris, James ? » Puis cette voix s'éloigna, s'en alla. Murcott traversa le groupe de personnes qui entouraient le blessé.

Toutes les lumières étincelèrent et miroitèrent une dernière fois brièvement. Et tout redevint comme avant. Ransom était au fond de la salle, on l'avait maîtrisé. A quelques mètres en face de lui, les corps agglutinés autour de Dinsmore s'écartaient lentement ; Ransom put de nouveau le voir. Il se tenait sur ses pieds. On lui avait enlevé les menottes. Un mouchoir était serré autour de son bras, juste au-dessous de l'épaule ; la blessure ne saignait plus. Mais sa veste, son gilet, et même ses pantalons étaient maculés de taches brunes. Dinsmore était très pâle, et serait sûrement tombé sans l'huissier qui le soutenait. Personne ne parlait.

Ransom se dit que l'homme allait venir vers lui pour lui dire quelque chose, ou pour faire... mais quoi, au juste ? Mais non, Dinsmore restait là et le fixait. Ses yeux avaient retrouvé leur éclat normal, comme si rien ne s'était passé.

Puis ses jolies lèvres en cœur s'allongèrent, s'aplatirent :

Dinsmore souriait. Ransom en eut un haut-le-cœur. L'homme n'était pas en colère ; il était content, aux anges. Ransom sentit en lui, tout au fond de lui, une crevasse s'ouvrir, s'élargir. Alors Dinsmore éclata de rire ; à la vue de ses dents blanches, Ransom comprit que tout ce qui s'était passé, tout, tout, c'était Dinsmore qui l'avait voulu. Un lent clin d'œil, ces longs cils, noirs sur la peau des paupières se refermant comme une plante carnivore ; et la crevasse, en Ransom, devint un gouffre, un abîme l'aspirant vers des profondeurs insondables ; il tombait, tombait, tombait ; et ce fond qui n'arrive jamais... Mais alors, portée par cet air de plus en plus immonde qui sifflait à ses oreilles, il entendit venir, de plus en plus claire et plus distincte, comme des cloches qui s'approchent, foudroyante, l'abominable vérité, et elle lui disait, cette vérité, qu'au moment même où il avait cru tout gagner, il avait en fait déjà perdu, tout, et que cette dernière heure de son existence — son agitation, son insupportable prurit, son désir fou d'accomplir, de parfaire — avait déjà été fabriquée tout entière au cours de la nuit précédente, contre sa volonté, à son insu, alors qu'il pensait être éveillé, et croyait avoir de tout autres désirs ; fabriquée, et placée en lui, pour une raison bien précise et dont l'intelligence l'éblouissait : il avait été magnétisé, à son insu, et transformé en un nouvel instrument de Dinsmore, le pire, le plus fatal de tous. L'instrument de leur mort.

« Que dit-il, dans cette lettre ? demanda Murcott.

— Il veut que je me désiste de cette action, et que je démissionne. Immédiatement. Tenez, lisez vous-même », dit Ransom, montrant au médecin les deux feuillets de la lettre.

« Et ça, qu'est-ce que c'est ?

— C'est le désistement d'action. Dietz l'a déjà rédigé. Je n'ai plus qu'à le signer. » Ransom se pencha sur la table et griffonna son nom au bas du document.

« Comme ça ? Sans hésiter ?

— Que puis-je faire d'autre ? Dites-le-moi ! Dietz a l'intention de lire ça au jury avant qu'il se retire pour délibérer. Il pense que c'est la seule solution.

— Pour qu'ils le condamnent ? Etes-vous de son avis ?

— Il a sans doute raison. Mon Dieu. Je ne sais plus que penser. » Ransom parlait sur un ton détaché. Rien en lui ne trahissait la consternation que contenaient pourtant ses paroles. Il reprit la feuille, la plia, la glissa dans une enveloppe et fit venir Nate.

« Qu'allez-vous faire, maintenant ? » demanda Murcott.

Quand va-t-il s'arrêter de poser des questions ? pensait Ransom, fatigué. Dès qu'il avait eu fini de s'occuper de Dinsmore, le médecin avait rejoint son ami, dans son bureau au palais — où on le tenait enfermé — et, depuis, ne l'avait plus quitté. Il lui avait d'abord fait part des résultats de l'examen médical : Dinsmore avait été touché au bras, la balle (qui avait déjà été extraite) avait ouvert une artère, mais l'os n'avait pas été atteint. Par bonheur ! Pour tous les deux, commenta-t-il. Ransom l'écoutait sans réagir ni rien dire. Puis Timbs était entré pour libérer Ransom, en l'informant qu'aucune plainte n'avait été déposée contre lui. (Ce qui n'avait pas l'air de le réjouir outre mesure.) Le médecin au contraire en fut ravi. Mais l'intéressé écouta le shérif d'un air complètement absent.

Ransom et Murcott sortirent, et s'acheminèrent vers la pension. Le médecin ne cessait de parler, et accablait son ami de questions. Il n'arrivait pas à croire ce qui s'était passé. Ransom finit par ne plus lui répondre.

Il constatait que ces lieux familiers qu'il traversait, il ne les avait jamais vus. Ces rues, ces magasins, ces frontons de maison se détachaient avec une netteté saisissante les uns des autres ; tous avaient une individualité, une vie propre qu'il n'avait jamais soupçonnées. Ce n'était plus la même ville, et pourtant c'était la même. Cette irréalité était bien plus réelle. Les arbres, les buissons le long des jardins, l'herbe de la grand-place étaient animés d'une fraîcheur, d'une jeunesse extraordinaires ; on eût dit qu'ils venaient de sortir de terre. L'air autour de lui, au-dessus de lui, semblait aussi neuf qu'au premier jour de la Création. Ransom n'avait jamais vu tant de choses, tant de détails, entendu tant de bruits, de sons : chants d'oiseaux, feuilles agitées par la brise, bribes de conversation perlant des fenêtres ouvertes ; jamais il ne s'était senti si éveillé, si vif.

Comme si, en sortant de la transe posthypnotique où il avait exécuté l'action prescrite, il s'était, pour la première fois de sa vie, éveillé, éveillé pleinement à sa vie. Une vie qui n'était pas faite, ne serait plus faite d'évidences, de réalités connues, d'opinions reçues, d'acceptations. Une vie dans laquelle tout était possible, et plus rien n'était certain, où tout changeait, évoluait, se métamorphosait — il voyait, il entendait, presque, la naissance et le déclin de toutes les choses. Une vie où tout était dur et brillant, anguleux, acéré, insidieux, redoutable. Finies les douceurs molles, les assoiements, les abandons ! Non, rester vigilant, toujours sur ses gardes, pour capter tous les changements, à leur source même ! Il avait vu le monde, tel qu'il est ; les tâches qui l'attendaient étaient infinies, l'épuiseraient. Aussi donna-t-il à la dernière question de Murcott — sur ce qu'il allait faire, maintenant —, la réponse la plus vraie, et la plus pratique qui fût :

« Je vais aller me reposer un instant dans ma chambre. N'oubliez pas de m'appeler pour le dîner. »

Il s'assoupit, et dormit d'un sommeil profond et sans rêves. Les coups de Nate à la porte le réveillèrent. Il s'était fait tard, la pièce était plongée dans l'obscurité. Faire fonctionner la lampe à gaz lui sembla requérir un travail disproportionné. Il alluma une bougie, la mit sur la table de toilette et se lava à sa faible lueur.

Ce petit somme n'avait rien enlevé à l'acuité nouvelle de ses sens, et il se sentait toujours aussi calme, aussi curieux, aussi analytique.

En descendant, il aperçut un journal plié, sur un fauteuil du grand salon. En fait, il y en avait deux : le *Stear* et le *Herald*. Ils portaient le même titre (c'était bien la première fois) : « L'attorney a tenté d'abattre l'hypnotiseur ! » Ransom parcourut les deux éditoriaux. Ils eussent pu être écrits par la même main, tant ils se ressemblaient. Ni l'un ni l'autre ne faisaient allusion aux mobiles réels ; ils tenaient compte cependant des « propos injurieux prononcés par l'accusé avant la suspension d'audience » et citaient l'opinion, officieuse, de Dietz : le juge voyait dans l'acte du procureur une conséquence de son « surmenage » et de sa « grande nervosité ». Ransom remit les journaux à leur place, en constatant, un peu étonné, que tout cela ne lui faisait ni chaud ni froid ; puis il passa dans la salle à manger.

Les conversations cessèrent tout à coup. Sans dire un mot, sans saluer, il s'assit et commença à manger. Lentement, timidement, on se remit à parler autour de lui : mais on hésitait, on n'achevait pas les phrases. Les pauvres pensionnaires de Mme Page étaient bien les seules personnes de Center City à ne pas pouvoir parler, ce soir-là, de l'événement le plus incroyable qui se fût produit dans leur ville.

Ransom mangeait avec appétit, les plats étaient un jeu merveilleux de saveurs infiniment variées. Et c'était si nou-

334

veau, si captivant qu'il ne releva les yeux que tout à la fin. Les autres pensionnaires avaient déjà quitté la table ; il ne restait plus qu'Isabelle, Murcott et Mme Page.

« Vous y allez alors ? » demanda Isabelle. Puis, rougissant : « Je voulais dire... » Elle se tut, toute stupide.

« Parle, Isabelle », lui dit sa mère. Mais, comme la jeune fille ne surmontait toujours pas son embarras : « Nous avons pensé, toutes les deux, James, que vous aimeriez aller voir Mme Lane. Et nous serions heureuses de vous accompagner.

— Nous savons bien, évidemment, continua Isabelle, qu'il n'y a rien de vrai dans tout ce qui a été dit aujourd'hui au tribunal.

— Cela fait plusieurs mois que nous devons rendre visite à Harriet Ingram, malgré tout, reprit Augusta. Alors, pourquoi n'irions-nous pas ensemble ?

— Mme Lane, dit-il à voix basse. Ah ! oui. Merci. Bien sûr. Dès que vous êtes prêtes. Je fais atteler le cab. »

Carrie Lane. Mais oui. Bien sûr. Il n'avait plus pensé à elle de tout l'après-midi. Il l'avait complètement oubliée. Jusqu'à maintenant. Il fallait évidemment lui rendre visite. Mais que lui dirait-il ? Comment expliquer son geste ? Et pourquoi l'expliquer ? Il ne l'avait même pas expliqué au pauvre Dr Murcott qui continuait de fixer sur lui des yeux pleins d'une expectative désespérée, tel un malade angoissé, observant sans comprendre son médecin déambuler devant lui et l'entretenant de la pluie et du beau temps. Ainsi tout le monde pensait qu'il devait aller voir Carrie. C'était un peu son avis aussi. Encore qu'il n'eût su dire exactement pourquoi.

Et il n'était pas plus fixé sur ce sujet, lorsqu'ils furent arrivés en haut de la rue Montante. Ils avaient frappé à la porte et attendaient qu'on vînt leur ouvrir. Les deux femmes poussaient des oh ! et des ah ! à n'en plus finir en regardant le paysage qui s'étendait à leurs pieds, alors qu'elles avaient dû le voir déjà une bonne vingtaine de fois. Que vais-je bien pouvoir lui dire ? songeait Ransom ; espérons qu'elle ne viendra pas elle-même nous ouvrir... Ah ! très bien. Mme Ingram était sur le seuil, fixant sur eux de grands yeux étonnés. Ransom se sentit encore plus ému, encore plus gêné.

Mais pas Mme et Mlle Page. Celles-ci, exposant en chœur les raisons de leur visite, commencèrent à progresser en un tourbillon de bras, d'ombrelles et de gestes enthousiastes. Avant que Mme Ingram et Ransom eussent pu deviner ce qui se passait, tout le monde se retrouva dans l'entrée. La gouvernante, pressée par les deux visiteuses, fut bientôt refoulée dans le petit salon. Et Ransom resta seul, on ne peut plus indécis, au pied de l'escalier.

Que lui dirait-elle ? Que ferait-elle ? Et comment, lui, allait-il réagir ? Carrie était le seul mystère qui subsistât dans son esprit. Le jugement que Dinsmore avait porté sur elle était certes inacceptable, bien qu'au fond, il fût identique à l'opinion que Carrie avait d'elle-même, et avait exprimée bien des fois. Ils avaient tort tous les deux ; et pourtant, Ransom savait qu'il lui faudrait réviser tout ce qu'il avait pensé jusqu'alors, y compris sur elle. Dinsmore, cependant — et c'était cela le pire — avait percé Ransom, découvert les ressorts les plus cachés de son âme. Le Georgien n'était jamais parvenu à une connaissance aussi profonde de soi-même. C'était là — pas dans le magnétisme — que résidait la cause réelle de sa défaite.

Augusta Page sortit un instant dans le couloir.

« Elle est dans la bibliothèque, murmura-t-elle. Allez, montez ! »

La pièce était si peu illuminée qu'il lui fallut un moment pour distinguer dans l'embrasure d'une des fenêtres la silhouette immobile de Carrie. Elle regardait la grande étendue boisée qui commençait sous la maison. Elle ne bougeait pas, elle ne l'avait pas entendu venir. Les yeux de Ransom s'habituèrent peu à peu à la pénombre. Alors, l'image de Carrie se détacha avec la netteté et l'intensité que lui donnait le regard neuf qu'il portait désormais sur toute chose : portrait d'un être humain abîmé dans la méditation, avec ces tons sombres, mais si fins, si nuancés, des maîtres hollandais. Ses cheveux tirés en arrière et retenus par un grand nœud lâche ; et son visage tourné vers la vitre comme un profil perdu. Sa joue creuse, le trou d'ombre de son œil, sa tempe bosselée, brillant inégalement comme une coupe de vieil argent. Un être vivant ? Cette forme, qui, bien qu'elle fût à quelques pas, était si lointaine qu'il lui semblait qu'il ne l'atteindrait jamais ? Qui n'était ni pensive, ni mélancolique, en fait, mais simplement placée ailleurs, séparée de lui, autant par la nécessité que par la fatalité.

Il sentit qu'il devait la respecter, qu'il ne l'avait jamais fait. Qu'elle était si loin de lui, si supérieure. C'était un peu l'impression qu'il avait eue lorsqu'il était venue la voir avec Murcott, après le suicide de son mari, il y avait si longtemps, mais multipliée par cent, par mille. Et, comme un enfant joueur, s'arrêtant devant une grande personne plongée dans des pensées qui le dépassent, il décida de se retirer.

Elle l'entendit bouger, et se retourna en tressaillant.

Ransom lui dit quelque chose, un nom ; le sien, celui de Carrie ? Il n'aurait pu le dire.

L'expression de surprise sur le visage de Carrie s'évanouit ; elle baissa les yeux.

« Je m'en vais, si vous le voulez », dit-il, ne sachant que dire d'autre.

Elle ne répondit pas, regarda de nouveau par la fenêtre puis s'assit au fond d'un fauteuil, les yeux ailleurs.

« Voulez-vous que je m'en aille ? »

Elle fit un signe vague de la main, qu'il interpréta comme une invitation à rester, à s'asseoir. Il prit un siège, juste à côté d'elle. Ils se faisaient face, dans le silence et la pénombre ; le malaise de Ransom augmentait de seconde en seconde. N'avait-il vraiment plus aucune raison d'être ici ? Plus rien à faire avec elle ? Il eût voulu dire quelque chose d'important, et de consolant...

C'est elle qui le sortit de son embarras.

« Ainsi, tout est fini.

— Les jurés, dit Ransom, se méprenant totalement sur le sens de ses paroles, se sont retirés pour délibérer. Et ils ne sont toujours pas ressortis.

— Ils le savent ? »

Comment parler de ça ?

« Oui, ils le savent. J'ai démissionné. Je me suis désisté de l'action. Et cela aussi, ils le savent. Dietz pense que cela peut arranger les choses.

— Oui... oui, peut-être », répondit-elle, l'air absent. Puis, changeant de ton et d'attitude : « Mais qui vous aidera, qui vous assistera ?

— Je n'ai besoin d'aucune assistance. Aucune plainte n'a été déposée contre moi. Il a joué sa dernière carte. C'est un geste désespéré de sa part. Il fallait sans doute qu'il le fasse ; et d'ailleurs, tout son comportement, aujourd'hui, a été celui d'un homme désespéré. Vous l'avez vu vous-même. »

Elle le regarda, puis se leva. Le temps d'un instant, il crut qu'elle allait défaillir ; mais elle s'affaissa simplement, doucement, sur le tapis, à ses genoux et les prit entre ses bras ; puis, levant les yeux vers lui :

« Je sais que vous ne m'oublierez jamais, James. Comment le pourriez-vous ? Mais, pour l'amour de Dieu, ne me méprisez pas. Promettez-moi cela, au moins. Promettez-le-moi.

— Vous mépriser ? N'allez pas croire, surtout, que je tienne compte de ses divagations !

— Non, il ne s'agit pas de cela. Mais de quelque chose de bien pire. Et qu'il a fait : James, il a réussi à vous toucher, à vous atteindre à travers moi ; à cause de ce qu'il a dit, et à cause de moi, vous êtes déshonoré, et tellement, que ma tête éclate rien que d'y penser. Et tout cela est retombé aussi sur moi. »

Ransom ne savait que dire, que répondre. Il avait un air si dérouté par ce qu'elle disait qu'elle se mit à parler plus rapidement, en l'agrippant encore plus fort :

« Ne voyez-vous pas tout le mal qu'il vous a fait ? Il vous a complètement discrédité. Désormais, ici, vous n'êtes qu'une ruine. Votre avenir, vos projets, tout n'est plus que fumée. A cause de lui, à cause de ce qu'il vous a fait faire aujourd'hui. Comprenez-vous ce que je vous dis ? Et vous rendez-vous compte combien je suis responsable de votre perte ? Je le savais, je savais tous les risques auxquels vous vous exposiez en intervenant. Et je vous ai averti. Vous en souvenez-vous ? Mais vous ne m'avez pas écouté. Et moi-même, je me suis dit que toute cette horreur allait passer, simplement parce que je ne l'avais pas méritée. Et je vous ai cru, j'ai eu confiance en vous ; j'ai cru que vous seriez le plus fort parce que vous étiez bon. Mais c'est cela qui vous a perdu : car c'est votre bonté qu'il a exploitée. Quel traître abominable ! L'avez-vous compris ? Finalement ? Comprenez ce que je vous dis, pour l'amour de Dieu ! »

Elle se leva en portant la main à sa bouche, tituba une seconde, puis s'écarta, violemment.

Lui aussi se releva et prit sa main.

« Qu'importe tout cela ? Qu'importe l'avenir, l'ambition ou tout le reste ? Si vous et moi continuons à ne faire qu'un, Carrie ; quoi que vous puissiez penser, je ne serai jamais une ruine. Il n'a pas réussi à nous diviser. C'est cela l'important. Tout le reste m'est égal, si nous restons ensemble. Hier soir... »

Elle secoua la tête, refusant de l'entendre.

« Vous me mépriserez bientôt pour cela, dit-elle. Je le

338

sais, James. Quoi que vous puissiez dire, maintenant. C'est comme un poison lent ; il est entré en vous, et tôt ou tard, il vous retournera contre moi. Dans un mois, dans un an, vous penserez à moi et vous vous direz : " Sans cette femme, j'aurais un nom, une situation. Et je n'ai rien. Elle m'a perdu. " Croyez-moi, James ; moi qui vous connais, je sais ce que je dis, je sais que je ne me trompe pas.

— Remettez-vous, je vous prie. Nous penserons à tout cela plus tard. Pas ce soir. Je reviendrai demain matin, si vous voulez, et alors nous en parlerons, à tête reposée.

— Vous vous trompez, James. Demain matin, vous aurez réfléchi à ce que je viens de vous dire, vous m'aurez comprise et vous aurez changé d'avis.

— Je vous l'ai dit, Carrie. Je me fiche de mon avenir ou de ma réputation. Je vous aime. Je veux être avec vous. Je l'ai toujours voulu.

— Non. Non. » Elle se libéra de son étreinte et retourna vers la fenêtre. « C'est impossible. Vous aussi, vous en viendrez à me haïr, et je ne le veux pas. C'est une idée que je ne peux supporter.

— Mais ne voyez-vous pas que vous faites exactement le jeu de Dinsmore ?! » Il haussa la voix, comme s'il se mettait en colère. « C'est exactement ce qu'il veut. C'est...

— Non...

— Alors, c'est que vous le voulez, vous aussi. Avouez-le. Vous ne voulez pas de moi, parce que je suis tombé dans son piège. Parce qu'il s'est révélé le plus fort. N'est-ce pas ?

— Le poison dont je vous parlais, James, je le vois déjà dans ce que vous me dites. Comment pouvez-vous être aveugle à ce point ? »

Il lui tourna le dos, dépité, dégoûté. « Je passerai ici demain matin. Et nous reparlerons de tout cela.

— Non. Ne venez pas, dit-elle d'une voix douce.

— Mais pourquoi ? Pourquoi voulez-vous me faire ça ? Me faire souffrir ? Comme si tout ce qui est déjà arrivé ne suffisait pas ? Si vous pensez ce que vous dites, comment pouvez-vous supporter de me voir perdre tout, et même vous ? »

Elle se tut. Après un long silence, elle dit, à voix basse : « Vous n'avez pas tout perdu. Vous avez encore une chance. Mais moi, non ; c'est fini. »

Ces dernières paroles l'avaient terrassé. Il la laissa passer devant lui. Elle traversa la pièce et ouvrit la porte de sa chambre. Sur le seuil, elle s'arrêta : « Ne revenez plus, James, dit-elle, sans se retourner. Ni demain matin. Ni jamais. »

Sur le moment, il voulut la rejoindre, forcer sa porte, qu'elle avait fermée à clé ; l'enfoncer même s'il le fallait. Mais il se rendit compte qu'il n'avait plus envie de lutter. Il était épuisé. Il se laissa tomber dans un fauteuil, et resta assis longtemps, échafaudant des projets démentiels. Jusqu'à ce que la lampe vacillât et finît par s'éteindre.

Machinalement, il se releva pour couper l'arrivée du gaz. Puis il descendit lentement l'escalier. L'entrée était plongée dans l'obscurité ; il n'y avait plus personne. Les deux femmes étaient sans doute déjà parties. Il sortit.

Non. Elles l'attendaient, dans le cabriolet. En descendant les degrés de pierre, il se promit de revenir le lendemain matin, de passer outre à son interdiction. Il détacha le cheval et monta sur le siège avant.

Mme Page marmonna quelque chose. Il ne répondit pas. Il n'avait pas envie de parler. Pas maintenant. Il prit les rênes, et fit faire demi-tour au cheval.

Un cavalier remontait la rue, au grand galop. Sa tignasse rousse luisait comme un fanal dans l'obscurité.

« Hooo ! » dit Ransom. Le cheval s'arrêta. « C'est vous, Will ? Will Merrifield ? »

Merrifield, ralentissant brusquement son allure, s'approcha de la voiture.

« Monsieur Ransom ? dit-il, scrutant l'obscurité. Bonsoir, mesdames.

— C'est moi, oui. Pourquoi courez-vous ainsi ?

— Il faut que je retourne à Lincoln. Ils viennent de m'envoyer un câble. Le procès est fini. Ils veulent que je retourne là-bas. »

Ces paroles furent suivies d'un silence gêné. Ransom n'avait aucune envie de poser la question fatidique, et pourtant il le fallait, il devait savoir. Le cheval de Merrifield piaffait, impatient de reprendre sa course. Mais pourquoi le reporter ne disait-il plus rien ? Il n'était pas si timide d'habitude.

« Quel est le verdict ? demanda Mme Page, venant au secours de Ransom.

— Négatif. »

Sur quoi, il rendit la bride à son cheval. Cavalier et monture disparurent dans la nuit.

« Quelle tristesse, James », dit l'hôtesse, lui mettant une main sur l'épaule. « C'est à en pleurer. »

Il se retourna pour la regarder. L'énorme masse de la maison des Lane se dressait dans le noir, au-dessus d'eux. Il n'y avait plus qu'une seule lumière tremblotante. Elle s'éteignit. Et tout fut plongé dans l'obscurité.

Livre IV

RETOUR DU PAYS DES MORTS

(Eté 1901)

Les dimanches étiraient leur ennui. Toute la matinée, les cloches avaient sonné tristement sur Manhattan ; comme un reproche s'égrenant dans le vide, elles appelaient à l'office leurs trop rares fidèles. Wall Street et Pearl Street suintaient la désolation. La foule des banquiers, financiers, employés ou hommes d'affaires qui les remplissaient du lundi au samedi était absente en ce jour de sabbat. De vieux journaux, des feuilles d'annonces légales jaunies et déchirées descendaient en tournoyant entre ces falaises de brique et de pierre ; poussés par le vent qui soufflait en bourrasques depuis l'Hudson, ils atteignaient les quais de l'East River et là s'élevaient dans les airs en tourbillonnant comme une tornade de papier. De temps à autre, la silhouette de quelque concierge ou allumeur de réverbère semblait progresser péniblement le long des rues. On pouvait remonter tout Broadway de pâté de maison en pâté de maison sans rencontrer âme qui vive.

Les soirs n'étaient guère différents. Seule Chamber Street s'animait un peu à l'heure du dîner, lorsque scribes, greffiers et autres employés de justice travaillant au palais quittaient leurs modestes garnis pour venir remplir les petits restaurants où une bonne demi-douzaine de nationalité étaient représentées. Mais à vrai dire, les convives n'étaient rien moins que joyeux et les dîneurs avaient beau être serrés épaules contre épaules, l'ambiance restait lourde, silencieuse, trouée seulement par le raclement des fourchettes sur les assiettes, et les appels rauques des serveurs en tablier commandant l'inévitable poulet aux cuisines. Après l'heure du dîner, les rues redevenaient désertes, comme les allées d'un cimetière.

Pour trouver un peu de vie, il fallait remonter vers les beaux quartiers, jusqu'à la Quatorzième Rue. Là, commençait le Ladies' Mile : la vie commerçante ne s'y éteignait

343

jamais totalement. Enfin, si l'on était vraiment en quête d'animation, on pouvait pousser jusqu'aux quartiers populaires de l'Est. Le dimanche, là-bas, était un jour comme les autres, pour la plupart des immigrants qui y habitaient (leur propre sabbat avait eu lieu la veille), et les rues et les boulevards, encombrés de charrettes à bras, bourdonnaient d'activité.

Il lui arrivait parfois de passer tout son dimanche à regarder les rues désolées des fenêtres crasseuses de son sixième étage, jusqu'à ce que le soleil disparût derrière les rives brumeuses de Jersey. D'autres fois, il quittait tôt le matin son minuscule deux-pièces, tournait le coin de la rue et se rendait directement chez Walker & Jerome ; il y pouvait entrer grâce à la clé que lui avait confiée Hugh Jerome, le plus jeune des associés et son supérieur direct. Il s'installait dans son petit réduit, et se mettait au travail, copiait, copiait tout le dimanche sans voir le jour passer, et ne se rendait compte que le soir était tombé que lorsque, relevant les yeux, il apercevait l'enfilade noire des autres bureaux.

Souvent, trop souvent, il n'y avait pas de travail supplémentaire à faire. Le temps magnifique qui régnait dehors l'attirait dans la rue, et, passés les grands buildings vides du palais et de l'hôtel de Ville, il se dirigeait vers East Broadway, où la vie colorée des immigrants s'offrait à lui. Jamais plus il n'était remonté vers Ladies' Mile. Un dimanche qu'il s'y était risqué, il avait cru l'apercevoir. Il s'était brusquement jeté sous les arcades d'un grand magasin et le front appuyé sur la porte vitrée, il avait dû retenir les battements de son cœur jusqu'à ce que la femme qu'il avait vue à l'intérieur eût regagné la rue ; non, ce n'était pas Carrie Lane, elle ne lui ressemblait pas du tout. L'inconnue passa devant lui ; il vit un petit nez retroussé, qui n'avait rien du nez droit et court de Carrie, et un regard terne : rien non plus de l'éclat doré de ses yeux. Mais il avait ressenti un choc, il avait aussitôt battu en retraite et pris le premier tramway pour la ville basse, vers son tranquille petit meublé.

Jamais il n'adressait la parole aux autres pensionnaires, se contentant de les saluer lorsque par hasard ils se croisaient dans les couloirs étroits, tapissés d'un papier peint défraîchi. Sa logeuse ne pouvait guère être comparée à Augusta Page, elle était petite, le teint bileux, raide comme une baguette de tambour, et n'entretenait aucune rela-

344

tion avec ses pensionnaires, sauf pour encaisser ses loyers de la semaine ou du mois. Lui-même ne se montrait guère plus bavard avec les autres employés de Walker & Jerome. Le premier jour où il était entré dans le cabinet de juristes, et où on lui avait montré sa table dans une longue pièce où s'alignaient une douzaine de bureaux exactement semblables, les autres l'avaient considéré avec sympathie : un autre raté accablé par le sort venait grossir leur petite troupe désespérée de morts-vivants.

Ransom n'y avait pas attaché d'importance. En fait, il faisait plus que partager l'opinion qu'ils avaient sur lui, et il prit sa place comme un paria au milieu des parias, avec sérénité. Cette chute, il l'avait méritée ; ce n'était que justice, songeait-il, se comparant aux jeunes et fringants avocats qui entraient en coup de vent dans la salle des rédacteurs, les bras chargés de documents tous plus urgents les uns que les autres, actifs, énergiques, pénétrés de leur propre importance, et, surtout, si sûrs, si sûrs que l'avenir leur appartenait, à eux, et pas à ces vieux employés qui, peinant sous les abat-jour de linoléum vert, contribuaient à forger cet avenir auquel ils avaient, pour leur part, sagement renoncé.

Seul Hugh Jerome savait que Ransom n'était pas un raté *comme les autres. Lors de leur première et dernière entre*vue dans les bureaux rupins de la direction, il avait montré à Ransom la lettre de recommandation de William K. Reese, de Lincoln, et avait tenté de le persuader d'accepter un poste important dans leur société. Ransom lui avait opposé un refus solennel, proclamant qu'il avait définitivement renoncé à toute carrière juridique. Depuis, Jerome ne lui avait plus jamais adressé la parole, sinon pour des questions de travaux d'écriture. Il n'aurait jamais daigné tenir une conversation digne de ce nom avec un simple scribe ; il avait d'autres chats à fouetter.

Cela faisait un an que Ransom vivait à New York dans ces miteuses conditions, mais sa détermination n'avait toujours pas faibli.

Il lui aurait été facile d'expliquer ce qui motivait sa décision : son peu de foi dans le système du jury, dans le système judiciaire en général, dans le droit commun anglais qui régissait ce système et dans les lois fédérales et régionales qui le modifiaient. Mais il n'aurait jamais pu expliquer ce vertige qui s'était emparé de lui un certain jour du printemps 1900, lorsqu'il avait brusquement réalisé que la justice était un mot creux, que la vertu ne voulait rien dire et que l'univers tout entier n'était qu'un piège démoniaque pour ceux qui avaient le malheur de penser autrement. Lorsque ce souvenir lui revenait à l'esprit, il sentait ses jambes trembler, et un goût amer lui montait du fond de la gorge. Il se reprit à y songer, à se rappeler son passé à Center City et ce qu'il avait vécu là-bas. Tout cela lui paraissait si lointain, comme les vagues contours d'une ville qu'on devine au fond du paysage dans les stéréoscopes. Mais au moins une fois par mois il lui était impossible d'échapper à ses souvenirs, car invariablement il trouvait sur la table du vestibule une lettre de la pension Page. Il lui arrivait de la laisser là, cachetée, pendant une semaine ou plus, mais il finissait toujours par l'ouvrir, et malgré le tact de ses correspondants, leur volonté de ne point le blesser, le passé lui revenait en force.

Au début, Augusta Page et Amasa Murcott lui avaient écrit tour à tour. Elle lui écrivait encore : en revanche le docteur avait cessé toute correspondance après que Ransom lui eut répondu sèchement qu'il entendait rester où il était et ne voulait plus entendre parler de retour à Center City.

Isabelle Page avait succédé à Murcott ; elle s'était révélée la plus intéressante et la mieux renseignée de ses correspondants. Elle aussi répétait à Ransom combien on le regrettait, mais seule parmi les trois, elle semblait avoir compris qu'il n'avait pas eu d'autre choix à l'époque de son départ et que rien n'avait changé depuis lors. En terminant ses lettres elle lui disait toujours qu'elle ne souhaitait le revoir que le jour où il le jugerait opportun et qu'en attendant, son bureau l'attendait et n'avait pas été reloué.

Dans ses lettres, elle lui parlait des nombreux changements qui se produisaient quotidiennement à Center City. Non pas tellement chez les pensionnaires qui, dans l'ensemble, demeuraient assez stables, mais dans la ville elle-même.

Carl Dietz s'était finalement retiré. Il n'avait pas été remplacé par un quelconque compère de la bande Mason-Dinsmore-Applegate, mais par Thomas Dalger Jackson, un homme d'Omaha dont le passé semblait assez terne mais qui était très lié au parti de Dietz à Lincoln. Joseph Jeffries de son côté n'avait pas gagné beaucoup de lecteurs.

Les nombreuses personnes qui s'étaient mises à lire le *Herald* de Lincoln durant le procès avaient demandé que le journal continuât d'être distribué dans leur ville. Les gens

346

du *Herald* non seulement avait exaucé ce vœu, mais ils avaient intallé en plein centre de la ville, rue Emerson, une succursale du quotidien, avec rédaction et imprimerie. Le *Herald*, désormais, était entré en concurrence ouverte avec le *Star*.

Cependant, nouvelle moins réjouissante, Dinsmore avait réussi à se faire élire président de la chambre de commerce, et les affaires de la maison Lane (toujours sous sa direction) devenaient de plus en plus florissantes. Ses efforts avortés l'année précédente pour contrôler les prix des semences et du fourrage avaient été finalement couronnés de succès. L'hôtel Lane, dont la rénovation venait d'être achevée, était désormais l'un des plus somptueux *palaces* de l'Union. Dinsmore avait acquis une parcelle de terrain le long de la voie ferrée, et avait fait construire deux énormes silos à grains, pourvus des perfectionnements les plus modernes, de sorte que les camions pouvaient être chargés directement à moins de cent mètres de la gare. Des dizaines d'autres engins, des camions automobiles, des moissonneuses et des batteuses mécaniques, portaient le nom de Lane sur leurs flancs. Grâce à tous ces changements, les profits de l'année en cours allaient être multipliés par trois et, disait-on, tripleraient encore l'année suivante. La société Lane avait offert une bibliothèque à la ville. Elle était encore en construction, dans l'avenue MacKinley, juste devant le palais de justice. Dans le même quartier, on allait également édifier un nouvel hôtel de ville et un nouveau bureau de poste. Ils seraient en style néoclassique, comme le Tribunal. C'était la Centennial Bank de Mason et, encore et toujours, la société Lane qui avaient avancé les fonds. Les voitures automobiles avaient proliféré en ville ; c'était la folie sur la « colline » ; on avait converti les écuries en garages, et les cochers s'étaient faits conducteurs de ces nouveaux engins. Dinsmore louait des automobiles avec chauffeurs dans un grand garage situé derrière la gare, de l'autre côté de l'avenue Taylor. Le conseil municipal avait dû décider de faire goudronner une douzaine de rues et d'aménager des trottoirs en ciment un peu partout. On projetait déjà d'installer une ligne d'autobus à trolley. Evidemment, dans toutes ces affaires, le conseil municipal servait de couverture légale aux initiatives de Dinsmore et de ses amis.

Beaucoup de choses avaient changé également dans la vie des gens. Ainsi Abraham Mattis avait finalement abandonné son entreprise de pompes funèbres et s'était retiré dans sa propriété en dehors de la ville. Il avait fallu trois ou quatre mois pour lui trouver un successeur : c'était un neveu de Mme Brennan qui venait de Kansas City dans le Missouri. Un autre juré du procès Dinsmore, le jeune Pulver, avait brusquement perdu la tête, un mois auparavant : il avait dans l'espace de trois jours demandé la main d'une demi-douzaine de jeunes filles, qui toutes avaient accepté. On avait dû l'enfermer, à la grande consternation de Pulver père et de tous ceux qui le connaissaient.

Etait-ce bien ? Etait-ce mal ? Toujours est-il que Millard Bowles, l'assassin de Carr, s'était évadé et avait quitté la ville. Le juge Dietz qui l'avait engagé comme jardinier, avait promis de s'occuper de son cas. La fuite de Millard, évidemment, l'avait grandement embarrassé. La vieille Yolanda, de son côté, l'avait ressentie d'autant plus durement que moins d'une semaine après on avait collé sur le mur de la poste des affiches où la tête de son petit-fils était mise à prix. Beaucoup de gens pensaient que Millard était descendu à St Louis et travaillait là-bas sous un nom d'emprunt. Yolanda, elle, n'y croyait pas et continuait de se faire du mauvais sang. Si Millard se faisait prendre dans le Nebraska, en effet, il serait emprisonné jusqu'au jugement ; après sa fuite, il n'était plus question de lui accorder la liberté provisoire. Et à Center City, personne ne doutait de sa culpabilité.

Carrie Lane était évidemment devenue la deuxième madame Dinsmore. Le mariage avait eu lieu en septembre dernier ; à vrai dire, cela n'avait été une surprise pour personne. On ne la voyait pas souvent, et pourtant les noces avaient été grandioses. Dinsmore et sa nouvelle femme avaient offert une réception somptueuse avec grand dîner dans les salons du nouvel hôtel Lane : un tiers de la ville y avait été convié. On avait beaucoup remarqué l'absence de Harriet Ingram, qui continuait pourtant d'exercer ses fonctions au 18 de la rue Montante. Carrie avait recommencé à assister aux réceptions en ville, mais toujours flanquée de son mari et toujours en coup de vent, si bien que les gens recommençaient à jaser. Isabelle et sa mère avaient plusieurs fois cherché à la voir chez elle, mais on les avait éconduites. Elles avaient écrit ; leurs lettres étaient revenues non décachetées. Isabelle en était d'autant plus peinée qu'elle avait espéré, et le lui avait écrit, conserver l'amitié de Carrie, ne fût-ce qu'en souvenir de Ransom.

Après avoir lu la lettre qui contenaient ces dernières

348

nouvelles, Ransom se sentit étouffer dans son petit meublé de Pearl Street. Il sortit pour prendre un peu l'air. En longeant l'East River, il finit par trouver une petite avancée, surplombant les flots : il avait besoin d'espace. Et il resta là plus de deux heures, sans chapeau, insuffisamment couvert, dans le vent glacial qui soufflait en rafales, l'œil vague, regardant sans les voir les longues maisons grises de Long Island, sur l'autre rive. Sa pensée ne s'attachait à rien de précis ; tout au plus sentait-il vaguement et avec une certaine amertume qu'il avait eu raison de partir et de venir ici. La nécessité de ce départ, ne l'avait-il pas pressentie, le dernier soir, dans la bibliothèque de Carrie, lorsqu'il l'avait vue pour la dernière fois ?

N'eût été ce fait, entre elle et lui, il aurait pu rester. Il aurait pu supporter toutes les humiliations, toutes les situations angoissantes, avec une indifférence complète : le changement d'attitude de Dinsmore après le coup de feu, la plainte qu'il avait déposée contre Ransom pour tentative d'homicide et subornation de témoins ; ces trois longues semaines d'attente avant que le jury d'accusation de l'Etat ne rejetât toutes les charges retenues contre lui ; la perte de tous ses clients les uns après les autres et de toutes ses amitiés en ville : plus personne ne le saluait. Il avait dû se rendre à l'évidence : il ne devait la vie et la liberté qu'aux appuis qu'il avait à Lincoln. Dans sa propre ville, il était maintenant méprisé et tenu à l'écart. Une ruine, il n'était plus qu'une ruine, comme Carrie le lui avait dit si sèchement, si durement la dernière fois qu'il l'avait vue. Mais cette situation, il aurait pu encore la supporter ; ce qui était intolérable, c'était son attitude, la façon dont elle l'avait traité ce dernier soir, et, par la suite, son refus de le revoir et même de répondre à ses lettres. A lui aussi, elle les avait renvoyées sans les avoir décachetées.

Mais ce n'était pas à cela qu'il pensait, ni même à l'étrange ressemblance entre ces derniers événements et l'échec qu'il avait subi vingt ans auparavant. Non, il se demandait comment il avait pu être assez insensé pour attendre quelque chose de la vie, et pour croire en la bonté du destin.

Pessimisme radical où l'avait tout de suite conduit son « éveil », lorsqu'en ce jour lointain, ce midi lumineux terrible de printemps, il était sorti de la transe hypnotique. Le coup de feu qui était parti de sa main, telles les foudres de Zeus, avait dissipé en quelques fractions de seconde les illusions insidieuses qui l'avaient enchaîné à ce monde. Il avait eu foi dans un système éthique, et tout n'était que chaos. Croyant venir en aide aux hommes, fou qu'il était, aveugle, insensé, il avait probablement fait plus de mal que de bien.

Lorsque ces pensées l'envahissaient, son visage se durcissait, ses lèvres se serraient sous son épaisse moustache grise et deux rides profondes barraient alors son front ; à ce moment-là, il n'avait plus quarante-quatre ans, mais soixante-quatre, quatre-vingt-quatre, cent quatre ans.

Cela lui arrivait toujours le dimanche, lorsqu'il n'y avait pas de travail et que la routine ne pouvait plus le distraire de ses pensées ; lorsque la ville basse de Manhattan n'était plus peuplée que d'êtres aussi désemparés que lui, et que les cloches sonnaient lugubrement tout le jour. Alors, il se sentait désespérément vide.

Cet après-midi d'août où la lettre de Center City fut délivrée à la Walker & Jerome, Inc., et déposée sur son bureau, coïncidait avec l'anniversaire d'Hugh Jerome, et donna lieu à une demi-journée de congé.

Après avoir levé son verre de sherry à la santé de son employeur, Ransom fourra la grande enveloppe dans la poche de son pardessus et se dirigea vers Battery Park ; là, il s'assit sur un banc et se mit à contempler le port de New York. Lorsqu'il estima avoir suffisamment pris le soleil, il alla s'asseoir sur un autre banc, à l'ombre, et se mit à soupeser la lourde enveloppe, se demandant pourquoi Isabelle l'avait expédiée à son bureau au lieu de l'envoyer chez lui comme elle en avait l'habitude.

Dès l'instant où il avait eu la lettre sous les yeux, il avait su qu'elle contenait quelque chose de particulier, mais il s'était retenu de l'ouvrir et avait continué à copier ses pages, l'esprit brûlé par la curiosité. Il était arrivé à la conclusion que cette lettre, soit n'avait aucun intérêt, soit recelait une nouvelle de la plus haute importance ; et à cette idée il avait senti son cœur se serrer. Il avait eu besoin de cette marche vers le pont et de ces quelques instants de répit avant de pouvoir l'ouvrir.

Il déchira précautionneusement un des côtés de l'enveloppe et vit apparaître l'écriture familière d'Isabelle. Mais à ses feuillets était jointe une autre enveloppe d'un format plus réduit. L'écriture qui couvrait cette dernière ne lui était pas inconnue, il lui semblait la reconnaître parfaite-

350

ment. Hélas ; en la regardant d'un peu plus près, en approchant l'enveloppe de son nez, il dut se rendre à l'évidence : ce n'était pas son écriture, ce n'était pas son parfum, ce n'était pas elle. Le mot était de Mme Ingram... Pourquoi diable lui écrivait-elle ? Cette lettre n'avait décidément aucune importance.

Il la mit donc de côté et lut la lettre d'Isabelle, en post-scriptum elle mentionnait l'autre lettre : elle l'avait reçue la veille du jour où elle avait écrit la sienne et l'avait donc jointe à son envoi.

Ransom relut les pages d'Isabelle, et une fois encore se replongea dans son habituelle méditation. Le rite accompli, il changea une nouvelle fois de banc pour s'installer au soleil, et après un moment d'hésitation ouvrit la lettre de Mme Ingram.

Elle était datée du 8 août et ainsi rédigée :

Cher Monsieur Ransom,

J'ai été injuste envers vous. Je vous ai trahi, j'ai trahi Carrie, et surtout je me suis trahie moi-même.

Je veux réparer ces torts avant qu'il ne soit trop tard. Je ne fais pas cela pour moi, pas même vraiment pour vous, quoique j'aie une dette envers vous. Je le fais pour elle, elle qui jamais ne pourra me pardonner tout le tort que je lui ai fait.

J'ai un témoignage à donner qui non seulement apportera la preuve de sa culpabilité dans le meurtre pour lequel il a été acquitté, mais qui révèle également l'existence d'un complot dans lequel je suis moi-même impliquée, visant à assassiner Carrie et à s'emparer de tous ses biens.

Pour cela, j'ai besoin de votre assistance. Je ne peux m'adresser à personne d'autre. Tous sont ses créatures et ses complices. Vous seul n'en êtes pas, ne pourriez jamais en être.

Je sais que vous avez quitté Center City et que vous vivez quelque part dans l'Est. Je vous écrit à la pension, en sachant que la bonne Augusta Page fera suivre votre courrier. Je souhaite ardemment que cette lettre vous parvienne. Je suis sûre que vous reviendrez la délivrer et nous délivrer tous, si Dieu le veut, de ce Lucifer lâché parmi nous.

Je suis prête à vous rencontrer au jour et à l'heure que vous voudrez, mais seulement dans le cabinet du Dr Mur-

351

cott ; j'ai peur que mes mouvements ne soient étroitement surveillés.

Je vous supplie de ne point tarder. Sa vie est toujours en danger. J'espère que vous ne me refuserez pas cette possibilité de racheter mes fautes. Quant à Carrie, sa vie est entre vos mains.

HARRIET INGRAM.

Etait-ce une plaisanterie ? Une monstrueuse plaisanterie, montée de toutes pièces par Dinsmore ou une de ses créatures ?

Ransom relut la lettre. A mesure qu'il parcourait les lignes, le portrait de cette femme grande et maigre, avec ses tresses blondes et ses gros yeux globuleux, lui revenait à la mémoire. Mais il s'agissait d'une image d'elle bien particulière, qu'il avait oubliée. Ce n'était pas la gouvernante active de la rue Montante, ni même le témoin qui, si inexplicablement, s'était acharné contre Carrie. Non, c'était la femme déroutante, énigmatique, qui, il y avait si longtemps, en une fin de matinée torride d'été, était montée le voir, inopinément, dans son bureau, à la pension. Et il la revoyait, assise sur le bord de sa chaise, droite comme un i, son chapeau de feutre perché sur le haut du crâne, ses yeux sans cesse en mouvement et son horrible voix suraiguë. Elle l'avait déjà mené une fois au bord de la folie, nul doute qu'elle n'essayât encore une fois de le bafouer, de le perdre. Vieille fille desséchée, vieille ruine, sorcière hypocrite ! Elle le haïssait depuis toujours. Non merci, s'écria-t-il ; très peu pour moi !

Sa colère s'envola à la troisième relecture. Il relut le passage dévoilant le complot. Quoi ? Mme Ingram et Dinsmore ? Et le plan n'avait pas encore réussi ? Pourquoi ? Avait-elle reculé au dernier moment ? Et Dinsmore avait-il un tel besoin de son aide pour mettre son projet à exécution ? Elle disait que la vie de Carrie était toujours en danger. Comment ? Pourquoi ? Et pourquoi, elle, la future meurtrière, lui demandait-elle de l'aider pour sauver sa propre victime ?

Quelle absurdité !

Non.

Un frisson de peur le secoua. Un de ces frissons qui vous parcourent l'échine par n'importe quel temps et qui

352

font dire aux gens superstitieux : « Quelque part, en ce moment, quelqu'un creuse ta tombe. »

De nouveau, il sentit la colère monter en lui ; si ce n'était pas une plaisanterie, pourquoi vouloir l'entraîner de force dans cette galère ? D'autres que lui feraient aussi bien l'affaire. Elle avait beau dire le contraire, tout cela ne le regardait plus. Il vivait ici, et non là-bas. Carrie Lane était la femme de Dinsmore, pas la sienne. Elle n'avait jamais été sa femme, une nuit, que pour le replonger aussitôt dans les affres de Tantale. Désormais, c'était l'affaire de Dinsmore. Ou celle de Dietz, ou du nouveau juge, ou même de Murcott, mais plus de Ransom. Il écrirait à l'un d'eux, à ce nouveau juge, par exemple. C'était à eux de débrouiller cette affaire. A eux de voir si ce témoignage était digne de foi. Eût-il voulu s'en mêler d'ailleurs, qu'il ne l'aurait pas pu. Il n'était plus procureur, et n'entendait pas le redevenir.

Sa décision était prise. De retour chez lui, il écrivit une courte note à l'intention du nouveau juge du comté, il y joignit la lettre de Mme Ingram et posta rapidement la lourde enveloppe qui maintenant lui brûlait les doigts.

Les jours suivants, il s'efforça de chasser cette histoire de son esprit. En vain. Il avait beau se dire que cette lettre était l'œuvre d'une folle, d'une hystérique, il ne parvenait pas tout à fait à y croire. Au contraire, il regrettait souvent que Mme Ingram ne lui eût pas donné plus de détails ; qu'elle l'eût trompé, lui et Carrie, était évident, mais que voulait-elle dire par « se trahir elle-même » ? Et cette histoire de complot ? Qu'y avait-il de vrai dans tout cela ? L'avait-elle inventé dans le seul but de le faire revenir à Center City ?

A quelques jour de là, une nouvelle surprise l'attendait ; une longue enveloppe brune posée sur son bureau, barrée dans toute la longueur par l'en-tête en gros caractère de la compagnie des télégraphes. Tout le monde autour de lui interrompit son travail, les plumes cessèrent de courir sur le papier et un lourd silence s'installa dans la pièce. Mais, lui, sans prêter aucune attention au télégramme, ouvrit son premier dossier ; lentement, les autres rédacteurs retournèrent à leur travail. Une minute plus tard, une voix de stentor rompit le silence du bureau : « Quelqu'un est mort, certainement » ; c'était Barnabé, un vieil employé de la maison. Il n'en fallait pas davantage à Ransom qui ouvrit immédiatement l'enveloppe.

Le télégramme avait été envoyé le matin même de Lincoln par le juge Jackson et était éloquent dans sa concision même :

LA FEMME NE PARLERA QU'A VOUS STOP VOUS ÊTES PRIÉ DE REVENIR STOP VOUS ÊTES RÉINTÉGRÉ STOP CABLEZ SI BESOIN ARGENT POUR VOYAGE STOP.

Ransom posa le télégramme sur le bureau et se mit à le relire. Puis il leva la tête et jeta un regard autour de lui. Ils avaient de nouveau abandonné leur travail et attendaient avidement des nouvelles. Même Hugh Jerome avait remarqué qu'il se passait quelque chose, à travers la vitre qui lui permettait de toujours garder un œil sur ses rédacteurs. Il s'avança dans le bureau : « Que se passe-t-il ici ? Allez-vous interrompre votre travail toutes les cinq minutes ? »

M. Jerome coula un regard soupçonneux vers le vieil employé. Etait-ce lui le meneur de cette mutinerie ? mais il aperçut aussitôt le télégramme dans les mains de Ransom.

Les autres avaient piqué du nez sur leurs papiers mais Ransom, sans bouger de sa place tendit le télégramme à M. Jerome. Ce dernier émit un vague grognement et après l'avoir lu, le rendit à Ransom en lui enjoignant de terminer son travail de la journée, puis il retourna dans son bureau. Le soir, alors que tous les employés, les uns après les autres quittaient le bureau, le vieux rédacteur qui avait rompu le silence le matin, s'approcha de lui et d'une voix sombre lui demanda s'il avait appris la mort de quelqu'un.

« Non, répondit Ransom, je suis rappelé là-bas. »

Il avait télégraphié à Augusta Page pour lui dire qu'il avait quelques jours de congé et qu'il viendrait les passer chez elle.

Personne ne l'attendait à la gare, c'était mieux ainsi, il préférait ne pas attirer l'attention. Une ligne d'autobus à trolley avait été installée au départ de la gare, et elle passait juste devant la pension Page ; son sac à la main, il grimpa dans une des voiture. Dans le reflet de la vitre, il observa les autres passagers ; deux jeunes filles qu'il ne connaissait pas minaudaient auprès du jeune conducteur souriant.

Depuis son départ, Center City avait bien changé, les nouveaux trottoirs, cette voiture à trolley, et enfin les cinq ou six automobiles, de différentes tailles, qu'il avait déjà aperçus. Mais par-dessus tout, se dressaient maintenant au nord de la gare deux énormes silos à grains peints en noir sur lesquels se détachaient en lettres géantes GRAINETERIES LANE S.R.L. Avant d'atteindre la ville, la voie ferrée les longeait quelque temps ; de la plate-forme du train, on aurait dit deux sentinelles impassibles, encadrant la colline et défendant l'entrée de la ville, comme deux cerbères aux portes de l'enfer.

Tout était calme, lorsqu'il arriva, au milieu de l'aprèsmidi ; Mme Page était sortie faire des courses, le Dr Murcott était en consultation et aucun des autres pensionnaires n'était présent. Isabelle — qui comme elle le lui expliqua ne travaillait plus à plein temps au magasin de Mme Brennan — lui ouvrit la porte et lui sauta littéralement au cou pour lui planter deux gros baisers sur les joues. Devant son air sérieux, elle se reprit aussitôt, et le conduisit à son ancienne chambre au deuxième étage. Il protesta, ne voulant à aucun prix chasser un autre pensionnaire, mais elle le rassura, la chambre n'était pas louée, il ne chassait personne. Elle proposa de lui servir le thé en bas ou de le lui monter dans sa chambre, s'il préférait ; il devait mourir de faim.

En vérité il n'avait pas faim, mais il grignota quand même quelques petites galettes maison en prenant le thé. Isabelle ne lui demanda pas combien de temps il pensait rester ni pourquoi il était venu. Il était pâle, et semblait fatigué et soucieux ; mais bien qu'elle s'en rendît compte, elle rayonnait de plaisir.

Ransom lui savait gré à la fois de son tact et de l'intérêt qu'elle lui portait. Elle se leva de table, et tandis qu'elle se tournait à demi vers lui pour continuer à lui parler en épluchant ses légumes, il se prit à penser à la jeune fille merveilleuse qu'elle était alors, deux années auparavant. Le vieux Carr le savait bien, et l'avait répété jusque sur son lit de mort. Si seulement Ransom n'avait pas été lié avec Carrie Lane, s'il n'avait pas écouté Mme Ingram, s'il était demeuré tel qu'il avait toujours été, Isabelle serait restée à sa portée, et ne serait pas devenue ce qu'elle était à présent, une autre chance qu'il avait laissé passer, faute d'y avoir prêté attention quand il le fallait.

Le second membre de la famille qu'il rencontra fut Nate.

355

Il venait juste de rentrer de l'école, il avait beaucoup grandi, plus dégingandé encore qu'auparavant, il avait toujours le nez charnu et les bonnes joues de sa mère, et ses cheveux d'un noir profond renvoyaient des reflets bleutés. Nate se souvenait parfaitement de Ransom, mais se montra timide avec lui jusqu'à ce que leur ancienne relation eût été renouée, ce qui se produisit aussitôt lorsque Ransom lui demanda s'il accepterait encore de faire une course pour lui.

« Porter une lettre quelque part ?

— Il y aura une pièce pour toi, tu sais...

— Oh, je n'en veux pas. Je vous la porterai. Où ça ?

— Rue Montante, tu y es déjà allé. Chez Mme Ingram. »

Le frère et la sœur échangèrent un regard rapide.

« Ils n'acceptent plus nos lettres, dit Nate.

— Elle acceptera celle-ci », déclara Ransom, et sans plus d'explications il monta chez lui rédiger son mot. Point n'était besoin de se rencontrer dans le cabinet du Dr Murcott lui écrivit-il ; son propre bureau ferait parfaitement l'affaire. Il fixa le rendez-vous au lendemain après-midi lorsque les obligations ménagères de la gouvernante seraient terminées. Il confia ensuite la missive au jeune garçon et s'assit à son bureau, laissant son regard errer sur la colline jusqu'à ce que la cloche du dîner le tirât de sa rêverie.

Les choses se passèrent plus facilement que prévu. Seule la famille proche, le vieux Floyd et le Dr Murcott étaient présents. Les autres pensionnaires étaient allés dîner à l'hôtel Lane ce soir-là. Ils n'étaient que deux, d'ailleurs : la pension était restée associée au nom de Ransom, et, comme Ransom lui-même, on l'évitait.

A table, tout le monde fut charmant. Ransom et Murcott se réconcilièrent d'emblée, et le vieux Floyd y alla de ses histoires interminables, interrompu seulement par les tousso- tements et les regards sévères que lui lançait Mme Page. Le vieil homme et le jeune garçon sortirent se promener après le dîner tandis que les autres montaient au fumoir au deuxième étage, où l'on avait dressé une table pour le whist. Ransom, épuisé par son voyage, se retira très tôt dans sa chambre. Elle lui parut moins familière qu'il ne l'aurait souhaité.

La journée du lendemain se passa sans événement notable jusqu'à l'heure du déjeuner. Il eut une conversa- tion avec Amasa, et son ami lui confirma ce que certains correspondants lui avaient déjà appris. Ransom ne parla pas des véritables raisons de son retour ; tout le monde devait croire qu'il était simplement en vacances. Il écouterait ce qu'Harriet Ingram avait à lui dire. Il l'amènerait à témoigner devant ce nouveau juge, Jackson ; ils rouvriraient le dossier, et trouveraient bien quelqu'un de confiance pour engager les poursuites. Cette femme allait lui donner le dernier morceau du puzzle : il ne tenait qu'à lui, maintenant, de le voir totalement reconstitué.

Lorsque Harriet Ingram se fut assise dans son bureau, il dut reconnaître qu'une fois encore il s'était trompé. Il s'attendait à trouver une femme au bord de la folie, soupçonneuse, montée contre lui, sifflant entre ses dents comme lors de leur précédente rencontre ; il s'attendait même à trouver d'autres traits d'une folie grandissante.

Au lieu de cela, il découvrit une femme réservée, apaisée, empreinte de ce calme qu'il connaissait si bien, le calme de ceux qui ont connu un désespoir profond. Elle était vêtue de couleur sombre ; une voilette brune descendant de son grand chapeau lui couvrait tout le visage et dissimulait ses traits. De près, cependant, il parvint à distinguer ses joues amaigries et ses yeux rougis comme si elle avait trop pleuré.

« C'est très aimable à vous d'être venu de si loin, dit-elle alors qu'il l'invitait à s'asseoir.

— J'avais quelques autres affaires à régler à Center City », mentit Ransom.

Humblement, elle lui répondit que c'était bien aimable à lui de la recevoir. Ransom ne releva pas sa dernière repartie et l'invita à parler quand elle le désirerait. Ils restèrent sans mot dire pendant un long moment.

« Je suis sûre que vous me croyez folle, commença-t-elle en hésitant, mais je peux vous assurer qu'il n'en est rien. Je l'ai parfois été, c'est vrai, ou j'étais si près de la folie que cela revenait au même, mais maintenant, non. »

Elle le fixait intensément. Lui, écoutait sans répondre.

« Je n'ai pas menti, à la barre des témoins dit-elle brusquement ; je veux dire à propos de lui et d'elle.

— Je sais.

— Je pensais qu'en le disant vous auriez arrêté le procès, que d'une manière ou d'une autre vous y auriez mis fin. Je ne voulais pas le voir se terminer. Frederick aurait pu... aurait pu mourir.

« J'étais jalouse, dit-elle rapidement ; maintenant je l'admets. Jamais je n'avais connu la jalousie avant de rencontrer Frederick. Avant qu'il arrive à la maison, elle, je l'adorais. Vous ne pouvez pas savoir combien je l'adorais. Si Henry Lane était comme un père pour elle, moi j'essayais d'être une mère, une sœur, une vieille amie. Mais il est arrivé, et tout a changé. Dès le début, j'ai vu qu'il jetait sur elle un de ces regards dont vous les hommes avez le secret. Et j'ai commencé à la haïr, à l'envier. Pas seulement pour ce qu'elle était mais parce qu'en plus, elle allait avoir Frederick. »

Ransom écoutait, le passé avait brusquement fait irruption dans son bureau comme un grand oiseau de proie agitant ses ailes dans cet espace restreint. Pourquoi devait-il écouter tout cela ? Encore, et toujours. Mais il garda le silence et lorsqu'elle eut fini de parler il lui demanda :

« Est-ce à ce moment-là que vous avez décidé de la tuer ?

— Non, plus tard.

— Continuez, dit-il, bien qu'il n'eût rien voulu savoir de tout cela.

— Que comptez-vous faire ?

— Cela dépend, si votre témoignage est suffisant pour faire ouvrir le dossier...

— Bien sûr qu'il est suffisant, j'en suis sûre.

— Dans ce cas, le juge Jackson ordonnera un nouveau procès.

— Le connaissez-vous ? Avez-vous confiance en lui ?

— C'est un homme de confiance, n'ayez crainte.

— Il y aura un nouveau procès, n'est-ce pas ?

— Le juge en décidera, ce n'est pas moi qui m'en occuperai.

— Pourquoi ? C'est à vous de le faire !

— Je ne suis plus le procureur de ce comté, je ne peux pas.

— Alors comment espérez-vous vous refaire un nom, une réputation ?

— Ecoutez, madame, la question n'est pas là, ceci est mon affaire. En attendant, je vous demande de me faire part de ce que vous savez, et je puis vous assurer qu'un procureur de Lincoln sera commis sur cette affaire. Je me charge personnellement de lui transmettre le dossier, et je m'assurerai qu'il n'ait aucun lien avec Dinsmore !

— Vous me méprisez, n'est-ce pas ?

— Absolument pas. Je voudrais seulement que vous me disiez...

— Vous ne m'avez encore rien demandé à son sujet. Je

pensais que c'était la première chose que vous auriez voulu savoir. Vous ne l'aimez plus ? »

Décidément, cette femme l'exaspérait toujours autant.

« Eh bien, si vous avez envie de m'en parler, allez-y !

— C'est horrible, épouvantable. » Elle sifflait entre ses dents. « Il l'a envoyée au ranch, et m'a interdit de la voir. Une fois pourtant j'y suis allée, malgré lui. J'aurais mieux fait de ne pas y aller. Elle prend de nouveau ses gouttes. Beaucoup trop. Elle a l'air absente. Je ne sais pas ce qu'il a dit à cette Allemande, probablement qu'elle est folle et qu'il faut la surveiller de très près. En tout cas, elle ne la quitte pas d'une semelle, même dans sa chambre. »

Ransom n'avait plus qu'un désir, la voir partir. Le passé envahissait le bureau, l'enveloppait, l'étouffait.

« Je suis vraiment désolé d'apprendre tout ça, dit-il.

— Irez-vous la voir ?

— Je ne pense pas.

— Oh, c'est de ma faute, c'est de ma faute si elle vous a repoussé. Tout ce qui est arrivé est de ma faute. Mais vous savez, j'aimais tellement Frederick, et j'avais si peur de vous voir le condamner à la potence.

— Madame, il faut bien vous dire que si vous apportez votre témoignage, il sera vraisemblablement pendu. Vous le savez, n'est-ce pas ? »

Elle restait silencieuse ; au bout de quelques instants, elle baissa la tête et dit faiblement : « Oui, je le sais.

— Eh bien, puisque c'est clair, vous pourriez peut-être commencer ? »

L'histoire qu'elle se mit à raconter au cours de l'heure et demie qui suivit n'avait rien d'un conte pour enfants et pas un instant elle ne chercha à en adoucir les traits. Elle était tellement décidée à ne rien cacher de ses turpitudes, de ses fautes et de ses erreurs, qu'elle n'eut jamais un seul moment d'hésitation. Pendant l'entretien, pas une seule fois elle ne regarda Ransom dans les yeux, son regard resta invariablement fixé sur une tache du grand buvard posé sur le bureau. Cela l'arrangeait d'ailleurs, il pouvait ainsi l'observer tout à son aise, ou détourner les yeux, regarder par la fenêtre, laisser errer son regard tout autour du bureau, et tenter d'échapper de la sorte au passé qu'il sentait rôder autour de lui, prêt à le submerger.

Pourquoi éprouvait-elle le besoin de se confier à lui ? Pourquoi tout le monde le considérait-il comme le confesseur irremplaçable, le dépositaire de tous leurs vices, de tous leurs secrets, de toutes leurs bassesses ? Il sentait l'exaspération monter en lui. Après tout, que lui importaient cette femme et ses passions ridicules ?

Peut-être fallait-il chercher une explication dans la passion elle-même ? Tandis qu'elle parlait, il se souvint que lui aussi avait connu l'amour et que, comme elle, il avait été brutalement rejeté. Ce qui rendait leurs deux destins si pathétiques, c'était que deux personnes d'âge mûr eussent succombé à cette flamme dévorante qui passe pour être l'apanage de la jeunesse.

Harriet Ingram n'était pas de la partie, lorsque Henry Lane avait amené Frederick Dinsmore à dîner pour la première fois. Elle n'avait pas préparé le repas et n'avait pas non plus servi à table. On remarque rarement les domestiques dans une maison ; eux, au contraire, voient tout, savent tout. Elle avait aperçu le dentiste, ce soir-là, et avait été immédiatement subjuguée. Elle avait également deviné son attirance pour Carrie Lane. Mais elle pensait suffisamment connaître sa maîtresse pour n'avoir à craindre aucune concurrence. La suite lui avait prouvé cruellement combien elle se trompait.

Elle en vint alors à relater les menus événements qui finirent par attirer sur elle l'attention de Dinsmore. La réaction de l'homme fut à la fois moqueuse et galante, expliqua-t-elle. Il était visiblement intrigué. Lors de sa quatrième visite chez les Lane, ils convinrent de se revoir le soir même. Après avoir quitté la maison par la porte principale, il revint par celle de la cuisine, et ils passèrent ainsi leur première nuit ensemble.

Mme Ingram se montra plus réservée sur le chapitre de leurs relations sexuelles. Mais de toute évidence, Dinsmore lui inspirait une telle passion que le scélérat était sûr de la tenir en son pouvoir. Pendant longtemps il ne chercha jamais à la magnétiser. Lentement, par bribes, il la mit au courant de son plan pour s'emparer des entreprises de Lane, en éliminant d'abord M. Lane, puis Mme Lane ; le chemin serait long et difficile, elle devait s'armer de patience. A contrecœur elle s'y résigna. Puis elle sentit grandir en elle la haine de sa maîtresse, et se mit à attendre fébrilement le moment où elle pourrait enfin l'écarter et régner à sa place sur la maison de la rue Montante.

Il fallait agir de manière à n'éveiller aucun soupçon. Henry Lane se suiciderait, et Carrie également, après son mariage avec Dinsmore, à moins qu'il ne lui arrivât auparavant quelque regrettable accident.

Depuis que Henry Lane avait pris Mme Ingram à son service, il n'avait eu avec elle que des relations de maître à employée. Mais il la traitait très bien. C'était au cours des six derniers mois de son existence, seulement, qu'il avait commencé à se montrer particulièrement désagréable : lors de l'examen des comptes une fois par semaine, il s'entêtait à vouloir faire des économies parfaitement impossibles ; il l'accusait même de vol. Mais jamais, au grand jamais, elle n'avait souhaité le voir se balancer au bout d'une corde.

Et cependant elle se rendait compte que tout leur plan était bâti sur cette mort ; à la peur et à l'angoisse venait se mêler le plaisir de son prochain triomphe.

Lorsque Frederick vint s'installer à la maison, elle savait déjà qu'il tenait Carrie Lane, grâce à son pouvoir hypnotique. Mme Ingram décida de jouer son rôle de gouvernante, aussi longtemps qu'il le fallait pour la réalisation de leur plan. Mais elle commençait déjà à soupçonner fortement son amant. Il dormait en bas, près de sa chambre, et ils passaient souvent des nuits ensemble, mais souvent aussi il cherchait des excuses pour ne pas venir ; ce n'était que mensonges, elle le savait. Une fois, elle les surprit en train de « s'ébattre », selon ses propres termes, en plein jour, dans la chambre du haut. Lorsqu'elle lui fit part de sa découverte, il répondit qu'il était nécessaire d'assurer leur future mariage. Lorsqu'elle les découvrit de nouveau ensemble, une nuit, elle menaça de tout révéler.

Cette menace lui valut de connaître pour la première fois les effets de l'hypnose. Un jour, comme elle se rendait à l'office pour y chercher quelque chose, elle se retrouva brusquement à cent mètres de là, près du puits, sans savoir où elle était ni ce qu'elle faisait là. Par la suite, le jardinier des Mason lui raconta l'avoir vue courir en hurlant le long de la rue Grant ; on avait eu, lui dit-il, bien de la peine à la ramener chez elle ; ce jour-là, elle prit soudainement conscience de l'étendue du pouvoir infernal qu'il avait acquis sur elle.

Néanmoins, elle continuait à résister. Lorsque Dinsmore était fatigué de ses plaintes continuelles, fatigué de lui réexpliquer sans cesse leur plan, il s'emportait violemment ; dans ces moments-là, elle s'attendait au pire, il aurait pu l'amener à commettre contre elle-même les actes les plus irréparables. Par la suite, ses relations physiques avec Carrie Lane cessèrent et Mme Ingram et lui se réconcilièrent pour un temps.

La première de ces transes hypnotiques avait tellement effrayé Mme Ingram qu'elle avait été voir Ransom en cette torride journée de septembre, deux ans auparavant. Elle avait eu si peur, elle s'était sentie tellement coupable et tellement peu disposée à accomplir leurs desseins qu'elle avait mis Ransom sur la piste de son amant. Elle l'avait regretté par la suite. Mais heureusement, Dinsmore n'avait jamais rien su de cette visite. Il ne la magnétisait pratiquement plus, sauf lorsqu'il lui rappelait son devoir d'obéissance absolue. Le jour où Carrie Lane décida de témoigner, elle fut persuadée qu'elle et Dinsmore étaient perdus. Les plus noirs pressentiments l'agitèrent le soir où sa maîtresse ne revint pas de chez les Dietz. Mais ce fut pire encore le lendemain matin, lorsque Carrie Lane annonça son départ de Center City. Ç'avait été effroyable, Mme Ingram avait envoyé un message à Dinsmore, mais celui-ci restait introuvable ; il ne l'avait reçu qu'après que Ransom et Carrie se furent évanouis dans la tempête.

Lorsque le procès débuta, Mme Ingram tremblait surtout pour lui, et beaucoup moins pour elle-même. Ses efforts pour persuader sa maîtresse de ne pas aller témoigner avaient creusé entre elles un fossé qui n'avait jamais été comblé. Elle redoutait par-dessus tout que Ransom ne l'assignât à témoigner. Elle se savait incapable de mentir après avoir prêté serment, mais elle savait aussi qu'elle ne pourrait mentir en présence de Dinsmore.

Par bonheur, Ransom n'avait rien fait de tel. Elle avait déposé contre Carrie par désespoir, voyant déjà le nœud se resserrer autour du cou de Frederick.

Puis Ransom avait essayé de tuer Dinsmore. L'acquittement les avait sauvés.

Le départ de Ransom signifia la condamnation de Mme Lane. Elle le savait, elle en était comme fascinée. Elle n'avait rien fait pour s'opposer au mariage, mais ne supportait pas que Dinsmore fût auprès d'elle.

Pendant l'hiver, Mme Ingram crut que les événements allaient enfin se précipiter ; en fait, ce fut alors qu'elle commença à comprendre à quel point elle avait été bernée.

Dinsmore ne vivait plus en bas, et ses appartements du haut restaient la plupart du temps inoccupés, tandis qu'il se payait du bon temps avec les serveuses et les danseuses de l'hôtel Lane. Lorsqu'il lui arrivait de passer des nuits à la maison, sa porte restait obstinément fermée. Il ne lui adressait pratiquement plus la parole, la traitant comme un domestique, pis que Henry Lane l'avait jamais fait. Lorsqu'elle se plaignait à lui, il la suppliait d'être patiente, il ne pouvait décemment pas tuer sa femme, juste après l'avoir épousée.

Harriet Ingram se souvenait très bien du jour où elle avait acquis la conviction que jamais ce plan ne se réaliserait, que jamais Dinsmore ne ferait le moindre mal à Carrie. Un après-midi, la gouvernante se trouvait à l'étage et s'apprêtait à redescendre lorsqu'elle perçut des éclats de voix venant de la bibliothèque. Elle s'approcha de la chambre de Mme Dinsmore et s'arrêta près de la porte, clouée sur place par le spectacle qui s'offrait à elle : Frederick presque en larmes, aux genoux de sa femme, mendiant un peu d'affection. Elle le repoussait, en lui disant que de sa propre volonté jamais elle ne lui donnerait son cœur, si misérable que ce cœur pût paraître après tant d'inconstance. Qu'il prît tout le reste s'il le voulait ; il ne s'en était d'ailleurs pas privé auparavant. Dinsmore priait et suppliait. Il lui disait que tout cela, il l'avait fait pour elle, et personne d'autre. Carrie restait de marbre. Finalement, Dinsmore quitta la pièce, tremblant de rage, le visage livide. Lorsque Mme Ingram vint lui parler, deux minutes plus tard, il ne chercha nullement à taire la scène qui venait d'avoir lieu, ni même à s'expliquer. Il se mit à maudire Carrie ; elle ne fermerait plus jamais l'œil de la nuit jusqu'à ce qu'il eût atteint son but. Quant à Harriet, elle devait s'estimer heureuse d'être toujours en vie et d'avoir conservé son travail. C'était Carrie qu'il voulait, et personne d'autre. Certainement pas Mme Ingram. Quelque temps après, la gouvernante, remise de ses émotions, se rendit compte que les menaces de Dinsmore n'avaient pas été proférées en vain. Sa maîtresse souffrait de nouveau d'insomnie ; elle s'efforça de tenir bon des semaines durant, puis n'eut d'autre issue que de recourir de nouveau à ses maudites gouttes. Au bout de quelques mois, ne supportant plus de voir sa femme s'effondrer de la sorte, Dinsmore fit courir le bruit qu'elle était gravement malade et il l'envoya se reposer au ranch. Il avoua à Mme Ingram qu'il lui avait été impossible de l'hypnotiser à nouveau. Elle était trop sous l'emprise de la drogue pour que sa propre concentration pût avoir le moindre effet sur elle.

Ainsi, Carrie était hors de portée de Dinsmore. Mais un autre danger la menaçait : elle-même. L'Allemande gardait maintenant les gouttes soigneusement sous clé. Dinsmore et Mme Ingram avaient été les témoins horrifiés de l'usage que Carrie pouvait faire de cette drogue. Ils l'avaient surprise un jour portant la bouteille à ses lèvres. Depuis lors, ils craignaient tous deux qu'elle ne s'en servît pour mettre fin à ses jours.

Allez la voir, essayez de lui parler, suppliait Mme Ingram. Ransom avait eu tellement d'influence sur elle auparavant.

Il ne répondit pas. Il lui demanda seulement si c'était là tout son témoignage et si elle avait quelque chose à ajouter.

C'était tout. N'était-ce pas suffisant ? demanda-t-elle. Alors sans lui laisser le temps de recommencer à s'accuser de tous les péchés d'Israël, Ransom la reconduisit à la porte.

Assis à son bureau, il se mit à contempler pensivement le paysage qui s'étendait sous sa fenêtre. Que n'aurait-il donné, pour trouver lui aussi l'oubli dans la drogue !

Il lui fallut plus d'une heure pour réussir à mettre par écrit la déposition de Harriet Ingram. Ce n'était pas tant le fait d'écrire qui l'embarrassait que les sentiments complexes qu'il éprouvait à cet instant. Après cinq ou six faux départs, il poussa le dossier de côté et descendit pour le dîner.

Plus tard dans la soirée, il se remit au travail, mais sans entrain. Il s'efforça de se donner du cœur à l'ouvrage en songeant au long voyage qu'il avait accompli dans ce seul but. Mais il ne nourrissait guère d'illusions sur l'efficacité d'un tel témoignage. Malgré sa clarté, il ne suffisait probablement pas à faire rouvrir le dossier. Dinsmore s'était solidement enraciné dans le pays.

Le lendemain matin, en relisant le témoignage de Harriet Ingram, il prit la décision de mettre la machine en branle. Après le petit déjeuner, il se dirigea vers les bureaux du nouveau juge du comté, Thomas Jackson. En se rendant au palais de justice, Ransom sentit à nouveau monter en lui ce malaise diffus qu'il éprouvait depuis son retour à Center City : sa place n'était plus ici. Personne ne faisait attention à lui, ou bien les gens faisaient semblant de ne pas le reconnaître. Non que les rues fussent particulièrement animées à dix heures du matin, on ne croisait guère que des femmes en train de faire leur marché et des domestiques qu'on avait envoyés faire des courses. Mais il se sentait si loin de tout cela. Comme déjà mort, un fantôme invisible glissant au long des rues.

Il fut brusquement tiré de cet état à la vue d'Alvin Barker, qui lui ouvrit la porte ; le greffier, lui, le reconnaissait, et la surprise se lisait sur son visage. Mais il se remit rapidement, et serra vigoureusement la main de Ransom, tout en l'accablant de questions auxquelles l'ancien procureur ne pouvait éviter de répondre.

Enfin, Ransom put demander des nouvelles du juge Dietz.

« Il s'est retiré maintenant, on ne le voit plus guère en ville. La plupart du temps il reste à Plum Creek.

— J'irai probablement lui rendre une petite visite », mentit Ransom qui était bien décidé à n'en rien faire.

« Je suis venu voir le juge Jackson, est-il là ?

— Pas aujourd'hui, il est à Lincoln.

— Hum, j'ai l'impression qu'il se passe pas mal de choses à Lincoln, ces temps-ci.

— Certainement, monsieur, mais je ne saurais vous dire exactement de quoi il s'agit. De toute façon il sera de retour aujourd'hui. Ce soir au plus tard. Vous n'avez qu'à laisser votre dossier, je le lui remettrai au plus vite. »

Ransom s'enquit ensuite des affaires de Barker et de sa famille avant de prendre congé. Puis il chercha à retrouver le vieux Floyd, mais une de ses anciennes connaissances lui apprit qu'il travaillait maintenant comme chauffeur pour le nouveau garage public Lane. Ainsi la conduite automobile venait s'ajouter aux nombreux talents du vieux bavard.

Cette dernière nouvelle acheva d'accabler Ransom. Il lui semblait que tout le monde dans cette ville travaillait pour Dinsmore, ou tout au moins avait partie liée avec lui. Il n'était guère étonnant qu'il s'y sentît étranger. Lui seul n'aurait jamais pu s'y résoudre, lui et peut-être... Carrie. D'avoir parlé de Floyd et du garage Lane lui rappela Golden qui devait toujours se trouver aux écuries publiques ; depuis son départ, c'était Amasa Murcott qui le montait. Il eut brusquement envie de revoir son cheval.

Les palefreniers (les mêmes que l'année précédente) se souvenaient parfaitement de lui. Tandis qu'il discutait avec eux, le cheval sortit la tête pour se faire caresser, fourra ses naseaux contre l'épaule de Ransom et repoussa son chapeau en arrière comme il avait l'habitude de le faire auparavant.

« On dirait un bon gros vieux canasson maintenant, dit Ransom.

— C'est que le docteur ne le monte pas souvent, répliqua un des palefreniers, certainement dix fois moins que vous. »

En caressant la tête du cheval l'envie lui prit de faire un tour.

« Pas de problème, monsieur. Je vous le selle immédiatement. »

Arrivé au bout de la rue Williams, Ransom hésita. Il laissa les rênes longues à Golden ; le cheval se dirigea vers la rue Montante ; fallait-il la remonter, ou s'en aller vers le sud ? Pousser jusqu'à Plum Creek et rendre visite à Carl et Lavinia Dietz n'aurait guère été raisonnable. Et si Murcott avait eu besoin de Golden pour une urgence ? Mais sa monture se chargea de prendre une décision pour lui ; impatient de s'éloigner de la ville, Golden se mit à renâcler bruyamment et tourna à gauche en direction de la colline. Après tout, pour sortir de la ville ce chemin est aussi court qu'un autre, se dit Ransom, il ajusta ses rênes et prit la direction du nord.

Comme à son habitude, il laissa son cheval prendre les allures qu'il voulait. Aujourd'hui, Golden semblait avoir besoin d'exercice, et, en quelques instants, ils se retrouvèrent si loin de Center City que Ransom ne parvenait plus à distinguer que les toits sur pignons des deux sombres silos : le legs de Dinsmore, sa marque indélébile sur la cité.

Quelques minutes plus tard il avait atteint le chemin qui menait au ranch des Lane. Ses doigts ne devaient guère serrer les rênes, car Golden descendit immédiatement en direction de la propriété.

« Holà ! Doucement ! On ne va pas par là. »

Bien qu'ayant arrêté Golden, il hésita avant de reprendre le vieux chemin de poste. Peut-être y pensait-il depuis le début — sans que cela eût vraiment affleuré à sa conscience — alors qu'il se trouvait aux écuries. Non. Il ne voulait pas la voir. Surtout pas dans l'état dans lequel elle devait se trouver, à en croire la description de Harriet Ingram. Une nouvelle fois Golden trancha, et s'engagea doucement dans le chemin qui descendait au ranch.

« Bon, mais juste pour jeter un coup d'œil aux alentours. »

Dans les circonstances présentes, il ne tenait pas à pousser jusqu'à la maison. Il resterait à distance pour regarder.

366

Arrivé en vue du ranch, Ransom s'arrêta. Apparemment rien n'avait changé. Les portes et les fenêtres étaient fermées. Pas âme qui vive. La bâtisse semblait aussi déserte que lorsqu'il y était venu la première fois, il y avait si longtemps. Seule, la luxuriance du jardin potager témoignait du temps écoulé. L'été avait été frais et pluvieux pour une fois, et le petit carré de verdure semblait une minuscule oasis dans ce désert.

L'Allemande devait bien être quelque part. Et s'il allait la trouver ? Seulement pour la saluer et lui demander des nouvelles de sa malade... Il poussa son cheval vers le ranch, s'attendant à chaque instant à voir surgir quelqu'un. Mais personne n'apparut. Personne non plus ne répondit lorsqu'il frappa à la porte d'entrée. Il contourna lentement la maison, espérant tout à la fois ne pas être vu et éveiller l'attention de quelqu'un. Avaient-ils déserté cet endroit ? Etaient-ils partis ailleurs ? Dans ce cas, leur départ ne remontait guère à plus d'un jour ou deux, le jardin en faisait foi.

Lorsqu'il se retrouva de nouveau devant la façade, il avança vers l'entrée et tenta de faire jouer la poignée de la porte. A sa grande surprise, elle s'ouvrit ; il hésita quelques instants sur le seuil, s'efforçant de scruter la pénombre. Il se décida enfin, et s'introduisit dans la pièce. Et si Carrie, trompant la vigilance de la gouvernante, avait réussi à s'emparer de la drogue ? Peut-être était-elle en train d'agoniser quelque part ? Peut-être même était-elle déjà morte ? Abandonnée par sa gouvernante épouvantée... Et si... ? Il y eut un bruit.

Ransom se dirigea aussitôt vers l'endroit d'où provenait le bruit : la cuisine ; il ne l'avait pas encore atteinte, qu'il entendit la porte se fermer et qu'il eut juste le temps d'entrevoir une silhouette fugitive à travers la fenêtre. Il se précipita sur la porte de la cuisine, mais elle avait été fermée de l'extérieur. Il s'efforça alors d'identifier la silhouette qui s'éloignait en courant mais n'y parvint pas ; il lui fallut donc rejoindre la porte d'entrée.

La lumière du jour l'aveugla, et il dut cligner des yeux quelques instants avant de s'y réhabituer. Il jeta un regard aux alentours. Personne, rien. Pas un bruit. Rien n'avait bougé. Peut-être son imagination lui avait-elle joué un tour. Il n'en fit pas moins une nouvelle fois le tour de la maison, sans rien remarquer d'anormal, avant de se remettre en selle.

Il espérait que rien de grave n'était arrivé à Carrie. Elle avait dû se rendre en ville avec sa gouvernante. Elles étaient probablement allées à Lincoln voir un médecin. Finalement, cela valait peut-être mieux. Il ne désirait pas réellement la rencontrer, songeait-il en s'éloignant du ranch au petit galop. Il était sur le point de rejoindre le chemin de poste lorsque quelque chose attira son attention : un morceau de dentelle qui était resté accroché aux branches d'un buisson brûlé par la foudre. Cette dentelle avait un jour orné la robe d'une femme. Il s'arrêta, et perçut distinctement le craquement sec d'une branche à quelque pas de lui. Golden l'entendit également et se mit à renâcler. L'intrus avait-il perdu cette dentelle dans sa fuite ? Ransom ne l'aurait-il pas dérangé en plein cambriolage ? Voilà qui expliquerait pourquoi la porte d'entrée était restée ouverte... Il descendit de cheval, attacha Golden à une branche d'arbre et s'enfonça dans les buissons. En quelques minutes, il acquit la conviction que personne ne se cachait dans les fourrés. Il remonta en selle se demandant si, une fois encore, il n'avait pas été le jouet de son imagination. Le visage tourné en arrière, Ransom laissa son regard errer sur le ranch et ses dépendances. Au bout d'un moment, Golden manifesta son impatience en tirant sur ses rênes, puis, de lui-même, prit le chemin du retour. Ransom, incapable de s'arracher à l'étrange anxiété qui s'était emparé de lui, laissa faire son cheval. Il lui fallut quelques instants avant de se rendre compte que Golden s'était de nouveau arrêté.

Une femme se tenait sur la route, lui barrant le passage. Décharnée, livide, l'air hagard, les yeux profondément enfoncés dans les orbites, tel un fantôme tout droit sorti de l'enfer. Sa robe flottait sur ses épaules, laissant deviner une maigreur effrayante. Une tache plus claire sur le tissu indiquait l'emplacement de la dentelle que Ransom tenait encore à la main. Il regarda tour à tour la femme et le morceau de tissu, puis un rayon de soleil lui renvoya l'espace d'un instant le chaud reflet cuivré de sa chevelure.

C'était elle ! Carrie !

« Il n'y a pas si longtemps, monsieur, vous seriez resté là des heures à m'attendre. » Sa voix était rauque et cassée, comme celle d'une très vieille femme. « Aujourd'hui vous n'avez plus de temps à perdre, et c'est tout juste si vous me reconnaissez. » Ransom se raidit, figé de stupeur, il n'arrivait pas à croire que cette vieille sorcière, là devant lui pût être Carrie, sa Carrie chérie. Ses paroles lui parvinrent assourdies, comme irréelles, mais ce ton persifleur l'avait touché ; se sentant accusé injustement, il descendit de cheval et se dirigea vers elle.

« Restez où vous êtes », glapit-elle en reculant d'un pas.

Elle avait les lèvres presque bleues, et le visage translucide comme une vieille porcelaine chinoise. Ses os saillaient sous la peau, cette peau autrefois si chaude et si souple sous ses doigts. Elle se mit à vaciller légèrement mais étendit aussitôt la main pour l'empêcher d'avancer, avant de retrouver son équilibre.

« Vous ne voulez pas revenir à la maison ? » lui demanda-t-elle. Il était sûr maintenant de l'avoir tirée du lit. C'était sûrement elle qui s'était enfuie par la porte de la cuisine. Elle croyait probablement voir arriver Dinsmore.

« Ai-je donc l'air si pitoyable qu'il faille me traiter comme une infirme ? » demanda-t-elle, avec hauteur.

Il restait là, les bras ballants, incapable de lui répondre ; elle éclata d'un rire fêlé : « Eh bien, au moins je suis sûre que vous n'êtes pas un imposteur. Il n'y a que James Ransom pour être aussi empoté avec une femme. Soit, retournons à la maison si vous le désirez. J'étais sortie faire une petite promenade. Je me promène souvent ces temps-ci. Mais rarement du côté de la route. D'habitude, je vais plutôt dans les collines. » Et elle montra du doigt une série de petits coteaux passablement éloignés. « Mais je crois que vous avez raison. Il vaut mieux rentrer maintenant. Je me sens un peu fatiguée. Vous pouvez m'accompagner, monsieur, si vous le désirez. »

Il lui offrit sa monture, mais elle refusa, arguant du peu de chemin qui restait à parcourir. Elle se mit alors à descendre rapidement le sentier, suivie par Ransom tenant son cheval par la bride.

« Je... J'ai entendu dire que vous étiez venue ici », bégaya-t-il, maladroitement lorsqu'il eut réussi à la rejoindre.

« Vous vivez à New York, n'est-ce pas ? » lui demanda-t-elle sans paraître remarquer ses paroles. « La ville a dû changer depuis votre dernière visite. Il y a longtemps que moi, je n'y suis pas allée, au moins dix ans.

— Le pont vers Brooklyn est terminé maintenant. Il y a aussi un building de vingt-cinq étages, c'est Woolworth, la société des grands magasins, qui l'a fait construire.

Pourriez-vous marcher un peu moins vite, s'il vous plaît ? »

Elle s'arrêta et le regarda pensivement.

« Vingt-cinq étages, comme ça a dû changer. »

Elle sentit son regard posé sur elle avec insistance.

« Vous trouvez que moi aussi j'ai changé, n'est-ce pas ?

— Carrie... » commença-t-il, mais il préférait être franc. « Oui, vous avez beaucoup changé.

— Je vais vous confier un secret. Je sais que j'ai beaucoup changé, mais je n'en suis pas malheureuse, absolument pas malheureuse.

— Vous ne parlez pas sérieusement.

— Oh si, tout à fait sérieusement. Autrefois, j'étais séduisante et les hommes me faisaient des avances. Tout cela est fini, maintenant, plus personne ne me fait la cour, ni lui, ni vous. Et je vous avoue que j'en suis bien débarrassée. Jamais je n'ai désiré aucun de vous deux. Je n'ai aimé que Henry, il y a bien longtemps. A l'époque, je ne pensais pas que tout ça pouvait arriver ; ensuite, je n'ai plus aimé personne d'autre. »

Ses mots s'enfonçaient en lui comme autant de coups de poignard. Il se sentit blêmir. Mais ce n'était pas possible, elle ne pensait pas vraiment ce qu'elle disait. Elle était assommée par l'opium, la drogue l'avait rendue folle. Elle pouvait dire n'importe quoi, faire n'importe quoi.

« Où est Minna, l'Allemande ? demanda-t-il.

— Vous n'avez même pas écouté ce que je vous ai dit !

— Si, si, j'ai tout entendu. Ce qui ne veut pas dire que j'y croie. Vous n'êtes pas vous-même, vous ne pouvez pas être vous-même.

— Vous ne me croyez pas ? Ça ne m'étonne pas. D'ailleurs, comment le pourriez-vous ? » ajouta-t-elle mystérieusement. Elle se radoucit. « Moi-même ou pas, peu importe, je pense ce que je dis. Je me moque de ce que vous ou quiconque peut faire ou penser.

— Même Dinsmore ?

— Je m'en moque éperdument.

— Et pourtant il y a quelques instants, il vous importait, vous vous êtes quand même enfuie en croyant que c'était lui qui arrivait.

— C'est vous que je fuyais, de là où j'étais je vous ai vu arriver, je savais que ce n'était pas lui mais vous. »

Avait-elle réussi à trouver les gouttes ? En avait-elle pris plus qu'elle ne le devait ? Où était Minna ? Il fallait la trouver.

« Où est la cuisinière ? demanda-t-il une nouvelle fois.

— Je ne sais pas. Quelque part. Elle doit être avec son amoureux. » Elle se mit à rire. « Parce qu'elle a un amoureux, un type de Swedeville ou des environs, très gros et très grand. Et elle en est folle amoureuse. Pauvre fille. A son âge.

— Elle vous a abandonnée ?

— Et pourquoi pas ? Vous savez, quand elle est avec moi, sa conversation est plutôt limitée.

— Mais je pensais...

— Vous pensiez quoi, monsieur ? Qu'elle était ma gouvernante, ma gardienne ? Qui vous a dit ça ? Lui ? ou elle peut-être ? Oui, ce doit être Harriet. Je ne vous imagine pas discutant amicalement avec lui. Et... Que vous a-t-elle dit de plus ? »

Ils étaient arrivés devant la maison. Ransom était stupéfait de voir à quel point elle semblait lucide.

« Elle m'a dit que vous preniez des gouttes à nouveau. Qu'une fois, vous aviez essayé d'avaler une bouteille entière. Suffisamment pour en mourir. Et que Dinsmore ne pouvait plus vous aider, qu'il ne pouvait même plus vous hypnotiser.

— Et qu'on m'avait amenée ici pour que j'y meure ? » Il hésita.

« C'était sous-entendu, oui.

— Bien, très bien, dit-elle satisfaite. Il ne faut surtout pas les détromper, c'est exactement ce que j'avais prévu, ce que j'espérais. Mais ne parlez à personne de votre visite. C'est juré ? A personne ! »

Ransom promit qu'il n'en parlerait pas. Mais il n'en voyait guère la nécessité. Après tout, elle semblait avoir repris toute sa lucidité...

« Vous voulez dire que vous ne prenez plus de gouttes, demanda-t-il.

— Non, plus du tout.

— Mais... Dans ce cas, pourquoi jeter tout le monde dans l'inquiétude ?

— Que m'importe ce qu'ils pensent. Qu'ils soient effrayés ou non ? dit-elle, railleuse. J'ai pris du laudanum. J'en ai pris beaucoup. Tellement que j'ai cru en mourir, ou tout au moins ne plus pouvoir m'en passer. Jamais plus. Tellement, que la femme qui vous plaisait tant est devenue... eh bien, celle que vous avez devant vous. Mais c'était le prix à payer pour ma liberté. Comprenez-vous maintenant ce que je veux dire, monsieur ? »

Il commençait à comprendre, et il se sentait à la fois terrifié et fasciné. Elle avait cherché à se débarrasser de Dinsmore. Mais d'une manière si horrible, si désespérée, que délibérément elle avait repris du laudanum, en sachant parfaitement ce qui l'attendait, en sachant parfaitement que cette fois il lui fallait en reprendre beaucoup plus, jusqu'à frôler la mort, jusqu'à devenir cette créature atroce, ce fantôme décharné qu'il contemplait en ce moment, tout cela pour arriver à convaincre Dinsmore et Mme Ingram que tout était perdu, et que désormais personne ne pouvait plus l'aider.

« Seulement pour vous débarrasser de Dinsmore ? articula-t-il avec peine.

— De lui, d'elle. De vous tous. »

Il resta abasourdi. Elle avait fait preuve d'une force et d'un courage que peu d'hommes auraient montré.

« Mais comment se fait-il qu'il ne vous ait plus magnétisée ?

— C'était à peine s'il existait pour moi. Il n'était qu'une des mille et une visions que je rencontrais chaque jour dans le monde de drogue où je vivais. Et il était loin d'être la vision la plus horrible, croyez-moi, monsieur.

— Et maintenant vous n'avez plus besoin des gouttes ?

— Non, je n'en prends plus. Il y a maintenant un peu plus de deux mois de cela, Minna, une nuit, a emporté les quelques bouteilles qui restaient. Je ne sais pas où elle les a mises. A l'époque où on m'a amenée ici, j'étais tellement malade que je ne pouvais déjà plus en prendre. Cette expérience horrible est maintenant terminée. Dieu merci.

— C'est incroyable, dit-il, comme s'il réfléchissait à voix haute.

— Mais c'est ainsi, dit-elle tristement.

— Mais il peut encore vous magnétiser. C'est pour cela que vous continuez à vivre ici, n'est-ce pas ?

— Non, je continue à vivre ici pour rester loin de lui, loin d'elle, loin de Center City où j'ai tant souffert. Je ne sais pas s'il peut encore me magnétiser, mais je ne le crois pas. J'ai échappé à son pouvoir. Je ne pense plus jamais à lui ou aux autres, seulement à mes amis d'enfance. Je crois qu'il a définitivement perdu toute influence sur moi.

— Mais vous n'en êtes pas sûre ?

372

— Non, admit-elle, je n'en suis pas sûre.

— Et que se passerait-il s'il découvrait la vérité ?

— Il ne reviendra pas ici. Il ne pense plus à moi. Il m'a abandonnée pour de bon cette fois-ci. Comme vous l'avez fait d'ailleurs.

— Je ne vous ai pas abandonnée », répliqua-t-il vivement.

Mais elle l'interrompit.

« Disons que vous *deviez* le faire. Non, il a des affaires plus importantes à traiter maintenant. Il ne se soucie plus de moi. Il n'existe plus pour moi, pas plus que je n'existe pour lui. Voilà pourquoi il ne pourra plus jamais avoir d'influence sur moi. Quant à vous, James, c'est à peine si vous représentez encore quelque chose à mes yeux. »

Elle prononça ces mots sans dureté mais avec tristesse ; c'était la première fois aujourd'hui qu'elle l'appelait par son prénom. Il s'aperçut alors que ses yeux avaient perdu leur éclat doré. Ils semblaient ternes maintenant comme de vieilles pièces de monnaie, usées et polies d'être passées entre tant de mains au travers des âges.

« J'aimerais être aussi sûr que vous qu'il ne puisse plus vous faire de mal. De toute façon, je suis soulagé de vous voir en meilleure condition que je ne l'avais craint.

— Je vous sais gré de l'intérêt que vous me témoignez, dit-elle, mondaine. Et maintenant laissez-moi à ma vie ici. »

Elle se dirigea vers la maison.

« Carrie... me laisserez-vous une autre chance ?

— Non, retournez à New York. Vous m'avez vue. Je vais bien ou du moins je vais mieux. Vous n'avez plus rien à faire avec moi. Partez maintenant.

— Puis-je au moins revenir ?

— Non, je vous en prie. J'ai peur que cela n'éveille des soupçons. Souvenez-vous, ne parlez à personne de votre visite. C'est promis ? Ou tout cela aura été fait en vain. »

Elle hésita... « Combien de temps pensez-vous rester ici avant de retourner à New York ?

— Je ne sais pas exactement. Une semaine. Peut-être plus.

— Si je veux vous revoir, je vous ferai parvenir un message par l'amoureux de ma cuisinière. Si vous ne recevez rien, ne revenez pas ici. Adieu. »

Elle se glissa à l'intérieur et referma soigneusement la porte.

Ransom demeura quelques instants devant la maison puis il enfourcha Golden et s'éloigna lentement.

Il se sentait soulagé de savoir qu'elle ne prenait plus ses gouttes, qu'elle avait recouvré la santé, mais il était encore bouleversé par le récit qu'elle lui avait fait. Et pourtant, loin de les avoir rapprochés d'un de l'autre, ces terribles épreuves n'avaient fait qu'accentuer l'amertume de Carrie à son égard. Elle avait connu le désespoir et s'était délibérément détruite. Elle était maintenant dure et impitoyable. Avait-elle tort ? A ses yeux, il lui avait fait autant de mal que Dinsmore. N'avait-elle pas affirmé n'avoir aimé ni l'un ni l'autre ? Elle les rejetait tous les deux, en bloc, sans distinction. Elle n'avait aimé que Henry Lane. Pauvre Henry Lane. Il gisait six pieds sous terre maintenant, et elle, elle allait finir sa vie dans ce trou perdu. Mais pas malheureuse, lui avait-elle dit. Pas malheureuse, se répéta-t-il en éperonnant durement Golden. Pas malheureuse. (Il approchait maintenant de la ville.) Mais certainement pas libérée de l'influence de Dinsmore. Quoi qu'elle en dît.

Le lendemain matin, après le petit déjeuner, Ransom s'installa sous la véranda derrière la pension, tournant et retournant dans sa tête les événements de la veille. Il fut interrompu dans ses pensées par un petit coup frappé sur le carreau de la cuisine. Augusta Page cherchait à attirer son attention.

« Un visiteur », lui dit-elle.

Il n'avait aucune envie . d'être dérangé d'aussi bon matin.

« Qui est-ce ? demanda-t-il avec humeur.

— Il n'a pas voulu dire son nom. Voulez-vous que je lui demande à nouveau ?

— Non, non, j'irai moi-même. »

Le visiteur l'attendait, debout, dans le salon du rez-de-chaussée. Bien qu'il se tînt de dos, Ransom était sûr de ne pas le connaître. L'homme était de petite taille, corpulent, tout de noir vêtu comme un croque-mort, mis à part une paire de gants gris et un chapeau melon de même couleur. Il tapotait machinalement un journal posé sur l'ottomane avec le bec d'argent d'un long parapluie noir finement roulé. Il se retourna vivement lorsque Ransom entra. Il avait un visage rond orné d'une fine moustache noire, des joues larges, et ses yeux pétillaient derrière des lunettes octogo-

374

nales qu'il portait tout au bout d'un petit nez droit. On aurait dit un employé subalterne d'une quelconque grande maison de commerce de l'Est.

« Monsieur James Ransom ? » demanda-t-il doucement, d'une voix fluette même, encore qu'étonnamment autoritaire.

— Oui.

— Bien, bien », répondit le visiteur tout en se frappant légèrement le mollet avec son parapluie comme pour donner plus de poids à ses paroles. « Nous pourrions peut-être monter à votre bureau ?

— A mon bureau ?

— Mais oui, nous y serons certainement plus à l'aise pour discuter.

— Vous devez faire erreur. Je n'ai plus de cabinet dans cette ville.

— Je le sais. Je m'appelle Jackson. »

Et après ? se dit Ransom, qu'est-ce que ça pouvait bien changer ?

« Thomas Jackson, expliqua le petit homme. Nous avons eu une correspondance, monsieur Ransom. »

Ransom mit quelques secondes avant de comprendre.

« Le juge Jackson ?

— Chut. Pas si fort. Oui, c'est moi. Et maintenant sortons d'ici et allons discuter dans un endroit plus discret. »

Ransom s'excusa de n'avoir pas reconnu d'emblée le nom de son visiteur et le conduisit en haut. Ils s'installèrent confortablement ; le juge enleva son chapeau melon, découvrant une tonsure aussi parfaite que celle d'un franciscain.

« J'ai relu le témoignage de Mme Ingram hier soir. Qu'en pensez-vous ? commença le juge.

— J'estime qu'il jette une certaine lumière sur quelques détails et quelques personnages impliqués dans cette affaire.

— Hum... vous êtes prudent. Un véritable homme de loi. Plus précisément, monsieur, que pensez-vous de sa valeur ?

— Son témoignage me paraît manquer de consistance.

— C'est exactement mon avis, répondit le petit homme en plissant les yeux. Il n'y a pas grand-chose à en tirer, impossible de tenter une action d'envergure sur une telle base. Il m'aurait fallu pour cela en avoir connaissance depuis le début. »

Ainsi, pensa Ransom, l'affaire était entendue. Son voyage avait été inutile.

« Cela étant, poursuivit Jackson, il nous faut adopter un autre plan.

— Un autre plan ? demanda Ransom craignant d'avoir mal compris.

— Oui, pour nous débarrasser de Dinsmore, répondit Jackson d'une voix presque enjouée, voilà des mois que je ne cesse d'y penser... et puis j'ai lu en entier les minutes du procès de l'an dernier.

— Ah bon... et pourquoi ?

— Mais pour pouvoir nous débarrasser de Dinsmore, bien sûr. Ce type me tape vraiment sur le système, ajouta-t-il presque avec indignation. Ecoutez, j'ai un plan à vous proposer, il faut que nous en discutions. Je dois rester ici à Center City. J'ai été trop longtemps absent ces derniers temps ; je dois dire, à ma décharge, que, ce faisant, j'ai obtenu des informations de la première importance. Donc je resterai ici, et garderai un œil sur Dinsmore. Nous ne pouvons plus nous permettre de le perdre de vue. J'ai découvert un certain nombre de choses au cours de mes deux jours d'absence : Dinsmore a reçu deux personnes, des gens qui ne sont pas de la ville, qui ne sont même pas de l'Etat. L'un d'eux vient de San Francisco, l'autre de New York. Enfin, nos deux bonhommes sont chacun dans leur Etat des hommes d'affaires extrêmement puissants, des magnats de la finance internationale. Vous voyez ce qui se prépare, non ? Un cartel de dimension nationale, voire transcontinentale. Une firme gigantesque qui tout à la fois produirait, transporterait et vendrait. Il n'est pas possible de laisser faire une chose pareille. Nous ne pouvons pas lui laisser acquérir une telle puissance. Voilà pourquoi il nous faut agir le plus rapidement possible. D'abord, vous passerez à mon bureau au palais, puis vous prendrez l'omnibus de deux heures pour Lincoln et de là l'express pour Chicago. »

L'homme avait parlé avec tant d'assurance et avec tant de logique, malgré le caractère décousu de ses propos, que Ransom se demanda si à un moment donné il n'avait pas perdu le fil du discours.

« Pourquoi Chicago ? » demanda-t-il. Mais mille et une autres questions se pressaient dans sa tête.

— Parce que c'est là que le mandat va être émis.

— Vous voulez dire un mandat contre Dinsmore ?

— Bien sûr, de qui d'autre pourrait-il s'agir ? J'en ai

longuement parlé avec le gouverneur d'ici, et l'ordre d'extradition devrait être prêt d'ici un jour ou deux.

— Un ordre d'extradition ? Pour Dinsmore ?

— Mais oui, pour Dinsmore. Puisque le témoignage de Mme Ingram ne nous donne pas toutes les garanties, autant le refaire passer en jugement ailleurs que dans le Nebraska. » Un large sourire illuminait sa face comme si tout cela n'avait été qu'une bonne plaisanterie.

Ransom était stupéfait.

« Et ensuite ?

— Eh bien, une fois qu'il sera dans le Comté de Cook, il sera toujours possible de faire traîner les choses en longueur. Il peut rester bloqué là-bas pendant des mois. Je ne m'avancerai pas jusqu'à dire qu'il finira en prison, mais, avant que les autorités là-bas ne le relâchent, nous le ferons extrader une nouvelle fois vers le Nebraska, et ici, nous organiserons un procès basé sur le témoignage de Mme Ingram. A ce moment-là, il sera démoralisé. Ses alliés ici, sans chef, seront dispersés, sans cohésion, incapables de résister. Entre-temps le tribunal aura nommé un administrateur à la tête de la compagnie Lane ; son influence la plus directe sur Center City aura cessé pendant des mois, voire des années. Les gens d'ici l'auront presque oublié.

— Mais que va-t-il se passer si... »

Jackson l'interrompit avant qu'il n'ait pu terminer sa phrase.

« Vous m'avez fort bien écouté, monsieur Ransom, mais il me semble que l'essentiel vous a cependant échappé.

— Ah bon ? et... de quoi s'agit-il ?

— Si c'était moi qui l'année dernière avais présidé le tribunal à la place de Carl Dietz, je puis vous assurer qu'à l'heure actuelle, ce Dinsmore se trouverait six pieds sous terre. C'est un homme sans scrupules. Il n'a dû son acquittement qu'à l'intégrité de Dietz ; celui-ci était trop embarrassé de ses principes pour pouvoir se mesurer avec un tel rapace. Mais avec moi, Dinsmore a trouvé un adversaire à sa mesure. Je suis prêt à faire n'importe quoi, monsieur. Et je peux me le permettre avec les appuis que j'ai : Robertson Sloan, Willy Reese, le gouverneur et même — et ici il baissa la voix — même quelqu'un au cabinet présidentiel. Ils n'aiment pas Dinsmore en haut lieu, et moi non plus. Il précipite le progrès dans ce comté d'une manière qui n'a pas été prévue. Comme quelqu'un qui voudrait faire fleurir toute l'année en serre chaude une plante qui ne fleurit qu'une fois par an. Vous me pardonnerez cette comparaison, mais l'horticulture est ma passion. Comprenez-vous maintenant ? Avec cette extradition vers Chicago, nous mettons la mécanique en branle. Une fois qu'il est là-bas, nous sommes tranquilles, il est entre de bonnes mains. Et croyez-moi, ils prendront soin de lui. »

Ransom dut admettre que le plan était soigneusement conçu. Jackson lui expliqua en détail qui il devait voir à Lincoln, puis à Chicago, et comment reprendre contact avec lui au cas où un problème surgirait. Il insista pour que Ransom récapitulât l'ensemble par écrit et lui relût ses notes. Il attrapa ensuite son parapluie, coiffa son melon et se leva.

« Lorsque j'aurai en main l'ordre d'extradition, demanda Ransom, qui l'exécutera ?

— Un marshal de l'Illinois, bien sûr, mais je doute fort qu'ils vous en donnent plus d'un.

— Dinsmore serait bien capable de lui fausser compagnie.

— Mais il aura des menottes, que croyez-vous ?

— C'est loin d'être suffisant. Vous avez dû entendre parler de ses pouvoirs ?

— Dans ce cas, choisissez vous-même le marshal qui convient. Je vous laisse carte blanche. C'est vous qui l'accompagnerez jusqu'à Chicago. Choisissez bien votre homme et vous n'aurez pas de problèmes. Ecoutez, je vois qu'il est presque midi. Vous avez juste le temps d'aller prêter serment avant de partir pour Lincoln. Allons-y. Non. Finalement, je préfère passer d'abord ; rejoignez-moi là-bas dans... disons... cinq minutes.

— Une seconde... je n'ai pas besoin d'être assermenté pour faire le messager, n'est-ce pas ? »

Le petit homme sursauta :

« Vous avez reçu mon télégramme, non ?

— Oui, vous aviez dit réintégration. N'en parlons plus. Je veux seulement terminer cette affaire et retourner ensuite à New York.

— A votre emploi de clerc ?

— Cela ne regarde que moi.

— Mais j'ai besoin de vous pour revoir le procès ! Vous ne serez plus un simple procureur de comté, mais un procureur de district. Votre sphère d'activité s'étendra sur les dix comtés qui se trouvent au sud de Lincoln. C'est un poste élevé, qui vous occupera à temps plein. Avec un bon traitement et de nombreux avantages. Une pension de

378

l'Etat lorsque vous vous retirerez, ce qui ne saurait tarder. Vous ne pouvez pas espérer mieux. Et qui voulez-vous que je nomme comme administrateur des affaires Lane ? J'ai bien peur que vous ne puissiez refuser... » Il semblait si content de ses arguments, que Ransom ne savait quoi répondre.

« Ce que je n'arrive pas à comprendre, réussit-il à dire enfin, c'est pourquoi vous m'avez choisi ; d'autres que moi auraient aussi bien fait l'affaire.

— C'est vrai, admit Jackson. Mais vous connaissez cette affaire. Et vous connaissez Dinsmore.

— Vous comptez sur ma haine à son égard.

— Disons sur votre implacabilité en matière juridique.

— Vous oubliez un détail, Votre Honneur, c'est que la dernière fois que nous nous sommes affrontés, Dinsmore et moi, j'ai perdu, j'ai perdu misérablement.

— Balivernes, répliqua sèchement Jackson, la seule chose que vous ayez perdu, c'est une bonne occasion de lui loger une balle dans la tête. Nous n'avons plus de temps à perdre maintenant. Rendez-vous dans cinq minutes au palais. »

Moins d'une heure plus tard, Ransom revenait à la pension, en continuant de se demander quelle attitude il devrait adopter par la suite envers Jackson.

L'agressif petit juge avait beaucoup insisté pour qu'il prêtât serment comme procureur de district. Ransom avait dû admettre qu'effectivement sa mission à Chicago nécessitait une investiture officielle. Il était bien décidé à accomplir sa mission, mais sans aller au-delà. Il ne resterait certainement pas à Center City après l'extradition. Pas question de refaire l'accusateur dans le nouveau procès Dinsmore, encore moins de se charger de l'administration des affaires Lane. Surtout après avoir été accueilli d'une telle manière par Carrie. De toute façon, sa nomination n'était que temporaire, il pourrait se démettre de ses fonctions juste après les élections. Sa décision était prise.

Arrivé en face de l'hôtel Lane, il aperçut une rangée de superbes voitures avec leurs chauffeurs, garées devant le perron. Intrigué, il traversa la rue ; jamais, même à Park Row dans Manhattan, il n'avait vu rassemblées autant d'automobiles luxueuses. Il devait se passer quelque chose d'important à l'intérieur.

Il était sur le point de continuer son chemin lorsque

deux employés en uniforme ouvrirent cérémonieusement les doubles portes vitrées de l'hôtel, s'effaçant devant un groupe d'hommes, de toute évidence les propriétaires des automobiles. Ils s'arrêtèrent sur le trottoir sans cesser leur conversation. Ransom aperçut Dinsmore parmi eux, et immédiatement leurs regards se croisèrent. Leur dernière rencontre datait d'il y avait un an dans la salle des pas perdus du palais de justice, mais à l'époque Ransom avait un revolver.

« Mais je ne me trompe pas, s'écria Dinsmore suffisamment fort pour attirer l'attention de ses compagnons, c'est bien Ransom.

— En doutez-vous ? répliqua Ransom.

— Je ne vous savais pas à Center City, s'exclama Dinsmore l'air ravi.

— Peu de gens sont au courant.

— Dans ce cas, tout s'explique. »

A part Joseph Jeffries et Mason, Ransom ne connaissait personne ; ce devaient être les grands magnats de la finance dont lui avait parlé le juge Jackson. Ils restèrent groupés tandis que Dinsmore se dirigeait vers Ransom, laissant les deux adversaires se mesurer du regard.

Dinsmore n'avait pas changé, quoique sa vanité eût trouvé à Center City le terrain idéal où se déployer. Il portait un élégant complet coupé dans un tissu d'une finesse admirable, et un gilet de même étoffe laissait apparaître une chemise en soie. Il avait jeté négligemment sur ses épaules une veste de conducteur d'automobile couleur chocolat. Seuls une cravate prune et des boutons de manchettes et de plastron, piqués de minuscules rubis, venaient rehausser discrètement cette sobre élégance. Il ne portait pas de chapeau ; et ses cheveux, qu'il avait laissé pousser, encadraient maintenant son visage d'une lourde masse de boucles noires. Sa moustache également était plus fournie, et délicatement relevée au coin des lèvres. Comme d'habitude, ses longues mains blanches étaient soigneusement manucurées. Ses yeux bleus n'avaient rien perdu de leur éclat métallique. Il respirait l'assurance que donne le succès.

« J'espère, dit doucement Dinsmore comme s'il s'apitoyait sur l'aspect maladif de Ransom, que vous viendrez me voir un de ces jours.

— J'en doute, je quitte Center City par le prochain train.

— Quel dommage ! »

Sentant que leur conversation tournait court, plusieurs compagnons de Dinsmore s'étaient rapprochés.

« M. Horace Willy », dit Dinsmore en présentant un petit vieillard décrépit vêtu d'un pardessus gris et coiffé d'un haut de forme. « Je vous présente M. James Ransom. M. Ransom est de New York, comme vous. »

Willy grommela quelques paroles indistinctes mais ne tendit pas la main.

« Je suis certainement indiscret, dit Dinsmore, mais que nous vaut le plaisir de votre visite ?

— Juste quelques affaires en suspens.

— Je vois, je ne savais pas que vous aviez encore des affaires à régler ici. » Puis, se tournant vers M. Willy : « M. Ransom était un brillant attorney, ici à Center City ; mais il nous a malheureusement quittés l'année dernière. »

Willy murmura un vague compliment. Ransom se rendit compte que tous les autres avaient les yeux fixés sur eux. Seul Jeffries n'avait pu retenir un léger ricanement et se dissimulait maintenant derrière le large dos du banquier.

— Justement, dit Ransom, je pensais m'installer de nouveau à Center City et y exercer une autre profession.

— Ah, vraiment ?

— Oui, il me semble qu'en ce moment il manque en ville un bon dentiste, je n'aurai aucun mal à ouvrir un cabinet.

Un silence lourd accueillit l'insolence de Ransom. Puis Dinsmore rejeta la tête en arrière et éclata d'un rire bruyant.

« J'avais oublié de vous dire, monsieur Willy, que M. Ransom est un parfait humoriste. Notre Mark Twain en quelque sorte. J'ajouterais même qu'il est l'auteur de nombreux contes et légendes. Dans ce domaine, son œuvre à mon propos a été particulièrement remarquée, il y a peu de temps de cela. Je crois que je ne vous ai pas suffisamment remercié, monsieur Ransom, pour avoir fait de moi un véritable Paul Bunyan. »

Des éclats de rire, surtout ceux de Mason et Jeffries accueillirent cette répartie.

« Il faut cependant reconnaître qu'en dépit de son sens de l'humour, M. Ransom est un des rares hommes réellement sérieux que j'aie rencontrés. Un philosophe. J'espère, monsieur Ransom, que nous aurons l'occasion de reprendre un jour ces passionnantes discussions philosophiques qui ont été trop brutalement interrompues. J'avoue qu'elles me manquent beaucoup.

— Ce n'est pas impossible, répondit Ransom.

— Vous quittez la ville par le prochain train, m'avez-vous dit. Quel dommage ! Mais sachant que vous poursuivez une brillante carrière dans une autre ville, je regretterai moins le plaisir que m'auraient procuré nos discussions. » Comme Ransom ne faisait pas mine de répondre, Dinsmore poursuivit : « En fait, j'approuve tout à fait votre décision. Center City me paraît un endroit bien étriqué, guère à la mesure de votre immense talent. Vous avez besoin d'un champ d'action plus vaste, plus ouvert. Si vous aviez choisi de rester ici, je ne doute pas que vous vous seriez rapidement senti limité dans vos projets, et auriez eu l'impression d'étouffer... ou même pire », ajouta-t-il, et, à ces derniers mots un sourire plein de charme se dessina sur ses lèvres sensuelles. Sur cette menace à peine voilée, il prit le bras de Willy et entraîna le groupe vers les automobiles. « Au revoir, monsieur Ransom ; je vous souhaite un voyage agréable et fructueux. » Sur un geste de Dinsmore, tout le monde monta dans les voitures. Les faces, aux vitres, continuaient d'observer Ransom. Celui-ci ne bougea pas, écoutant la pétarade des moteurs que les manivelles faisaient tousser l'un après l'autre, puis le cortège s'étira, et se mit à remonter lentement la rue Montante en direction de la Colline.

Lewis Braddaugh avait toutes les qualités d'un bon marshal de comté. Il était grand, costaud et large d'épaules ; et le complet veston le mieux coupé ne parvenait pas à lui ôter ses allures de bûcheron. Il avait plus d'un quart de siècle d'expérience comme représentant de la loi. Il avait commencé comme shérif élu dans un petit patelin de l'Utah réputé pour ses mauvais garçons ; on l'avait ensuite envoyé en Alaska lorsque fut découverte la première mine d'or à Juneau dans les années 80, puis il travailla à San Francisco, dans le district de Tenderloin, un repaire de marins tatoués, de voleurs, de maquereaux et d'assassins de toutes sortes. Sous des dehors bourrus et des allures de lourdaud il cachait une profonde connaissance de la mentalité des criminels. Il n'avait pas son pareil pour dénicher son homme une fois qu'il était sur sa piste. Enfin, il possédait une solide réputation d'incorruptible.

Mais toutes ces qualités étaient éclipsées par deux découvertes que Ransom avait faites : premièrement Braddaugh, pluiseurs années auparavant, avait pourchassé Dinsmore à travers tout le pays ; et lorsqu'on lui avait ordonné d'abandonner les poursuites, il n'était retourné en Illinois que de fort mauvaise grâce. Deuxièmement, et c'était le point le plus important, Braddaugh ne pouvait pas être magnétisé. Cette particularité en faisait un second idéal pour Ransom.

Aussitôt arrivé à Chicago, Ransom se fit remettre tous les documents, dûment signés, nécessaires à son action. Puis il se mit en quête d'un policier réfractaire à l'hypnose. A cette fin, il entra en relation avec un des médecins de la ville — un de ceux qui avaient répondu aux lettres d'Amasa Murcott à l'époque de l'enquête. Ce brave praticien fut tellement indigné que l'on pût utiliser le magnétisme pour des objectifs criminels, qu'il s'offrit avec feu à examiner tous les policiers de la ville, du comté et de l'Etat, et même, au besoin, d'accompagner Ransom dans le Nebraska pour lui prêter main-forte au moment de l'arrestation.

Braddaugh se trouvait dans le premier lot d'hommes examinés. Lorsqu'il passa, un autre policier avait été déjà choisi ; mais le marshal fit preuve d'une résistance exceptionnelle : il était le seul à être réfractaire dans 100 p. 100 des cas. Qu'il fût frais et dispos ou épuisé, de bonne ou de mauvais humeur, affamé ou rassasié, ivre ou drogué, Braddaugh ne pouvait jamais être hypnotisé. On utilisa des lumières clignotantes, des objets balancés régulièrement devant ses yeux, des éclairs lumineux, des bruits réguliers, des sons reproduits naturellement et artificiellement, des voix de différents timbres, et de différentes tonalités, et souvent deux, trois ou même toutes les méthodes à la fois. Rien ne marchait. Il se mettait à bâiller ; pas de sommeil, plutôt d'ennui. Braddaugh était l'oiseau rare. Lorsqu'on lui apprit les raisons de tous ces examens, lorsqu'il sut qu'il s'agissait de mettre la main sur Dinsmore, il ne tint plus en place, décidé à quitter la ville par le premier train.

Tout cela semblait trop beau. Trop facile : d'abord la confession de Harriet Ingram, puis le plan du juge Jackson et l'impossibilité pour Ransom de se soustraire à sa logique, et maintenant Braddaugh, l'homme impossible à hypnotiser et qui au surplus poursuivait Dinsmore d'une vindicte personnelle.

Ransom ne cessait d'y penser dans le pullman qui les ramenait à Lincoln. Chat échaudé craint l'eau chaude, se disait-il. Il ne pouvait plus poursuivre son chemin avec la même confiance aveugle qu'autrefois. Il lui semblait que l'ascension de Dinsmore touchait à sa fin, et que des forces supérieures à tous les deux avaient déjà projeté sa chute. Ransom ne craignait pas ces forces. Il se sentait plutôt leur instrument, comme il avait servi un court instant d'instrument à l'élévation de Dinsmore. Ce sentiment le rassurait, mais il éveillait également en lui une peur confuse. Dans cet ordre qui lui échappait, il trouvait sa place, tous trouvaient leur place, comme si chacun, lui, Dinsmore, Carrie, Dietz, Carr, Mme Ingram, jusqu'à Will Merrifield le reporter, et même Millard et cette cuisinière allemande au ranch des Lane, n'étaient que des marionnettes manipulées par quelque grand magnétiseur. L'idée était somme toute rassurante, et il cherchait désespérément avec qui il aurait pu en parler. Pas Murcott en tout cas, encore moins Braddaugh, ni même Dietz ou Jackson. Avec qui alors ?

Les événements ne devaient pas lui laisser le loisir de poursuivre plus avant sa réflexion. Il se trouvait maintenant au restaurant de l'hôtel Lane, assis à une table avec Lewis Braddaugh, attendant que Dinsmore eût terminé son dîner pour l'arrêter.

Ils étaient arrivés avant que Dinsmore et ses quatre compagnons fussent descendus de l'appartement qu'il occupait. Ransom et Braddaugh choisirent une petite table à l'écart, dissimulée derrière les larges palmes de nombreux aréquiers qui étaient disposés dans des bacs en pierre tout autour de la salle du restaurant, mais d'où ils pouvaient facilement garder un œil sur la table habituelle de Dinsmore. Les deux hommes avaient alors passé leur commande. Le marshal, peu marqué, semblait-il, par ce qu'il avait pu voir aux quatre coins des Etats-Unis, ne cessait de s'extasier sur le luxe de l'endroit, le comparant aux différents palaces qu'il avait connus dans d'autres grandes villes, le Belvédère, le St Francis, le Waldorf-Astoria, etc. Le linge de table était fin, le décor cossu, les éclairages somptueux, le service discret et efficace, l'atmosphère cosmopolite et la cuisine délicieuse.

Ransom en convenait volontiers mais ne perdait pas de vue l'autre table. Deux femmes qu'il ne connaissait pas avaient rejoint Dinsmore, accompagnées de deux hommes, Anthony Wheeler, le jeune héritier de la fortune Wheeler, et un riche fermier des environs dont il n'arrivait pas à se rappeler le nom. Tous sauf leur hôte semblaient d'excellente humeur. Dinsmore essayait bien de participer à la gaieté générale, mais souvent il gardait les yeux baissés sur son assiette, alors son regard restait longtemps fixé dans le vide jusqu'au moment où quelque repartie d'un des convives le ramenait brusquement à la réalité. Avait-il l'intuition du destin funeste qui l'attendait ? Ransom aurait donné cher pour le savoir. Mais l'apparition sous ses yeux d'un sorbet à la fraise mit un terme à ses spéculations.

Au cours du repas, Dinsmore se leva et quitta la salle. Braddaugh le suivit discrètement, puis le précéda de quelques pas afin de ne pas éveiller ses soupçons. Revenu à sa table, le marshal rapporta que Dinsmore était descendu aux toilettes des hommes, et avait longuement contemplé son visage dans le miroir. Une nouvelle fois, Braddaugh ne tarit pas d'éloges sur l'agencement et les accessoires des toilettes.

Ransom et lui terminèrent leur pousse-café à peu près en même temps que Dinsmore et ses hôtes.

« Allons-y », dit Braddaugh.

Ils payèrent leur addition, écartèrent les palmes et se dirigèrent vers la porte comme s'ils s'apprêtaient à sortir. Lorsqu'ils arrivèrent à la hauteur de la table de Dinsmore, Ransom s'arrêta et posa sa main sur le bras du marshal comme pour le retenir.

« Un instant, dit-il d'une voix forte. Je crois connaître Monsieur. »

Tout le monde à table leva les yeux vers lui. Dinsmore sursauta. Il garda un œil fermé comme s'il était en train de viser avec une winchester et lança un regard glacial au nouveau venu.

« Je le connais, ajouta Ransom, c'est le propriétaire de l'hôtel.

— M. Ransom exagère, répondit Dinsmore, je n'en suis que le directeur.

— La différence est minime.

— Je vous croyais parti, m'auriez-vous mené en bateau la dernière fois ?

— Pas le moins du monde, je suis parti et je suis revenu.

— Je suis vraiment désolé de ne pouvoir vous proposer de vous joindre à nous, nous allions justement partir. »

A ces mots, les autres convives se levèrent également.

Ransom s'effaça pour les laisser passer, mais lorsque Dinsmore arriva à sa hauteur, il s'excusa : « Je suis impardonnable. J'ai oublié de vous présenter un nouveau venu dans notre ville. Monsieur Dinsmore, je vous présente M. Lewis Braddaugh. »

Avant que le directeur fût revenu de sa surprise, Braddaugh avait tendu une large main et serrait chaleureusement celle de Dinsmore.

« M. Braddaugh est de Chicago, ajouta Ransom ; en fait, il est marshal dans le comté de Cook. »

A cette seconde précise, Braddaugh referma sur le poignet de Dinsmore le bracelet d'une paire de menottes, dans lesquelles sa propre main gauche était déjà emprisonnée.

« Que faites-vous ? » s'écria Dinsmore d'une voix suraiguë que Ransom ne lui avait jamais connue auparavant.

« Je vous arrête », répondit calmement Ransom.

Il sortit de sa poche une liasse de papiers et se mit à lire posément : « En vertu des pouvoirs qui nous sont conférés par les Etats du Nebraska et de l'Illinois, nous avons ordre de nous assurer de la personne de Frederick L. Dinsmore, domicilié au 18, rue Montante, et à l'hôtel Lane de Center City, Nebraska... » Les autres pensaient qu'il s'agissait d'une plaisanterie. Le jeune Wheeler, déjà passablement éméché, avait passé son bras autour de la taille d'une des deux femmes et cherchait à l'entraîner en haut.

« C'est un ordre d'extradition, expliqua Ransom, signé des deux gouverneurs. Veuillez vous écarter, messieurs, s'il vous plaît. »

Braddaugh siffla, et deux hommes émergèrent du hall de l'hôtel, où ils avaient attendu toute la soirée. A leur vue, Dinsmore blêmit.

« Vous êtes insensé, Ransom, susurra-t-il entre ses dents.

— En avant, dit Braddaugh.

— Que se passe-t-il ici ? demanda le fermier d'une voix ennuyée.

— Ne vous en faites pas, Cliffords », dit Dinsmore, recouvrant aussitôt toute son assurance. « Ces hommes ont dû se tromper de personne. Ils se rendront rapidement compte de leur erreur.

— Est-ce qu'ils vous arrêtent ? demanda une des cocottes.

— C'est une erreur, répondit Dinsmore. Oh, Lila, ramenez donc M. Cliffords et M. Wheeler en haut, je vous rejoindrai d'ici peu, j'en suis sûr. Pourriez-vous également prévenir maître Applegate et me l'envoyer. »

Pendant ce temps, les deux adjoints avaient sorti leurs revolvers, tandis que de nombreux curieux et des dîneurs faisaient cercle autour d'eux. Ransom décida de se retirer avant que Dinsmore ne tentât quelque chose.

« A tout de suite. » Dinsmore agita sa main libre en direction de Wheeler avec un gaieté feinte. Il suivit Braddaugh de bonne grâce, saluant des connaissances au passage comme si de rien n'était.

Quelques instants plus tard, ils se jetaient dans une voiture qui attendait devant la porte de l'hôtel, et atteignaient sans encombre la prison, distante de quelques centaines de mètres à peine. Dinsmore ne desserra pas les lèvres pendant le trajet, mais une fois arrivé à la prison, il se mit à tempêter et terrorisa Eliot Timbs qui s'excusait abjectement en essayant d'expliquer qu'il ne pouvait rien face à une décision de la cour de justice de l'Etat.

« Donnez-moi au moins un endroit convenable, s'exclama Dinsmore. Vous ne pensez tout de même pas que je vais rester dans ce trou à rats ! » Quelques minutes plus tard, on lui avait apporté de l'hôtel Lane une table, des chaises, un lit et des liqueurs.

Les deux adjoints se postèrent à l'extérieur de la prison, dans la rue Williams. Ransom et Braddaugh demeurèrent dans la salle de garde en compagnie de Dinsmore maussade. On l'avait attaché par des menottes aux barreaux de sa cellule jusqu'à l'arrivée des meubles. Lorsque tout fut installé, Dinsmore réintégra sa cellule. Puisait-il son courage dans ses longues réflexions ou dans la proximité des objets et de son luxe habituels, Ransom n'aurait su le dire ; toujours est-il que Dinsmore semblait avoir repris du poil de la bête et s'affairait comme s'il préparait sa chambre à coucher pour la nuit.

Cal Applegate arriva plus d'une heure après l'arrestation. Il expliqua au prévenu qu'il s'était rendu chez le juge Jackson dès qu'il avait appris la nouvelle, mais que celui-ci s'était retranché derrière la décision de l'Etat. L'avocat avait alors téléphoné au gouverneur. Il attendait une réponse. Dès qu'elle arriverait, son client serait aussitôt élargi. Dinsmore lui demanda ce qui se passerait au cas où la réponse n'arriverait pas, car Braddaugh avait clairement annoncé son intention de l'emmener à Chicago dès le lendemain.

« Il y a peu de chances que cette réponse n'arrive pas, répondit Applegate ; sinon, vous n'aurez pas le choix, il faudra suivre le marshal. » Cette perspective n'avait pas l'air d'enchanter Dinsmore outre mesure, et il menaça son défenseur des pires représailles s'il n'était pas rapidement libéré.

Braddaugh s'apprêtait lui aussi à passer une nuit presque confortable dans la salle de garde. Les jambes étendues, les deux pieds posés sur une chaise, il s'était plongé dans un roman policier acheté l'après-midi même à Lincoln. Ransom les laissa seuls tous les deux, et se dirigea vers le bureau de Timbs. Il donna l'ordre au shérif de ne laisser entrer personne, hormis Applegate.

Timbs hocha gravement la tête : il se sentait très impressionné par la présence de Braddaugh (on en parlait beaucoup dans les cercles de la police) ; impressionné également par cette arrestation, effectuée au nom de deux gouverneurs d'Etat ! Timbs sortit dîner, mais Ransom resta assis au bureau, il ne tenait pas à s'éloigner au cas où quelque chose arriverait.

Après un petit somme de quelques heures, Ransom se leva pour aller inspecter la salle de garde. Braddaugh continuait à lire son magazine. Dinsmore ne dormait pas encore ; il n'arpentait pas sa cellule, ne semblait pas inquiet, il était simplement assis dans son luxueux fauteuil, regardant pensivement le marshal.

« Si vous désirez vous préparer pour la nuit, offrit Ransom, M. Braddaugh peut vous laisser seul quelques instants.

— Je vous remercie, mais je n'ai pas encore sommeil », répondit Dinsmore comme tiré de sa rêverie. « Attendez une minute, Ransom, ne partez pas comme ça. Je vais être obligé de passer encore une heure ou deux ici, et peut-être même toute la nuit — à cause de ce satané service des télégraphes. Vous pourriez me tenir compagnie. Votre ami n'est pas d'un commerce particulièrement divertissant, je dois dire. Où donc l'avez-vous déniché ?

— Tout au contraire, M. Braddaugh est un homme exceptionnel. Mais peut-être vous en êtes-vous déjà rendu compte ?

— Tout ce que j'ai découvert, c'est qu'il n'est guère bavard. Mais rentrez donc un instant, nous pourrions poursuivre notre petite conversation de l'année dernière. »

Dinsmore avait déjà dû essayer, en vain, de magnétiser

le marshal, songea Ransom ; maintenant il comptait s'en prendre à lui.

« Pourquoi pas ? poursuivit Dinsmore, je suppose que vous ne faites rien de particulièrement important en ce moment.

— C'est vrai, admit Ransom. Mais je pose deux conditions : la première, c'est que M. Braddaugh restera avec nous et la seconde, c'est que je resterai en dehors de la cellule elle-même, nous pouvons parler à travers les barreaux.

— Vous ne pensez tout de même pas que... », protesta Dinsmore innocemment.

— Bien sûr que non ! » répliqua Ransom. Ses conditions furent acceptées.

Dinsmore était en position de faiblesse, et le savait.

Ransom s'en était rendu compte immédiatement, en lançant son invitation. Ils parleraient tous les deux certes, mais c'était Ransom, désormais, qui imposait les règles du jeu.

« Maintenant », commença Dinsmore lorsque Ransom s'assit et que le marshal se fut installé plus loin, hors de portée de voix, « dites-moi exactement, Ransom, ce que vous prétendez retirer de toute cette farce dramatico-policière ?

— Moi ? Absolument rien, vous assistez en ce moment à un numéro de Braddaugh, il vous cherche depuis 95. Moi, ici je ne joue que les utilités.

— Vous êtes venu voir le poisson se débattre au bout de l'hameçon, c'est ça ?

— Pas exactement, non.

— Ecoutez-moi bien, Ransom ; plus cette plaisanterie durera, et plus vous vous en repentirez. Les choses ont changé ici à Center City, vous êtes resté absent trop longtemps pour vous en rendre compte, mais maintenant je suis l'homme fort de cette ville, et vous un étranger.

— Peut-être bien, mais Center City n'est pas le monde entier, loin de là même.

— Qu'entendez-vous par là ?

— Il y a quelque temps vous m'avez dit que j'étais un philosophe », continua Ransom sans répondre à la question. « En fait, j'en étais bien loin autrefois. Mais peut-être le suis-je devenu, maintenant. Depuis l'année dernière. Je vous dois des remerciements, Dinsmore. On ne peut pas dire que je sois plus heureux, ni même plus sage, disons qu'à la suite des événements du printemps dernier, je suis devenu... plus prudent.

— Je suis heureux de vous l'entendre dire. Permettez-moi seulement de vous faire remarquer que si vous étiez réellement prudent, vous éviteriez de vous mesurer à moi. Vous n'êtes pas de taille, Ransom. Tout ceci est absurde. Sans grande conséquence pour moi, mais néanmoins agaçant. Mais vous, vous courez à votre perte.

— N'en soyez pas si sûr. Je ne suis pas de taille à me mesurer avec vous, je le reconnais volontiers. Mais vous, de votre côté, ne faites pas le poids face à certaines personnes ; ce sont eux qui en ont après vous, pas moi. Je ne suis ici que pour assurer la légalité de l'opération, c'est tout. Vous êtes allé très loin et très vite, Dinsmore. Mais pas assez loin, ni assez vite pour vous mettre totalement à l'abri. Et ni les Wyllies, Wheeler et autres Clifford, ni même Morgan ou les Rockefeller ne peuvent maintenant vous porter secours. Vous êtes un homme fini, Dinsmore. »

Dinsmore le regarda, incrédule, et éclata de rire.

« Vous êtes complètement fou, Ransom ; qui donc me pourchasse ainsi ? Quelles sont ces puissances redoutables que vous évoquez ? Tellement redoutables qu'elles envoient à mes trousses un marshal bedonnant et un ancien procureur miteux ! Je n'aurais qu'à claquer des doigts pour me débarrasser de vous deux, de vous quatre si je compte les deux imbéciles dehors. Mais je doute fort d'être obligé d'en arriver là.

— Ecoutez, Dinsmore, vous avez dû penser que vous étiez un petit peu fatigué et que demain il vous serait facile de neutraliser Braddaugh. Je vous l'ai déjà dit : n'y comptez pas, il ne peut pas être magnétisé. Ni par un, ni par deux, ni par quarante magnétiseurs. Ni par aucune technique. Il a été mis à l'épreuve des centaines de fois. Peut-être est-il bedonnant, comme vous dites, mais jamais vous n'arriverez à en faire un gros bébé docile. Vous irez à Chicago. Et il y veillera. Comprenez-vous ? »

Presque malgré lui, Dinsmore jeta un regard au marshal toujours plongé dans sa lecture.

« Soit ! J'irai à Chicago ! La belle affaire ! De toute façon, je serai de retour d'ici un jour ou deux.

— Ny comptez pas. Une fois là-bas, vous serez inculpé. Et vous serez certainement bouclé, un mois, peut-être six, avant d'être jugé. Je ne sais pas exactement, je ne suis pas dans le secret de ceux qui à Chicago ont juré votre perte. De toute manière, si jamais vous réussissiez à revenir à Center City, vous seriez immédiatement arrêté et jugé à nouveau, ici. Mme Ingram a apporté un nouveau témoignage, suffisant pour faire rouvrir le procès. Je n'ai pas besoin de vous dire de quoi il s'agit, je suppose que vous devez vous en douter. Ce témoignage ne permet pas seulement de rouvrir le procès, il autorise un nouveau chef d'inculpation : tentative de meurtre avec préméditation. Encore une fois je ne possède pas tous les détails, mais l'affaire sera menée par des gens proches du gouverneur et de l'Etat fédéral. Je peux vous assurer qu'ils sont convaincus d'avance de votre entière culpabilité. C'est en tout cas ce que je me suis laissé dire.

— Qui vous l'a dit ?

— Peu importe. C'est ainsi. Ni vous, ni moi ne comptons plus dans cette affaire, Dinsmore. Nous sommes comme le ballon au milieu de la mêlée. C'est à votre tour maintenant d'être lancé à droite et à gauche, comme je l'ai été avant vous. Seulement cette fois-ci, le jeu n'en restera pas là. Ils n'en ont pas qu'à votre pouvoir ou à vos affaires. Ils veulent votre tête, Dinsmore, et soyez sûr qu'ils l'obtiendront. Je ne suis qu'un petit rouage de cette mécanique implacable, et vous, vous en êtes la victime. Il ne s'agit pas d'un épisode de plus parmi tant d'autres, vous assistez à la dernière manche, Dinsmore, et ni vous, ni moi n'y pouvons plus rien. Je suis désormais sans plus de pouvoir que ce gros balourd de Timbs. Je ne m'en suis véritablement rendu compte qu'aujourd'hui, et la panique s'est emparée de moi. J'ai cherché à en parler à quelqu'un, toute la journée. Mais j'ai compris, il y a quelques instants seulement, que vous seul pourriez comprendre, parce que vous êtes pris dans le même piège que moi, plus profondément même. »

Tout le temps qu'il avait parlé, Ransom n'avait cessé de fixer les brillants yeux bleus de son prisonnier, mais pas une fois il n'avait faibli ou ne s'était senti obligé de détourner le regard. Bien plus, leur éclat semblait lointain, comme s'il sourdait à travers une fine pellicule, presque invisible. Et Ransom n'abaissa les yeux que lorsqu'il eut fini de parler. Dinsmore demeurait silencieux, à moins d'un mètre de son interlocuteur, derrière les barreaux de la cellule, on eût dit qu'il retenait sa respiration.

Lorsqu'il parla, ses mots résonnèrent durement : « Vous faites le bon Samaritain, n'est-ce pas ? Vous parlez comme le curé qui conduit le condamné à la potence. Accepte, mon fils, accepte et repens-toi, mais en attendant abandonne-moi tous tes méprisables biens terrestres. »

Ransom se leva, et gagna la porte sous le regard de Braddaugh.

« Je me suis trompé, Dinsmore, oubliez tout ce que j'ai dit. Je pensais pouvoir vous parler. Je vois qu'il n'en est rien. Vous aviez été si loin avec moi l'an dernier que je pensais bien vous connaître. Je pensais pouvoir communiquer avec vous. N'en parlons plus. Oubliez tout ce que je vous ai dit. »

Mais tout en parlant, il savait déjà qu'il ne s'était pas trompé. Pour la première fois depuis qu'il avait rencontré Dinsmore, les yeux bleus ne lançaient pas leurs éclairs froids, comme des yeux de reptile ou des facettes de pierre précieuse. Pour la première fois, dans ce masque de marbre, le regard s'animait, s'humanisait, et dans ce regard traqué, Ransom put lire l'épouvante qui peu à peu l'envahissait. Ransom n'en pouvait plus, il se détourna et posa la main sur la poignée de la porte.

« Ransom, Ransom, hurla Dinsmore d'une voix stridente, vous avez eu tort, de toute façon. Si je ne suis pas de retour ici, à Center City, dans trois jours, vous êtes un homme mort ! Entendez-vous ? Un homme mort ! »

Les cris furent étouffés par l'épaisseur de la porte. Ransom s'assit au bureau de Timbs et se mit à contempler le calendrier offert par l'épicerie, qui ornait le mur.

Voilà donc ce qu'on éprouvait lorsqu'on était cruel.

Assis au bureau de Timbs, Ransom s'endormit, la tête sur ses bras croisés. Il dormit ainsi plusieurs heures.

Timbs arriva à huit heures du matin. Ensemble, ils allèrent à la salle de garde ; ils y trouvèrent le prisonnier et son gardien tous les deux endormis. Braddaugh assis sur sa chaise, les talons sur les barreaux de la cellule, Dinsmore reposant confortablement dans le lit qu'il s'était fait apporter de l'hôtel Lane.

Le shérif expliqua à Ransom que Dinsmore aimait faire la grasse matinée, surtout s'il s'était couché tard.

Après une légère hésitation, Ransom laissa le shérif seul avec Braddaugh et son prisonnier. Eliot Timbs était sans doute un partisan de Dinsmore, mais il était avant tout attaché à la loi, Ransom avait pu s'en rendre compte lors d'affaires précédentes. Si aucun ordre contraire ne lui parvenait, Eliot garderait Dinsmore en prison.

Cet ordre d'élargissement n'était toujours pas arrivé lorsque à onze heures, Ransom revint après avoir pris son petit déjeuner à la pension, son petit sac en cuir à la main. Appelé par son client, qui s'était réveillé de fort méchante humeur, Applegate arriva sur le coup de midi, mais sans apporter avec lui le télégramme libérateur. L'avocat sortit quelques minutes plus tard, fuyant la cellule sous les imprécations de Dinsmore. Braddaugh rapporta par la suite qu'ils avaient échangé des mots, et qu'Applegate avait reçu l'ordre d'envoyer un nouveau câble au gouverneur.

Quelques minutes plus tard, Harriet Ingram se présenta à la prison, et demanda à voir son amant. Timbs refusa de la laisser entrer, et Ransom ne put que confirmer la décision du shérif. La gouvernante se trouvait encore soumise à l'influence du magnétiseur, ses ravages pouvaient être profonds. Tous en approuvant les précautions prises par Ransom, Mme Ingram ne cacha pas sa déception. Avant de quitter le bureau du shérif, elle informa Ransom qu'elle avait fait prévenir Carrie Lane, dès qu'elle avait appris l'arrestation de Dinsmore. Sa maîtresse avait renvoyé le messager, la prévenant qu'elle se mettait aussitôt en route pour Center City. Mme Ingram allait de ce pas préparer la maison de la rue Montante pour son retour. Ransom se demanda s'il n'allait pas confier un message pour Carrie à la gouvernante. Mais il n'en fit rien, Carrie elle-même ne lui avait-elle pas dit qu'elle l'enverrait chercher si elle voulait le voir ?

Une desserte roulante arriva à la prison, chargée de nombreux plats recouverts de cloches d'argent destinées à garder le déjeuner de Dinsmore au chaud. Après ce repas, le marshal laissa seul son prisonnier quelques instants pour lui permettre de s'habiller ; puis il retourna dans la pièce avec le barbier pour assister à la toilette. Il était alors une heure et demie, et le train était annoncé pour deux heures. Il fallait partir.

Dinsmore n'avait pas fait venir de bagages, certain que l'ordre de libération lui parviendrait à temps. Les deux adjoints grimpèrent sur l'impériale du vieux fourgon, et Dinsmore fut poussé à l'intérieur, menottes aux mains, malgré ses protestations. Pour pouvoir monter dans la voiture, Ransom et le shérif durent repousser la petite foule houleuse qui s'était rassemblée devant la prison.

Cinq ou six pâtés de maisons à peine séparaient la gare de la prison, et ils pouvaient déjà apercevoir un grand concours de peuple sur l'esplanade, devant la gare. Une centaine de personnes écoutaient attentivement la harangue du seul homme à être monté sur le quai, et qui n'était autre que Joseph Jeffries. Dès que le journaliste aperçut le fourgon il pointa un doigt vengeur dans sa direction ; toutes les têtes se tournèrent, mais la foule ne sembla pas manifester d'autres réactions.

« Voulez-vous que je descende voir de quoi il retourne ? demanda Timbs.

— Je sais très bien ce qui se passe, répondit Ransom, une petite cérémonie d'adieu pour M. Dinsmore. »

Les deux hommes sautèrent de la voiture.

Dinsmore leur lança : « Où allez-vous donc, vous tenez à manquer le train ? »

Sans répondre, Ransom se dirigea vers la foule, afin d'écouter ce que racontait Jeffries ; il fut rejoint par le vieux Floyd qui se trouvait parmi les curieux.

« Quel infâme pisse-copie !

— Pourquoi, qu'est-ce qu'il raconte ?

— Oh, toujours le même baratin, progrès, innovations, Dinsmore par-ci, Dinsmore par-là, les industries Lane, Center City, notre ville, etc.

— L'écoutent-ils ?

— 'Sais pas, pas plus que d'habitude en tout cas. »

Ransom chercha à se mêler à la foule, mais il fut bientôt reconnu de toutes parts, et se résolut à rejoindre les autres.

« Nous ferions mieux de retourner à la prison et d'attendre le train », dit-il au shérif.

Le prisonnier était évidemment en train d'essayer d'engager la conversation avec le marshal taciturne.

« Vous voulez dire que vous ne savez jouer à aucun jeu de cartes... demandait Dinsmore. Et comment vais-je occuper mon temps au cours de ce voyage ?

— Vous regarderez le paysage, répondit Braddaugh.

— Vraiment, Ransom, vos raffinements de cruauté me dépassent. Je proteste.

— Ne vous tourmentez pas, je voyage avec vous, répondit le procureur.

— J'espère que nous avons un wagon-salon, ou est-ce que l'Etat d'Illinois ne nous offre rien de tel ? Qu'importe, je le payerai de ma poche.

— A votre place, je ne me risquerais pas à utiliser un

chèque de la Lane pour payer ce wagon, conseilla Ransom en souriant.

— Et pourquoi donc ?

— Vous n'avez plus aucun pouvoir. Toutes les affaires Lane ont été placées sous administration judiciaire.

— C'est vous qui en êtes chargé ?

— Non. Un comité de trois personnes : le juge Jackson, Ludwig Baers et votre ami M. Mason. Vous voyez, ils ont pensé à tout. Je vous avais bien dit qu'ils ne plaisantaient pas. »

Dinsmore ne put cacher sa stupéfaction, il se tourna vers Eliot Timbs qui hocha la tête affirmativement. Puis il éclata de rire et se cala au fond de son siège, regardant au-dehors comme s'il attendait quelqu'un.

« Il est deux heures, annonça Braddaugh, allons-y. »

Ransom était sur le point de l'arrêter, mais le marshal avait déjà sauté à terre, promptement suivi par Dinsmore. Les deux adjoints marchaient devant, suivis de Dinsmore et de Braddaugh, tandis que Timbs et Ransom fermaient la marche. Ils traversèrent la foule sans problème, mais tous les regards étaient posés sur eux. Jeffries continuait à s'époumoner, congestionné, au bord de l'apoplexie. Les quatre premiers membres de la petite colonne avaient déjà grimpé les quelques marches menant au quai, lorsqu'une voix retentit : « Hé, Dinsmore, où allez-vous ? »

Celui-ci se retourna vers la foule : « A Chicago, c'est du moins ce qu'on m'a dit.

— Pourquoi faire ? cria quelqu'un d'autre, pour acheter de nouvelles machines ? Et en jeter d'autres parmi nous sur le pavé ?

— Je ne t'ai jamais ôté le pain de la bouche, Bixby, répondit Dinsmore, de quoi te plains-tu ? »

Ransom et Timbs grimpèrent à leur tour les marches du quai. Après avoir fait sa sortie, le jeune Bixby s'était de nouveau noyé dans la foule.

« Je n'ai pas particulièrement envie d'aller à Chicago », s'écria Dinsmore d'une voix forte. Il leva ses mains et les menottes brillèrent dans le soleil.

« Vous le voyez ? demanda-t-il à la foule.

— Tant mieux, cria quelqu'un.

— Où sont vos bagages ? lança une voix.

— Pas besoin de bagages, je reviens tout de suite, quoi qu'en disent ces deux messieurs. »

Jeffries tenta de s'approcher mais fut repoussé dans la

foule par un des deux adjoints. Il continua alors à pérorer, chuchotant à l'oreille de l'un, tirant l'autre par la manche et s'agitant dans tous les sens.

Dinsmore continuait son dialogue avec la foule, dominant la petite place du haut du quai, et jetant sans arrêt des regards vers la rue, dans l'espoir de voir apparaître Applegate avec l'ordre de libération.

« Que fait le train ? demanda Ransom.

— Vous savez bien qu'il est toujours en retard, lui répondit Timbs.

— Il faudrait l'éloigner d'ici, Timbs, conduisons-le dans le bureau du chef de gare.

— Je suis d'accord, mais c'est le prisonnier de Braddaugh, pas le mien. »

Braddaugh suivait avec intérêt le dialogue qui s'était engagé entre Dinsmore et la foule. Les hommes qui entouraient la prison au moment de leur départ étaient maintenant arrivés, et la foule avait plus que doublé. Cependant le marshal accepta de quitter l'endroit si l'on pouvait trouver mieux à l'intérieur du bâtiment.

A contrecœur, Ransom franchit les quelques mètres qui le séparaient du bureau du chef de gare. M. Maxwell était assis à son bureau, les yeux fixés sur un tableau d'instructions et recevait en ce moment des nouvelles télégraphiques sur la progression de l'omnibus. Il retira posément sa visière en bakélite et ses écouteurs avant de prêter attention aux propos de Ransom.

« Dans cinq minutes, dit Maxwell ; vous n'allez pas tarder à l'entendre. Il doit être en train d'aborder la grande courbe à l'heure qu'il est.

— Nous avons un prisonnier, expliqua Ransom, pouvons-nous l'amener ici ?

— Qui ? Quel prisonnier ?

— Quelle importance ! Il s'agit de Dinsmore.

— Qu'est-ce qu'il a fait, à c'te heure ?

— Pouvons-nous nous servir de votre bureau, oui ou non ? Il y a une foule dehors, et je crains qui si nous...

— Qui ça, nous ?

— Moi, le prisonnier, le shérif, un marshal et quelques adjoints.

— Pas assez de place ici, marmonna le vieil homme en secouant la tête.

— Bon, eh bien, nous rentrerons seulement à deux », répondit Ransom en jetant un regard circulaire autour de la pièce. « Les deux autres resteront dehors. Le bureau ferme à clé ? » demanda-t-il en regardant la porte vitrée. Il espérait qu'il y eût une autre pièce ; même un grand placard aurait fait l'affaire. « Ou bien la salle d'attente ; on peut la fermer à clé ?

— Pourquoi faire ? s'entêtait le vieil homme.

— Il y a une foule au-dehors, une foule, vous m'entendez ? j'ai peur qu'il n'arrive des incidents.

— Quelle foule ? » Maxwell déposa sur le bureau les écouteurs qu'il tenait encore à la main, et sortit sur le quai. « Je ne vois pas de foule. Juste quelques personnes. Une d'entre elles semble d'ailleurs avoir un malaise ou quelque chose comme ça. »

Ransom commençait à perdre patience. « Pouvons-nous venir ici ? demanda-t-il à nouveau.

— Je me demande... dit pensivement Maxwell. Que se passera-t-il ? N'est-ce pas Dinsmore ? Pourquoi se balance-t-il comme ça ?

— Comme quoi ? » demanda Ransom en rejoignant le chef de gare sur le quai.

Et là, il vit. Dinsmore se tenait juste sur le bord du quai, surplombant la foule. Les autres semblaient avoir reculé de quelques pas. Où était donc Braddaugh ? Ransom se dirigea vers le groupe, puis, sentant que quelque chose d'inhabituel était en train de se passer, il se mit à longer le mur sans bruit pour franchir les derniers mètres.

Dinsmore parlait à la foule ; on eût dit qu'il était en train de prêcher. Au fur et à mesure que Ransom s'approchait, il parvenait à distinguer des mots, des lambeaux de phrases s'égrenant dans l'air, mais sans arriver à saisir le sens général de ses paroles. Dinsmore se balançait lentement d'avant en arrière sur le bord du quai, élevant en l'air ses mains entravées par les menottes, puis les étendant devant lui avant de les abaisser à nouveau à hauteur de ses cuisses. Cherchait-il à exciter la foule ? A quoi rimait cette pantomime ?

Ransom entendit siffler le train, il ne devait plus être loin maintenant. Mais personne d'autre que lui ne semblait l'avoir remarqué. Dinsmore continuait à parler, il tenait à présent ses mains allongées devant lui.

Lorsque Ransom atteignit le coin du bâtiment, la voix de Dinsmore avait gagné son intensité maximum. Ransom regarda la foule silencieuse à ses pieds, tous avaient le regard fixé sur l'orateur. Même les policiers rangés derrière Dinsmore semblaient l'écouter attentivement.

« Est-ce ça que vous voulez ? s'écria soudain Dinsmore. Passer sous la domination des politiciens de Lincoln ? Parce que c'est ce qui arrivera si je m'en vais ! Est-ce ça que vous voulez ? »

Un grondement sourd monta de la foule : « Non ! »

« Je le savais bien », lança Dinsmore en élevant les mains et en se balançant légèrement sur les talons, « Oh, je le savais bien. »

Il cherchait à soulever la foule. Et où était Braddaugh ? Là, juste à côté du shérif. Ransom passa silencieusement derrière Dinsmore pour rejoindre le groupe des policiers ; il dut tirer Braddaugh par la manche pour attirer son attention.

« Allons-y, dit Ransom ; le bureau est libre. »

Timbs et quelqu'un dans la foule lui enjoignirent de se taire. Braddaugh leva vers Ransom des yeux inexpressifs puis ses regards se tournèrent à nouveau vers Dinsmore qui posait une nouvelle question à la foule.

« Allons-y, Braddaugh, répéta Ransom.

— Vous ne pouvez pas attendre ? J'aimerais l'écouter jusqu'au bout, répondit le marshal, visiblement ennuyé.

— Ce qu'il raconte n'a aucune espèce d'importance ! Il essaye de soulever les gens, c'est tout, expliqua Ransom. Emmenons-le.

— Le train va arriver d'une minute à l'autre, j'ai entendu le sifflet, dit Braddaugh. Nous pouvons attendre. »

« Des étrangers vont venir dans cette ville, dans votre ville. » Dinsmore parlait maintenant d'une voix puissante, et ses mains attachées montaient et descendaient lentement. « Ils vont diriger la vie ici, vos vies. Voilà ce qui va se passer. Ces étrangers de Lincoln vont vous empêcher d'avoir des voitures à trolley, des automobiles et des trottoirs de béton. »

Il se balança légèrement en arrière lorsque ses mains atteignirent ses cuisses.

« ...Pas la seconde ville du Nebraska, la première, la toute première. Nous sommes le maillon central de la chaîne qui relie la côte Est à la côte Ouest. Entre New York et la Californie. Nous sommes le Centre, le grenier de ces deux régions... »

Ses menottes renvoyèrent un long rayon de soleil alors

qu'il tenait ses mains haut levées dans une attitude d'exhortation.

« ... Il y aura de l'argent dans toutes les poches, pas uniquement dans celles de quelques-uns ; dans toutes les poches. » Ses mains atteignirent ses cuisses et les effleurèrent rapidement avant de remonter... « Ces villes ont des ports, et nous pourrons expédier notre blé et notre farine vers d'autres pays, dans le monde entier. En Europe à partir de New York, en Orient à partir de San Francisco. » Les menottes continuaient à briller dans le soleil.

Ransom se mit à regarder la foule attentive en contrebas : trois cents personnes, le regard tourné vers Dinsmore, comme si rien au monde n'existait plus à cet instant, un rayon de soleil, comme brusquement surgi de derrière un nuage, caressait lentement tous ces visages apaisés.

Certaines têtes connues émergeaient de la masse. Le vieux Floyd, là au milieu. Son ami, Bernard Soos, juste à côté de lui. De nombreux Noirs au dernier rang. Etait-ce Billy, le fils de Yolanda là, parmi eux ? Le soleil disparaissait et réapparaissait régulièrement. Ransom entendit le sifflet du train se rapprocher. Etait-il vraiment nécessaire d'intervenir ? La foule ne semblait pas agressive. Elle écoutait tranquillement Dinsmore plaider sa cause. Le soleil après avoir éclairé tout le monde disparut une nouvelle fois. Il devait y avoir des nuages.

Ransom tourna son regard vers le ciel. Le ciel était bleu, sans nuage. D'où venait alors cette luminosité intermittente ?

Alors, il regarda Dinsmore. Arqué sur les talons celui-ci élevait en ce moment ses mains au-dessus de sa tête ; l'ombre de ses bras se projeta sur les gens et les menottes jetèrent un bref éclair avant de redescendre lentement. A ce moment précis, un long rayon de soleil frappa la foule.

Bon sang ! Il se sert de ses menottes comme il s'est servi de ses boutons de manchettes à l'audience. Il cherche à les magnétiser. Tous !

A nouveau, il tira le marshal par la manche : « Il faut l'arrêter. »

Braddaugh ne répondit pas.

« Allez, Braddaugh », dit Ransom en secouant plus fort le marshal, « il faut l'amener au bureau, tout de suite ».

Braddaugh ne le regardait même pas. Personne ne faisait attention à lui. Ransom poussa violemment le marshal.

« Hé, Braddaugh, qu'est-ce qui se passe ? » Puis il vit ses yeux, rivés sur Dinsmore, comme si plus rien n'existait autour de lui. « Braddaugh, mais vous ne pouvez pas être magnétisé ! » cria-t-il pris de panique. Personne ne prêtait la moindre attention à ses paroles, on eût dit un fou se parlant à lui-même.

Le train approchait en sifflant joyeusement.

Ransom regarda les autres sur le quai, Timbs, les adjoints, tous semblaient hébétés, paralysés. Même Braddaugh. Il lui fallait agir rapidement. Il devait bien y avoir au moins une personne dans cette foule qui n'avait pas été magnétisée. Ou devait-il agir seul ? Il promena son regard sur la foule : tous avaient le même œil vitreux, fixé sur Dinsmore.

Le train siffla une nouvelle fois. Ransom se décida à tenter quelque chose tout seul. Il s'approcha de Timbs. Il lui fallait un revolver, il se saisirait de Dinsmore, et le canon dans les reins il le forcerait à monter dans le train, si la foule le laissait faire et n'attaquait pas le convoi.

Sa main venait juste d'atteindre la crosse du revolver lorsque Dinsmore tourna son visage vers lui. Ransom se sentit cloué sur place par son regard.

« Timbs, Braddaugh, lança Dinsmore ; emparez-vous de M. Ransom. Attachez-lui les mains et mettez-lui un bâillon. »

En un éclair deux revolvers se braquèrent sur lui, il n'avait aucune chance.

« Braddaugh ! Eliot ! C'est moi. Laissez-moi partir ! »

— Amenez-le là-bas », dit Dinsmore en indiquant du doigt le mur de la gare. « Liez-lui les mains et bâillonnez-le avec un mouchoir. »

Ransom tenta de se défendre, mais les deux hommes l'eurent bientôt amené contre le mur. Il réussit à pousser un long hurlement avant que Timbs ne le bâillonnât. Personne dans la foule ne fit un geste pour l'aider. Tous le regardaient aussi placidement qu'on regarde un papillon épinglé dans une boîte. Puis leurs regards se portèrent à nouveau sur Dinsmore qui avait repris sa harangue.

Ransom se démena pour tenter de se libérer mais il ne parvint pas à desserrer les nœuds de professionnel de Braddaugh. Le train freina tout le long du quai dans un nuage de vapeur et finit par s'immobiliser. Quelques instant plus tard deux hommes en descendirent. Le premier était un représentant de la Sears, Roabuck, que Ransom avait déjà vu en ville. L'autre était étranger. Tous deux jetèrent un regard à Ransom, ligoté et bâillonné entre le shérif et le marshal. Il essaya bien d'appeler à travers son bâillon, mais d'un ton très officiel Timbs lui enjoignit l'ordre de se taire, et les deux hommes, après avoir descendu les marches du quai, disparurent dans la foule. Dinsmore avait cessé d'élever et d'abaisser ses mains, persuadé d'avoir magnétisé tout le monde ; mais il continuait de parler à la foule. Ransom s'efforça de ne prêter aucune attention à cette voix odieuse, mais il était bien le seul. Un murmure d'approbation parcourut la foule, s'enfla et devint clameur.

Le train siffla.

« En voiture », cria le chef de train. Mais personne ne remarqua son appel.

Soudain, Maxwell apparut au coin du bâtiment et regarda anxieusement la foule.

« Personne ne prend l'omnibus ? » demanda le chef de gare. Eliot Timbs l'attrapa par le bras et le poussa contre le mur « Que se passe-t-il ? demanda Maxwell. Hein, monsieur Ransom, que se passe-t-il ? »

Ransom grommelait furieusement sous son mouchoir, mais de toute façon il doutait fort que le chef de gare pût prendre aucune initiative. Timbs pendant ce temps lui expliquait que quelqu'un prononçait un discours très important, et que tout le monde devait se taire et écouter.

« Personne ne prend l'omnibus ? » demanda de nouveau Maxwell.

« En voiture, s'il vous plaît », cria le chef du train. La locomotive laissa échapper une douzaine de petits nuages entre ses roues, puis le train se mit lentement en marche dans un brouillard de fumée blanche.

Dinsmore prolongea le développement de son discours jusqu'à ce que le sifflet du train eût disparu dans le lointain ; alors, il passa à une vibrante et rapide conclusion. A son signal, tout le monde l'applaudit, il remercia l'assemblée pour son témoignage d'affection et de soutien, ce qui lui valut une nouvelle salve d'applaudissements.

« Je vais bientôt vous quitter, ajouta Dinsmore, mais mon absence sera de courte durée. Je serai de retour à Center City avant que vous n'ayez eu le temps de me regretter. En attendant, je veux que tous ici se souviennent du serment que nous avons prononcé aujourd'hui. »

Des applaudissements nourris accueillirent ses paroles. Même Braddaugh et Timbs se mirent à applaudir, tandis que Maxwell se grattait la tête au-dessus de sa visière, cherchant à deviner ce qui pouvait bien se passer.

Dinsmore souriait sous les acclamations de la foule, ivre de sa victoire et de sa puissance. Il descendit lentement les quelques marches du quai. Là la foule s'écarta sur son passage comme la mer Rouge devant Moïse. Dinsmore leva une dernière fois les mains, faisant briller ses menottes, puis Ransom le perdit de vue définitivement.

« Où va-t-il ? » demanda Maxwell. Je croyais qu'il devait prendre l'omnibus de 2 heures.

Braddaugh et Timbs avait rejoint la foule, et Ransom put s'approcher du chef de gare en grommelant sous son mouchoir. Maxwell le regarda en riant, avant de lui retirer son bâillon. « De quoi avez-vous l'air, avec ça !

— Il s'est échappé, dit rapidement Ransom. Aidez-moi à défaire mes liens. Il faut que je le rattrape.

— Qui vous a attaché ?

— Le shérif et Braddaugh.

— Pourquoi ? Qu'avez-vous fait ?

— Rien. Mais déliez-moi, je vous prie. Je vous expliquerai tout de suite.

— Si le shérif vous a attaché les mains, il avait sans doute une raison », dit le chef de gare, tout en commençant à dénouer la corde. Il eut bientôt fait de libérer Ransom.

« Il les a tous magnétisés », expliqua ce dernier ; tous !

Mais Maxwell le fixait, l'air interdit, comme si Ransom lui avait parlé chinois.

« Où est allé Dinsmore ? L'avez-vous vu ?

— Non. Mais je crois qu'il est reparti vers le centre de la ville. »

La foule se dispersait très lentement. Ransom chercha Dinsmore des yeux parmi les petits groupes qui continuaient de bavarder ; mais il y en avait tant, encore, que c'était une entreprise presque désespérée. Et puis, étaient-ils toujours magnétisés ? Si oui, il ne pouvait attendre aucune aide de leur part.

Le dernier ordre que Dinsmore avait donné au shérif et à Braddaugh avait été de se saisir de Ransom et de lui attacher les mains. Il n'y avait donc qu'une seule manière de vérifier si ces hommes obéissaient toujours au magnétiseur. Ransom finit par les apercevoir. Il les interpella : « Hé ! Braddaugh, Timbs ! Regardez : je me suis délivré ! »

Entendant leur nom, les deux hommes se retournèrent.

« Je suis libre, répéta Ransom ; je me suis détaché. »

Ils haussèrent les épaules.

« Dinsmore est parti ? cria Ransom.

— Non », répondit Braddaugh en s'approchant des marches qui menaient sur le quai. « Il est là... » Mais il

402

s'arrêta net, en s'apercevant qu'il n'y avait personne sur le quai, à part Ransom et Maxwell. « Ça alors ! Mais où est-il passé ? » demanda-t-il à Ransom.

La transe collective était passée, c'était clair. Pour magnétiser tant de personnes à la fois, Dinsmore avait sans doute dû répartir son fluide ; et il n'avait pu provoquer qu'une hypnose légère qui s'était dissipée aussitôt après sa disparition.

« Le train aussi est parti, dit Ransom.

— Quel train ? Quand ? demanda Braddaugh. Et où est Dinsmore ?

— Disparu. Il a traversé la foule tranquillement. Je vous ai même vus acclamer son discours. Vous ne vous souvenez vraiment de rien ?

— Non. Rien.

— Vous avez été magnétisé, Braddaugh, vous aussi. Et nous qui étions si sûrs que vous étiez insensible à ça ! Qu'est-ce que ça vous a fait ?

— Rien », dit le marshal, l'air abattu, très malheureux.

« Je me rappelle qu'il parlait. Et puis, immédiatement après, je vous ai entendu nous crier que vous étiez libre, et que lui n'était plus là. Mais qui vous a attaché ?

— Vous. Vous et Timbs. »

Braddaugh n'en revenait pas ; il semblait bouleversé. Or, il fallait agir, ne pas perdre une minute.

« D'après Maxwell, il est parti dans cette direction », dit Ransom en montrant l'autre bout de la rue Williams. « Nous ferions bien de nous mettre à sa recherche, tout de suite. Il a l'intention de quitter la ville, j'en suis sûr. Je crois même qu'il l'a dit. En ce moment même, il doit être à l'hôtel Lane ; étant donné qu'il se dirigeait vers le centre... »

Ransom et Braddaugh appelèrent Timbs et les deux adjoints. Les trois policiers acceptèrent immédiatement le plan de Ransom, sans qu'il fût nécessaire de leur expliquer en détail ce qui s'était passé. Ils devaient se placer aux trois principales sorties de la ville (au nord, au sud et à l'est), tandis que Braddaugh et Ransom iraient à l'hôtel Lane. C'est là que tout le monde devait se retrouver, au bout d'une heure, si personne ne réussissait entre-temps à mettre la main sur Dinsmore.

Ils avaient descendu la moitié de la rue Williams, lorsque Ransom subitement eut un doute. Et si Dinsmore avait jugé plus prudent de ne pas se faire voir à l'hôtel ? Peut-être avait-il préféré aller rue Montante ? De là, d'ailleurs, il lui était plus aisé de s'enfuir. Et puis, Carrie était chez elle, exposée à n'importe quelle violence de sa part.

« Allez seul à l'hôtel, dit Ransom à Braddaugh. Il est peut-être rue Montante. On ne sait jamais. »

Sur quoi il partit comme une flèche. Après avoir traversé au pas de course les entrepôts déserts, puis remonté l'avenue Lincoln, il déboucha dans l'avenue MacKinley. Elle était noire de monde. Ransom ralentit son allure, se mettant à scruter tous les visages pour voir s'il n'y apercevait pas par hasard celui de Dinsmore. Curieusement, sa course ne l'avait pas du tout essoufflé.

« Monsieur Ransom ! »

C'était la voix de Nate ; le gosse apparut au coin de la rue Grant ; il courait à fond de train, si vite qu'il ne réussit à s'arrêter que dans les bras de Ransom. « Je l'ai vu, dit-il suffoquant, il est... chez les... Lane.

— Cours rejoindre le marshal. Tu sais qui c'est, hein ? » Le gosse fit oui de la tête. « Il doit être à l'hôtel Lane. Dis-lui que je suis chez Mme Lane. Puis va voir le juge Jackson. Tu sais où il habite ? Oui ? Bien. Allez ! Cours ! »

Ransom lui aussi prit ses jambes à son cou et rejoignit directement le chemin de traverse qui menait à la colline. Lorsqu'il fut en vue de l'arrière de la maison, il quitta la chaussée, et se mit à progresser, en se cachant derrière les arbres, les arbustes ou les murs qui bordaient les jardins.

Les deux voitures automobiles étaient dans le garage : ça n'avait rien d'étonnant. Ces véhicules étaient trop lents et faisaient trop de bruit. Dinsmore ne pouvait s'enfuir qu'à cheval. Etait-il déjà parti ? Après s'être assuré qu'il n'y avait personne à côté des automobiles, Ransom traversa la cour d'un bond, et s'approcha de l'écurie sur la pointe des pieds, et toujours en cherchant à se cacher.

L'un des battants de la porte était entrouvert. Dinsmore était-il là-dedans ? Avait-il entendu arriver Ransom ? Un cheval s'ébroua. Puis plus rien. Ransom se glissa alors dans l'écurie et se jeta dans un coin. Mais il n'y avait personne, à part le cheval. Mais n'y en avait-il pas un autre ? Que Dinsmore aurait pu déjà prendre ? Ransom, pour en avoir le cœur net, ouvrit tout grand la porte de l'écurie (qui n'était pas visible de la maison). La lumière entra à flots. Non, il n'y avait qu'une seule stalle aménagée, un seul râtelier approvisionné. Et le cheval n'était pas sellé. Dinsmore devait donc se trouver encore dans la maison.

Mais je ne suis pas armé ! se dit-il tout à coup. Et je n'ai absolument rien pour me défendre. Que n'ai-je demandé à Braddaugh de me prêter un de ses pistolets ! Ransom tendit la main vers une fourche, puis se ravisa : c'était une idée absurde.

En ressortant, il referma la porte et poussa le verrou : de la sorte il faudrait plus de temps pour la rouvrir. Puis il se mit à ramper à travers les buissons qui montaient vers la maison. En arrivant sous le porche, il entendit un son bref, amorti, provenant de l'intérieur. Puis un autre, un peu plus métallique, cette fois.

Il se releva lentement pour regarder par la petite fenêtre latérale, sous laquelle il était accroupi : Dinsmore se trouvait à l'autre bout de la cuisine, debout, le tronc et la tête renversés en arrière, les bras tendus en avant et les poings posés sur une planche à découper la viande. En face de lui, Mme Ingram, brandissant une hache. Elle avait le visage altéré par la peur.

« Attention ! disait Dinsmore entre ses dents. Vise juste ! Un, deux, trois ! »

La hache s'abattit. Les menottes volèrent en éclats.

« Bravo, Harriet ! Je te félicite. Te voilà remontée dans mon estime », dit-il en se frottant les poignets. « Maintenant, ramasse les morceaux et cache-les. Et rappelle-toi bien que tu ne m'as pas vu. Compris ? »

Elle fit oui de la tête, timidement ; puis lui demanda : « Quand reviendras-tu ?

— Comment veux-tu que je le sache ? Peut-être la semaine prochaine. Ou peut-être jamais plus. Va chercher mes affaires ; allez, vite ! »

Il la poussa dans le couloir. Ransom les perdit de vue, et n'entendit plus que les pas rapides et lourds de la gouvernante montant à l'étage par l'escalier de service. Mais où était passé Dinsmore ? Et Carrie : était-elle ici, ou encore au ranch ?

Ransom se glissa sans bruit de l'autre côté du porche, et s'approcha près du bureau. C'est là sans doute que Dinsmore était allé, pour prendre de l'argent et tous autres documents utiles à sa fuite. Espérons, songea Ransom, que Braddaugh aura l'intelligence d'arriver par le chemin de traverse et sans faire de bruit. Il se retourna pour voir s'il arrivait. Personne. Or, il fallait au moins une personne armée pour empêcher Dinsmore de s'enfuir.

Mme Ingram était redescendue dans la cuisine avec un sac de voyage. Dinsmore la rejoignit, mit dans la poche de son veston un petit portefeuille de maroquin, puis s'approcha de la petite fenêtre pour voir si l'on venait. N'apercevant personne, il se retourna vers elle.

« Boucle-moi ce sac, et en vitesse ! Oh, je sais : tu ne demanderais pas mieux qu'ils me prennent. Pas vrai, Harriet ?

— Non, Frederick, je...

— Ne mens pas ! » dit-il en se plaçant contre elle ; et, la prenant par une natte, il lui tira la tête en arrière. « Tu es avec eux. » Il lui crachait presque au visage. « Toi aussi, sale garce ! » Il tira encore plus fort ; elle poussa un cri. « Tu mériterais que je te tue, si j'en avais le temps. » Il la lâcha et revint à la fenêtre. Puis ils disparurent tous les deux dans le couloir. « Allez, ramène-toi. Prends le sac. Je veux t'avoir à l'œil, tant que je ne serai pas en selle. »

Ransom jeta un coup d'œil vers le chemin. Toujours personne. Or, il fallait absolument empêcher Dinsmore de sortir de la maison. Mais comment ?

Ransom abandonna son poste d'observation, sous le porche, et se terra dans les buissons.

« Dinsmore ! » hurla-t-il.

La silhouette de l'homme disparut immédiatement de l'embrasure de la porte qui donnait sur le jardin.

« Dinsmore ! Tu es cerné ! »

Un léger déclic, provenant de la porte : Dinsmore avait armé son revolver.

« Rends-toi, Dinsmore ! Jette ton arme, et sors de là ! »

Ransom quitta les buissons et d'un bond se retrouva sous la petite fenêtre latérale ; il leva la tête lentement : Dinsmore se tenait dans le passage qui conduisait de la cuisine à l'extérieur. A côté de lui, Mme Ingram, les doigts serrés nerveusement au petit sac de voyage. Ransom retourna se cacher.

« Sors par la porte de service. Et jette d'abord ton arme ! Nous savons que tu es derrière cette porte, Dinsmore. Sors par ici. Si tu cherches à t'enfuir du côté de la rue, nous t'abattons comme un chien ! »

Ransom courut de nouveau à la petite fenêtre. Mme Ingram avait laissé tomber le sac. Dinsmore, lui tordant le bras dans le dos, la poussait vers la porte de service.

« Que fais-tu, Frederick ?

— Tais-toi et ne t'agite pas. Nous allons sortir ensemble.

— Mais ils vont nous tuer tous les deux !

— Non ! Ils ne peuvent pas risquer de te descendre, dit-il. Ne bouge plus ! » Il lui appliqua contre la nuque le canon du revolver.

Ransom entendit un cri derrière lui, en contrebas. Il fit volte-face. Braddaugh était dans la cour de l'écurie, avec deux autres hommes. Ransom leur fit signe de redescendre, puis courut les rejoindre, à mi-pente. Ils se cachèrent tous les quatre derrière la glacière.

« Où est-il ? demanda Braddaugh.

— A l'intérieur de la maison. Je lui ai déjà dit que la maison était complètement encerclée.

— Pourquoi ?

— Pour le dissuader de s'enfuir, parbleu ! »

Le juge, tout en noir comme d'habitude, apparut au bas du chemin et monta vers eux d'un pas rapide.

« Braddaugh, surveillez la porte de service. Et empêchez-le de sortir. »

Le marshal et ses deux hommes allèrent se poster à quelques mètres de la porte de la cuisine.

Le juge s'était fait accompagner par deux personnes, ayant chacune une paire de revolver. Ransom les envoya à Braddaugh, et les avertit que Dinsmore était armé. Puis il répéta à Jackson ce qu'il avait déjà dit au marshal. Mais, tandis qu'il lui exposait la situation, il vit accourir, toujours par la traverse, cinq ou six hommes guidés par Nate. Ransom les invita à venir vers lui d'un signe de la main.

Lorsque tous les nouveaux arrivants furent là, on monta vers la maison. Deux hommes furent envoyés du côté de la rue, avec ordre de surveiller la porte principale et de tirer à vue. Les autres firent escorte au juge qui se dirigea vers le porche d'un pas résolu, à découvert — alors qu'il n'était même pas armé.

« Ils sont là-dedans, maintenant ! » dit Braddaugh, montrant le grand jardin d'hiver. « Il a dû se rendre compte que nous étions en nombre. »

Ransom suivit le juge du côté de la serre. On ne voyait pas grand-chose à l'intérieur à cause de la végétation touffue qui se pressait contre les vitres.

« Dinsmore ! Je suis le juge Jackson. Ecoutez-moi bien.

Sortez et sans arme. Ou vous êtes un homme mort ! Le gouverneur de l'Etat m'a donné l'ordre de vous arrêter, mort ou vif. C'est compris ? Alors rendez-vous ; toute résistance de votre part est inutile. »

Pas de réponse. Aucun bruit ne provenait de la serre. Puis on entendit un fracas de poteries cassées et le souffle entrecoupé de personnes qui se battent.

Ransom et Jackson promenaient leur nez le long des vitres. Enfin, ils trouvèrent une petite ouverture dans l'épaisseur du feuillage.

Dinsmore avait renversé Mme Ingram, sur le gravier, au centre du jardin ; elle essayait de se relever. Sa joue gauche, sur laquelle elle passait sa main, était toute rouge et portait des traces d'ongles. Des débrits de pots de fleur jonchaient le sol autour d'elle.

Dinsmore l'avait laissée. Quand Ransom et le juge le découvrirent, un peu plus loin, ils restèrent bouche bée de surprise. Il était assis, sur le rebord d'un canapé de rotin, à côté de Carrie Lane. Elle avait la tête renversée contre le dossier ; Dinsmore l'étranglait d'un main et susurrait des mots en hâte à son oreille. De l'autre main, il braquait son revolver sur Mme Ingram, lui jetant des regards fugitifs de temps à autre.

« C'est Carrie », dit Ransom. Ses pires craintes s'étaient avérées. « Il est en train de la magnétiser. Il faut l'arrêter, le distraire, ou la distraire, d'une façon ou d'une autre. »

Il saisit le parapluie du juge et commença à donner des coups répétés contre la vitre avec le pommeau d'argent.

Lorsqu'ils l'avaient aperçue, elle avait les yeux à moitié fermés. Mais dès que Ransom se mit à frapper sur la vitre, ils s'ouvrirent ; son regard parcourait la serre pour découvrir d'où venait le bruit. Dinsmore resserra son étreinte et lui parla d'une voix plus forte.

« Braddaugh, ordonna le juge, essayez d'entrer là-dedans avec deux ou trois hommes.

— Vous voulez que je tire sur une des fenêtre ? suggéra l'un d'eux.

— Vous êtes fou ! C'est le meilleur moyen pour qu'il les tue toutes les deux », dit Jackson. Puis, haussant la voix : « Dinsmore ! Laissez ces femmes et sortez. Nous vous prendrons de toute façon. »

Mais Dinsmore continuait de parler à l'oreille de Carrie. Finalement, elle s'affala, flasque, sur le canapé. Alors il cessa de la serrer à la gorge et lui donna deux petites tapes sur les joues. Carrie reprit immédiatement ses esprits, ouvrit les yeux et se leva. Dinsmore lui mit le revolver dans la main droite.

« Mais que fait-il ? dit Jackson.

— Il l'a magnétisée, répliqua Ransom.

— Mais pourquoi fait-il cela ?

— Je n'en sais rien. Il a peut-être décidé de l'envoyer dehors, nous tirer dessus, à moins qu'il n'ait élaboré une autre ruse.

— Braddaugh et les autres sont déjà entrés ! vint dire Nate.

— Va-t'en d'ici, mon garçon ! Rentre chez toi ! Ta mère va m'écorcher vif s'il t'arrive quoi que ce soit. Allez, houste !

— Ransom ! » c'était la voix de Dinsmore.

L'attorney se retourna. Dinsmore, Carrie et Mme Ingram se dirigeaient l'un derrière l'autre vers la porte de sortie. On ne les apercevait que par intermittence, à cause de l'épaisse végétation. Un pas à peine séparait Dinsmore de Carrie. Elle tenait le revolver braqué contre la nuque de l'homme.

« Ransom ! répéta Dinsmore. M'entendez-vous ?

— Oui.

— Je vais sortir d'ici. Si un seul de vous bouge, ce sera le signal. Le signal, vous avez compris ? Et à ce signal elle me tuera. Est-ce clair ?

— Qu'est-ce qu'il fabrique ? demanda Jackson.

— Ransom. Ecoutez-moi ! Dès qu'elle aura fait feu, elle reviendra à elle. Et alors vous serez obligés de la considérer comme une criminelle. Qu'en pensez-vous ? Vous réjouirez-vous encore de ma mort ? Hein, Ransom ? Les gens pourront dire ou penser ce qu'ils voudront : elle sera quand même une criminelle, un assassin ! Alors, Ransom ! quelle est votre décision ?

— Mais qu'est-ce qu'il raconte ? demanda quelqu'un.

— Il nous place devant un problème de conscience », marmonna Ransom, amèrement. Puis, haussant de nouveau la voix : « Dinsmore ! Ce n'est pas à moi de décider, mais au juge Jackson, qui est ici, dans l'exercice de ses fonctions. C'est à lui que vous devez vous adresser.

— Jackson ou vous : qu'est-ce que ça change ? Pour moi, c'est pareil. Alors, vous vous décidez ? Dépêchez-vous. Je suis sur le point de sortir. Et j'ai l'intention d'aller à l'écurie, de seller le cheval et de partir. Voilà. C'est clair ?

— Dès qu'ils seront sortis, dit Jackson à voix basse, poussez-la de côté et emparez-vous du revolver. Je le veux vivant.

— Dinsmore ! cria Ransom. Sortez sans crainte. Nous vous laissons partir. »

La porte vitrée de la serre fut ouverte d'un grand coup de pied. Deux carreaux de verre se brisèrent en morceaux. Dinsmore apparut ; derrière sa nuque brillait le canon du revolver que Carrie continuait de braquer sur lui. Mme Ingram s'était immobilisée au milieu des plantes ; elle avait les deux mains jointes à hauteur du visage et semblait prier. Dinsmore et Carrie commencèrent à descendre les trois degrés de pierre.

« C'est le moment ! » susurra Jackson.

Ramson bondit et poussa Carrie de côté. Elle alla dinguer en virevoltant contre les buissons, mais reprit immédiatement son équilibre. Ransom, ne l'ayant touchée que de biais, s'étala de tout son long.

Cinq ou six hommes se jetèrent sur Dinsmore. Celui-ci résista un instant, puis s'arrêta, voyant que Carrie avait toujours le revolver en main.

« Eh bien ! » dit-il, s'adressant à Ransom ; « j'ai l'impression que je vais encore devoir vous faire quelques concessions !

— Emparez-vous de ce revolver », ordonna Jackson.

Ransom porta les mains vers Carrie, mais elle se déroba, puis se mit à reculer en menaçant tout le monde de son arme. Elle les observait tous d'un air méfiant, farouche, comme une bête aux abois.

« Donnez-moi cette arme », dit gentiment Ranson. Chacun de ses mots pouvait être le signal, déclencher la réaction qui ferait d'elle une criminelle. « Donnez-moi cette arme », répéta-t-il, allant vers elle à pas de loup, sûr désormais que cette phrase, au moins, pouvait être prononcée sans provoquer l'irréparable.

« N'approchez pas, dit-elle ; restez tous où vous êtes. »

Tous ceux qui ne tenaient pas Dinsmore avaient resserré le cercle autour d'elle. Ransom leur fit signe de s'écarter. Mais lui resta à sa place, attendant la première occasion de se saisir de l'arme.

« Vous avez vu, Ransom, dit Dinsmore en riant, la femme de votre vie ? J'en ai fait un automate. Je l'ai toujours dominée, moi ; et elle m'obéira jusqu'à la mort ! Allez ! ma chérie ; viens ! »

Elle s'avança, le revolver braqué contre Dinsmore, visant au cœur.

« Allons, Carrie ! » répéta Dinsmore, sur un ton doux et enjôleur. Le silence était absolu. Tout le monde semblait pétrifié. « Fais ce que je t'ai dit de faire, tout à l'heure. » Il lui souriait, lui lançait des regards amoureux.

La main de Carrie hésita un instant.

« Viens m'embrasser », dit-il.

Personne ne bougeait.

« Viens m'embrasser », répéta-t-il d'une voix suppliante. « Embrasse-moi, puis tue-moi, mon amour. »

Elle restait immobile.

« Embrasse-moi, j'ai dit ! » ordonna-t-il.

Cette fois, elle éclata de rire. Un rire si rauque, si caverneux, si cassé qu'il ne semblait pas sortir d'elle. Puis elle lui dit : « Vous embrasser, vous ? Je ne le ferai jamais de ma propre volonté. Quant à mettre fin de mes propres mains à votre vie abjecte, c'est une satisfaction que je refuse de vous accorder. »

Elle jeta l'arme sur l'herbe à ses pieds.

« Vous voyez, dit-elle, s'adressant à Ransom. Je vous l'avais bien dit, qu'il ne peut plus me magnétiser. » Elle partit d'un nouvel éclat de rire.

« Je n'y comprends rien », dit l'autre, stupéfié par cette volte-face soudaine. « Car vous en aviez l'air. Pourquoi sinon lui avez-vous obéi ?

— Pour le faire sortir de la maison, l'amener ici et le remettre entre vos mains. C'est la première raison. Mais je voulais voir aussi quelles seraient vos réactions.

— Mes réactions ?

— Eh oui ! Il vous a bien placé devant une alternative, n'est-ce pas ?

— Pour moi, mon choix était déjà fait. »

Derrière eux, le juge, le marshal et les autres s'occupaient de nouveau de Dinsmore. On lui avait repassé les menottes.

« Quoi que vous m'ayez dit, continua Ransom, tandis que tous deux s'éloignèrent du groupe, je savais que vous ne seriez jamais libre, tant que lui le serait. Je ne voulais pas prendre de risques. Mais je n'aurais jamais pensé que cela vous exposerait de nouveau à de tels périls. »

Elle le regardait en se taisant ; son visage était toujours aussi maigre ; mais dans ses yeux, encore hagards, une lueur indiquait qu'elle était revenue à la vie.

« J'aurais dû le tuer, dit-elle subitement, d'une voix

amère. Pour tout ce qu'il m'a fait. J'aurais affronté d'un cœur léger le procès, la prison, la mort, s'il l'avait fallu.

— Or, vous ne l'avez pas fait. Alors que vous auriez très bien pu faire croire que vous l'aviez tué par suggestion.

— Oui, mais ce qu'il a dit est vrai. Vous n'auriez jamais pu penser à moi sans penser en même temps que je l'avais tué. Et moi, je n'aurais jamais pu oublier cet acte. »

Un tapage soudain les fit se retourner. Dinsmore, malgré les menottes, se débattait et appelait Mme Ingram.

« Harriet ! Tu te caches maintenant que j'ai besoin de toi ?!

— Emmenez-le, ordonna Jackson.

— Harriet ! »

Mme Ingram, comme un éclair, se précipita hors de la serre, et ramassa le revolver.

De nouveau, tout le monde se figea.

« Aide-moi, Harriet. Il ne faut pas qu'il me prennent. Aide-moi, s'il te plaît. St tu m'as jamais aimé, fais-le ! »

Sans hésiter une seconde, elle lui déchargea cinq balles dans la poitrine. Le sang jaillit, comme l'eau d'une outre perforée.

Les hommes qui le tenaient le lâchèrent. Il s'affaissa sur le sol, la tête renversée ; un sourire errait encore sur ses jolies lèvres et le ciel se reflétait dans ses yeux ouverts.

Quelqu'un prit le revolver des mains de Mme Ingram. Elle n'opposa aucune résistance. La tête baissée, elle regardait fixement, stupidement, la masse sanglante affalée à ses pieds.

« Comme elle a dû l'aimer ! » dit Carrie tristement, tandis que tous subitement se reprenaient, entouraient Mme Ingram, et s'organisaient pour l'emmener, ainsi que le cadavre.

Le remue-ménage dura encore cinq bonnes minutes. Puis l'arrière-cour se vida. Ransom et Carrie se retrouvèrent soudain tout seul. Sans ces tâches rouges, dans l'herbe, on aurait pu croire que rien ne s'était passé.

Lorsque les dernières personnes qui entouraient le chariot sur lequel on emportait le corps de Dinsmore eurent quitté la propriété, Carrie fit demi-tour et gravit lentement les marches.

Il l'appela. Elle se retourna vers lui. Ses yeux exprimaient une immense lassitude.

«Eh bien, ça y est...» dit-il, sur un ton peu affirmatif.

Elle regarda, au loin, le chemin de terre, puis, fixant la pelouse ensanglantée : « Vous avez obtenu ce que vous vouliez, n'est-ce pas ? Il est mort. Elle n'est plus là. Et moi, je suis sauvée. Cela ne vous suffit pas ?

— Non.

— Je suis très fatiguée, dit-elle en soupirant. Cette journée m'a épuisée. Il faut que je me repose. »

Ces mots tombèrent sur lui comme une sentence de mort.

« Eh oui, dit-il, si bas qu'il s'entendait à peine lui-même. Allez vous reposez. Bientôt vous irez mieux ; il le faut. »

Il ramassa son chapeau — ce chapeau qui était tombé avec lui, lorsqu'il avait poussé Carrie pour l'empêcher de tuer Dinsmore —, l'épousseta, et, sans se retourner, commença à descendre. Les oiseaux gazouillaient gaiement. Mais le parfum du chèvrefeuille, qui emplissait l'air autour de lui, lui sembla cette fois un écœurant mélange de douceâtre et d'amer.

Il était presque arrivé au niveau de la glacière lorsqu'elle l'appela. Elle se tenait toujours sur les marches. Sans aucun espoir, sans aucune ardeur, il remonta vers elle.

« Que vous êtes tenace ! » dit-elle en souriant légèrement. « Eh bien, qu'il en soit ainsi. Passez me voir, si vous voulez, monsieur, avant de repartir pour New York. »

Ce revirement — cette grâce — était tellement inattendu que Ransom en resta bouche bée ; trop de questions se pressaient à la fois dans son esprit.

« Demain, si vous voulez, dit-elle. A trois heures. Nous prendrons le thé. Cela ira ?

— Oui », répondit-il d'une voix neutre. Son bonheur était trop grand. « Oui. C'est parfait.

— Au revoir alors ; à demain. »

En redescendant vers le chemin, Ransom cueillit une petite grappe de chèvrefeuille fleuri et la mit à sa boutonnière. Qu'il semblait loin encore, ce lendemain après-midi !

ACHEVÉ D'IMPRIMER
SUR LES PRESSES DES
ETS DIGUET-DENY
IMPRIMEUR-RELIEUR
PARIS - BRETEUIL-SUR-ITON

Dépôt légal : 1er trimestre 1979. — No d'impression 1934